TODA LUZ QUE NÃO PODEMOS VER

Anthony Doerr

Toda luz que não podemos ver

TRADUÇÃO DE MARIA CARMELITA DIAS

Copyright © 2014, Anthony Doerr

TÍTULO ORIGINAL
All the Light We Cannot See

REVISÃO
Bruna Cezario
Clarissa Peixoto
Juliana Pitanga
Marcela Lima

DIAGRAMAÇÃO
editoríarte

CIP-BRASIL. CATALOGAÇÃO-NA-FONTE
SINDICATO NACIONAL DOS EDITORES DE LIVROS, RJ

D673t

Doerr, Anthony
    Toda luz que não podemos ver / Anthony Doerr ; tradução Maria Carmelita Dias. – 1. ed. – Rio de Janeiro : Intrínseca, 2015.

    528 p. ; 23 cm.
    Tradução de: All the light we cannot see
    ISBN 978-85-8057-697-9

    1. Ficção americana. I. Dias, Maria Carmelita. II. Título.

15-19529.   CDD: 813
                                        CDU: 821.111(73)-3

[2015]
Todos os direitos desta edição reservados à
EDITORA INTRÍNSECA LTDA.
Av. das Américas, 500, bloco 12, sala 303
22640-904 – Barra da Tijuca
Rio de Janeiro – RJ
Tel./Fax: (21) 3206-7400
www.intrinseca.com.br

Para Wendy Weil
1940-2012

Em agosto de 1944, a histórica cidade murada de Saint-Malo, a joia mais esplendorosa da Costa da Esmeralda, na Bretanha, França, foi quase totalmente destruída pelo fogo... Das 865 construções no interior das muralhas, apenas 182 permaneceram de pé, e todas sofreram algum tipo de dano.

— Philip Beck

Não fosse pelo rádio, seria impossível para nós tomar e exercer o poder da maneira como fizemos.

— Joseph Goebbels

Zero

7 DE AGOSTO DE 1944

Folhetos

Ao anoitecer, eles jorram do céu. Pairam acima das muralhas, fazem acrobacias sobre os telhados, esvoaçam nos espaços entre as casas. Dançam em redemoinhos que preenchem ruas inteiras, salpicam de branco as pedras do pavimento. "Mensagem urgente para os habitantes desta cidade", dizem. "Partam imediatamente para o campo aberto."

A maré sobe. A lua pende pequena, amarela e quase cheia. Nos telhados dos hotéis à beira-mar, ao leste, e nos jardins atrás deles, meia dúzia de unidades de artilharia norte-americanas desliza bombas incendiárias pelas bocas dos morteiros.

Bombardeiros

Eles atravessam o Canal à meia-noite. São doze, batizados com nomes de canções: "Stardust" e "Stormy Weather" e "In the Mood" e "Pistol-Packin'Mama". Muito abaixo, o mar os acompanha atravessado por incontáveis faixas de espuma branca. Em pouco tempo, o luar permite discernir uma calosidade formada por ilhas agrupadas ao longo do horizonte.

A França.

Comunicadores estalam. Meticulosamente, quase com preguiça, os aviões de bombardeio diminuem a altitude. Fachos de luz vermelha ascendem de baterias antiaéreas espalhadas pela costa. Navios devastados emergem das sombras, danificados ou destruídos, um deles com a proa ceifada, outro fulgurando em chamas. Em uma ilha mais afastada, ovelhas em pânico ziguezagueiam por entre as pedras.

Dentro de cada aeronave, um artilheiro observa pela mira de um visor e conta até vinte. Quatro cinco seis sete. Para os pilotos, a cidade murada em seu promontório de granito, cada vez mais próxima, se parece com um dente podre, profano e perigoso, pronto para ser arrancado.

A GAROTA

Em uma esquina da cidade, no sexto e último piso de uma construção alta e estreita — Rue Vauborel, número 4 —, uma garota cega de dezesseis anos chamada Marie-Laure LeBlanc está de joelhos no chão, inclinada sobre uma mesa baixa inteiramente tomada por uma maquete. A miniatura reproduz a cidade dentro da qual ela está ajoelhada e contém réplicas em escala das centenas de casas, lojas e hotéis dentro das suas muralhas. Há a catedral, com seu pináculo perfurado, e o robusto e velho Château de Saint-Malo, além de filas e filas de mansões à beira-mar coroadas com chaminés. Um delgado quebra-mar de madeira se projeta em curva a partir de uma praia chamada Plage du Môle; um átrio delicado surge no entrecruzamento dos corredores do mercado de peixes; bancos minúsculos, menores que uma semente de maçã, pontilham as pequeninas praças públicas.

Marie-Laure desliza os dedos ao longo do parapeito de um centímetro de largura que encima as muralhas, uma estrela irregular que contorna toda a maquete. Ela encontra a abertura sobre as muralhas na qual quatro canhões cerimoniais apontam para o mar.

— Bastion de la Hollande — murmura a garota, e os dedos descem uma pequena escada. — Rue des Cordiers. Rue Jacques Cartier.

Em um canto do quarto estão dois baldes de metal com água até a borda. Encha-os, ensinara seu tio-avô, sempre que puder. A banheira no terceiro andar também. Quem sabe quando vai faltar água de novo?

Os dedos da garota voltam ao pináculo da catedral. Ao sul para o Portão de Dinan. Ela vem movimentando os dedos pelo modelo durante toda a tarde, à espera de seu tio-avô Etienne, o dono daquela enorme casa, que saiu na noite anterior enquanto ela dormia e ainda não retornou. E agora é noite novamente, outra volta do relógio, e o quarteirão inteiro está silencioso, e ela não consegue dormir.

Ela ouve os bombardeiros a cinco quilômetros de distância. Uma estática crescente. O ruído dentro de uma concha.

Quando levanta a vidraça da janela do quarto, o barulho dos aviões se torna mais alto. Exceto isso, a noite está ameaçadoramente silenciosa: nenhum motor, nenhuma voz, nenhum ruído. Nenhuma sirene. Nenhum passo no pavimento de pedras. Nem mesmo as gaivotas. Apenas a maré alta, a um quarteirão de distância e seis andares abaixo, batendo contra a base das muralhas da cidade.

E algo mais.

Algo que farfalha suavemente, muito próximo. Ela abre a veneziana esquerda da janela e desliza os dedos pelas lâminas da veneziana direita. Um pedaço de papel está alojado ali.

Ela o leva até o nariz. Tem cheiro de tinta fresca. Talvez de gasolina. O papel está seco; não está ali há muito tempo.

Marie-Laure hesita na janela, os pés calçados em meias, o quarto atrás de si, conchas arrumadas no alto do guarda-roupa, pedrinhas enfileiradas nos rodapés. A bengala dela está no canto; seu grande romance em braille espera em cima da cama com as páginas viradas para baixo. O ruído dos aviões aumenta.

O RAPAZ

Cinco ruas ao norte, Werner Pfennig, um recruta alemão de dezoito anos e cabelos brancos, acorda com um leve ruído ritmado. Pouco mais do que um ronronar. Moscas batendo contra a vidraça de uma janela.

Onde ele está? O odor doce, químico, de óleo lubrificante; a madeira nova de caixotes recém-construídos; o cheiro de naftalina entranhado em lençóis velhos — ele está no hotel. Mas é claro. L'Hôtel des Abeilles, o Hotel das Abelhas.

Ainda é noite. Ainda é cedo.

Assobios e estrondos vêm do mar; a artilharia antiaérea está subindo.

Um cabo do grupo antiaéreo segue às pressas pelo corredor, dirigindo-se para a escadaria.

— Vá para o porão — grita sobre o ombro, e Werner acende a lanterna, enrola o cobertor para guardá-lo na bolsa de lona e começa a descer para o saguão.

Há não muito tempo, o Hotel das Abelhas era um local alegre, com janelas de um azul vivo na fachada, ostras sobre o gelo em seu bistrô e garçons bretões de gravatas-borboletas lustrando os copos atrás do balcão. Oferecia vinte e um quartos, uma vista grandiosa para o mar e uma lareira do tamanho de um caminhão no saguão. Os parisienses tomavam drinques ali em seu tempo livre no fim de semana, e, antes deles, os eventuais emissários da República — ministros e vice-ministros, abades e almirantes —, e, nos séculos anteriores, navegantes com a pele curtida: matadores, saqueadores, piratas, marinheiros.

Antes disso, mesmo antes de ser um hotel, exatamente cinco séculos atrás, era a casa de um rico corsário, que abandonou a vida de pilhagem para estudar abelhas nos pastos ao redor de Saint-Malo, rabiscando anotações em cadernos e comendo mel direto dos favos. Os lintéis de carvalho das portas ainda exibem os zangões entalhados; a fonte coberta de hera no pátio tem o formato de uma colmeia. Os favoritos de Werner são cinco afrescos desbotados no teto dos aposentos de luxo do andar superior, onde abelhas do tamanho de crianças flutuam em contraste com um fundo azul, grandes zangões preguiçosos e operárias com asas translúcidas — aposentos nos quais, acima de uma banheira hexagonal, uma abelha rainha solitária de quase três metros, com vários olhos e um abdômen de pelugem dourada, se contorce no teto.

Nas últimas quatro semanas, o hotel se transformou em algo totalmente diferente: uma fortaleza. Um destacamento da equipe antiaérea austríaca fechou com tábuas cada janela, revirou cada cama. Reforçaram a entrada, abarrotaram a escadaria com caixotes de munição. O quarto andar do hotel, cujas sacadas ajardinadas estão voltadas para as muralhas, tornou-se o ponto de apoio de um desgastado canhão antiaéreo calibre 88 de alta velocidade, capaz de disparar projéteis de dez quilos a uma distância de quinze quilômetros.

"Sua Majestade" é como os austríacos chamam o canhão, e na semana que passou os homens cuidaram dele com a mesma dedicação que abelhas operárias dispensariam a uma rainha. Proveram-no com óleo, repintaram o cano, lubrificaram as engrenagens; dispuseram sacos de areia aos pés da arma como se fossem oferendas.

O régio *acht-acht*, o letal monarca 88, cuja função era protegê-los todos.

Werner está na escadaria, a meio-caminho para o térreo, quando o 88 dispara duas vezes em sequência rápida. É a primeira vez que ele ouve o canhão de tão perto, e soou como se metade do telhado do hotel tivesse desabado. Ele cambaleia e protege a cabeça com os braços. O tremor propaga-se pelas paredes em direção à fundação e depois retorna aos andares superiores.

Werner consegue ouvir os austríacos movimentando-se dois pisos acima, recarregando o canhão, e o zumbido alto dos dois projéteis diminuindo à medida que arremetem acima do oceano, já a três ou quatro quilômetros de distância. Um dos soldados, percebe Werner, está cantando. Ou talvez seja mais de um. Talvez todos estejam cantando. Oito homens da Luftwaffe — nenhum resistirá à próxima hora — cantando uma ode à sua rainha.

Werner segue o facho de luz de sua lanterna pelo saguão. O grande canhão detona uma terceira vez, um vidro se espatifa próximo dali, torrentes de fuligem trepidam pela chaminé afora e as paredes do hotel reverberam como um sino. Werner teme que o barulho arranque seus dentes.

Escancara a porta do porão e faz uma pausa por um instante, a visão mareada.

— É chegada a hora? — pergunta. — Eles estão realmente vindo?

Mas quem está lá para responder?

Saint-Malo

Por toda a cidade, a população remanescente acorda, grunhe, suspira. Solteironas, prostitutas, homens acima dos sessenta anos. Procrastinadores, colaboradores, céticos, bêbados. Freiras de todas as ordens. Os pobres. Os teimosos. Os cegos.

Alguns correm para os abrigos antibombas. Alguns dizem para si mesmos que não passa de um mero exercício militar. Outros se demoram na busca por um cobertor, um livro de orações ou um baralho.

O Dia D aconteceu há dois meses. Cherbourg foi libertada, Caen, libertada, Rennes, também. Metade do oeste francês está livre. No Leste Europeu, os soviéticos retomaram Minsk; o Exército Clandestino Polonês se revolta em Varsóvia; alguns jornais reuniram coragem suficiente para sugerir que a maré havia mudado.

Mas não aqui. Não nesta última cidadela no extremo do continente, este último ponto de defesa alemão na costa bretã.

Aqui, segundo os cochichos, os alemães reformaram dois quilômetros de corredores subterrâneos sob as muralhas medievais; construíram novas fortificações, novos dutos, novas rotas de fuga, complexos impressionantemente intricados sob a superfície. Por baixo do forte peninsular de La Cité, do outro lado do rio em relação à cidade antiga, há depósitos de medicamentos, depósitos para munições e até um hospital subterrâneo, ou pelo menos é nisso que as pessoas acreditam. Há ar-condicionado, uma cisterna de água de duzentos mil litros, uma linha direta para Berlim. Há armadilhas equipadas com lança-chamas, uma rede de casamatas com visão periscópica; eles estocaram artilharia suficiente para disparar projéteis em direção ao mar o dia todo, todos os dias, durante um ano.

Aqui, cochicham, existem mil alemães prontos para morrer. Ou cinco mil. Talvez mais.

Saint-Malo: a água costeia a cidade em quatro lados. Sua ligação com o restante da França é tênue: uma ponte, uma restinga, uma língua de areia. Somos cidadãos de Saint-Malo em primeiro lugar, dizem os moradores. Depois, bretões. Franceses, em última alternativa.

Sob a luz da tempestade, seu granito brilha azul. Nas marés mais altas, o mar se arrasta até os porões do centro da cidade. Nas marés mais baixas, as balizas de mil navios naufragados, cobertas de mariscos, despontam na superfície do mar.

Em três mil anos, este pequeno promontório já vivenciou outros cercos.

Mas nunca como este.

Uma avó carrega uma criança irrequieta no colo. Um bêbado, urinando em uma ruela nos arredores de Saint-Servan, a um quilômetro e meio de distância, arranca uma folha de papel de um arbusto. "Mensagem urgente para os habitantes desta cidade", está escrito na folha. "Partam imediatamente para o campo aberto."

Baterias antiaéreas se iluminam nas ilhas próximas, os grandes canhões alemães na velha cidade emitem uma nova leva de disparos bradados sobre o mar e trezentos e oitenta franceses aprisionados no Fort National, uma ilha-fortaleza a quatrocentos metros da praia, se amontoam perscrutando os céus em um pátio iluminado pelo luar.

Quatro anos de Ocupação, e o estrondo de bombardeiros chegando é o estrondo de quê? Libertação? Extermínio?

O claque-claque dos tiros de pequenas armas. O ribombar da artilharia antiaérea. Uma dezena de pombos empoleirados no pináculo da catedral desce em queda livre e alça voo em direção ao mar.

Rue Vauborel, número 4

Marie-Laure LeBlanc está sozinha em seu quarto, sentindo o cheiro de um folheto que ela não consegue ler. As sirenes soam. Ela fecha as venezianas e verifica o trinco da janela. A cada segundo, os aviões se aproximam mais; cada segundo é um segundo perdido. Ela deveria descer correndo. Deveria ir até a cozinha, onde um pequeno alçapão se abre para um porão cheio de poeira, tapetes comidos por ratos e baús antigos, que estão fechados há muito tempo.

Em vez disso, ela retorna para a mesa aos pés da cama e se ajoelha ao lado da maquete da cidade.

Novamente seus dedos encontram as muralhas, o Bastion de la Hollande, a pequena escada que leva para a rua. Nesta janela, na cidade real, uma mulher bate o tapete todo domingo. Desta outra, um garoto certa vez gritou "Olhe por onde anda, por acaso é cega?".

As vidraças das janelas chacoalham nas casas. As armas antiaéreas disparam outra salva de tiros. Faz a terra girar um pouco mais depressa.

Por baixo dos dedos, a miniatura da Rue d'Estrées cruza com a miniatura da Rue Vauborel. Os dedos dela viram à direita; passam levemente por cada porta. Um dois três. Quatro. Quantas vezes ela já fez isso?

Número 4: a casa alta, como um ninho abandonado, de seu tio-avô Etienne. Onde ela mora há quatro anos. Onde ela está de joelhos, sozinha, no sexto andar, enquanto uma dúzia de bombardeiros norte-americanos ruge em sua direção.

Ela pressiona para dentro a pequenina porta da frente, uma lingueta oculta se solta, e a casinha é içada da maquete. Na mão dela, tem o tamanho aproximado do maço de cigarros do pai.

Agora os bombardeiros estão tão próximos que o chão começa a pulsar sob os seus joelhos. Na sala de estar, os pingentes de cristal do lustre repicam. Marie-Laure torce a chaminé da casa em miniatura noventa graus. Depois desmonta o telhado da casa arrastando seus três painéis de madeira e a vira de cabeça para baixo.

Uma pedra cai na palma de sua mão.

Está fria. Do tamanho de um ovo de pomba. Do formato de uma lágrima.

Marie-Laure segura a pequenina casa em uma das mãos e a pedra na outra. O quarto tem um ar de fragilidade, inconsistência. Parece que dedos gigantescos estão prestes a atravessar as paredes.

— Papa? — sussurra ela.

Porão

O porão do corsário foi escavado no leito da rocha logo abaixo do saguão do Hotel das Abelhas. Por trás de caixotes, armários e painéis para ferramentas, as paredes são de granito puro. Sustentam o teto três imensas vigas derrubadas manualmente, arrastadas de alguma antiga floresta bretã séculos atrás com o auxílio de cavalos.

Uma única lâmpada deixa todo o espaço em uma penumbra bruxuleante.

Werner Pfennig se senta em uma cadeira dobrável na frente de uma bancada, verifica o nível da bateria e coloca fones de ouvido. O rádio é um transmissor-receptor revestido de aço, com uma antena que lhe possibilita se comunicar com um aparelho semelhante no andar de cima, com duas outras baterias antiaéreas dentro dos muros da cidade e com as tropas na guarnição subterrânea do outro lado da foz do rio.

O aparelho range enquanto aquece. No fone, um sentinela lê as coordenadas, e um soldado da artilharia as repete. Werner esfrega os olhos. Por trás dele, tesouros confiscados estão entulhados até o teto: tapeçarias enroladas, relógios de pêndulo, guarda-roupa e gigantescas pinturas de paisagens com finas linhas de craquelê. Em uma prateleira do outro lado, há oito ou nove bustos em gesso, cujo propósito ele não consegue imaginar.

O robusto sargento Frank Volkheimer desce a estreita escada de madeira e meneia a cabeça para desviar da viga no teto. Sorri gentilmente para Werner, acomoda-se em uma poltrona de encosto alto forrada de seda dourada e coloca o rifle sobre as enormes coxas, onde a arma fica parecendo um bastão.

— Está começando? — pergunta Werner.

Volkheimer aquiesce. Ele desliga a lanterna e pisca seus estranhamente delicados cílios na escuridão.

— Quanto tempo vai demorar?

— Não muito. Estamos seguros aqui embaixo.

O engenheiro, Bernd, é o último a chegar. É um homem pequeno e estrábico com cabelo castanho-claro. Fecha a porta do porão atrás de si, travando-a com uma barra, e se senta no meio da escada de madeira com uma expressão indiferente no rosto, medo ou confiança, difícil dizer.

Com a porta fechada, o som das sirenes se abranda. Acima deles, a lâmpada do teto fica tremeluzindo.

Água, pensa Werner. Esqueci a água.

Uma segunda bateria antiaérea abre fogo de um canto distante da cidade, e então o 88 no quarto andar dispara novamente, estentóreo, fatal, e Werner escuta o projétil gritar pelo céu. Uma chuva de poeira cai do teto chiando. Pelos fones de ouvido, Werner pode ouvir que os austríacos ainda estão cantando.

"...*auf d'Wulda, auf d'Wulda, da scheint d'Sunn a so gulda*..."

Volkheimer esfrega distraidamente uma mancha da calça. Bernd sopra nas mãos em concha. O rádio capta ruídos provocados pela velocidade, força e trajetória do vento. Werner relembra dos tempos em sua terra natal: Frau Elena curvada sobre os sapatinhos dele, fazendo laços duplos em cada um dos pés. As estrelas orbitando pela janela do sótão. Sua irmã caçula, Jutta, com uma colcha sobre os ombros e um fone de rádio pendendo da orelha esquerda.

Quatro andares acima, os austríacos alimentam com mais um projétil a culatra do 88, verificam novamente o giro horizontal e tapam os ouvidos quando o canhão dá o tiro, mas no porão Werner só ouve as vozes do rádio de sua infância. "A Deusa da História escarnece os mortais. Apenas pelas chamas mais quentes a purificação pode ser atingida." Ele vê uma floresta de girassóis morrendo. Vê uma bando de pássaros explodir em revoada de uma árvore.

Bombas ao longe

Dezessete dezoito dezenove vinte. O mar corre por baixo dos visores. E então os telhados das casas. Duas aeronaves menores delineiam um corredor com fumaça, e o bombardeiro líder despeja toda a sua carga, e outros onze seguem o exemplo. As bombas caem em diagonal; os bombardeiros ganham altitude e se misturam.

O céu fica pontilhado de preto. O tio-avô de Marie-Laure, trancado com centenas de outras pessoas dentro dos muros do Fort National, a cerca de quatrocentos metros da praia, vê a cena com os olhos semicerrados e pensa "Gafanhotos", e a lembrança de um provérbio do Antigo Testamento aprendido durante o catecismo ressurge empoeirada: "Os gafanhotos, que não têm rei, contudo, avançam juntos em fileiras."

Uma horda demoníaca. Sacas de feijão emborcadas. Uma centena de terços quebrados. Existem milhares de metáforas, e todas elas são inadequadas: quarenta bombas por aeronave, quatrocentas e oitenta no total, mais de trinta e dois mil quilos de explosivos.

Uma avalanche desce sobre a cidade. Um furacão. Xícaras de chá são arremessadas das prateleiras. Pinturas caem das paredes. Em milésimos de segundo, as sirenes tornam-se inaudíveis. Tudo se torna inaudível. O estrondo é alto demais, a ponto de romper os tímpanos.

As armas antiaéreas deixam voar seus últimos projéteis. Doze bombardeiros dão meia-volta, intactos, na noite azul.

No sexto andar do número 4 da Rue Vauborel, Marie-Laure rasteja para baixo da cama e aperta contra o peito a miniatura da casa e a pedra.

No porão do Hotel das Abelhas, a única lâmpada no teto se apaga.

Um
―
1934

Museu Nacional de História Natural

Marie-Laure LeBlanc é uma menina alta e sardenta de seis anos de idade e com a visão em rápido processo de deterioração quando o pai lhe envia a um passeio de crianças pelo museu em que ele trabalha em Paris. O guia é um guarda velho e corcunda de estatura quase infantil. Ele bate a ponta da bengala no chão para pedir atenção e depois conduz dos jardins às galerias as doze crianças sob seu encargo.

O grupo observa engenheiros usando roldanas para levantar o fêmur fossilizado de um dinossauro. Eles veem uma girafa empalhada em uma vitrine, pedaços de pele se soltando das costas. Espiam gavetas de taxidermistas cheias de penas, garras e olhos de vidro; folheiam lâminas de herbário de duzentos anos, embelezadas por orquídeas, margaridas e ervas.

Em seguida, sobem dezesseis degraus até a Galeria de Mineralogia. O guia lhes mostra uma ágata do Brasil, ametistas púrpura e um meteorito em um pedestal que ele alega ser tão antigo quanto o próprio sistema solar. Depois, conduz as crianças em fila indiana até uma escada em espiral, desce dois lances, atravessa diversos corredores e para diante de uma porta de metal com uma única fechadura.

— Fim da excursão — diz ele.

— Mas o que tem ali? — pergunta uma garota.

— Atrás desta porta tem outra porta trancada, um pouco menor.

— E o que tem atrás dela?

— Uma terceira porta trancada, menor ainda.

— E atrás dessa?

— Uma quarta porta, e uma quinta, e assim sucessivamente até você atingir a décima terceira, uma pequena porta trancada, menor que um sapato.

As crianças se inclinam para a frente.

— E depois?

— Atrás da décima terceira porta — o guia gesticula com uma das mãos incrivelmente enrugadas — está o Mar de Chamas.

Perplexidade. Inquietação.

— Acalmem-se. Nunca ouviram falar do Mar de Chamas?

As crianças negam com a cabeça. Marie-Laure olha de soslaio para as lâmpadas suspensas no teto, a três metros de distância uma da outra; vê uma auréola arco-íris girando ao redor de cada uma delas.

O guia pendura a bengala no pulso e esfrega as mãos.

— É uma longa história. Querem ouvir uma longa história?

As crianças fazem um gesto afirmativo com a cabeça.

Ele pigarreia.

— Há muitos séculos, em um lugar que agora se chama Bornéu, um príncipe arrancou uma pedra azul do leito de um rio seco porque a achou bonita. Mas, ao voltar para o palácio, o príncipe foi atacado por homens a cavalo e apunhalado no coração.

— Apunhalado no coração?

— Isso é verdade?

— Sshh — faz um garoto.

— Os ladrões roubaram suas joias, seu cavalo, tudo. Mas, como segurava com muita força a pequena pedra azul, eles não a descobriram. E o príncipe moribundo conseguiu rastejar para casa. Então ele ficou inconsciente por dez dias. No décimo dia, para a surpresa das enfermeiras, ele se sentou, abriu a mão e lá estava a pedra.

"Os médicos do sultão afirmaram que havia sido um milagre, que o príncipe nunca teria sobrevivido a um ferimento tão grave. As enfermeiras disseram que a pedra devia ter poderes de cura. Os joalheiros do sultão disseram algo mais: que a pedra era o maior diamante bruto já visto. O lapidador mais talentoso do império passou oito dias facetando-o e, quando terminou, a gema era de um azul brilhante, o azul dos mares tropicais, com um toque de vermelho no centro, como chamas dentro de uma gota de água. O sultão mandou que incrustassem o diamante em uma coroa para o príncipe. Reza a lenda que, quando o príncipe se sentava no trono e a luz do dia o atingia, ele se tornava tão ofuscante quanto os raios de sol, e os visitantes não conseguiam distinguir sua figura da luz propriamente dita.

— Tem certeza de que isso é verdade? — pergunta uma garota.

— Sshh — manda o garoto.

— A pedra ficou conhecida como Mar de Chamas. Alguns acreditavam que o príncipe era uma divindade e que, enquanto mantivesse a pedra consigo, não poderia ser morto. Mas algo estranho começou a acontecer: quanto mais o príncipe usava a coroa, pior tornava-se sua sorte. Em um mês, ele perdeu um irmão por afogamento e outro por picada de cobra. Em seis meses, uma enfermidade levou seu pai. Para piorar, os batedores do príncipe anunciaram que um grande exército estava se reunindo no leste.

"O príncipe chamou os conselheiros do sultão. Todos lhe disseram para se preparar para a guerra, todos exceto um, um sacerdote, acrescentando que tivera um sonho. No sonho, a Deusa da Terra lhe dizia que fizera o Mar de Chamas para presentear seu amante, o Deus do Mar, e estava enviando a joia para ele pelo rio. Porém, quando o rio secou e o príncipe a arrancou dali, a deusa se enfureceu. Ela amaldiçoou a pedra e qualquer pessoa que a possuísse.

Todas as crianças se inclinam para a frente, inclusive Marie-Laure.

— A maldição era a seguinte: o portador da pedra viveria para sempre, mas, enquanto a mantivesse, infortúnios cairiam sobre todos aqueles que ele amava, como uma tempestade sem fim.

— Viver para sempre?

— Contudo, se o dono jogasse o diamante no mar, entregando-o àquele a quem pertencia por direito, a deusa poria fim à maldição. Então o príncipe, agora sultão, meditou por três dias e três noites e finalmente decidiu manter a gema, que salvara a vida dele; o príncipe acreditava que o diamante o tornava indestrutível. E mandou cortar a língua do sacerdote.

— Ai — diz o garoto mais novo.

— Grande erro — comenta a garota mais alta.

— Os invasores chegaram — diz o guia —, destruíram o palácio e mataram todos os que encontraram, e o príncipe nunca mais foi visto; por duzentos anos, ninguém ouviu falar do Mar de Chamas. Alguns disseram que o diamante foi despedaçado em partes menores; outros, que o príncipe continuou com ele, e que estaria no Japão ou na Pérsia, que era um humilde fazendeiro que parecia nunca envelhecer.

"E então a pedra se perdeu na história. Até o dia em que um mercador de diamantes francês, durante uma viagem às Minas Golconda na Índia, foi apresentado a um enorme diamante em forma de lágrima. Cento e trinta e três quilates. Uma pureza quase perfeita. Tão grande quanto o ovo de um pombo, escreveu ele, e azul como o mar, mas com um fulgor vermelho no centro. Ele fez uma réplica da joia e a enviou para um duque de Lorraine louco por pedras preciosas, avisando-o sobre os boatos da maldição. Mas o duque queria muito o diamante. Então o mercador o trouxe para a Europa, o duque o encravou na extremidade de uma bengala e o carregava para todo lugar.

— Ih...

— Em um mês, a duquesa contraiu uma doença na garganta. Dois dos seus servos preferidos caíram do telhado e quebraram o pescoço. Depois, o único filho do duque morreu em um acidente durante um passeio a cavalo. Embora todos dissessem que o duque nunca estivera melhor, ele ficou com medo de sair, com medo de receber visitas. No fim, ficou tão convencido de que seu diamante era o amaldiçoado Mar de Chamas que pediu ao rei para confinar a joia no museu, desde que ficasse trancada no fundo de um cofre especialmente construído para isso, e que o cofre não fosse aberto por duzentos anos.

— E...?

— E cento e noventa e seis anos se passaram.

Todas as crianças permanecem quietas por um instante. Várias delas fazem contas com os dedos. Então todas levantam a mão ao mesmo tempo.

— A gente pode ver?

— Não.

— E abrir a primeira porta?

— Não.

— *O senhor* já viu?

— Não vi.

— Então como sabe que está lá de verdade?

— Você precisa acreditar na história.

— Quanto ele vale, monsieur? Dá para comprar a Torre Eiffel?

— Um diamante tão grande e raro poderia comprar cinco Torres Eiffel.

Suspiros.

— Essas portas são para evitar os ladrões?

— Talvez elas sirvam para impedir que a maldição saia — diz o guia, e dá uma piscadela.

As crianças ficam em silêncio. Duas ou três dão um passo para trás.

Marie-Laure tira os óculos, e o mundo fica sem forma.

— Por que simplesmente não pegam o diamante e o jogam no mar? — pergunta ela.

O guia olha para a menina. As outras crianças fazem o mesmo.

— Quando foi a última vez que você viu alguém jogar cinco Torres Eiffel no mar? — ironiza um dos garotos mais velhos.

Ouvem-se gargalhadas. Marie-Laure franze a testa. É só uma porta de ferro com uma fechadura dourada.

A visita guiada termina, as crianças se dispersam, e Marie-Laure está de volta à Grande Galeria com o pai. Ele endireita os óculos dela e retira uma folha do seu cabelo.

— Você se divertiu, *ma chérie*?

Um pequeno pardal marrom sai das vigas e pousa nos azulejos em frente a ela. Marie-Laure estende a palma da mão aberta. O pardal inclina a cabeça, como se considerasse a ideia. Então voa para longe.

Um mês depois, ela está cega.

ZOLLVEREIN

Werner Pfennig vive a cerca de quinhentos quilômetros a nordeste de Paris, em um lugar chamado Zollverein: um complexo de mineração com mil e seiscentos hectares nas cercanias de Essen, na Alemanha. É uma região de aço, uma região de antracito, um lugar cheio de buracos. Grandes chaminés exalam fumaça, locomotivas circulam para a frente e para trás em vias elevadas, árvores sem folhagem irrompem de pilhas de resíduos como se fossem esqueletos de mãos emergindo do inferno.

Werner e sua irmã mais nova, Jutta, são criados na Casa das Crianças, na Viktoriastrasse, um orfanato de dois andares com paredes de alvenaria aparente, cujos cômodos são habitados pelas tosses de crianças doentes, pelo choro de recém-nascidos e por baús desgastados que guardam os últimos bens herdados: vestidos de retalhos, faqueiros manchados, fotografias desbotadas dos pais engolidos pelas minas.

Os primeiros anos de Werner são os de maior privação. Homens brigam por causa de empregos do lado de fora dos portões de Zollverein, ovos de galinha são vendidos por dois milhões de Reichsmarks a unidade, e a febre reumática espreita a Casa das Crianças como um lobo. Não há manteiga ou carne. Fruta é somente uma lembrança. Algumas noites, durante os piores meses, tudo o que a diretora da casa tem para alimentar seus doze tutelados é um bolo feito de pó de mostarda e água.

Mas, aos sete anos, Werner parece fluir. Ele é baixo, tem orelhas de abano, e sua voz é aguda, doce; as pessoas no caminho param para olhar a alvura de seu cabelo. Como neve, como leite, como giz. Uma cor que é ausência de cor. Todas as manhãs, ele amarra os sapatos, coloca jornais por dentro do casaco para isolar o frio e começa a interrogar o mundo. Captura flocos de neve, girinos, sapos hibernando; conquista pães de padeiros que não têm mais nada para vender; aparece regularmente na cozinha com leite fresco para os bebês.

Ele também constrói coisas: caixas de papel, bimotores grosseiros, barcos de brinquedo com lemes funcionando.

De dois em dois dias, ele surpreende a diretora com alguma pergunta sem resposta: "Por que ficamos com soluço, Frau Elena?"

Ou: "Se a lua é tão grande, Frau Elena, como ela pode parecer tão pequena?"

Ou: "Frau Elena, uma abelha sabe que vai morrer se picar alguém?"

Frau Elena é uma missionária protestante da Alsácia que gosta mais de crianças do que do trabalho de supervisão. Ela canta canções folclóricas francesas em falsete esganiçado, nutre uma queda por xerez e adormece em pé com regularidade. Algumas noites, ela deixa as crianças ficarem acordadas até tarde enquanto lhes conta histórias em francês sobre sua infância aconchegada entre as montanhas, quase dois metros de neve sobre os telhados, vinhedos congelados, pregoeiros e córregos exalando vapor no ar frio: um mundo de conto de Natal.

"Os surdos conseguem escutar as batidas do coração deles, Frau Elena?"

"Por que a cola não gruda dentro do frasco, Frau Elena?"

Ela vai sorrir. Ela vai bagunçar o cabelo dele. Ela vai sussurrar:

— As pessoas vão dizer que você é pequeno demais, Werner, que você veio da ralé, que não deveria sonhar grande. Mas eu acredito em você. Acho que você vai realizar feitos incríveis.

Então ela vai mandá-lo rumo à pequena cama de armar que ele havia reivindicado para si mesmo no sótão, imprensado embaixo da janela da lucarna.

Às vezes, ele e Jutta desenham. A irmã se esgueira para a cama de Werner, e os dois ficam juntos, deitados de bruços, e passam de um para o outro o único lápis que possuem. Jutta, apesar de ser dois anos mais nova, é a que tem talento. Ela ama desenhar Paris mais do que tudo, uma cidade que ela viu apenas em uma fotografia, na quarta capa de um dos romances de Frau Elena: casas com mansardas, quadras de edifícios, a treliça de ferro de uma torre distante. Ela desenha arranha-céus brancos complexos, pontes complicadas, grupos de pessoas ao lado de um rio.

Em outros dias, após as lições, Werner reboca a irmãzinha pelo complexo de minas em um carrinho que ele montou com peças descartadas. Saem chacoalhando pelos longos caminhos de cascalho, passam por fogueiras feitas em barris de lixo e pelos barracões do complexo, nos quais mineiros demitidos ficam sentados sobre caixotes, o dia inteiro imóveis como estátuas. Uma roda se solta com frequência, e Werner pacientemente se abaixa ao lado dela, prendendo de volta os parafusos. Ao redor deles, trabalhadores do segundo turno se arrastam em direção aos armazéns enquanto os trabalhadores do primeiro turno se arrastam para casa, corpos encurvados, famintos, com o nariz escuro, os rostos parecendo crânios negros embaixo dos capacetes.

— Olá — diz Werner em voz cantada. — Boa tarde.

Os mineiros normalmente passam trôpegos sem responder, talvez sem nem mesmo vê-lo, olhando para o fundo do poço, o colapso econômico da Alemanha assomando na forma da severa geometria das fábricas.

Werner e Jutta vasculham pilhas cintilantes de poeira negra; eles escalam montanhas de máquinas enferrujadas. Colhem amoras selvagens dos arbustos e dentes-de-leão nos campos. Às vezes, conseguem encontrar cascas de batata ou folhas de cenoura nas latas de lixo; outras tardes coletam papéis para desenhar, ou velhos tubos de pasta de dentes dos quais podem espremer os últimos resíduos para secá-los e usá-los como giz. De vez em quando, Werner reboca Jutta até a entrada do longínquo Poço Nove, a maior das minas, envolta em barulho, acesa como o piloto no centro de uma fornalha a gás, um elevador de carvão de cinco andares aprumado sobre ela, cabos balançando, martelos batendo, homens gritando, um aglomerado industrial vincado e sulcado que se prolonga para todos os lados do horizonte, e os dois observam os vagões de carvão subindo barulhentos lá do fundo da terra e os mineiros saindo dos armazéns com suas marmitas em direção à boca do elevador como insetos em direção a uma armadilha luminosa.

— Lá embaixo — Werner sussurra para a irmã — foi onde papai morreu.

E enquanto a noite cai, Werner arrasta em silêncio a pequena Jutta, atravessando a região delimitada de Zollverein em direção ao orfanato, duas crianças de cabelos brancos como neve em uma terra de fuligem, carregando seus tesouros miseráveis para o número 3 da Viktoriastrasse, onde Frau Elena está fitando o fogão a carvão, cantando uma música de ninar francesa com uma voz cansada, uma criança puxando as cordas do seu avental enquanto outra grita nos seus braços.

O depósito de chaves

Catarata congênita. Bilateral. Incurável.

— Você consegue ver isso? — perguntam os médicos. — Consegue ver isso?

Marie-Laure não verá mais nada pelo resto da vida. Espaços que um dia lhe foram familiares — o apartamento de quatro cômodos que ela divide com o pai, a pequena praça com corredores de árvores no final da rua onde eles moram — se tornaram labirintos arrepiantes cheios de perigos. As roupas de baixo nunca estão onde deveriam. O banheiro é um abismo. Um copo de água está perto demais, longe demais; os dedos dela, grandes demais, sempre grandes demais.

O que é a cegueira? Onde deveria haver uma parede, as mãos nada encontram. Onde não deveria haver nada, uma perna de mesa arranha sua canela. Roncos de carros nas ruas; murmúrio de folhas pelo céu; o sussurro do sangue em seus ouvidos. Na escada, na cozinha, mesmo ao lado da sua cama, vozes de adultos falam sobre desespero.

— Pobre criança.

— Pobre monsieur LeBlanc.

— Ele não teve uma vida fácil, sabe? O pai morreu na guerra, a mulher morreu no parto. E agora isso?

— Como se estivessem amaldiçoados.

— Olhe para ela. Olhe para ele.

— É melhor mandar a menina embora.

São meses de machucados e desventuras: quartos inclinando-se como veleiros, portas entreabertas atingindo o rosto de Marie-Laure. Seu único santuário é a sua cama, a barra da colcha até o queixo, enquanto o pai fuma outro cigarro na cadeira ao lado dela, reduzindo pouco a pouco o tamanho de um dos seus pequeninos modelos, o pequeno martelo fazendo tap tap tap, a pequena lixa quadrada com seu raspar ritmado, calmante.

O desespero não dura. Marie-Laure é jovem demais, e seu pai é paciente demais. Maldições, ele lhe assegura, não existem. Existe sorte, talvez, boa ou má. Cada dia com uma leve inclinação ao sucesso ou ao fracasso. Mas maldições, não.

Seis manhãs por semana, ele a acorda antes do amanhecer, e ela estende os braços no ar enquanto ele a veste. Meias, vestido, suéter. Se têm tempo, ele tenta fazer com que ela amarre os sapatos sozinha. Então eles bebem uma xícara de café juntos na cozinha: quente, forte, com a quantidade de açúcar que ela quiser.

Às seis e quarenta, ela pega a bengala branca no canto, engancha um dedo na parte de trás do cinto do pai e o segue descendo quatro andares e andando seis quarteirões até o museu.

Ele destranca a Entrada 2 às sete horas em ponto. Dentro, os cheiros são conhecidos: fitas de máquina de escrever, chão encerado, poeira de rocha. Há os ecos familiares dos passos deles cruzando a Grande Galeria. Ele cumprimenta um guarda noturno, depois um zelador, sempre as mesmas duas palavras repetidas de volta: "*Bonjour, bonjour.*"

Duas esquerdas, uma direita. O chaveiro do pai faz barulho. Uma fechadura se destranca. Um portão se abre completamente.

Dentro do depósito de chaves, dentro do claviculário com seis portas de vidro, milhares de chaves de ferro estão penduradas em pinos. Há chaves virgens e chaves mestras, chaves ocas e chaves de cabeça arredondada, chaves de elevador e chaves de armários. Chaves tão compridas quanto o antebraço de Marie-Laure e outras tão curtas quanto o seu polegar.

O pai de Marie-Laure é o chaveiro-chefe do Museu Nacional de História Natural. Somando os laboratórios, os depósitos, os quatro museus públicos separados, a coleção de animais, as estufas, os hectares de jardins decorativos e de plantas medicinais no Jardin des Plantes, além de uma dezena de portões e pavilhões, seu pai estima que existam doze mil fechaduras em todo o complexo do museu. Ninguém tem conhecimento suficiente para discordar.

Todas as manhãs, ele fica na frente do depósito de chaves e as distribui aos funcionários: primeiro, aos empregados do zoológico; em seguida, o pessoal do escritório chega apressado por volta das oito; depois, técnicos, bibliotecários e assistentes científicos surgem em tropas; por último, os cientistas, pouco a pouco. Tudo é numerado e codificado com cores. Cada funcionário, dos zeladores ao diretor, deve carregar suas chaves o tempo todo. Não é permitido a ninguém sair do respectivo edifício com as chaves, e não é permitido a ninguém deixar as chaves na mesa. Afinal de contas, o museu possui fósseis que precisam ser protegidos, manuscritos antigos, pérolas, pepitas de outro e uma safira tão grande quanto um rato; atrás de uma fechadura que o pai dela projetou, pousa um pote de farmácia florentino talhado em lápis-lazúli que recebe todo ano visitas de especialistas que viajam mais de mil quilômetros só para examiná-lo.

O pai da menina começa com as perguntas. Chave gorge ou chave yale? Chave yale dupla ou chave tetra, Marie? Ele a testa a respeito da localização das vitrines, dos conteúdos dos armários. Está sempre colocando coisas inesperadas nas mãos dela: uma lâmpada, um peixe fossilizado, uma pena de flamingo.

Todas as manhãs — inclusive aos domingos — ele a faz estudar um caderno em braille durante uma hora. *A* é um ponto no canto superior. *B* são dois pontos em uma linha vertical. "Jean. Vai. À. Padaria. Jean. Vai. Ao. Queijeiro."

Durante as tardes, ela o acompanha nas rondas. Ele coloca óleo nos trincos, conserta armários, lustra brasões. Ele a leva de corredor em corredor, de galeria em galeria. Passagens estreitas se abrem em bibliotecas imensas; portas de vidro dão lugar a estufas transbordando cheiro de húmus, jornal molhado e lobélia. Há oficinas de carpinteiros, estúdios de taxidermistas, grandes extensões de prateleiras e gavetas de amostras, museus inteiros dentro do museu.

Algumas vezes, ele deixa Marie-Laure no laboratório do dr. Geffard, um especialista em moluscos mais velho, cuja barba tem um cheiro permanente de lã molhada. O dr. Geffard interrompe o que quer que esteja fazendo e abre uma garrafa de Malbec e conta a Marie-Laure, em sua voz sussurrada, acerca de recifes que ele visitou quando era mais jovem: as Seychelles, Honduras, Zanzibar. Ele a chama de Laurette; come pato assado todos os dias às três da tarde; sua mente acomoda um catálogo aparentemente inesgotável de nomes binomiais em latim.

Na parede aos fundos do laboratório do dr. Geffard, existem armários com mais gavetas do que ela possa contar, e ele a deixa abrir uma após a outra e segurar conchas nas mãos — búzios, caramujos, volutas da Tailândia, concha aranha da Polinésia. O museu possui mais de dez mil espécimes, mais da metade das espécies conhecidas no mundo, e Marie-Laure pode manusear a maioria delas.

— Agora, esta concha, Laurette, pertenceu a um caramujo marinho roxo, um caramujo cego que vive a vida inteira na superfície do mar. Assim que ele nasce, ele agita a água para fazer bolhas, une as bolhas com muco e cria uma balsa. Depois ele vive à deriva, alimentando-se de quaisquer invertebrados aquáticos flutuantes que encontra. Mas, se um dia ele perde a balsa, afunda e morre...

Uma concha *Carinaria* é simultaneamente leve e pesada, dura e mole, macia e áspera. O múrex que o dr. Geffard mantém na mesa dele pode entretê-la por meia hora, as espinhas ocas, as espirais salientes, a entrada profunda; é uma floresta de pontas, cavernas e texturas; é um reino.

As mãos de Marie se movem incessantemente, juntando, investigando, testando. As penas do peito de um chapim empalhado e montado são extraordinariamente macias, o bico tão afiado quanto uma agulha. O pólen nas pontas das anteras das tulipas não é exatamente um pó, mas pequeninas bolas de óleo. Tocar alguma coisa de verdade, ela está aprendendo — seja a casca do tronco de um plátano nos jardins; ou um besouro preso em um alfinete no Departamento de Entomologia; ou o interior primorosamente lustroso de uma concha de vieira no laboratório do dr. Geffard —, significa amá-la.

Em casa, à noite, o pai guarda os sapatos dos dois no mesmo canto, pendura os casacos dos dois no mesmo gancho. Para chegar à mesa, Marie-Laure passa por seis fitas antiderrapantes coladas equidistantes nos azulejos da cozinha; segue uma tira de barbante da mesa até o banheiro. Ele serve o jantar em um prato redondo e descreve a localização dos diferentes tipos de alimento fazendo uma analogia com os ponteiros de um relógio. Batatas às seis horas, *ma chérie*. Os cogumelos, às três horas. Depois o pai acende um cigarro e se põe a trabalhar em suas miniaturas em uma bancada no canto da cozinha. Ele está construindo uma maquete de todo o bairro, as casas de janelas altas, os bueiros, a *laverie*, a *boulangerie* e a pequena *place* no final da rua com os quatro bancos e as dez árvores. Nos dias mais quentes, Marie-Laure abre a janela do quarto e escuta os barulhos enquanto a noite cai sobre as sacadas, os telhados e as chaminés, lânguida e pacífica, até que o bairro real e a miniatura se mesclem em sua mente.

Às terças-feiras, o museu fica fechado. Marie-Laure e o pai dormem até mais tarde; bebem café forte com açúcar. Caminham até o Panteão, ou até um mercado de flores, ou à beira do Sena. Muitas vezes visitam uma livraria. Ele lhe entrega um dicionário, um periódico, uma revista cheia de figuras.

— Quantas páginas, Marie-Laure?

Ela passa uma unha ao longo da extremidade.

— Cinquenta e duas? Setecentas e cinco? Cento e trinta e uma?

Ele ajeita o cabelo dela atrás das orelhas; ele a ergue acima da cabeça. Diz que ela é sua *émerveillement*. Diz que nunca vai abandoná-la, nem em um milhão de anos.

RÁDIO

Werner tem oito anos de idade e está fuçando os descartes atrás de um galpão quando descobre o que parece ser um grande carretel. Consiste de um fio enrolado em um cilindro comprimido entre dois discos de pinho. Três fios desencapados brotam do topo. Um tem um pequeno fone de ouvido pendurado na ponta.

Jutta, de seis anos, com um rosto redondo e uma nuvem de cabelo branco embolado, se agacha ao lado do irmão.

— O que é isso?

— Acho — diz Werner, como se algum armário do céu tivesse acabado de se abrir — que acabamos de encontrar um rádio.

Até então ele só tinha visto rádios de relance: um pequeno armário sem fio através das cortinas de renda da casa de um oficial; uma unidade portátil em um dormitório de mineiros; outro no refeitório da igreja. Ele nunca tinha tocado em um rádio.

Werner e Jutta levam o aparelho escondido de volta ao número 3 da Viktoriastrasse e o avaliam sob uma luminária. Eles o limpam, desembaraçam o emaranhado de fios, lavam a lama do fone de ouvido.

O rádio não funciona. Outras crianças se aproximam, se posicionam atrás deles e ficam maravilhadas, depois perdem o interesse e concluem que não tem solução. Werner, porém, carrega o receptor para o sótão e o estuda durante horas. Desconecta tudo que é possível desconectar; pousa as peças no chão e as examina uma a uma contra a luz.

Três semanas após encontrar o aparelho, em certa tarde dourada de sol em que provavelmente todas as outras crianças de Zollverein estão ao ar livre, ele percebe que o cabo mais longo do rádio, um filamento delgado enrolado centenas de vezes em torno do cilindro central, apresenta diversas pequenas rupturas. Vagarosa e meticulosamente, ele desenrola a bobina, leva toda a confusão de fios para o andar de baixo e pede para Jutta entrar, a fim de segurar os pedaços para que ele possa emendá-los. Depois reenrola tudo.

— Vamos tentar agora — murmura Werner, e pressiona o fone contra o ouvido enquanto arrasta para um lado e para o outro ao longo da bobina o que acredita ser o botão de sintonização.

Ouve um chiado de estática. Então, de algum lugar bem no interior do fone de ouvido, uma corrente de consoantes se projeta. O coração de Werner para; a voz parece ecoar pela arquitetura de sua cabeça.

O som se esvanece tão rapidamente quanto surgiu. Ele move o botão alguns milímetros. Mais estática. Mais alguns milímetros. Nada.

Na cozinha, Frau Elena está sovando pão. Os meninos gritam na viela. Werner arrasta o botão de sintonização de um lado para outro.

Estática, estática.

Ele está prestes a entregar o fone de ouvido para Jutta quando — de forma clara e imaculada, o botão mais ou menos no meio do sintonizador — ouve o som de golpes rápidos e enérgicos de um arco contra as cordas de um violino. Tenta manter o botão completamente imóvel. Um segundo violino se junta ao primeiro. Jutta se aproxima mais; ela observa o irmão com olhos arregalados.

Um piano acompanha os violinos. Depois instrumentos de sopro. As cordas se intensificam com os instrumentos de sopro vibrando em segundo plano. Mais instrumentos se juntam. Flautas? Harpas? A música acelera, parece se repetir.

— Werner? — suspira Jutta.

Ele pisca; tem que conter as lágrimas. A sala parece a mesma de sempre: dois berços por baixo de duas cruzes latinas, a poeira flutuando na boca aberta do aquecedor, umas dez camadas de tinta descascando dos rodapés. Em cima da pia, um bordado representando a aldeia nevoenta na Alsácia onde nasceu Frau Elena. No entanto, agora há música. Como se, dentro da cabeça de Werner, uma orquestra minúscula tivesse ganhado vida.

Parece que o cômodo vai girar devagar. A irmã o chama pelo nome insistentemente, e ele pressiona o fone no ouvido dela.

— Música — diz ela.

Ele se esforça o máximo possível para manter o botão imóvel. O sinal é tão fraco que, embora o fone de ouvido esteja a quinze centímetros de distância, ele não consegue ouvir nenhum vestígio da música. Mas observa o rosto da irmã, inerte a não ser pelas pálpebras; na cozinha, Frau Elena levanta as mãos brancas de farinha e inclina a cabeça, examinando Werner, e dois meninos mais velhos entram correndo e param, sentindo alguma mudança no ar; o pequeno rádio, com seus quatro terminais e trilho sintonizador, repousa imóvel no chão entre todos eles como se fosse um milagre.

Leve-nos para casa

Marie-Laure, em geral, é capaz de resolver os quebra-cabeças de madeira que o pai constrói nos aniversários dela. Frequentemente são caixas no formato de casas e contêm algum brinde escondido. Abri-las envolve uma série engenhosa de etapas: encontrar uma junção com as pontas dos dedos, deslizar o fundo para a direita, deslocar a cantoneira, retirar uma chave escondida dentro da cantoneira, destrancar a parte de cima e descobrir a pulseira que está escondida na caixa.

No seu sétimo aniversário, um diminuto chalé de madeira depositado no centro da mesa da cozinha, no local onde deveria estar o pote de açúcar. Ela abre uma gaveta escondida, descobre um compartimento oculto sob a gaveta, retira uma chave de madeira e encaixa a chave na chaminé. Dentro do chalé, uma barra de chocolate suíço a espera.

— Quatro minutos — o pai dela ri. — Vou ter que me esforçar mais no ano que vem.

Por muito tempo, entretanto, ao contrário dos quebra-cabeças, a maquete da vizinhança fez pouco sentido para ela. Não é como o mundo real. O cruzamento em miniatura da Rue de Milbel com a Rue Monge, por exemplo, a apenas um quarteirão de distância do apartamento, não é como o cruzamento real. O real apresenta um anfiteatro de barulhos e fragrâncias: no outono, cheira a tráfego e óleo de rícino, pão da padaria, cânfora da farmácia Avent, delfínio, ervilha-de-cheiro e rosas do quiosque de flores. Nos dias de inverno, mergulha no odor de castanhas assadas; nas noites de verão, ele se torna lento e letárgico, cheio de conversas sonolentas e o arrastar de pesadas cadeiras de ferro.

Porém, a miniatura do mesmo cruzamento feita pelo pai só cheira a cola seca e serragem. As ruas estão vazias, as calçadas, estáticas; aos dedos dela, são apenas uma cópia pequena e insuficiente. Ele insiste, pedindo a Marie-Laure que passe os dedos sobre ela, reconhecendo casas diferentes, os ângulos das ruas. E, em uma fria terça-feira de dezembro, quando Marie-Laure já estava cega havia mais de um ano, o pai sobe a Rue Cuvier com ela até chegar à extremidade do Jardin des Plantes.

— Aqui, *ma chérie*, é o caminho que fazemos toda manhã. Seguindo pelos cedros à frente está a Grande Galeria.

— Eu sei, Papa.

Ele a levanta e a gira três vezes.

— Agora — diz ele —, você vai nos levar para casa.

Ela fica boquiaberta.

— Quero que você pense na maquete, Marie.

— Mas não consigo de jeito nenhum!

— Vou ficar um passo atrás. Não vou deixar que nada aconteça. Você tem sua bengala. Você sabe onde está.

— Não sei!

— Sabe, sim.

Exasperação. Ela não é capaz nem de dizer se os jardins estão na frente ou atrás.

— Acalme-se, Marie. Um centímetro de cada vez.

— É longe, Papa. Seis quarteirões, no mínimo.

— Exatamente seis quarteirões. Use a lógica. Para que lado devemos ir primeiro?

O mundo gira e ruge. Os corvos gritam, os freios assobiam, alguém à sua esquerda bate em algum metal com um instrumento que parece ser um martelo. Ela arrasta os pés enquanto sua bengala flutua no espaço. O limite da calçada? Um lago, uma escadaria, um despenhadeiro? Ela vira noventa graus. Três passos para a frente. Agora a bengala encontra a base de uma parede.

— Papa?

— Estou aqui.

Seis passos sete passos oito. Um barulho estrondoso — um dedetizador saindo de uma casa, a bomba ressoando — os surpreende. Doze passos além, o sino pendurado na maçaneta de uma loja repica, e duas mulheres saem, esbarrando nela ao passar.

Marie-Laure deixa a bengala cair e começa a chorar.

O pai a levanta e a aperta contra o peitoral estreito.

— É grande demais — sussurra ela.

— Você consegue, Marie.

Ela não consegue.

Algo está nascendo

Enquanto as outras crianças brincam de amarelinha na viela ou nadam no canal, Werner fica sozinho no quarto, fazendo experiências com o receptor de rádio. Em uma semana, é capaz de desmontá-lo e remontá-lo de olhos fechados. Capacitor, indutor, botão de sintonização, fone de ouvido. Um fio vai para o chão, o outro, para o céu. Nada antes fizera tanto sentido para ele.

Ele garimpa depósitos à procura de peças: pedaços de fios de cobre, parafusos, uma chave de fenda em L. Ele convence a mulher do farmacêutico a lhe dar um fone de ouvido quebrado; recupera um solenoide de uma campainha descartada, solda-o a um resistor e cria um alto-falante. Em um mês, consegue reprojetar o receptor por inteiro, acrescentando peças novas aqui e ali e o conectando a uma fonte de energia.

Toda noite ele leva o rádio para baixo, e Frau Elena deixa seus tutelados o escutarem por uma hora. Sintonizam noticiários, concertos, óperas, coros nacionais, músicas folclóricas, uma dúzia de crianças em semicírculo acomodadas nos móveis, Frau Elena entre o grupo, parecendo apenas um pouco mais madura que uma criança.

"Vivemos em uma época emocionante", diz o rádio. "Não fazemos reclamações. Vamos plantar nossos pés firmes em nossa terra, e nenhum ataque vai nos remover."

As meninas mais velhas gostam de competições de música, programas de ginástica e uma apresentação regular chamada *Dicas da estação para apaixonados* que faz as crianças pequenas chiarem. Os meninos gostam de radionovelas, notícias e hinos marciais. Jutta gosta de jazz. Werner gosta de qualquer coisa. Violinos, trompas, tambores, discursos — a simultaneidade com que recebe a voz ao microfone, à mesma tarde de um local distante —, a magia daquilo o arrebata.

"Será que é de surpreender", pergunta o rádio, "que a coragem, a confiança e o otimismo cada vez mais intensos arrebatem o povo alemão? Não será esta a chama de uma nova fé nascendo dessa presteza para o sacrifício?"

À medida que as semanas passam, realmente parece a Werner que algo novo está nascendo. A produção nas minas aumenta; o desemprego cai. A carne aparece na ceia de domingo. Cordeiro, porco, salsicha — extravagâncias impensáveis um ano antes. Frau Elena compra um sofá novo com estofamento de veludo cotelê laranja, além de um fogão com as bocas pretas; três Bíblias chegam do consistório em Berlim; uma caldeira para lavagem de roupas é entregue no orfanato. Werner ganha calças novas; Jutta consegue um par de sapatos só seu. Os telefones funcionam e tocam nas casas dos vizinhos.

Certa tarde, caminhando da escola para casa, Werner para em frente à loja de conveniências e comprime o nariz contra a vitrine alta: sessenta integrantes das tropas de assalto marcham ali, com cerca de três centímetros de altura, cada soldado de brinquedo com uma camisa marrom e uma faixa vermelha no antebraço, alguns com flautas, outros com tambores, alguns oficiais montados em garanhões negros reluzentes. Acima deles, suspenso por um fio, um hidroavião prateado de corda, com flutuadores de madeira e uma hélice rotativa, descreve uma órbita elétrica, hipnotizante. Werner o estuda através da vidraça por um longo tempo, tentando entender seu funcionamento.

A noite cai, outono de 1936. Werner carrega o rádio para baixo e o coloca sobre o balcão, e as outras crianças se agitam de tanta ansiedade. O rádio faz um zumbido enquanto esquenta. Werner dá um passo para trás, as mãos nos bolsos. Do alto-falante, um coro infantil canta: "Nós só desejamos trabalhar, trabalhar, trabalhar e trabalhar, ir para o glorioso trabalho em prol do país." Então começa uma radionovela patrocinada pelo governo de Berlim: uma história de invasores entrando furtivamente em uma aldeia à noite.

Todas as doze crianças permanecem imóveis. Na história, os invasores fazem as vezes de comerciantes com nariz aquilino, joalheiros desonestos, banqueiros vis; eles vendem inutilidades reluzentes; forçam os comerciantes das vilas a abandonarem seus negócios. Logo planejam assassinar crianças alemãs nas próprias camas. No final, um vizinho alerta e humilde percebe tudo. A polícia é chamada: policiais grandes com vozes esplêndidas que ressoam boa aparência. Eles derrubam as portas. Expulsam os invasores. Ouve-se uma marcha patriótica. Todo mundo está feliz novamente.

Luz

Uma terça-feira após a outra ela fracassa. Conduz o pai em desvios de seis quarteirões que a deixam irada, decepcionada e ainda mais longe de casa. Porém, no inverno do ano de seu oitavo aniversário, para a surpresa de Marie-Laure, ela começa a acertar. Passa os dedos sobre a maquete na cozinha deles, contando miniaturas de bancos, árvores, postes de luz e portas de entrada. Todo dia algum detalhe novo emerge — cada bueiro, banco de parque e hidrante da maquete tem sua contraparte no mundo real.

Marie-Laure traz o pai para mais perto de casa a cada tentativa frustrada. Quatro quarteirões três quarteirões dois. E em uma terça-feira nevoenta de março, quando o pai a leva para mais um novo ponto de partida, muito perto das margens do Sena, e a faz girar três vezes antes de dizer "Nos leve para casa", ela percebe que, pela primeira vez desde que começaram esse exercício, não sentiu o pavor revirar seu estômago.

Em vez disso, ela se agacha na calçada.

O odor levemente metálico da neve caindo a envolve. "Acalme-se. Escute."

Os carros espalham água ao longo das ruas, e a neve derretida percute ao longo de córregos; ela pode ouvir os estalidos e cliques dos flocos de neve nas árvores. Pode sentir o cheiro dos cedros do Jardin des Plantes a quatrocentos metros de distância. Nessa direção, o metrô ressoa por baixo da calçada: é o Quai Saint-Bernard. Naquela, o céu está desimpedido, e ela ouve os estalidos dos galhos: trata-se da estreita faixa de jardins atrás da Galeria de Paleontologia. Aqui, imagina ela, deve ser a esquina do cais com a Rue Cuvier.

Seis quarteirões, quarenta prédios, dez pequeninas árvores em uma quadra. Essa rua cruza essa rua que cruza essa rua. Um centímetro de cada vez.

O pai dela mexe as chaves nos bolsos. À frente, assomam as altas e grandiosas casas que ladeiam os jardins, rebatendo o som.

— Vamos para a esquerda — diz ela.

Começam o percurso da Rue Cuvier. Um trio de patos voa enfileirado para a direção oposta, batendo as asas em sincronia, seguindo para o Sena, e, à medida que as aves passam por cima de suas cabeças, ela imagina a luz repousando sobre suas asas, batendo em cada pena.

À esquerda na Rue Geoffroy Saint-Hilaire. À direita na Rue Daubenton. Três bueiros quatro bueiros cinco. Mais adiante à esquerda deve estar a cerca de ferro aberta do Jardin des Plantes, suas finas barras semelhantes às de uma enorme gaiola.

Do outro lado agora estão: a padaria, o açougue, a delicatéssen.

— Podemos atravessar com segurança, Papa?

— Podemos.

À direita. Depois reto. Eles estão na rua de casa agora, ela tem certeza disso. Um passo atrás dela, o pai inclina a cabeça para cima e oferece ao céu um enorme sorriso. Marie-Laure sabe disso mesmo à frente de seu pai, mesmo sem uma única palavra dele, mesmo sendo cega — o cabelo espesso do Papa está molhado da neve e se arrepiando em uma dúzia de ângulos diferentes, o cachecol dele está disposto assimetricamente sobre seus ombros, e ele está escancarando um sorriso para a neve que cai.

Estão a meio-caminho na Rue des Patriarches. Estão do lado de fora do prédio onde moram. Marie-Laure encontra o tronco da castanheira que cresce até sua janela no quarto andar, a casca da árvore sob seus dedos.

Velha amiga.

Mais meio segundo e as mãos do pai erguem Marie-Laure por baixo dos braços, balançando-a para o alto. Ela sorri, e ele ri uma risada genuína, contagiante, uma risada que ela não quer esquecer nunca, pai e filha girando na calçada em frente ao seu edifício, rindo juntos enquanto flocos de neve escapam dos galhos acima deles.

Nossa bandeira tremula diante de nós

Em Zollverein, na primavera do ano do décimo aniversário de Werner, os dois garotos mais velhos da Casa das Crianças — Hans Schilzer, de treze anos, e Herribert Pomsel, de quatorze —, colocam mochilas de segunda mão nos ombros e marcham na direção do bosque. Retornam como membros da Juventude Hitlerista.

Carregam estilingues, manejam lanças, ensaiam emboscadas por detrás de bancos de neve. Juntam-se a uma gangue indignada de filhos de mineiros que ficam sentados no mercado da praça, mangas arregaçadas, shorts com as barras levantadas.

— Boa noite — gritam aos pedestres. — Ou *Heil* Hitler, se preferirem!

Cortam os cabelos um do outro combinando o estilo, lutam na sala e se gabam do treinamento com rifles para o qual estão se preparando, dos planadores em que vão voar, das torres de combate dos tanques que vão operar. "Nossa bandeira representa a nova era", cantam Hans e Herribert, "nossa bandeira nos conduz à eternidade." Nas refeições, repreendem as crianças menores por admirarem qualquer coisa estrangeira: o anúncio de um carro britânico, um livro de figuras francês.

A saudação deles é cômica; seus trajes beiram o ridículo. Mas Frau Elena observa os rapazes com cautela: não faz muito tempo, ambos eram criancinhas arredias, se escondendo em suas pequenas camas e chorando pelas mães. Agora se tornaram adolescentes valentões com as juntas das mãos machucadas e cartões-postais do Führer dobrados nos bolsos das camisas.

Frau Elena fala cada vez menos em francês, principalmente quando Hans e Herribert estão presentes. Ela fica prestando atenção no próprio sotaque. O mínimo olhar de um vizinho a faz imaginar coisas.

Werner mantém a cabeça baixa. Pular fogueiras, esfregar cinzas sob os olhos, atormentar crianças pequenas? Amassar os desenhos da Jutta? É bem melhor, decide ele, manter-se despercebido, não se fazer notar. Werner tem lido as revistas populares de ciência na loja de conveniências; está interessado em turbulência de ondas, túneis para o centro da terra, o método nigeriano de transmitir notícias a distância por meio de tambores. Ele compra um caderno e desenha esboços de câmaras de Wilson, detectores de íons, óculos de segurança para raios-X. E que tal um pequeno motor acoplado aos berços para embalar os bebês até adormecerem? E que tal adicionar molas nos eixos do seu carrinho para ajudar a empurrá-lo morro acima?

Um representante do Ministério do Trabalho visita a Casa das Crianças para falar de oportunidades de trabalho nas minas. As crianças se sentam a seus pés, vestidas com suas roupas mais limpas. Todos os meninos, sem exceção, explica o homem, vão trabalhar nas minas assim que completarem quinze anos. Ele fala de glórias e triunfos e de como serão sortudos por conseguirem empregos fixos. Quando ele apanha o rádio de Werner e o recoloca de volta no lugar sem tecer comentários, Werner sente o teto desabar, as paredes se contraírem.

O pai dele lá embaixo, um quilômetro e meio sob seus pés. O corpo nunca recuperado. Ainda assombrando os túneis.

— A partir da região de vocês — diz o funcionário do Ministério —, do solo de vocês, vem o poderio de nossa nação. Aço, carvão, coque. Berlim, Frankfurt, Munique... Elas não existem sem este lugar aqui. Vocês fornecem a base da nova ordem, as balas dos revólveres, a blindagem dos tanques.

Hans e Herribert examinam com olhos deslumbrados o cinto de guarnição em couro, no qual o homem portava uma pistola. Sobre o balcão, o pequeno rádio de Werner balbucia.

Ele diz: "Nos últimos três anos, nosso líder teve a coragem de encarar uma Europa que estava em risco de colapso..."

Ele diz: "Apenas a ele deve-se agradecer pelo fato de que, para as crianças alemãs, uma vida alemã vale a pena ser vivida novamente."

A volta ao mundo em oitenta dias

Dezesseis passos para o chafariz, dezesseis de volta. Quarenta e dois para a escada, quarenta e dois de volta. Marie-Laure desenha mapas na cabeça, desenrola cem metros de um barbante imaginário, e então dá meia-volta e o enrola novamente. A Botânica tem cheiro de cola e mata-borrão e flores prensadas. A Paleontologia tem cheiro de pó de rocha, pó de ossos. A Biologia tem cheiro de formol e fruta velha; está abarrotada de potes de vidro pesados onde flutuam coisas que descreveram só para ela: cascavéis pálidas enroladas como cordas, mãos decepadas de gorilas. A Entomologia tem cheiro de naftalina e óleo: um conservante, explica o dr. Geffard, que é denominado naftaleno. Os escritórios têm cheiro de papel carbono, ou fumaça de charuto, ou conhaque, ou perfume. Ou os quatro juntos.

Ela se guia por cabos e canos, trilhos e cordas, cercas e calçadas. Pega as pessoas de surpresa. Nunca sabe se as luzes estão acesas.

As crianças que encontra a enchem de perguntas.

— Dói?

— Você fecha os olhos quando dorme?

— Sabe que horas são?

Não dói, ela explica. E não existe escuridão, não do jeito que as outras crianças imaginam. Tudo é composto de teias, tramas, turbulências de sons e texturas. Ela caminha em círculo em torno da Grande Galeria, navegando pelo rangido das tábuas; ouve pés marchando para cima e para baixo nas escadas do museu, o grito estridente de um bebê, o gemido cansado de uma avó se prostrando sobre um banco.

Cor — outra coisa que as pessoas não sabem. Em sua imaginação, em seus sonhos, tudo tem cor. Os prédios do museu são de cor bege, castanha, marrom. Seus cientistas são lilás, amarelo-limão e castanho-avermelhado. Acordes de piano se distendem de dentro do rádio portátil na guarita, projetando azuis complexos e pretos suntuosos pelo corredor em direção ao depósito de chaves. Os sinos da igreja desenham arcos de bronze pelas janelas. As abelhas são prateadas; os pombos são castanho-avermelhados e de vez em quando dourados. Os imensos ciprestes pelos quais ela e o pai passam nas caminhadas da manhã são caleidoscópios cintilantes, cada galho um polígono de luz.

Ela não tem recordações da mãe, mas a imagina como um brilho branco e mudo. O pai irradia mil cores, opala, vermelho-morango, ferrugem forte, verde extravagante; o odor parecido com óleo e metal, a sensação de uma chave abrindo a porta de casa, o som de seus chaveiros tilintando à medida que ele caminha. Ele é verde-oliva quando fala com um chefe de departamento, tons de laranja em crescendo quando conversa com a mademoiselle Fleury das estufas, vermelho vivo quando tenta cozinhar. Ele resplandece em safira quando se senta na bancada de trabalho à noite, murmurando uma canção de maneira quase inaudível enquanto trabalha, a ponta do cigarro cintilando um azul prismático.

Ela se perde. Secretárias ou botânicos, e certa vez até o assistente do diretor, levam-na de volta ao depósito de chaves. Ela é curiosa: quer saber a diferença entre uma alga e um líquen, um *Diplodon charruanus* e um *Diplodon delodontus*. Homens famosos a seguram pelo cotovelo e a acompanham através dos jardins ou a conduzem pela escadaria. Eles dizem: "Também tenho uma filha." Ou: "Eu a encontrei no meio dos beija-flores."

— *Toutes mes excuses* — responde o pai dela. Ele acende um cigarro; retira chave após chave dos bolsos dela. — O que vou fazer com você? — sussurra.

No seu nono aniversário, ao despertar, ela encontra dois presentes. O primeiro é uma caixa de madeira sem nenhuma abertura que ela consiga encontrar. Ela a gira para lá e para cá. Leva certo tempo para perceber que uma das laterais é acionada por mola; ela a pressiona, e a caixa abre um lado. Lá dentro há um único cubo de Camembert cremoso que ela leva diretamente para dentro da boca.

— Fácil demais! — diz o pai, rindo.

O segundo presente é pesado, embrulhado com papel e barbante. Dentro da embalagem está um volumoso livro espiralado. Em braille.

— Disseram que é para meninos. Ou meninas muito aventureiras — diz o pai, e ela pode senti-lo sorrir.

Ela desliza os dedos no relevo da página da capa. *A. Volta. Ao. Mundo. Em. Oitenta. Dias.*

— Papa, é caro demais.

— Você não tem que se preocupar com isso.

Naquela manhã, Marie-Laure se enfia por baixo do balcão do depósito de chaves, se deita de bruços e posiciona os dez dedos em uma linha de uma página. O francês parece antiquado, e os pontos, gravados muito mais próximos do que ela está acostumada. Porém, após uma semana, torna-se fácil. Ela encontra a fita que usa como marcador de página, abre o livro, e o museu se distancia.

O misterioso sr. Fogg leva a vida como uma máquina. Jean Passepartout se torna seu obediente pajem. Quando, depois de dois meses, ela alcança a última linha do romance, volta para a primeira página e começa tudo de novo. À noite, ela passa as pontas dos dedos sobre a maquete do pai: a torre do sino, as vitrines. Imagina os personagens de Júlio Verne caminhando pelas ruas, conversando em lojas; um padeiro de pouco mais que um centímetro faz pães do tamanho de um grão deslizarem para dentro e para fora dos seus fornos; três minúsculos assaltantes traçam planos enquanto passam lentamente de carro pela joalheria; pequenos e barulhentos automóveis se apertam na Rue de Mirbel, os limpadores de para-brisas deslizando para um lado e para o outro. Por trás de uma janela do quarto andar de um prédio na Rue des Patriarches, uma versão em miniatura do pai dela senta-se em uma bancada de trabalho em seu apartamento miniatura, exatamente como ele faz na vida real, polindo uma pequenina peça de madeira; do outro lado do cômodo, a miniatura de uma garota muito magra e inteligente, um livro aberto no colo; dentro do seu peito, pulsa algo imenso, algo cheio de desejos, algo destemido.

O PROFESSOR

— Você tem que jurar — diz Jutta. — Você jura?

Entre câmaras de pneu retalhadas, calotas enferrujadas e o lodo nojento do fundo do córrego, ela descobriu dez metros de cabo de cobre. Os olhos dela são túneis iluminados.

Werner lança o olhar em direção às árvores, ao riacho e depois à irmã.

— Juro.

Juntos levam o cabo escondido para casa e enroscam-no pelos buracos de prego no beiral, do lado de fora da janela do sótão. Em seguida, o conectam ao rádio. Quase imediatamente, em uma faixa de ondas curtas, conseguem ouvir alguém falando uma língua estranha cheia de sons de *z* e *s*.

— Será que é russo?

Werner acha que é húngaro.

Só os olhos de Jutta são visíveis no calor da penumbra.

— A Hungria fica muito longe?

— Mil quilômetros?

Ela fica boquiaberta.

Fica claro que as vozes riscam Zollverein vindas do continente inteiro, através das nuvens, do pó de carvão, do telhado. O ar está abarrotado com elas. Jutta cria um registro para transcrever a escala que Werner desenha no trilho sintonizador, anotando com cuidado o nome de cada uma das cidades que conseguem captar. "Verona 65, Dresden 88, Londres 100." Roma. Paris. Lyon. Ondas curtas tarde da noite: região de vadios e sonhadores, loucos e fanfarrões.

Após as orações, após o apagar das luzes, Jutta entra sorrateiramente no quarto do irmão; em vez de desenharem juntos, eles deitam grudados um no outro, escutando o rádio até meia-noite, até uma hora, até duas horas. Ouvem noticiários britânicos que não conseguem entender; ouvem uma mulher de Berlim instruindo de maneira dogmática sobre a maquiagem apropriada para uma festa.

Certa noite, Werner e Jutta sintonizam uma transmissão arranhada em que um jovem, com um francês leve e cheio de sotaque, está falando sobre a luz.

"O cérebro obviamente está fechado em escuridão total, crianças", diz a voz. "Ele flutua em um líquido claro dentro do crânio, nunca na luz. No entanto, o mundo que constrói na mente é repleto de luz. Ele transborda cores e movimento. Então, crianças, como o cérebro, que vive sem uma centelha de luz, constrói para nós um mundo tão iluminado?"

A transmissão tem falhas e chiados.

— O que é isso? — murmura Jutta.

Werner não responde. A voz do francês é aveludada. O sotaque dele é bem diferente do de Frau Elena e, ainda assim, sua voz é tão intensa, tão hipnotizante, que Werner descobre que consegue entender cada palavra. O francês fala sobre ilusões óticas, eletromagnetismo; há uma pausa e um estalo de estática, como se um disco estivesse sendo virado, e então ele volta a falar entusiasticamente sobre carvão.

"Considerem um único pedaço de carvão incandescente no forno da sua casa. Estão vendo, crianças? Esta porção de carvão já foi uma planta verde, uma samambaia ou junco, que viveu um milhão de anos atrás, ou talvez cem milhões. Vocês podem imaginar cem milhões de anos? Todo verão, durante a vida inteira daquela planta, as folhas captaram o máximo de luz que conseguiram e transformaram em si mesmas a energia do sol. Transformaram em casca do tronco, gravetos, caules. Isso porque as plantas se alimentam de luz, da mesma maneira como nós nos alimentamos de comida. Mas então a planta morreu e caiu, provavelmente dentro da água, e se decompôs em turfa, e a turfa ficou enterrada por anos a fio — durante eras, em que algo como um mês ou uma década ou mesmo uma vida inteira equivale a apenas um sopro de ar, um estalar de dedos. E, no final, a turfa secou e se tornou dura como pedra, e alguém a escavou, e o homem trouxe o carvão para sua casa, e talvez você tenha até mesmo o carregado para o forno, e agora aquela energia do sol — uma luz de cem milhões de anos de idade — está aquecendo sua casa esta noite…"

O tempo desacelera. O sótão desaparece. Jutta desaparece. Será que alguém já falou com mais propriedade sobre as coisas pelas quais Werner tem tanta curiosidade?

"Abram os olhos", conclui o homem, "e vejam o máximo que puderem antes que eles se fechem para sempre", e então entra um piano, toca uma música solitária que soa a Werner como um barco dourado viajando por um rio escuro, uma progressão de harmonias que transfigura Zollverein: as casas transformadas em brumas; as minas, preenchidas; as grandes chaminés, demolidas; um mar ancestral transbordando nas ruas, e o ar fluindo com possibilidades.

Mar de Chamas

Circulam boatos pelo museu de Paris, espalhando-se rapidamente, vivazes e coloridos como os cachecóis. O museu está considerando expor uma certa pedra preciosa, uma joia mais valiosa do que qualquer outro item das coleções.

— Dizem — Marie-Laure escuta acidentalmente um taxidermista contar a outro — que a pedra veio do Japão, é muito antiga e pertenceu a um xogum no século XI.

— Ouvi por aí — comenta o outro — que saiu do nosso próprio depósito. Que esteve aqui o tempo todo, mas, por algum motivo legal, não tínhamos permissão para expor.

Em um dia, trata-se de um aglomerado de raro carbonato de magnésio; no dia seguinte, é uma safira estrelada que faz incendiar a mão do homem que a tocar. Depois, passa a ser um diamante, definitivamente um diamante. Algumas pessoas a chamam de Pedra do Pastor, outras, de Khon-Ma, mas em pouco tempo todos a estão chamando de Mar de Chamas.

Marie-Laure pensa: quatro anos se passaram.

— Desgraça — fala um vigia na guarita. — Traz infortúnio para qualquer um que a carrega. Ouvi dizer que todos os nove donos cometeram suicídio.

Uma segunda voz acrescenta:

— Ouvi dizer que a pessoa que a segurar com as mãos sem luvas morre no intervalo de uma semana.

— Não, não, se você a segura, você *não morre*, mas as pessoas ao seu redor morrem dentro de um mês. Ou talvez um ano.

— Acho bom colocar minhas mãos nessa coisa — diz um terceiro, rindo.

O coração de Marie-Laure se acelera. Dez anos de idade, e na tela negra da imaginação ela pode projetar qualquer coisa: um iate a vela, uma batalha de espadas, um Coliseu fervilhante de cores. Ela leu *A volta ao mundo em oitenta dias* até os sinais de braille ficarem moles e desgastados; no aniversário deste ano, o pai lhe trouxe um livro ainda mais volumoso: *Os três mosqueteiros*, de Dumas.

Marie-Laure ouve dizer que o diamante é verde pálido e do tamanho de um botão. Depois, que é da medida de uma caixa de fósforos. No dia seguinte já se torna azul e tão grande quanto o punho de um bebê. Ela visualiza uma deusa enraivecida avançando pelos corredores, lançando maldições pelas galerias como nuvens de veneno. O pai lhe diz para refrear a imaginação. Pedras são apenas pedras, chuva é apenas chuva e maldições são apenas má sorte. Algumas coisas simplesmente são mais raras do que outras, e é por isso que existem as trancas.

— Mas, Papa, você acredita que é de verdade?
— O diamante ou a maldição?
— As duas coisas. Cada uma delas.
— São meras histórias, Marie.

No entanto, sempre que algo dá errado, a equipe cochicha que a culpa é do diamante. Falta energia elétrica por uma hora: culpa do diamante. Um vazamento no cano destrói uma prateleira inteira de amostras botânicas: culpa do diamante. Quando a mulher do diretor escorrega no gelo na Place des Vosges e fratura o pulso em dois lugares, a máquina de fofoca do museu explode.

Mais ou menos nessa época, o pai de Marie-Laure é chamado à sala do diretor. Ele fica lá por duas horas. Em que outro momento, pergunta-se Marie-Laure, seu pai foi chamado para uma reunião de duas horas na sala do diretor? Nunca.

Logo em seguida, o pai dela começa a trabalhar direto dentro da Galeria de Mineralogia. Durante semanas ele transporta carrinhos apinhados de várias peças de equipamento para dentro e para fora do depósito de chaves, trabalha muito tempo após o museu fechar e toda noite retorna cheirando a metal fundido e serragem. Sempre que ela pede para acompanhá-lo, ele faz objeções. Seria melhor, argumenta ele, que ela ficasse no depósito de chaves com os livros em braille, ou no laboratório de moluscos no andar de cima.

Ela o provoca no café da manhã.

— O senhor está construindo uma caixa especial para exibir aquele diamante. Algum tipo de caixa transparente.

O pai acende um cigarro.

— Por favor, pegue o seu livro, Marie. Hora de partir.

As respostas do dr. Geffard estão longe de serem melhores.

— Laurette, você sabe como os diamantes e todos os cristais crescem? Adicionando camadas microscópicas, alguns milhares de átomos mês após mês, uma em cima da outra. Milênios após milênios. É assim que as histórias se acumulam também. Todas as pedras antigas acumulam histórias. Aquela pequena pedra sobre a qual você está tão curiosa pode ter visto Alarico saquear Roma; ela pode ter brilhado aos olhos dos faraós. As rainhas citas podem ter dançado a noite toda a usando. Guerras podem ter sido travadas para conquistá-la.

— Papa diz que as maldições são apenas histórias inventadas para afastar os ladrões. Ele diz que existem sessenta e cinco milhões de espécimes neste museu e que, se você tiver o professor certo, cada um deles pode ser tão interessante quanto o anterior.

— Ainda assim — diz ele —, certas coisas instigam as pessoas. Pérolas, por exemplo, e conchas sinistras, que são conchas com a abertura para a esquerda. Até mesmo os melhores cientistas sentem o ímpeto, de vez em quando, de embolsar algum objeto. Esse objeto tão pequeno pode ser tão lindo. Valer tanto. Apenas as pessoas mais fortes podem repelir tais sentimentos.

Ficam em silêncio por um instante.

— Ouvi dizer que o diamante é um pedaço da luz original, de antes do mundo decair. Um pedaço de luz jogado como chuva na Terra por Deus — diz Marie-Laure.

— Você quer saber como ele é. É por isso que está tão curiosa.

Ela gira um múrex nas mãos. Leva até o ouvido. Dez mil gavetas, dez mil sussurros dentro de dez mil conchas.

— Não — responde. — Quero acreditar que o Papa não chegou nem um pouco perto dessa pedra.

Abram os olhos

Werner e Jutta esbarram com a transmissão em francês de novo e de novo. Sempre por volta da hora de dormir, sempre em meio a um hábito cada vez mais rotineiro.

"Hoje, crianças, vamos pensar nas engrenagens que precisam girar dentro de suas cabeças para que vocês consigam coçar a sobrancelha…" Eles escutam um programa sobre criaturas do mar, outro sobre o Polo Norte. Jutta gosta de um sobre ímãs. O preferido de Werner é sobre a luz: eclipses e relógios de sol, auroras e comprimento de ondas. "Como chamamos a luz visível? Chamamos de cor. Mas o espectro eletromagnético corre ao zero em uma direção e ao infinito na outra, então, na verdade, crianças, matematicamente, toda luz é invisível."

Werner gosta de se recolher no seu sótão e imaginar as ondas de rádio como cordas de harpa quilométricas, vergando e vibrando sobre Zollverein, voando e atravessando florestas, cidades, paredes. À meia-noite, ele e Jutta estão espreitando a ionosfera, à procura daquela voz loquaz, penetrante. Quando a encontram, Werner é lançado para uma existência diferente, um lugar secreto onde grandes descobertas são possíveis, onde um órfão de uma pequena cidade mineradora pode solucionar algum mistério vital oculto no mundo físico.

Ele e a irmã replicam os experimentos do francês; constroem lanchas com palitos de fósforo e ímãs com agulhas de costura.

— Por que ele não conta onde está, Werner?
— Talvez ele não queira que saibamos?
— Ele parece rico. E solitário. Aposto que faz as transmissões em uma mansão imensa, tão grande quanto este distrito inteiro, uma casa com mil quartos e mil criados.

Werner sorri.
— Pode ser.

A voz, o piano de novo. Talvez seja a imaginação de Werner, mas a qualidade parece piorar um pouco mais a cada programa, o som cada vez mais fraco: como se as transmissões do francês viessem de um navio que estivesse se afastando lentamente, cada vez mais longe.

À medida que as semanas passam, com Jutta adormecida ao seu lado, Werner olha para fora, para o céu noturno, e uma inquietude brota. Vida: está acontecendo além do complexo de mineração, além dos portões. Lá fora, as pessoas buscam respostas para as grandes questões. Ele se imagina como um alto engenheiro trajando jaleco branco e entrando a passos largos em um laboratório: caldeirões soltam fumaça, máquinas rugem, papéis com gráficos complexos cobrem as paredes. Ele carrega uma lanterna, sobe uma escada em caracol para um observatório ao ar livre e olha pela ocular de um magnífico telescópio, a lente voltada para a escuridão.

Espairecer

Talvez o velho guia do tour no museu estivesse fora de si. Talvez o Mar de Chamas nem tenha existido, talvez as maldições *não sejam* reais, talvez o pai dela tenha razão: a Terra é toda feita de magma, crosta continental e oceano. Gravidade e tempo. Pedras são apenas pedras, chuva é apenas chuva e maldições são apenas má sorte.

O pai dela começa a retornar ao depósito de chaves mais cedo. Logo ele está levando Marie-Laure em várias incumbências novamente, provocando-a a respeito das montanhas de açúcar que ela coloca no café ou caçoando dos vigias acerca da superioridade de sua marca de cigarros. Nenhuma nova e fantástica pedra preciosa está sendo exibida. Nenhuma praga se abate sobre os funcionários do museu; Marie-Laure não sucumbe a uma mordida de cobra nem tropeça em um cano e fratura as costas.

Na manhã do seu décimo primeiro aniversário, ela acorda e encontra dois novos pacotes no local onde costuma ficar o pote de açúcar. O primeiro é um cubo de madeira envernizada construído inteiramente com painéis deslizáveis. Leva treze etapas para abrir, e ela descobre a sequência em menos de cinco minutos.

— Senhor do Céu — exclama o pai de Marie-Laure —, você é uma arrombadora de cofres!

Dentro do cubo, dois bombons Barnier. Ela desembrulha os dois e os coloca ao mesmo tempo na boca.

Dentro do segundo pacote: uma pilha volumosa de páginas com uma inscrição em braille na capa. *Vinte. Mil. Léguas. Submarinas.*

— O livreiro disse que tem duas partes, e esta é a primeira. Pensei que no próximo ano, se continuarmos a poupar, poderemos comprar o segundo...

Ela começou naquele exato momento. O narrador, um famoso biólogo marinho chamado Pierre Aronnax, trabalha no mesmo museu que o pai dela!

Em todo o mundo, descobre ele, navios estão naufragando um após o outro. Depois de uma expedição científica à América, Aronnax medita sobre a verdadeira natureza dos incidentes. Será que estão sendo provocados por um recife que muda de lugar? Um gigantesco narval com chifres? Um lendário kraken?

"Mas estou me perdendo em devaneios que preciso deixar de lado", escreve Aronnax. "Basta dessas fantasias."

Marie-Laure passa o dia todo lendo de bruços. Lógica, razão, ciência pura: essas são as formas apropriadas para solucionar um mistério, insiste Aronnax. Nunca fábulas ou contos de fada. Os dedos dela seguem o curso das frases; em sua imaginação, ela caminha pelos deques da fragata *Abraham Lincoln*, a veloz embarcação de duas chaminés. Ela observa a cidade de Nova York se afastar; os fortes de Nova Jersey saúdam sua partida com salvas de canhão; as balizas náuticas balançam nas ondas. Um navio-farol com duas luzes passa por ela enquanto a América continua se distanciando; à frente, espera a vasta e luminosa superfície do oceano Atlântico.

Os princípios da Mecânica

Um vice-ministro visita a Casa das Crianças acompanhado da esposa. Frau Elena diz que estão visitando orfanatos.

Todo mundo se limpa; todo mundo se comporta. Talvez, sussurram as crianças, eles estejam pensando em adotar. As meninas mais velhas servem pão de centeio e fígado de ganso nos últimos pratos intactos da casa enquanto o corpulento vice-ministro e sua sisuda esposa examinam o salão como lordes inspecionando uma desprezível choupana. Quando a ceia fica pronta, Werner se senta na ponta da mesa reservada aos meninos com um livro no colo. Jutta se senta com as meninas na extremidade oposta, os cabelos frisados, desgrenhados e completamente brancos, como se tivesse levado um choque.

— Abençoai-nos, ó Senhor, e a estas bênçãos que concedestes.

Frau Elena acrescenta uma segunda oração louvando o vice-ministro. Todos se põem a comer.

As crianças estão nervosas; até Hans Schilzer e Herribert Pomsel, vestidos em suas camisas marrons, permanecem sentados em silêncio. A mulher do vice-ministro senta-se tão ereta que parece que a espinha dela foi talhada em carvalho.

— E todas as crianças ajudaram? — pergunta o vice-ministro.

— Sem dúvida. Claudia, por exemplo, fez os pães. E as gêmeas prepararam o fígado.

A robusta Claudia Förster enrubesce. As gêmeas fecham e abrem os olhos.

A mente de Werner vagueia; ele está pensando no livro que traz no colo, *Os princípios da Mecânica*, de Heinrich Hertz. Ele o achou no porão da igreja, abandonado e manchado de umidade, escrito há décadas. O pároco o deixou trazer para casa, Frau Elena permitiu que ele ficasse com o livro, e por várias semanas Werner tem lutado com a espinhosa matemática. Eletricidade, Werner está aprendendo, pode ser um tanto estática. Mas, acoplada ao magnetismo, você de repente encontra o movimento — as ondas. Campos e circuitos, condução e indução. Espaço, tempo, massa. Um enxame de coisas invisíveis no ar! Como ele gostaria de ter olhos que vissem a radiação ultravioleta, olhos que vissem a radiação infravermelha, olhos que vissem as ondas de rádio se aglomerando no anoitecer do céu, irradiando através das paredes da casa.

Quando ergue o olhar, todos o estão encarando. Frau Elena tem uma aparência alarmada.

— É um livro, senhor — anuncia Hans Schilzer.

Ele puxa o livro do colo de Werner. O volume é tão pesado que ele precisa das duas mãos para segurá-lo.

Diversas rugas se acentuam na testa da esposa do vice-ministro. Werner sente as bochechas vermelhas.

O vice-ministro estende a mão atarracada.

— Me dê aqui.

— É um livro judeu? — pergunta Herribert Pomsel. — É um livro judeu, não é?

Frau Elena ensaia dizer alguma coisa, depois pensa melhor e se contém.

— Hertz nasceu em Hamburgo — argumenta Werner.

— Meu irmão é muito esperto para matemática. É mais esperto que os professores. Algum dia ele vai ganhar um grande prêmio. Ele diz que vamos para Berlim, para estudar com os grandes cientistas. — diz Jutta, do nada.

As crianças mais jovens olham embasbacadas; as crianças mais velhas seguram o riso. Werner olha fixamente para o prato. O vice-ministro franze o cenho enquanto folheia as páginas. Hans Schilzer chuta a canela de Werner e dá uma tossida.

— Jutta, já basta — diz Frau Elena.

A mulher do vice-ministro dá uma garfada no fígado de ganso, mastiga, engole e limpa os dois cantos da boca com o guardanapo. O vice-ministro pousa *Os princípios da Mecânica* sobre a mesa e o empurra; depois olha para as palmas das mãos como se tivessem sido contaminadas pelo livro.

— O único lugar para onde seu irmão vai, garotinha, são as minas — diz ele. — Logo que ele completar quinze anos. O mesmo vai acontecer com todos os meninos desta casa.

Jutta fecha a cara, Werner encara fixamente o fígado endurecido em seu prato com os olhos queimando e um aperto crescente no peito, e durante o resto da refeição o único som que se ouve é o barulho das crianças cortando, mastigando e engolindo.

Boatos

Surgem novos boatos. Eles farfalham pelos caminhos do Jardin des Plantes e sopram pelas galerias do museu; ecoam nos altos e empoeirados redutos onde velhos botânicos enrugados estudam musgos exóticos. Dizem que os alemães estão chegando.

Os alemães, alega um jardineiro, têm sessenta mil planadores para transporte de tropas; eles podem caminhar durante dias sem comer; engravidam toda moça que encontram. Uma mulher por trás da bilheteria diz que os alemães carregam bombas de fumaça e coletes propulsores; os uniformes deles, sussurra a mulher, são confeccionados com um tecido especial mais forte do que aço.

Marie-Laure fica sentada em um banco atrás do mostruário de moluscos e treina o ouvido escutando os grupos que passam.

— Eles têm uma bomba chamada de Sinal Secreto. Ela emite um som, e todo mundo que escuta o tal som faz xixi nas próprias calças! — solta um garoto.

Risadas.

— Ouvi falar que eles oferecem chocolate envenenado.

— Ouvi falar que, por onde passam, eles encarceram os aleijados e os retardados.

Cada vez que Marie-Laure repete algum boato para o pai, ele diz "Alemanha" com uma entonação de interrogação, como se dissesse isso pela primeira vez. Diz ele que a anexação da Áustria não é motivo para preocupação. Diz que todo mundo se lembra da última guerra, e ninguém é louco o suficiente para passar por aquilo de novo. O diretor não está preocupado, diz ele, nem os chefes de departamento; portanto, mocinhas que têm lições para estudar também não deveriam ficar preocupadas.

Parece verdade: nada muda, só os dias da semana. Toda manhã Marie-Laure acorda, se veste, segue o pai pela Entrada 2 e escuta quando ele cumprimenta o guarda noturno e o vigia. "*Bonjour, bonjour. Bonjour, bonjour.*" Os cientistas e bibliotecários ainda apanham as chaves de manhã, ainda estudam seus antigos dentes de elefante, suas águas-vivas exóticas, suas folhas de herbário. As secretárias ainda conversam sobre moda; o diretor ainda chega em uma limusine Delage de duas cores; e todo dia às doze horas os ambulantes africanos ainda empurram seus carrinhos de sanduíches pelos corredores sussurrando ofertas de centeio e ovo, centeio e ovo.

Marie-Laure lê Júlio Verne no depósito de chaves, no banheiro, nos corredores; ela lê nos bancos da Grande Galeria e ao ar livre ao longo dos cem caminhos de cascalhos dos jardins. Ela lê a primeira metade de *Vinte mil léguas submarinas* tantas vezes que praticamente memoriza o livro.

"O mar é tudo. Ele cobre sete décimos do globo... O mar é um receptáculo para todas as coisas prodigiosas, sobrenaturais que existem dentro dele. É movimento e amor; é o infinito vivo."

À noite, na cama, ela passeia nas entranhas do submarino *Nautilus*, com o capitão Nemo, abaixo da tormenta, enquanto corais formam dosséis na correnteza acima deles.

O dr. Geffard ensina a ela os nomes de conchas — *Lambis lambis, Cypraea moneta, Lophiotoma acuta* — e a deixa sentir as pontas, as aberturas e as espirais, uma de cada vez. Ele explica as ramificações da evolução marinha e as sequências dos períodos geológicos; em momentos inspirados, ela vislumbra a vastidão ilimitada dos milênios transcorridos: milhões de anos, dezenas de milhões.

— Quase todas as espécies que já existiram estão extintas, Laurette. Não há motivo para pensar que conosco, seres humanos, será diferente!

O dr. Geffard faz tal afirmação quase com alegria e enche de vinho sua taça, e ela imagina a cabeça dele como um armário cheio de dez mil pequenas gavetas.

Durante o verão inteiro os cheiros de urtigas, de margaridas e de água da chuva perambulam pelos jardins. Marie e o pai cozinham uma torta de pera e a queimam sem querer, e ele abre todas as janelas para deixar a fumaça sair, e a música de um violino emerge da rua. Ainda assim, no início do outono, uma ou duas vezes por semana, em certos momentos do dia, sentada no Jardin des Plantes sob enormes sebes ou lendo ao lado da mesa de trabalho do pai, Marie-Laure ergue a cabeça e acredita detectar um cheiro de gasolina encoberto pelo vento. Como se um grande rio mecânico fumegasse vagarosamente, irrevogavelmente, na direção dela.

Maior, mais rápido, mais brilhante

Fazer parte da Juventude Hitlerista se torna obrigatório. Os rapazes na Kameradschaft de Werner aprendem ordem unida, fazem avaliações de educação física e são treinados para correr sessenta metros em doze segundos. Em tudo há glória, nação, competição e sacrifício.

"Viver com lealdade", cantam os rapazes enquanto marcham pelo perímetro do distrito. "Lutar com bravura e morrer com um sorriso."

Tarefas da escola, afazeres, exercícios. Werner fica acordado até tarde ouvindo o seu rádio ou se submetendo à complexa matemática que ele copiara de *Os princípios da Mecânica* antes de ser confiscado. Ele boceja durante as refeições, perde a paciência com as crianças mais novas.

— Você está bem? — pergunta Frau Elena, perscrutando o rosto de Werner.

— Tudo bem — responde o garoto, desviando o olhar.

As teorias de Hertz são interessantes, mas do que ele mais gosta é construir coisas, trabalhar com as mãos, conectar os dedos às engrenagens de sua cabeça. Werner conserta a máquina de costura de uma vizinha, o relógio de pêndulo da Casa das Crianças. Ele constrói um sistema de roldanas para arejar a roupa lavada com os raios de sol que batem na parede de trás da casa e inventa um alarme simples feito com uma pilha, um sino e um cabo para que Frau Elena possa saber se uma das crianças pequenas escapuliu para a rua. Ele inventa também uma máquina para fatiar cenouras: acione uma alavanca, dezenove lâminas descem, e a cenoura se parte em vinte cilindros perfeitos.

Um dia o rádio sem fio de um vizinho para de funcionar, e Frau Elena sugere que Werner dê uma olhada. Ele desparafusa a placa de trás, inclina os tubos para a frente e para trás. Um deles não está inserido corretamente, e ele o recoloca em seu encaixe. O rádio ganha vida novamente, e o vizinho grita de felicidade. Em pouco tempo, as pessoas param na Casa das Crianças toda semana para perguntar pelo homem que conserta rádios. Quando veem Werner, um garoto de treze anos, descer do sótão esfregando os olhos, mechas de cabelos brancos arrepiados, uma caixa de ferramentas caseira pendendo do punho, elas o encaram com o mesmo riso cético.

Os aparelhos antigos são os mais fáceis de consertar: circuitos simples, tubos uniformes. Talvez seja graxa pingando do condensador ou excesso de carvão em um resistor. Mesmo em aparelhos mais novos, Werner geralmente consegue decodificar a solução. Ele desmonta a máquina, fita os circuitos, deixa os dedos traçarem os caminhos dos elétrons. Fonte de energia, tríodo, resistor, bobina. Alto-falante. A mente de Werner envolve o problema, a desordem se transforma em ordem, os obstáculos se revelam, e em pouco tempo o rádio está consertado.

Às vezes lhe pagam alguns marcos. Às vezes uma mãe lhe prepara salsichas ou embrulha em um guardanapo biscoitos destinados à irmã. Em pouco tempo Werner tem na cabeça um mapa com a localização de quase todos os rádios no distrito deles: um rádio de galena amador na cozinha de um farmacêutico; um belo rádio de dez válvulas com toca-discos na casa de um gerente de departamento que levava choques toda vez que tentava trocar de estação. Mesmo os barracões mais humildes geralmente possuem um Volksempfänger VE301 subsidiado pelo governo, um rádio produzido em larga escala com o símbolo de uma águia e uma suástica, ineficaz para ondas curtas, ajustável apenas para frequências alemãs.

Rádio: ele une milhões de ouvidos a uma única boca. Pelos alto-falantes espalhados por toda a Zollverein, a voz sincopada do Reich cresce como uma árvore impassível; seus súditos se inclinam em direção aos seus galhos como se fosse em direção aos lábios de Deus. E quando Deus para de sussurrar, buscam desesperados por alguém que possa colocar as coisas nos seus devidos lugares.

Sete dias por semana os mineiros trazem o carvão para a luz; o carvão é pulverizado e introduzido em fornos de coque; o coque é resfriado em imensas têmperas e transportado para os altos-fornos para fundir minério de ferro; o minério de ferro é transformado em aço e moldado em barras e carregado em barcaças; as barcaças flutuam o ferro até a grande e faminta boca do país. "Apenas por meio do fogo mais quente", murmura o rádio, "a purificação pode ser alcançada. Apenas por meio das maiores provações, os escolhidos de Deus podem se elevar."

— Uma menina hoje foi expulsa da lagoa onde nadamos. Inge Hachmann. Disseram que não podíamos nadar com uma mestiça. Insalubre. Uma mestiça,

Werner. Nós também somos mestiços, não somos? Metade da nossa mãe, metade do nosso pai? — sussurra Jutta.

— O que eles querem dizer é que ela é meio-judia. Mantenha a voz baixa. Nós não somos meio-judeus.

— A gente deve ser meio-alguma coisa.

— Somos alemães inteiros. Não somos meio-nada.

Herribert Pomsel, agora com quinze anos, mudou-se para um dormitório de mineiros, trabalhando no segundo turno com detecção de vazamento de gás, e Hans Schilzer se tornou o garoto mais velho na casa. Hans faz flexões, centenas delas; ele quer participar de uma corrida em Essen. Há brigas de rua nas vielas, boatos de que Hans pôs fogo em um carro. Certa noite, Werner ouve Hans gritando com Frau Elena no andar de baixo. A porta da frente bate com força; as crianças se agitam nas camas; Frau Elena caminha pela sala, os chinelos roçando à esquerda, roçando à direita. Vagões de carvão rangem na escuridão úmida. Máquinas ressoam a distância: pistões martelando, esteiras girando. Suavemente. Insanamente.

Marca da fera

Novembro de 1939. Um vento frio sopra espirais de grandes folhas secas de plátano pelas alamedas de cascalho do Jardin des Plantes. Marie-Laure está relendo *Vinte mil léguas submarinas* — "Eu podia ver grandes faixas de vegetação marinha, algumas globulares, outras tubulares, *laurenciae*, *cladostephae* com sua folhagem delgada" — não distante do portão da Rue Cuvier enquanto um grupo de crianças trota no meio das folhas.

A voz de um menino; diversos outros caem na gargalhada. Marie-Laure levanta os dedos do romance. A risada corre, gira. Subitamente, a primeira voz está colada ao ouvido dela.

— Eles são loucos por meninas cegas, sabe?

A respiração dele é rápida. Ela estende o braço para o espaço ao lado, mas não encontra nada para tocar.

Ela não sabe dizer quantos outros o acompanham. Três ou quatro, talvez. A voz dele é a de um garoto de doze ou treze anos. Ela se levanta, abraça seu enorme livro contra o peito e ouve a bengala rolar do banco e cair no chão.

Outra pessoa diz:

— Provavelmente eles vão querer as meninas cegas antes das aleijadas.

O primeiro garoto solta um gemido grotesco. Marie-Laure levanta o livro para se proteger.

O segundo garoto continua:

— Vão obrigar as meninas a fazer umas coisas.

— Coisas indecentes.

Uma voz adulta grita a distância:

— Louis, Peter?

— Quem são vocês? — murmura Marie-Laure.

— Adeusinho, cegueta.

Depois: o silêncio. Marie-Laure escuta as árvores farfalharem; seu sangue ferve. Por um minuto longo e cheio de pânico, ela engatinha pelas folhas ao redor do banco procurando a bengala, até seus dedos a tocarem.

As lojas vendem máscaras de gás. Os vizinhos colam papelão nas janelas. A cada semana, menos visitantes vêm ao museu.

— Papa? — pergunta Marie-Laure. — Se houver guerra, o que vai acontecer com a gente?

— Não vai haver guerra.

— Mas se houver?

A mão dele no ombro dela, o conhecido chacoalhar das chaves no cinto.

— Nesse caso, vamos ficar bem, *ma chérie*. O diretor já preencheu para mim um termo de dispensa do exército. Não vou a parte alguma.

Porém, ela ouve a maneira como ele folheia as páginas do jornal, movendo-as com premência. Fuma um cigarro após o outro; mal para de trabalhar. As semanas passam, as árvores perdem as folhas, e o pai não a convida nem uma vez para passear nos jardins. Se ao menos eles tivessem um submarino indestrutível como o *Nautilus*.

As vozes embaçadas das moças do escritório se arrastam pela janela aberta do depósito de chaves.

— Eles se insinuam para dentro dos apartamentos à noite. Colocam armadilhas em armários de cozinha, vasos sanitários, sutiãs. Você abre a gaveta de roupas de baixo e algo explode seus dedos.

Ela tem pesadelos. Alemães em silêncio navegam em sincronia pelo Sena; seus esquifes deslizam como se escorregassem em óleo. Voam sem fazer barulho entre as vigas das pontes; trazem feras presas em correntes; as feras saltam dos barcos e aceleram por arbustos de flores, passando em disparada pelos corredores de cerca-viva. Farejam o ar na escadaria da Grande Galeria. Babando. Vorazes. Lançam-se para dentro do museu, se espalham pelos departamentos. As janelas escurecem com o sangue.

Caro professor, não sei se o senhor está recebendo estas cartas ou se a estação de rádio vai enviar esta aqui ou será que existe mesmo uma estação de rádio? Não ouvimos sua voz há pelo menos dois meses. O senhor parou a transmissão ou o problema é por aqui? Existe um novo transmissor de rádio em Brandemburgo chamado de Deutschlandsender 3 meu irmão diz que ele tem trezentos e trinta e tantos metros de altura é a segunda construção mais alta do mundo. Basicamente empurra todo o resto para fora do dial. A velha Frau Stresemann, é uma das nossas vizinhas, ela diz que pode ouvir as transmissões da Deutschlandsender nas obturações dos dentes. Meu irmão diz que é possível se você tiver uma antena e um retificador e alguma coisa para servir de alto-falante. Ele disse que você pode usar um pedaço do arame da cerca para captar sinais de rádio, então talvez a prata colada no dente também possa. Gosto de pensar sobre isso. O senhor não gosta professor? Música nos dentes? A Frau Elena diz que agora temos que vir direto para casa depois da escola. Ela diz que não somos judeus mas somos pobres o que é tão perigoso quanto ser judeu. Agora é um crime sintonizar uma transmissão estrangeira. Você pode até pegar trabalhos forçados por causa disso, coisas como quebrar pedras quinze horas por dia. Ou fazer meias de seda ou descer as minas. Ninguém vai me ajudar a enviar esta carta nem mesmo o meu irmão então vou fazer isso sozinha.

Boa noite. Ou *Heil* Hitler, se preferirem

O décimo quarto aniversário dele é em maio. É o ano de 1940, e ninguém mais ri da Juventude Hitlerista. Frau Elena prepara um pudim, Jutta enrola um pedaço de quartzo em jornal e as gêmeas, Hannah e Susanne Gerlitz, marcham ao redor do quarto, imitando soldados. Um menino de cinco anos — Rolf Hupfauer — está sentado no canto do sofá, as pálpebras pesadas caindo sobre os olhos. Uma recém-chegada — um bebê do sexo feminino — está sentada no colo de Jutta e chupa os dedos. Pela janela, através das cortinas, a chama acima do incinerador, elevada na distância, oscila e treme.

As crianças cantam e devoram o pudim, Frau Elena diz "Acabou o tempo", e Werner desliga o receptor. Todos rezam. Seu corpo inteiro parece pesado quando carrega o rádio ao sótão. Nas vielas, rapazes de quinze anos se encaminham para os elevadores das minas munidos de capacetes e lanternas, fazendo fila fora dos portões. Ele tenta imaginar a descida, luzes baixas e esporádicas avançando e recuando, cabos chacoalhando, todo mundo em silêncio, afundando para aquela escuridão permanente onde homens com oitocentos metros de rocha sobre os ombros cavam a terra.

Mais um ano. Depois, vão lhe dar um capacete e uma lanterna e enfiá-lo dentro de uma gaiola com os outros.

Faz meses que ele não ouve o francês na onda curta. Um ano desde que apanhou aquela cópia manchada de *Os princípios da Mecânica*. Há não muito tempo, ele se deixava sonhar com Berlim e seus grandes cientistas: Fritz Haber, inventor do fertilizante; Hermann Staudinger, inventor do plástico. Hertz, que tinha tornado visível o invisível. Todos os grandes homens lá, descobrindo coisas. "Acredito em você", Frau Elena costumava dizer. "Acho que você vai realizar feitos incríveis." Agora, em seus pesadelos, ele caminha pelos túneis das minas. O teto é liso e preto; placas do teto caem sobre ele enquanto caminha. As paredes se despedaçam; ele se abaixa, rasteja. Em pouco tempo não consegue levantar a cabeça nem mexer os braços. O teto pesa dez trilhões de toneladas; deixa escapar um frio penetrante; empurra o nariz dele contra o solo. Logo antes de despertar, sente a parte de trás do crânio ser perfurada.

A chuva desagua da nuvem para o telhado, dali para o beiral. Werner pressiona a testa contra a janela do sótão e observa através dos pingos de chuva, o telhado do orfanato é apenas mais um entre o agrupamento de telhados molhados, confinados entre as vastas paredes da usina, da fundição e do gasômetro, a silhueta da torre de mineração contra o céu, mina e usina funcionando sem parar, acre após acre, a perder de vista, até as vilas, as cidades, a máquina acelerada, a máquina em expansão que é a Alemanha. E um milhão de homens prontos para dar a vida por ela.

Boa noite, ele pensa. Ou *Heil* Hitler. Todo mundo está preferindo a última saudação.

Adeus, garota cega

A guerra lança seu ponto de interrogação. Memorandos são distribuídos. As coleções devem ser protegidas. Um pequeno grupo de oficiais começou a transportar as peças para propriedades rurais. Há uma demanda por cadeados e chaves muito maior do que a normal. O pai de Marie-Laure trabalha até meia-noite, até uma da madrugada. Todo caixote deve ser fechado com cadeado, todo manifesto deve ser mantido em um local seguro. Caminhões blindados roncam nos deques de carga. Há fósseis a serem protegidos, manuscritos antigos; há pérolas, pepitas de ouro, uma safira tão grande quanto um rato. E deve haver, pensa Marie-Laure, o Mar de Chamas.

De certo ângulo, a primavera parece extremamente calma: cálida, terna, cada noite perfumada e serena. Ainda assim, tudo irradia tensão, como se a cidade tivesse sido construída sobre a superfície de um balão e alguém o estivesse enchendo até estourar.

As abelhas trabalham nas alamedas em flor do Jardin des Plantes. Os plátanos liberam suas sementes, que se aglomeram em enormes chumaços nos caminhos. "Se eles atacarem..." "Por que eles atacariam?" "Seriam malucos de atacar." "Bater em retirada é salvar vidas."

O transporte cessa. Sacos de areia aparecem em torno dos portões do museu. Uma dupla de soldados no teto da Galeria de Paleontologia perscruta os jardins com binóculos. Porém, a imensa abóbada do céu permanece intacta: nenhum zepelim, nenhum avião bombardeiro, nenhum paraquedista, apenas os últimos pássaros canoros retornando de suas moradas do inverno, e os ventos temperamentais da primavera se transformando nas brisas mais pesadas e prematuras do verão.

Rumor, luz, ar. Aquele maio parece mais bonito do que qualquer outro de que Marie-Laure possa se lembrar. Na manhã do seu décimo segundo aniversário, não há nenhum quebra-cabeças no lugar do pote de açúcar quando ela acorda; o pai está atarefado demais. Mas há um livro: o segundo volume em braille de *Vinte mil léguas submarinas*, tão espesso quanto uma almofada de sofá.

Uma emoção vibra pelas unhas dos dedos da menina.

— Como...?

— De nada, Marie.

As paredes do apartamento deles tremem com móveis sendo arrastados, baús sendo abarrotados e pregos lacrando as janelas. Eles caminham até o museu, e o pai de Marie faz um comentário distraído para o vigia que os encontra na porta:

— Dizem que estamos segurando o rio.

Marie-Laure se senta no chão do depósito de chaves e abre o livro. No final da primeira parte, o professor Aronnax tinha viajado apenas seis mil léguas. Tantas outras para percorrer. Mas algo estranho acontece: as palavras não parecem se conectar. Ela lê "Durante o dia inteiro, um formidável cardume de tubarões seguiu o navio", mas não percebe a lógica que supostamente ligaria cada palavra à seguinte.

— O diretor partiu? — alguém pergunta.

— Antes do final da semana — outra pessoa responde.

As roupas do pai dela cheiram a palha; os dedos dele, a óleo. Trabalho, mais trabalho, depois algumas horas de um sono exausto antes de retornar ao museu no alvorecer. Os caminhões carregam esqueletos e meteoritos e polvos em jarras e folhas de herbário e ouro egípcio e marfim sul-africano e fósseis permianos.

No dia primeiro de junho, aviões sobrevoam a cidade, extremamente altos, rastejando através das nuvens. Quando o vento cessa e nenhum motor está funcionando por perto, Marie-Laure pode ficar do lado de fora da Galeria de Zoologia e ouvi-los: um ronronar a cerca de dois quilômetros. No dia seguinte, as estações de rádio começam a desaparecer. Os vigias na guarita dão tapas na lateral do rádio e o balançam para cá e para lá, mas sai apenas estática do alto-falante. Como se cada antena de retransmissão fosse a chama de uma vela, e um par de dedos aparecesse e a apagasse.

Naquelas últimas noites em Paris, caminhando para casa com o pai à meia-noite, o enorme livro enganchado ao peito, Marie-Laure pensa poder sentir um arrepio no ar, nas pausas entre os chiados dos insetos, como a superfície de água congelada trincando quando se coloca peso demais sobre ela. Como se em todo esse tempo a cidade não fosse mais do que a maquete construída pelo pai, e a sombra de uma grande mão caísse sobre ela.

Não tinha ela presumido que moraria com o pai em Paris para o resto de sua vida? Que sempre ficaria conversando com o dr. Geffard à tarde? Que todo ano, no dia do seu aniversário, o pai lhe presentearia com mais um quebra-cabeças e mais um romance, e ela leria toda a obra de Júlio Verne, de Dumas, talvez mesmo de Balzac e Proust? Que o pai dela sempre iria cantarolar enquanto moldava pequenos prédios à noite, e ela sempre saberia quantos passos há desde a porta da frente até a padaria (quarenta) e quantos mais até o restaurante (trinta e dois), e sempre haveria açúcar para ela colocar no café quando acordasse?

Bonjour, bonjour.

"Batatas às seis horas, *ma chérie*." "Os cogumelos, às três horas." Agora? O que aconteceria agora?

Costurando meias

Werner acorda depois da meia-noite para encontrar Jutta, de onze anos, ajoelhada no chão ao lado do seu catre. O rádio está no seu colo, e uma folha de desenho no chão exibe uma cidade de sua imaginação, semiarticulada, repleta de janelas.

Jutta remove o fone do ouvido e pisca. No crepúsculo, as espirais selvagens de seus cabelos parecem mais radiantes do que nunca: um fósforo riscado.

— Na Liga das Moças — sussurra ela —, nos mandam fazer meias. Por que tantas meias?

— O Reich deve precisar de meias.

— Para quê?

— Para os pés, Jutta. Para os soldados. Me deixe dormir.

Como se esperasse uma deixa, um garotinho chamado Siegfried Fischer chora no andar de baixo uma vez, depois mais duas, e Werner e Jutta aguardam os passos de Frau Elena nas escadas e seus delicados cuidados, e a casa cai no silêncio novamente.

— Tudo o que você quer fazer são os problemas de matemática — murmura Jutta. — Mexer com os rádios. Você não quer entender o que está acontecendo?

— O que você anda escutando?

Ela cruza os braços e coloca o fone de volta no ouvido sem responder.

— Você está ouvindo alguma coisa que não deveria?

— E você se importa?

— É perigoso, por isso me importo.

Ela coloca o dedo no outro ouvido.

— As outras meninas não parecem ligar para isso — ele sussurra. — Costurar meias. Arrecadar jornais e coisas parecidas.

— Estamos lançando bombas em Paris — diz ela. A voz dela soa alta, e ele resiste ao impulso de tapar-lhe a boca com a mão.

Jutta o encara, desafiadora. Ela parece estar sendo revolvida por algum vento ártico invisível.

— É isso que estou escutando, Werner. Nossos aviões estão bombardeando Paris.

Fuga

Por toda a cidade de Paris, as pessoas armazenam a porcelana nos porões, costuram pérolas no interior das bainhas, escondem anéis de ouro nas lombadas dos livros. Nos escritórios do museu, não se encontra sequer uma máquina de escrever. Os corredores se transformam em seções de empacotamento, o chão coberto por palha, serragem e barbante.

Ao meio-dia o chaveiro é chamado ao escritório do diretor. Marie-Laure se senta de pernas cruzadas no chão do depósito de chaves e tenta ler. O capitão Nemo está prestes a levar o professor Aronnax e seus companheiros em um passeio submarino pelos recifes de ostras para caçar pérolas, mas Aronnax teme a possibilidade de encontrar tubarões e, embora ela esteja ansiosa para saber o que vai acontecer, as frases se decompõem pelas páginas. As palavras se desfazem em letras, e as letras se transformam em uma aspereza ininteligível. Ela sente como se grandes luvas tivessem agarrado suas mãos.

Na guarita ao final do corredor, um vigia gira os botões do rádio de um lado para o outro, mas só ouve sibilos e estalidos. Quando o desliga, o silêncio cai sobre o museu.

Por favor, ela pede, que isso seja apenas um quebra-cabeça, um jogo construído pelo papai, uma charada que ela precisa decifrar. A primeira porta, a combinação de um cadeado. A segunda, uma tranca. A terceira vai abrir se ela murmurar uma palavra mágica no buraco da fechadura. E depois de rastejar por treze portas, tudo vai voltar ao normal.

Lá fora, na cidade, os sinos da igreja badalam uma hora. Uma e meia. O pai ainda não voltou. Em algum ponto, estampidos de impacto viajam para dentro do museu provindos dos jardins ou das ruas além dele, como se alguém arremessasse sacos de cimento do céu. Com cada baque, as milhares de chaves do claviculário tremem em seus pinos.

Ninguém transita pelo corredor, em nenhuma direção. Ocorre uma segunda série de abalos — mais perto, maior. As chaves tilintam, o piso estala, e ela acha que pode sentir o cheiro de pó caindo em cascata do teto.

— Papa?

Nada. Nenhum vigia, nenhum zelador, nenhum carpinteiro, nenhum clep-clep-clep dos saltos de uma secretária caminhando pelo corredor.

"Eles podem caminhar durante dias sem comer. Engravidam toda moça que encontram."

— Olá?

A voz dela é logo absorvida, os corredores estão vazios.

Isso a apavora.

Um minuto depois, ouve um repique de chaves e o som de passos, e o pai a chama pelo nome. Tudo acontece com rapidez. Ele abre com força gavetas grandes e baixas; remexe em dezenas de chaveiros.

— Papa, ouvi...

— Depressa.

— Meu livro...

— Melhor deixar aí. É pesado demais.

— Deixar meu livro?

Ele a puxa para o corredor e tranca a porta do depósito de chaves. Fora do museu, ondas de pânico viajam pelas fileiras de árvores como abalos sísmicos.

O pai dela pergunta:

— Onde está o sentinela?

Vozes perto da calçada: soldados.

Os sentidos de Marie-Laure estão embaralhados. Será este barulho o ronco de aviões? Isso é cheiro de fumaça? Alguém está falando alemão?

Ela escuta o pai trocar umas poucas palavras com um estranho e entregar algumas chaves. Depois, eles atravessam o portão até a Rue Cuvier, roçando algo que pode ser um saco de areia, policiais em silêncio ou alguma outra coisa recém-colocada no meio da calçada.

Seis quarteirões, trinta e oito bueiros. Ela conta todos eles. Devido às placas de compensado que o pai pregou nas janelas, o apartamento está quente e abafado.

— Só vai levar um instante, Marie-Laure. Depois eu explico.

O pai dela enfia coisas dentro do que deve ser a mochila de lona. *Comida*, pensa ela, tentando identificar tudo pelo som. Café. Cigarros. Pão?

Há um novo abalo, e as vidraças das janelas tremem. Os pratos deles chacoalham nos armários. Buzinas de automóveis guincham. Marie-Laure se aproxima da maquete do bairro e desliza os dedos sobre as casas. Ainda aí. Ainda aí. Ainda aí.

— Vá ao banheiro, Marie.
— Não estou com vontade.
— Pode demorar um tempo até você poder ir de novo.

Embora seja meados de junho, o pai a veste com o sobretudo de inverno e o abotoa, e os dois descem as escadas apressados. Na Rue des Patriarches, ela ouve ao longe um barulho de pés batendo, como se milhares de pessoas estivessem se movimentando. Ela caminha ao lado do pai com a bengala retraída em uma das mãos enquanto se agarra à mochila dele com a outra, tudo desconectado da lógica, como nos pesadelos.

Direita, esquerda. Após cada curva, percorrem longos caminhos de paralelepípedo. Logo estão andando por ruas que ela tem certeza de nunca ter visitado, ruas além dos limites da maquete do pai. Marie-Laure há muito tempo perdeu a conta dos seus passos, e então atingem uma multidão tão densa que ela é capaz de sentir o calor emanando dela.

— Estará mais fresco no trem, Marie. O diretor conseguiu passagens para nós.
— Podemos entrar?
— Os portões estão trancados.

A multidão transmite uma tensão nauseante.

— Estou com medo, Papa.
— Se agarre em mim.

Ele a conduz para uma nova direção. Eles cruzam uma passagem tumultuada e depois uma travessa com cheiro de vala lamacenta. São constantes o chacoalhar abafado das ferramentas do pai dentro da mochila e o buzinar distante dos carros.

Em um minuto eles adentram outra multidão. Vozes ecoam de uma parede alta; o cheiro penetrante de roupas molhadas a cerca. De algum ponto alguém grita nomes com a ajuda de um megafone.

— Onde estamos, Papa?
— Estação Saint-Lazare.

Um bebê chora. Ela sente cheiro de urina.

— Os alemães estão aqui, Papa?
— Não, *ma chérie*.
— Mas em breve?
— É o que dizem.
— O que vamos fazer quando eles chegarem?

— Já vamos estar dentro de um trem quando isso acontecer.

No espaço à sua direita, uma criança grita alto. Um homem com pânico na voz pede que a multidão abra caminho. Perto deles uma mulher sussurra "Sebastien? Sebastien?" repetidamente.

— Já é de noite? — pergunta Marie-Laure.

— Está começando a escurecer. Vamos descansar um pouco. Recupere o fôlego — sugere o pai.

— O segundo batalhão está arrasado, o nono, aniquilado. As melhores frotas da França, dissipadas — diz uma voz na multidão.

— Vamos ser subjugados — diz outra voz na multidão.

Baús deslizam pelos ladrilhos, um cãozinho solta um ganido, o apito de um motorneiro sopra e algum tipo de máquina descomunal tosse para dar partida e depois morre. Marie-Laure tenta abrandar o frio na barriga.

— Mas temos passagens, pelo amor de Deus! — grita alguém atrás dela.

Começa um tumulto. A histeria agita a multidão.

— Como é, Papa?

— O quê, Marie?

— A estação. A noite.

Ela ouve a centelha do isqueiro dele, a tragada e o estalido da faísca quando ele acende o cigarro.

— Vamos ver. A cidade inteira está escura. Não há iluminação na rua nem luzes nas janelas. De vez em quando holofotes varrem o céu. À procura de aviões. Há uma mulher usando vestido longo. E outra carregando uma pilha de pratos.

— E os exércitos?

— Não há exércitos, Marie.

A mão dele agarra a dela. O medo abranda ligeiramente. A chuva goteja por uma calha.

— Por que estamos aqui, Papa?

— Na esperança de haver um trem.

— E todas as outras pessoas?

— Na mesma esperança.

Herr Siedler

Uma batida na porta após o toque de recolher. Werner e Jutta estão fazendo o dever de casa com outras seis crianças na comprida mesa de madeira. Frau Elena prende a insígnia do partido na lapela antes de abrir a porta.

Um cabo do exército, portando uma pistola no cinto e uma faixa com a suástica no braço esquerdo, entra para se abrigar da chuva. Sob o teto baixo da sala, o homem parece absurdamente alto. À mente de Werner vem o rádio enfiado na velha caixa de madeira de primeiros socorros embaixo de sua cama. Ele pensa: "Eles sabem."

O cabo olha em torno do cômodo — o fogão a lenha, a roupa pendurada para secar, as crianças miúdas — com quantidades iguais de condescendência e hostilidade. Seu revólver é preto; parece absorver toda a luz do recinto.

Werner arrisca um único olhar para a irmã. A atenção dela permanece fixa no visitante. O cabo apanha um livro da mesa da sala — um livro infantil sobre um trem falante — e folheia todas as suas páginas antes de largá-lo. Depois fala algo que Werner não consegue ouvir.

Frau Elena dobra as mãos sobre o avental, e Werner nota que ela fez isso para esconder o tremor.

— Werner — chama ela, com uma voz lenta e onírica, sem tirar os olhos do cabo. — Este homem diz que tem um rádio precisando de...

— Traga suas ferramentas — diz o homem.

Fora da casa, Werner olha para trás uma única vez: a testa e as palmas das mãos de Jutta estão recostadas contra a janela da sala de estar. Seu rosto está contra a luz e distante demais, e ele não consegue ler a expressão dela. Depois a chuva a obscurece.

Werner tem a metade da altura do cabo e precisa dar dois passos para acompanhar cada passo do homem. Ele o segue pelas casas do regimento e pela sentinela no sopé da colina, e rumam para o local onde residem as autoridades da mineradora. A chuva atravessa transversalmente os fachos de luz. As poucas pessoas que encontram no caminho tentam manter distância do cabo.

Werner não se arrisca a fazer perguntas. Cada batida do seu coração é acompanhada por uma intensa vontade de correr.

Eles se aproximam do portão da maior casa do distrito, uma casa que Werner já viu mil vezes, mas nunca de tão perto. Uma enorme bandeira encarnada, pesada por causa da água de chuva, pende do peitoril de uma janela do andar de cima.

O cabo dá uma batida rápida em uma porta dos fundos. Uma criada em um vestido de cintura alta apanha os casacos deles, os sacode com destreza para retirar a água e os pendura em um cabide com pé de metal. A cozinha cheira a bolo.

O cabo guia Werner para uma sala de jantar, onde uma mulher com rosto fino e cabelo adornado por três margaridas naturais está sentada em uma cadeira folheando uma revista.

— Dois pintos molhados — diz ela, e torna a prestar atenção na revista. Não os convida a sentar.

Um espesso tapete vermelho fica encharcado por baixo dos pesados sapatos de Werner; lâmpadas brilham em um lustre pendurado acima da mesa; rosas se enroscam no papel de parede. O fogo da lareira queima lentamente. Nas quatro paredes estão penduradas fotografias emolduradas de ancestrais carrancudos. É esta a prisão para rapazes cujas irmãs escutam a estações de rádio estrangeiras? A mulher vira as páginas da revista, uma após a outra. Suas unhas estão pintadas de rosa cintilante.

Um homem desce as escadas vestindo uma camisa extremamente branca.

— Céus, ele é pequeno, não é? — diz o homem para o cabo. — Você é o famoso reparador de rádio? — O cabelo preto e espesso do homem parece grudado ao crânio. — Rudolf Siedler — completa. Ele dispensa o cabo com um ligeiro meneio do queixo.

Werner tenta respirar. Herr Siedler abotoa os punhos da camisa e se examina no espelho esfumaçado. Seus olhos são de um azul profundo.

— Bem, você não é um rapaz falante, não é mesmo? Ali está o aparelho da discórdia. — Ele aponta para um pesado Philco norte-americano no cômodo adjacente. — Dois rapazes já deram uma olhada nele. Então ouvimos falar de você. Merece uma tentativa, não é? Ela — faz um gesto em direção à mulher — está desesperada para ouvir seu programa preferido. Boletins de notícia também, é claro.

Ele fala isso de uma maneira tal que Werner entende que a mulher não deseja realmente escutar os boletins de notícias. Ela não ergue o olhar. Herr Siedler sorri, como se dissesse: "Você e eu, filho, sabemos que a história percorre uma estrada muito mais longa, não é?" Os dentes dele são muito pequenos.

— Tome o tempo que precisar — arremata o homem.

Werner se agacha na frente do rádio e tenta se acalmar. Liga o aparelho, aguarda o aquecimento dos tubos, depois gira o dial cuidadosamente, da direita para a esquerda, sintonizando. A seguir, gira o dial na direção inversa. Nada.

É o melhor rádio em que ele já mexeu: um painel de controle inclinado, sintonização magnética, grande como um frigobar. Dez válvulas, banda múltipla, super-heteródino, com frisos perolados e uma câmara de nogueira de dois tons. Ondas curtas, alta frequência, um grande abafador de ruído — este rádio custa mais do que todo o mobiliário da Casa das Crianças. Herr Siedler provavelmente poderia escutar transmissões da África, se quisesse.

Livros de lombadas verdes e vermelhas criam faixas nas paredes. O cabo já foi embora. Herr Siedler está de pé na sala contígua, iluminado por uma lâmpada, conversando em um telefone preto.

Não o estão prendendo. Simplesmente querem que ele conserte o rádio.

Werner desaparafusa a parte de trás do aparelho e confere o interior. As válvulas estão todas intactas, e nada parece fora do lugar.

— Tudo bem — murmura para si mesmo. — Pense.

Sentado de pernas cruzadas, ele examina os circuitos. O homem, a mulher os livros e a chuva, tudo desaparece, só restam o rádio e o seu emaranhado de fios. Tenta visualizar os trajetos pulsantes dos elétrons, a sequência dos sinais como um caminho através de uma cidade apinhada, sinais de radiofrequência vindos por aqui, passando por uma rede de amplificadores, depois para capacitores variáveis, depois para as bobinas do transformador…

Ele enxerga o problema. Há duas rupturas em um dos fios de resistência. Werner espia por cima do aparelho: à sua esquerda, a mulher lê a revista; à direita, Herr Siedler conversa ao telefone. Frequentemente Herr Siedler desliza o polegar e o indicador ao longo do vinco da calça listrada, acentuando-o.

Será que os dois homens deixaram passar algo tão simples? Parece um presente. Tão fácil! Werner emenda os cabos, enrola novamente a resistência e a conecta no rádio. Quando ele o liga novamente, espera apreensivo que o aparelho solte uma faísca. Em vez disso: o murmúrio abafado de um saxofone.

A mulher larga a revista na mesa e espalma as mãos nas faces. Werner sai de detrás do rádio. Por um momento, sua mente não experimenta nenhum outro sentimento, apenas triunfo.

— Ele só precisou pensar para consertar o rádio! — exclama a mulher. Herr Siedler cobre o bocal do telefone e dá uma olhada. — Ele ficou sentado ali como um ratinho e matutou, e em meio minuto o rádio estava bom! — Ela agita as unhas brilhantes e cai em uma gargalhada infantil.

Herr Siedler desliga o telefone. A mulher atravessa a sala de estar e se ajoelha em frente ao rádio — está descalça, e suas panturrilhas brancas e macias são visíveis por baixo da bainha da saia. Ela gira o botão. Ouve-se um estalo e depois uma torrente de música alegre. O rádio produz um som denso, vívido: Werner nunca ouviu nada parecido.

— Ah! — ela ri novamente.

Werner recolhe as ferramentas. Herr Siedler está de pé em frente ao rádio e parece prestes a dar-lhe uns tapinhas na cabeça.

— Impressionante — diz.

Ele conduz Werner até a mesa de jantar e pede que a criada traga bolo, o que logo acontece: quatro fatias triangulares em um prato branco simples. Cada pedaço de bolo está coberto por uma boa quantidade de creme batido e salpicado de açúcar de confeiteiro. Werner abre a boca, surpreso. Herr Siedler ri. — O creme está proibido. Sei disso. Mas... — leva o indicador aos lábios — há formas para se contornar tal tipo de coisa. Vá em frente.

Werner pega uma fatia. O açúcar cai em cascata do seu queixo. No outro cômodo, a mulher gira o dial, e vozes discursam do alto-falante. Ela ouve por uns momentos, depois aplaude, ajoelhando-se perto do rádio com os pés descalços. Os rostos nas fotografias os encaram.

Werner come uma fatia de bolo, depois outra, e depois pega uma terceira. Herr Siedler o observa com a cabeça ligeiramente inclinada, achando graça, refletindo sobre algo.

— Você tem uma aparência singular, não é? E o cabelo... Parece que você levou um tremendo susto. Quem é seu pai?

Werner balança a cabeça.

— Certo. Casa das Crianças. Que estúpido eu sou. Coma outra fatia. Coloque mais um pouco de creme agora.

A mulher torna a bater palmas. O estômago de Werner ronca. É capaz de sentir sobre si os olhos do homem.

— As pessoas me dizem que este posto aqui nas minas não deve ser muito distinto — continua Herr Siedler. — Elas dizem: "Você não prefere Berlim? Ou a França? Você não prefere ser um comandante na linha de frente, observando as fileiras avançarem, longe de toda esta" — e ele faz em gesto com a mão na direção da janela — "fuligem?" Mas respondo para elas que vivo no centro de tudo. Respondo que estou no lugar de onde vem o combustível, assim como o aço. Este lugar aquece o país.

Werner pigarreia.

— Nós agimos em prol da paz. — Trata-se, tintim por tintim, de uma frase que ele e Jutta ouviram na rádio Deutschlandsender três dias antes. — Em prol do mundo.

Herr Siedler ri. Novamente Werner fica impressionado em perceber como seus dentes são numerosos e miúdos.

— Sabe a maior lição da história? A história é aquilo que os vitoriosos determinam. Eis a lição. Seja qual for o vencedor, ele é quem decide a história. Agimos em nosso próprio interesse. Claro que sim. Me dê o nome de uma pessoa ou de um país que não faça isso. O truque é perceber onde estão os seus interesses.

Sobra apenas uma fatia de bolo. O rádio freme, a mulher ri e Herr Siedler não parece quase nada com os vizinhos do orfanato, pensa Werner, seus rostos ansiosos, cuidadosos — rostos de pessoas acostumadas a observar entes queridos desaparecerem toda manhã nos buracos das minas. O rosto dele é limpo e bem-cuidado; é um homem supremamente confiante em seus privilégios. E a cinco metros está ajoelhada esta mulher com unhas pintadas e pernas depiladas — uma mulher tão distante da realidade de Werner que até parece ser de outro planeta. Como se ela tivesse saído do enorme rádio Philco.

— Bom com as ferramentas — está dizendo Herr Siedler. — Mais esperto do que os garotos de sua idade. Existem lugares para um garoto como você. As escolas do General Heissmeyer. Os melhores dos melhores. Ensino das ciências mecânicas também. Quebra de códigos, propulsão de foguetes, tudo de mais recente.

Werner não sabe para onde olhar.

— Não temos dinheiro.

— Esta é a genialidade dessas instituições. Elas querem as classes trabalhadoras, os operários. Rapazes que não estão impregnados — Herr Siedler franze o cenho — com as futilidades da classe média. Cinema e coisas do tipo. Querem rapazes diligentes. Rapazes excepcionais.

— Sim, senhor.

— Excepcionais — repete ele, aquiescendo, falando como se fosse apenas para si mesmo. Assobia, e o cabo retorna, capacete na mão. Os olhos do praça passam rapidamente para a fatia restante de bolo e depois se desviam. — Há uma junta de recrutamento em Essen — está dizendo Herr Siedler. — Vou escrever uma carta por você. E tome isso. — Ele oferece a Werner setenta e cinco marcos, e Werner enfia as notas dentro do bolso o mais rápido possível.

O cabo ri.

— Parece que queimou os dedos!

A atenção de Herr Siedler está voltada para algum outro lugar, longe dali.

— Vou mandar uma carta para Heissmeyer — repete. — Bom para nós, bom para você. Trabalhamos em prol do mundo, certo? — Ele pisca.

Então o cabo abre espaço para Werner se retirar e mostra o caminho da saída.

Werner volta para casa sem se importar com a chuva, tentando absorver a grandeza do ocorrido. Nove garças estão pousadas como flores no canal ao lado da usina de coque. Uma barcaça buzina, vagões de carvão circulam de um lado para o outro, e o barulho surdo e regular da escavadeira reverbera nas trevas.

Na Casa das Crianças, todos já tinham ido para a cama. Frau Elena está sentada na entrada com uma montanha de meias lavadas no colo e a garrafa de xerez entre os pés. Atrás dela, na mesa, Jutta observa Werner com uma intensidade elétrica.

— O que ele queria? — pergunta Frau Elena.

— Apenas que eu consertasse um rádio.

— Nada mais?

— Nada.

— Fizeram alguma pergunta? Sobre você? Ou as crianças?

— Não, Frau Elena.

Frau Elena suspira profundamente, como se tivesse prendido a respiração pelas duas últimas horas.

— *Dieu merci*. — Ela esfrega as têmporas com as mãos. — Pode ir para a cama agora, Jutta.

Jutta vacila.

— Eu consertei — complementa Werner.

— Bom garoto, Werner.

Frau Elena toma um grande gole de xerez, fecha os olhos e inclina a cabeça para trás.

— Guardamos um pouco de comida para você.

— Jutta caminha em direção à escada, com o olhar apreensivo.

Na cozinha, tudo parece apertado e sujo de carvão. Frau Elena traz um prato, no qual se encontra uma única batata cozida cortada ao meio.

— Obrigado — agradece Werner.

O gosto do bolo permanece em sua boca. O pêndulo balança sem parar no velho relógio. O bolo, o creme batido, o tapete espesso, as unhas cor-de-rosa e as longas pernas de Frau Siedler — todas essas sensações giram na cabeça de Werner como se estivessem em um carrossel. Ele se lembra de levar Jutta noite após noite para o Poço Nove, onde o pai deles tinha desaparecido, como se o pai pudesse retornar se arrastando para fora dos elevadores.

Luz, eletricidade, éter. Espaço, tempo, massa. *Os princípios da mecânica*, de Heinrich Hertz. As famosas escolas de Heissmeyer. "Quebra de códigos, propulsão de foguetes, tudo de mais recente."

"Abram os olhos", o francês do rádio costumava dizer, *"e vejam o máximo que puderem antes que eles se fechem para sempre."*

— Werner?

— Sim, Frau?

— Não está com fome?

Frau Elena: o exemplo mais próximo de mãe que ele terá na vida. Werner come, apesar de não sentir fome. Depois dá para ela os setenta e cinco marcos, e ela olha surpresa para a quantia e devolve cinquenta.

Lá em cima, depois de ouvir Frau Elena ir ao banheiro e se retirar para a cama, quando a casa fica completamente silenciosa, Werner conta até cem. Depois se levanta da cama, apanha o pequeno rádio de dentro da caixa de primeiros socorros — seis anos de existência e envolto com as modificações que ele havia feito, cabos de reposição, um novo solenoide, as anotações de Jutta próximas à bobina de sintonização —, carrega-o até o beco atrás da casa e o esmaga com um tijolo.

ÊXODO

Os parisienses continuam a empurrar os portões. Por volta de uma da madrugada, os gendarmes perderam o controle na estação, e por quatro horas nenhum trem chegara ou partira. Marie-Laure dorme no ombro do pai. O chaveiro não ouve qualquer apito ou engate barulhento: não há nenhum trem. No alvorecer ele decide que será melhor seguir a pé.

Caminham durante a manhã inteira. A cidade rareia passo a passo e se converte em casas baixas e lojas solitárias separadas por longas extensões de árvores entre elas. O meio-dia os alcança em meio ao tráfego paralisado em uma nova rodovia perto de Vaucresson, cerca de dezesseis quilômetros a oeste do apartamento deles, o mais longe de casa que Marie-Laure já fora.

No topo de uma colina, o pai olha por sobre o ombro: até onde a vista alcança, há veículos atravancados, carretas e caminhonetes, duas carroças puxadas por mula espremendo entre elas um novo e vistoso V-12 de teto de lona, alguns veículos com eixos de madeira, alguns carros parados por falta de gasolina, outros com mobília amarrada na capota, uns poucos com uma grande variedade de agitados animais rurais amontoados em reboques, galinhas e porcos em gaiolas, vacas ao lado pisando firme, cães arquejando contra os para-brisas.

A procissão avança em uma velocidade pouco superior à de um passeio. Ambas as pistas estão obstruídas — todos seguem aos trancos para o oeste, para longe. Uma mulher usando dúzias de colares vai de bicicleta. Um homem empurra uma poltrona de couro em um carrinho de mão, um gatinho preto se lambendo sobre uma almofada. Mulheres empurram carrinhos de bebês abarrotados de louça, gaiolas de passarinhos, cristais. Um homem de smoking caminha ao longo da via gritando "Pelo amor de Deus, deixem-me passar"; embora ninguém dê um passo para o lado, e ele não se movimenta mais depressa do que o restante das pessoas.

Marie-Laure, com a bengala na mão, permanece agarrada à cintura do pai. A cada passo, perguntas sem dono a cercam: "Quanto falta para Saint-Germain?", "Tem comida, titia?", "Quem tem combustível?". Ela ouve maridos berrando para esposas; ouve que uma criança foi atropelada por um caminhão mais à frente na estrada. De tarde, um trio de aviões passa em baixa altitude, barulhentos e velozes, e as pessoas se agacham, algumas gritam e outras se jogam nas valas entrando de cara nos arbustos.

Ao anoitecer, estão a oeste de Versailles. Os calcanhares de Marie-Laure estão sangrando, suas meias, rasgadas, e ela tropeça a cada cem passos. Quando afirma que não é mais capaz de andar, o pai a carrega para fora da estrada, seguindo colina acima em meio a flores de mostarda até alcançarem um campo a algumas centenas de metros de uma pequena casa de fazenda. O campo estava ceifado só pela metade, e haviam abandonado o feno cortado sem juntá-lo e embalá-lo. Como se o fazendeiro tivesse fugido no meio do trabalho.

O chaveiro tira da mochila um pedaço de pão e algumas tiras de salsicha branca, e os dois comem em silêncio; depois ele coloca os pés dela no colo. No crepúsculo ao leste, ele consegue discernir uma fila cinzenta de veículos engarrafados entre os limites da estrada. O guincho agudo e estupefato das buzinas dos carros. Alguém chama um nome, como se uma criança estivesse perdida, e o vento carrega o som para longe.

— Alguma coisa está pegando fogo, Papa?
— Nada.
— Estou sentindo cheiro de fumaça.

Ele puxa as meias dela para examinar os calcanhares. Nas mãos dele, os pés são leves como pássaros.

— Que barulho é esse?
— Grilos.
— Está escuro?
— Está ficando escuro.
— Onde nós vamos dormir?
— Aqui.
— Tem cama?
— Não, *ma chérie*.
— Para onde vamos, Papa?
— O diretor me deu o endereço de alguém que vai nos ajudar.
— Onde?

— Uma cidade chamada Evreux. Vamos encontrar um homem chamado monsieur Giannot. É um amigo do museu.

— Quanto demora até Evreux?

— Vamos levar dois anos se formos a pé.

Ela agarra o braço do pai.

— Estou brincando, Marie. Evreux não é muito longe. Se conseguirmos transporte, amanhã estaremos lá. Você vai ver.

Ela consegue se conter durante doze batidas do coração.

— Mas, e agora? — ela diz.

— Agora vamos dormir.

— Sem camas?

— Com a grama nos servindo de cama. Talvez você até goste.

— Em Evreux nós vamos ter camas, Papa?

— Espero que sim.

— E se ele não quiser nossa presença lá?

— Ele vai querer.

— E se ele não quiser?

— Então vamos visitar meu tio. Seu tio-avô. Em Saint-Malo.

— Tio Etienne? O senhor disse que ele era maluco.

— Ele é parcialmente maluco, sim. Talvez seja setenta e seis por cento maluco.

Ela não ri.

— Saint-Malo é muito longe?

— Chega de perguntas, Marie. Monsieur Giannot vai querer que nós dois fiquemos em Evreux. Em grandes camas macias.

— Quanto de comida nós temos, Papa?

— Um tanto. Você ainda está com fome?

— Não estou com fome. Quero poupar comida.

— Muito bem. Vamos poupar comida. Agora vamos ficar em silêncio e descansar.

Ela se deita de costas. Ele acende outro cigarro. Restam seis. Morcegos mergulham em nuvens de mosquitos, e os insetos se dispersam e reagrupam uma vez mais. "Somos camundongos", pensa ele, "e o céu se enche de gaviões".

— Você é muito corajosa, Marie-Laure.

A menina cai rapidamente no sono. A noite se adensa. Quando termina o cigarro, ele pousa os pés de Marie-Laure no chão, a cobre com o casaco dela e abre a mochila. Tateando, encontra sua caixa de ferramentas cheia de utensílios de marcenaria. Pequeninos serrotes, tachas, goivas, cinzéis para esculpir, lixas finas. Muitas dessas ferramentas eram do seu avô. De debaixo do forro da caixa, ele retira uma pequena bolsa feita de linho grosso amarrada com barbante. O dia todo ele se conteve para não verificar a bolsa. Agora ele a abre e despeja na palma o seu conteúdo.

Na mão, a pedra tem aproximadamente o tamanho de uma castanha. Mesmo nesta hora tardia, na penumbra, ela emana um majestoso brilho azul. Estranhamente frio.

O diretor disse que seriam três iscas. Contando com a gema genuína, perfazem quatro. Uma ficaria para trás, no museu. As três outras seriam enviadas para três direções diferentes. Uma para o sul com um jovem geólogo. Outra para o norte com o chefe da segurança. A quarta é aquela, em um campo a oeste de Versailles, dentro da caixa de ferramentas de Daniel LeBlanc, chaveiro-chefe do Museu Nacional de História Natural.

Três falsas. Uma autêntica. É melhor, disse o diretor, que nenhum dos três saiba se carrega o diamante verdadeiro ou uma réplica. E os três, continuou, encarando seriamente cada um deles, devem se comportar como se carregassem a verdadeira.

O chaveiro diz a si mesmo que o diamante que ele carrega não é real. Não há possibilidade de o diretor conscientemente ter entregado a um funcionário um diamante de cento e trinta e três quilates e deixá-lo sair de Paris com a pedra. No entanto, ao fitá-la, ele não consegue evitar que seus pensamentos formulem a pergunta: "Poderia ser o verdadeiro?"

Ele examina o campo. Árvores, céu, feno. Cai a escuridão aveludada. Algumas estrelas pálidas já aparentes. Marie-Laure mantém a respiração regular do sono. "Todos os três devem se comportar como se carregassem a verdadeira". O chaveiro recoloca a pedra na bolsa e a enfia dentro da mochila. Ele é capaz de sentir a leveza de seu peso ali dentro, como se a tivesse enfiado dentro de sua própria cabeça: um nó.

Horas mais tarde, ele desperta e vê a silhueta de um avião encobrir as estrelas enquanto se move velozmente na direção leste. A aeronave faz um som rascante quando passa acima de suas cabeças. Depois desaparece. O chão treme um instante depois.

Um pedaço do céu noturno, além de uma parede de árvores, exibe um brilho vermelho. Na luz lúgubre e tremeluzente, ele vê que o avião não estava sozinho, que proliferam no céu, uma dúzia deles arremetendo para trás e para a frente, acelerando em todas as direções, e, em um momento de desorientação, ele sente não estar olhando para cima, e sim para baixo, como se um holofote iluminasse um espelho d'água repleto de sangue, o céu transformado em mar, e os aviões são peixes famintos, destruindo suas presas na escuridão.

Dois

8 de agosto de 1944

Saint-Malo

Portas são arremessadas de seus batentes. Tijolos se transformam em pó. Grandes jatos de cal e terra e granito se expandem como nuvens pelo céu. Todos os doze bombardeiros já bateram em retirada e ganharam altitude e se realinharam acima do Canal da Mancha antes de as telhas de ardósia projetadas pela explosão terminarem de desabar sobre as ruas.

As labaredas assomam paredes. Incendeiam os carros estacionados, assim como as cortinas e os abajures, os sofás e os colchões, e a maior parte dos vinte mil volumes da biblioteca pública. As chamas desfilam e se agrupam; arrebentam sobre as laterais da muralha como ondas; se derramam pelas ruas, por cima dos telhados, no meio de estacionamentos. A fumaça sucede à poeira; as cinzas sucedem à fumaça. Uma banca de jornal flutua em meio ao fogo.

De dentro de porões e criptas em toda a cidade, os habitantes de Saint-Malo fazem suas preces: "senhor deus proteja esta cidade este povo não nos abandone em seu nome rogamos amém." Homens idosos se agarram a candeeiros; crianças soltam gritos estridentes; cachorros uivam. Em velhas casas geminadas, chamas incineram vigas de quatrocentos anos em poucos segundos. Em uma parte da cidade velha, comprimida contra as muralhas ocidentais, o incêndio cria correntes de vento, com redemoinhos de fogo que chegam até cem metros. O apetite por oxigênio é tanto que objetos mais pesados do que um gato são sugados para as chamas. Letreiros de lojas pendurados em cantoneiras se inclinam na direção do calor; uma fileira de plantas em vasos desliza e cai sobre o cascalho. Aves, expulsas das chaminés, pegam fogo, se precipitam como brasas arremessadas por cima das muralhas e se apagam no mar.

Na Rue de la Crosse, o Hotel das Abelhas se torna quase etéreo por um momento, alçado por uma espiral de fogo antes de seus pedaços começarem a cair como chuva de volta para a terra.

Rue Vauborel, número 4

Marie-Laure se enrosca como uma bola embaixo da cama, segurando a pedra com a mão esquerda e a pequenina casa com a direita. Os pregos guincham e gemem nas tábuas. Uma cascata de gesso, tijolos e vidro cai sobre o chão, sobre a maquete da cidade em cima da mesa e sobre o colchão acima dela.

— Papa Papa Papa Papa.

Marie-Laure está falando, mas seu corpo está desgarrado de sua voz, e as palavras têm uma cadência desamparada e distante. Ela imagina que a raiz de uma árvore gigantesca, em uma praça central em que jamais a levaram, enredou todo o solo por baixo de Saint-Malo, e a mão de Deus desarraigou a imensa árvore puxando junto todo o concreto e arrancando porções e pilhas e nacos de pedras, até que enfim a raiz surge por completo — a estrutura semelhante a uma árvore de cabeça para baixo enfiada na terra, não seria assim que o dr. Geffard descreveria para ela? —, e as muralhas desabam, as ruas se desprendem, e mansões do tamanho de um quarteirão tombam como brinquedos.

Vagarosamente, agradecidamente, o mundo se aquieta. Do lado de fora vem um leve tilintar, fragmentos de vidro, talvez, caindo nas ruas. É ao mesmo tempo estranho e belo, como se do céu estivessem chovendo pedras preciosas.

Será que o tio-avô sobreviveu, seja lá onde estiver?

Será que alguém sobreviveu?

Será que ela sobreviveu?

A casa estala, goteja, range. Sobrevém um som como o farfalhar de um matagal, porém mais ávido. Um som que suga as cortinas, suga as partes delicadas dos ouvidos dela.

Ela sente o cheiro de fumaça e entende: fogo. A vidraça da janela de seu quarto se espatifou, e ela escuta através das venezianas o som de alguma coisa queimando. Algo colossal. O bairro. A cidade inteira.

A parede, o chão e a parte debaixo da cama dela permanecem frias. A casa ainda não está em chamas. Mas por quanto tempo?

Acalme-se, ela pensa. Concentre-se em inspirar, expirar. Inspire de novo. Ela permanece embaixo da cama. Diz para si mesma:

— *Ce n'est pas la realité.*

Hotel das Abelhas

Do que ele se lembra? Ele viu o engenheiro Bernd fechar a porta do porão ao entrar e se sentar na escada. Viu o enorme Frank Volkheimer, na poltrona dourada, esfregando uma mancha na calça. Depois a lâmpada do teto se apagou, e Volkheimer acendeu a lanterna e um estrondo os encobriu, um som alto, quase tão letal quanto uma arma, consumindo tudo, estremecendo a própria crosta terrestre, e por um momento tudo o que Werner conseguiu ver foi a lanterna de Volkheimer ser repelida para longe como um inseto.

Eles foram arremessados. Por um instante ou uma hora ou um dia — quem saberia? —, Werner estava de volta a Zollverein, na margem de um campo, em pé na beira de uma cova que um mineiro havia cavado para duas mulas, e era inverno, e Werner não tinha mais do que cinco anos, e a pele das mulas tinha ficado quase translúcida, a ponto de ser possível ver os ossos turvados no interior, e pequenos torrões de terra suja estavam presos nos olhos abertos dos animais, e a fome era tanta que o levava a se perguntar se sobrara alguma parte comestível nas carcaças.

Ouviu a pá bater nos seixos.

Ouviu a irmã respirar.

Então, como se um elástico tensionado tivesse atingido seu limite, algo o puxou de volta ao porão embaixo do Hotel das Abelhas.

O chão parou de tremer, mas o som não diminuiu. Ele aperta a palma da mão contra o ouvido direito. O estrondo persiste, o zumbido de mil abelhas, muito perto.

— Estão ouvindo alguma coisa? — pergunta ele, mas não consegue ouvir nem a própria voz.

Sua face esquerda está molhada. Os fones de ouvido que estava usando desapareceram. Onde está a bancada de trabalho, onde está o rádio, o que são estes pesos em cima dele?

De seus ombros, peito e cabelo, Werner recolhe pedaços quentes de pedra e madeira. Procure a lanterna, encontre os outros, verifique o rádio. Procure a saída. Descubra o que aconteceu com sua audição. Esses são os passos racionais. Ele tenta se sentar, mas o teto arriou, e ele bate a cabeça.

Calor. Esquentando. Pensa: estamos presos em uma caixa, e a caixa foi arremessada pela cratera de um vulcão.

Transcorrem segundos. Talvez minutos. Werner se ajoelha. Luz. Depois os outros. Depois a saída. Depois a audição. Provavelmente os homens da Luftwaffe no andar de cima já estão vasculhando os escombros para ajudar. Mas ele não consegue encontrar a lanterna. Não consegue nem ficar de pé.

A visão de Werner está emaranhada por milhares de fios vermelhos e azuis vagando na escuridão absoluta. Chamas? Fantasmas? Elas afagam o chão e depois se elevam até o teto, brilhando de maneira estranha, serena.

— Nós estamos mortos? — grita para a escuridão. — Nós morremos?

Seis andares para baixo

O estrondo dos bombardeiros mal tinha esvanecido quando um projétil assobia por cima da casa e provoca uma explosão seca não muito longe dali. Objetos tamborilam sobre o telhado — fragmentos de munição? brasas?

— Você está em um andar muito alto — diz Marie-Laure para si mesma.

Ela se força a sair do abrigo embaixo da cama. Já ficou ali por tempo demais. Ela retorna a pedra à casinha e recoloca os painéis de madeira que formam o teto, torce a chaminé de volta à posição original e enfia a miniatura dentro do bolso do vestido.

Onde estariam seus sapatos? Marie-Laure rasteja pelo chão, mas seus dedos só conseguem distinguir pedaços de madeira e o que talvez sejam cacos do vidro da janela. Encontra a bengala e sai do quarto calçando apenas meias, seguindo pelo corredor. O cheiro de fumaça está mais forte. O piso ainda está frio, as paredes ainda estão frias. Ela se alivia no banheiro do sexto andar e contém o reflexo de dar descarga, sabendo que a privada não vai se encher de água, e se certifica de que o ar não está quente antes de avançar.

Seis passos até a escada. O silvo de um segundo projétil ecoa no céu, e Marie-Laure solta um grito, e o lustre acima de sua cabeça repica enquanto o projétil detona em algum lugar no outro lado do estuário.

Chuva de tijolos, chuva de cascalhos, chuva mais lenta de fuligem. Oito degraus da escada em espiral até o andar de baixo; o segundo e o quinto degraus rangem. Contornar o pilar do corrimão, mais oito degraus. Quarto andar. Terceiro. Aqui ela verifica o fio do alarme que o tio-avô construiu por baixo da mesa do telefone no patamar da escada. O sino está suspenso, e a linha continua retesada, correndo verticalmente através do orifício que ele perfurou na parede. Ninguém entrou nem saiu.

Oito passos pelo corredor até o banheiro. A banheira está cheia. Algumas coisas boiam dentro dela, lascas de gesso do teto, talvez, e há uma areia grossa no chão, mas a garota se ajoelha, leva os lábios à água e bebe até se saciar. O máximo que ela pode.

Volta à escada e desce até o segundo andar. Depois ao primeiro: videiras entalhadas no corrimão. O cabideiro tombou para a frente. Fragmentos de algo afiado estão espalhados pelo corredor — pedaços de louça, imagina ela, da cristaleira da sala de jantar — e ela caminha o mais de leve que consegue.

Aqui, algumas das janelas também devem ter explodido: ela sente cheiro de fumaça novamente. O casaco de lã do tio-avô está pendurado em um gancho no vestíbulo; ela o veste. Não há sinal dos sapatos dela — o que será que ela fez com eles? A cozinha é um amontoado de prateleiras e panelas caídas. Um livro de receitas jaz em seu caminho com as páginas abertas voltadas para o chão, como um pássaro abatido por um tiro. No armário, ela encontra um pão pela metade, o que sobrou do dia anterior.

No centro do primeiro piso, encontra o anel de metal da porta para o porão. Ela desliza a pequena mesa de jantar para o lado e iça o alçapão para abri-lo.

Lar de camundongos, umidade e fedor de crustáceos, como se uma gigantesca onda tivesse varrido a cidade décadas atrás e retrocedesse muito devagar. Marie-Laure hesita acima da entrada, sentindo o cheiro dos incêndios do lado de fora e do odor viscoso, quase o oposto, vindo lá do fundo. Fumaça: seu tio-avô diz que é uma suspensão de partículas, bilhões de moléculas de carbono flutuando. Pedaços de salas de estar, cafeterias, árvores. Pessoas.

Um terceiro projétil de artilharia grita em direção à cidade vindo do leste. Novamente Marie-Laure apalpa a pequenina casa no bolso do vestido. Depois apanha o pão e a bengala, começa a descer a escada e fecha o alçapão.

Encurralados

Uma luz surge. Uma luz, assim espera Werner, que não foi acesa por sua própria imaginação: um facho cor de âmbar movimentando-se pela poeira. Ele ziguezagueia pelos escombros, ilumina uma seção da parede desabada, aviva um pedaço retorcido de estante. Vagueia sobre dois armários de metal tortos e amassados, como se uma mão gigantesca tivesse aparecido e dobrado cada um no meio. Brilha sobre caixas de ferramentas despejadas, painéis quebrados e uma dúzia de potes intactos cheios de pregos e parafusos.

Volkheimer. Ele segura a lanterna e move o facho repetidamente sobre uma pilha de destroços no canto oposto — pedras, cimento e lascas de madeira. Werner demora um momento para perceber que se trata da escada.

Do que sobrou da escada.

Todo aquele canto do porão desapareceu. A luz paira ali mais um momento, como se permitisse a Werner absorver a situação, então dá uma guinada para a direita e meneia em direção a algo próximo, e no breu revelado pelo facho de luz, através de véus de poeira, Werner percebe a enorme silhueta de Volkheimer desviando e abaixando à medida que se move entre canos e vergalhões dependurados. Finalmente a luz estaca. Com a lanterna na boca, em meio à sombra opaca suspensa acima do facho, Volkheimer levanta nacos de tijolo, reboco e gesso, pedaço após pedaço, tábuas retalhadas e placas de estuque — há algo embaixo disso tudo, Werner vê, soterrado por todo aquele peso, uma forma tomando contorno.

O engenheiro. Bernd.

O rosto de Bernd está branco de poeira, mas seus olhos são dois vazios, e sua boca, um buraco violeta. Embora Bernd esteja gritando, o ruído serrilhado alojado no ouvido de Werner o impede de escutar. Volkheimer ergue o engenheiro — o homem mais velho não passa de uma criança nos braços do sargento, que mantém a lanterna entre os dentes — e percorre o espaço em ruínas com ele, abaixando-se de novo para evitar o teto pendente, e o coloca na poltrona dourada ainda aprumada no canto, agora recoberta de um pó branco.

Volkheimer põe a grande mão no maxilar de Bernd e delicadamente fecha a boca do homem. Werner, a apenas alguns metros de distância, não percebe qualquer mudança na vibração do ar.

A estrutura que os cerca sofre um novo abalo, e uma poeira quente cai em cascata para todo lado.

Em pouco tempo, a lanterna de Volkheimer começa um percurso no que sobrou do telhado. As três imensas vigas de madeira racharam, mas nenhuma cedeu por completo. Entre elas, fendas desenham uma teia de aranha no estuque, e os canos o atravessaram em dois pontos. Atrás de Werner, a luz alcança a bancada virada, o rádio com o estojo esmagado. Finalmente encontra Werner, que levanta uma palma para bloquear a luz.

Volkheimer se aproxima; seu rosto grande e solícito chega bem perto. Amplo, familiar, olhos fundos sob o capacete. Maçãs do rosto salientes e nariz longo, alargado na ponta como as protuberâncias na extremidade de um fêmur. Maxilar do tamanho de um continente. Lenta e cuidadosamente, Volkheimer toca a face de Werner. A ponta de seus dedos retorna vermelha.

— Temos que sair daqui. Temos que achar outra saída. — diz Werner.

"Fora daqui?" são as palavras desenhadas pelos lábios de Volkheimer. Balança a cabeça. "Não há nenhuma saída."

Três

Junho de 1940

Château

Dois dias depois de fugirem de Paris, Marie-Laure e o pai alcançam a cidade de Evreux. Os restaurantes estão ou lotados ou lacrados com tábuas. Duas mulheres em vestidos de festa estão curvadas, quadris encostados, nos degraus da catedral. Um homem jaz de bruços entre as tendas do mercado, inconsciente, na melhor das hipóteses.

Nenhum serviço de correios. Linhas de telégrafo inoperantes. O jornal mais recente saiu há trinta e seis horas. Na prefeitura, uma fila para cupons de gasolina serpenteia porta afora e contorna o quarteirão.

Os dois primeiros hotéis estão lotados. O terceiro nem destranca a porta. De vez em quando o chaveiro se dá conta de que está vigiando por cima dos ombros.

— Papa — resmunga Marie-Laure, confusa. — Meus pés.

Ele acende um cigarro: sobram três.

— Não falta muito agora, Marie.

No limite ocidental de Evreux, a estrada se esvazia e a paisagem se aplana. Ele verifica repetidas vezes o endereço que o diretor lhe deu. "Monsieur François Giannot. Rue St. Nicolas, número 9." Mas a casa do monsieur Giannot, quando eles a encontram, está em chamas. No anoitecer sem ventos, letárgicas nuvens de fumaça brotam por entre as árvores em direção ao céu. Um carro bateu contra um canto da guarita e o portão foi arrancado das dobradiças. A casa — ou o que resta dela — é grandiosa: na fachada, vinte janelas grandes com vidro do chão ao teto, extensas venezianas recém-pintadas, cercas simetricamente podadas na frente. *Un château*.

— Estou sentindo cheiro de fumaça, Papa.

Ele conduz Marie-Laure pela entrada de cascalho. A mochila dele — ou talvez seja a pedra lá no fundo — parece ficar mais pesada a cada passo. Nenhuma poça reluz no meio do caminho de pedras, nenhuma brigada de bombeiros se amontoa ali. Dois vasos idênticos estão tombados na escada da frente. Um lustre despedaçado se esparrama pelos degraus.

— O que está queimando, Papa?

Saindo do crepúsculo esfumaçado, um garoto não mais velho do que Marie-Laure, riscado de cinzas, vem na direção deles empurrando um carrinho de refeições pelo cascalho. Colheres e pegadores de prata pendurados no carrinho repicam e retinem enquanto as rodinhas estalam e chafurdam. Em cada canto, sorri um pequeno e comportado querubim.

— Esta é a casa de François Giannot? — pergunta o chaveiro.

Ao passar, o garoto não dá atenção nem à interrogação nem ao interrogador.

— Você sabe o que aconteceu com...?

O barulho do carrinho diminui.

Marie-Laure puxa a bainha do casaco do pai.

— Papa, por favor.

Emoldurado pelo casaco e pelas árvores negras ao fundo, o rosto dela parece mais pálido e amedrontado do que ele já viu algum dia. Será que exigiu tanto assim dela em algum momento no passado?

— Uma casa pegou fogo, Marie. As pessoas estão roubando as coisas.

— Que casa?

— A casa que caminhamos tanto para encontrar.

Por cima da cabeça dela, é possível ver as brasas do que restou do batente da porta, avivando e esmorecendo com a passagem da brisa. Um buraco no teto enquadra o céu cada vez mais escuro.

Mais dois meninos emergem da fuligem carregando um retrato com uma moldura dourada, duas vezes o tamanho deles, a figura de algum antepassado há muito falecido fechando a cara para a noite. O chaveiro espalma as duas mãos para retardá-los.

— Foram os aviões? — pergunta a eles.

— Tem muito mais lá dentro — responde um deles.

A moldura da pintura está enrugada pelo fogo.

— Vocês sabem por onde anda o monsieur Giannot?

— Fugiu ontem. Com o restante. Londres — responde um outro.

— Não conte nada para ele — fala o primeiro.

Os meninos descem correndo o caminho com sua recompensa e são engolidos pela escuridão.

— Londres? — murmura Marie-Laure. — O amigo do diretor está em Londres?

Folhas de papel enegrecidas trotam pelos pés deles. Sombras sussurram nas árvores. Um melão partido está jogado no caminho como uma cabeça decapitada. O chaveiro está delirando. O dia todo, quilômetro após quilômetro, ele ficou imaginando que seriam acolhidos com comida. Batatinhas com interior ainda quente, as quais ele e Marie-Laure atulhariam de manteiga. Chalotas e cogumelos e ovos cozidos e molho bechamel. Café e cigarros. Ele entregaria a pedra a monsieur Giannot, que apanharia o pincenê dourado do bolso, colocaria as lentes sobre os olhos tranquilos e diria a ele: autêntico ou falso. Então, Giannot a enterraria no jardim ou a esconderia atrás de um painel oculto em algum lugar de suas paredes, e tudo estaria concluído. Dever cumprido. *Je ne m'en occupe plus.* Ficariam em um quarto só para eles, tomariam banho; talvez alguém lavasse as roupas deles. Talvez o monsieur Giannot contasse histórias engraçadas sobre seu amigo, o diretor, e de manhã os passarinhos cantariam e um jornal recente anunciaria o fim da invasão, concessões razoáveis. Ele retornaria ao depósito de chaves, passaria as noites instalando pequenas janelas de correr em pequenas casas de madeira. "*Bonjour, bonjour.*" Tudo como era antes.

Mas nada é como antes. As árvores abrasam, a casa queima lentamente e, de pé no meio dos cascalhos da entrada de carros, a luz do dia quase no fim, o chaveiro tem um pensamento inquietante: alguém pode estar nos perseguindo. Alguém pode saber o que estou carregando.

Ele conduz Marie-Laure de volta para a estrada quase correndo.

— Papa, meus pés.

Ele gira a mochila para a frente do corpo, envolve em seu pescoço os braços da filha e a carrega nas costas. Passam pelo portão quebrado e pelo carro avariado e se viram não para o leste, em direção ao centro de Evreux, mas para o oeste. Pessoas passam de bicicleta. Rostos aflitos maculados pela desconfiança ou medo ou ambos. Talvez os próprios olhos do chaveiro estejam maculados.

— Não tão rápido — suplica Marie-Laure.

Eles descansam em meio ao mato a vinte passos da estrada. Há apenas a noite caindo e o pio de corujas nas árvores e morcegos encurralando insetos acima de uma vala na margem da estrada. Um diamante, o chaveiro diz para si mesmo, não passa de um pedaço de carbono comprimido nas entranhas da terra durante eras e levado à superfície em uma chaminé vulcânica. Alguém o lapida, alguém faz seu polimento. Pode acolher uma maldição tanto quanto uma folha, ou um espelho, ou uma vida. Só existe o acaso neste mundo, o acaso e a física.

De qualquer maneira, a peça que ele carrega nada mais é do que um pedaço de vidro. Um engodo.

Atrás dele, acima de Evreux, uma parede de nuvens acende uma vez, duas vezes. Raios? Na estrada à frente, ele distingue muitos acres de feno não ceifados e os tênues perfis das instalações de uma fazenda na escuridão — uma casa e um celeiro. Nenhum movimento.

— Marie, estou vendo um hotel.

— O senhor disse que os hotéis estavam lotados.

— Este parece amigável. Venha. Não está muito longe.

Novamente, ele leva a filha no colo. Mais oitocentos metros. Pelas janelas, nenhuma luz acende enquanto se aproximam. O celeiro está a cem metros de distância. Ele tenta discernir algum som além do fluir de sangue em seus ouvidos. Nenhum cão, nenhuma tocha. Provavelmente os fazendeiros fugiram. Ele deixa Marie-Laure em frente às portas do celeiro e bate suavemente, espera e bate de novo.

O cadeado é um Burguet de trinco único novo em folha; com suas ferramentas, ele o abre facilmente. No interior, encontram aveia, baldes de água e moscas girando sonolentas pelo ar, mas nenhum cavalo. Ele abre uma baia, ajuda Marie-Laure a chegar até um canto e tira os sapatos dela.

— *Voilà* — diz ele. — Um dos hóspedes acabou de trazer seus cavalos para dentro da recepção, então vai ficar um pouco de cheiro por um tempo. Mas agora os porteiros o estão enxotando. Veja, lá foi ele. Adeus, cavalo! Vá dormir nos estábulos, por favor!

A expressão dela é distante. Perdida.

Há uma horta atrás da casa. Na penumbra, ele consegue discernir rosas, alhos-porós e alfaces. Morangos, a maioria ainda verde. Tenras cenouras brancas com terra grudada nas fibras. Nada se mexe: nenhum fazendeiro se materializa munido de um rifle em uma janela. O chaveiro traz uma camisa cheia de vegetais, enche um balde de metal em uma torneira, fecha vagarosamente a porta do celeiro e alimenta a filha no escuro. Depois dobra o casaco, deita nele a cabeça da filha e limpa o rosto dela com a camisa.

Restam dois cigarros. Tragar, exalar.

Siga a lógica. Todo efeito tem sua causa, e todo problema tem sua solução. Toda fechadura tem sua chave. Você pode voltar para Paris ou permanecer aqui ou seguir em frente.

Do lado de fora, vem o suave piado das corujas. O rebombar distante de trovões ou artilharia ou os dois.

— Este hotel é muito barato, *ma chérie*. O hospedeiro atrás do balcão disse que o nosso quarto custa quarenta francos por noite, mas apenas vinte se fizermos a própria cama. — Ele escuta a respiração dela. — Então eu disse: "Ah, podemos fazer nossa própria cama." E ele disse: "Ótimo, vou lhe dar alguns pregos e madeira."

Marie-Laure ainda não sorri.

— Agora, vamos procurar o tio Etienne? — pergunta a garota.

— Vamos, Marie.

— Aquele que é setenta e seis por cento maluco?

— Ele estava com o seu avô, irmão dele, quando morreu. Na guerra. "Subiu muito gás para a cabeça", assim costumavam dizer. Mais tarde começou a ver coisas.

— Que tipo de coisas?

O rebombar do trovão está mais próximo agora. O celeiro treme ligeiramente.

As aranhas tecem suas teias entre as vigas. As mariposas voam batendo nas janelas. Começa a chover.

Exames de admissão

Os exames de admissão para os Institutos Nacionais de Educação Política acontecem em Essen, vinte e nove quilômetros ao sul de Zollverein, dentro de um salão de baile abafado onde um trio de aquecedores do tamanho de um caminhão está ligado na parede dos fundos. Um dos aquecedores emite ruídos e fumaça o dia todo, apesar de várias tentativas de desligá-lo. Bandeiras do Ministério da Guerra tão grandes quanto tanques estão penduradas nas vigas.

Há cem recrutas, todos meninos. Um representante da escola vestido de uniforme preto os organiza em quatro filas. Enquanto ele caminha, as medalhas tilintam no peito.

— Vocês estão tentando ingressar nas melhores escolas de elite do mundo — declara. — Os exames vão durar oito dias. Vamos selecionar apenas os mais puros, os mais fortes.

Um segundo representante distribui uniformes: camisas brancas, shorts brancos, meias brancas. Os meninos se despem sem sair do lugar.

Werner conta mais vinte e seis de sua faixa etária. Todos são mais altos do que ele, com exceção de dois. Todos são louros, com exceção de três. Nenhum usa óculos.

Os meninos gastam a primeira manhã inteira em seu uniforme branco, preenchendo questionários em pranchetas. Não se ouve qualquer barulho, salvo o ruído de lápis escrevendo, os passos de examinadores e o rumor do enorme radiador.

"Onde nasceu seu avô? Qual é a cor dos olhos do seu pai? Sua mãe já trabalhou alguma vez em um escritório?" Das cento e dez perguntas sobre a linhagem dele, Werner pode responder apenas dezesseis com precisão. As demais são palpites.

"Onde sua mãe nasceu?"

As opções não são dissertativas. Ele escreve: "Alemanha."

"De onde é seu pai?"

"Alemanha."

"Que línguas sua mãe fala?"

"Alemão."

Ele se lembra de Frau Elena, de sua aparência de manhã cedo, de camisola, postada ao lado da luminária da sala, preocupando-se com a mala dele, todas as outras crianças adormecidas. Ela parecia perdida, tonta, como se não conseguisse absorver a velocidade com que as coisas estavam se transformando ao seu redor. Disse estar orgulhosa. Disse que Werner devia se empenhar ao máximo.

— Você é um rapaz inteligente. Vai se sair bem.

Ela ficava arrumando e rearrumando o colarinho dele.

— É apenas uma semana — diz Werner.

Os olhos de Frau Elena lentamente se enchem de lágrimas, como se uma inundação transbordasse pouco a pouco de dentro dela.

Na parte da tarde, os recrutas correm. Rastejam sob obstáculos, fazem flexões, escalam cordas — cem crianças em seus uniformes brancos passando ensebadas e indiferenciáveis como gado diante dos olhos dos examinadores. Werner chega em nono lugar na corrida de ir e vir. Chega em penúltimo lugar na escalada de corda. Nunca vai ser bom o suficiente.

De noite, os meninos se dispersam no salão, alguns se encontrando com os pais ostensivamente orgulhosos em seus carros, outros desaparecendo de propósito em duplas ou trios nas ruas: todos parecem saber para onde vão. Werner toma seu rumo sozinho para um albergue espartano a seis quarteirões, onde aluga uma cama por dois marcos o pernoite, se deita entre viajantes resmungões e escuta os pombos e os sinos e o agitado tráfego de Essen. É a primeira noite que passa fora de Zollverein, e não consegue parar de pensar em Jutta, que não fala com o irmão desde que ele destruiu o rádio. Que o encara com tanta acusação no rosto que ele tem que desviar o olhar. Os olhos dela dizem "Você está me traindo", mas será que ele não a está protegendo?

Na segunda manhã, há exames de verificação de raça. Não exigem muito de Werner, apenas levantar os braços ou se abster de piscar enquanto um inspetor lança a luz de uma lanterna clínica nos túneis das pupilas dele. Ele transpira e se remexe. O coração bate desordenadamente. Um técnico com hálito de cebola vestindo um jaleco mede a distância entre as têmporas de Werner, a circunferência da cabeça, a espessura e o formato dos lábios. Compassos de calibre são usados para avaliar os pés, o comprimento dos dedos das mãos, bem como o umbigo e a distância entre os olhos. Medem o pênis dele. O ângulo do seu nariz é quantificado com um transferidor de madeira.

Um segundo técnico afere a cor dos olhos de Werner comparando-a a uma escala cromática onde são exibidos aproximadamente sessenta tons de azul. A cor dos olhos de Werner é *himmelblau*, azul-celeste. Para avaliar a cor do cabelo, o homem corta uma mecha de Werner e a compara a aproximadamente trinta outras mechas pregadas em uma prancha, escalonadas da mais escura para a mais clara.

— *Schnee* — murmura o homem, e faz uma anotação.

Neve. O cabelo de Werner é mais claro do que a amostra mais clara da prancha.

Testam sua visão, coletam seu sangue, colhem suas impressões digitais. Chegado o meio-dia, ele se pergunta se ainda resta alguma parte do corpo que não mensuraram.

Em seguida vêm os exames orais. Quantos *Nationalpolitische Erziehungsanstalten* existem? Vinte. Quem foram nossos maiores atletas olímpicos? Ele não sabe. Qual é o dia do aniversário do Führer? Vinte de abril. Quem é o nosso maior escritor, o que é o Tratado de Versailles, qual é o avião mais rápido da nação?

O terceiro dia envolve mais corridas, mais escaladas, mais saltos. Tudo é cronometrado. Os técnicos, os representantes das escolas e os examinadores — cada um deles usando uniformes em tons de diferença sutil — rabiscam algo em blocos de papel milimetrado, de linhas quase grudadas, e folha após folha desse papel é colocada dentro de fichários de couro com um trovão dourado impresso na frente.

Os recrutas especulam sobre as escolas em sussurros ansiosos.

— Ouvi falar que as escolas têm barcos à vela, falcoarias, campos de tiro.

— Ouvi que só vão selecionar sete de cada faixa etária.

— Ouvi que são apenas quatro.

Comentam sobre as escolas com gana e vanglória; eles querem desesperadamente ser escolhidos. Werner fala consigo mesmo: "Eu também. Eu também."

No entanto, em outros momentos, apesar de suas ambições, ele é acometido por episódios de vertigem; vê Jutta segurando as peças esmagadas do rádio deles e sente a incerteza se instalar furtivamente em sua convicção.

Os recrutas escalam muros; fazem tiros de corrida repetidas vezes. No quinto dia, três resolvem ir embora. No sexto, mais quatro desistem. A cada hora, o calor no salão de danças aumenta; assim, pelo oitavo dia, o ar, as paredes e o chão estão saturados com o odor quente, abundante dos meninos. Para o teste final, cada um dos rapazes de quatorze anos é obrigado a escalar degraus pregados aleatoriamente em um muro. Uma vez no topo, a sete metros do solo, com as cabeças perto das vigas, devem pisar em uma pequenina plataforma, fechar os olhos e pular, para serem apanhados em uma bandeira sustentada por uma dúzia de outros recrutas.

O primeiro a ir é um robusto garoto de fazenda de Herne. Ele sobe a escada com rapidez, mas logo que se encontra na plataforma alta, acima de todos, seu rosto fica branco. Seus joelhos cambaleiam perigosamente.

— Maricas — alguém murmura.

— Medo de altura — sussurra o garoto ao lado de Werner.

Um examinador observa sem emoção. O garoto espreita na plataforma, como se na extremidade aguardasse um redemoinho sem fim, e fecha os olhos. Ele balança para a frente e para trás. Segundos intermináveis se passam. O examinador dá uma espiada no cronômetro. Werner agarra a bainha da bandeira.

Em pouco tempo todos no salão de dança pararam para observar, mesmo os recrutas das outras faixas etárias. O garoto balança mais duas vezes, até ficar evidente que ele está prestes a desmaiar. Mesmo assim ninguém se move para ajudá-lo.

Quando ele tomba, tomba para o lado. Os recrutas no solo conseguem reposicionar a bandeira a tempo, mas o peso dele rasga o pano nas pontas, arrancando-as de suas mãos. Os braços do garoto atingem o chão primeiro, emitindo um som de gravetos sendo quebrados sobre o joelho de alguém.

O garoto se senta. Seus dois antebraços estão contorcidos em ângulos repulsivos. Ele pisca por um momento enquanto os observa com curiosidade, como se varresse a memória para conseguir uma pista que pudesse explicar como ele foi parar ali.

Então, começa a gritar. Werner olha para o outro lado. Quatro meninos são designados para carregar o garoto ferido para fora.

Um a um, os demais rapazes de quatorze anos sobem a escada, estremecem e pulam. Um deles chora durante todo o trajeto. Um outro torce o tornozelo ao cair. O seguinte espera pelo menos dois minutos inteiros antes de saltar. O décimo quinto olha para todos no salão de dança como se estivesse encarando um mar frio, desolador, e depois desce novamente pela escada.

Do seu lugar segurando a bandeira, Werner observa tudo. Quando chega sua vez, ele diz para si mesmo que não deve vacilar. Em seus olhos surgem as imagens do trabalho em ferro entrelaçado de Zollverein, das usinas cuspindo fogo, dos homens sendo despejados dos elevadores dos poços como formigas, da boca do Poço Nove, onde ele perdeu o pai. Jutta está na janela da sala, obscurecida pela chuva, observando-o seguir o cabo até a casa de Herr Siedler. O sabor de creme batido e açúcar de confeiteiro e as pernas macias da esposa de Herr Siedler.

"Excepcional. Inesperado."

"Vamos selecionar apenas os mais puros, os mais fortes."

"O único lugar para onde seu irmão vai, garotinha, são as minas."

Werner escala os degraus com rapidez. Eles foram serrados de qualquer jeito, e por todo o trajeto as palmas de suas mãos se enchem de farpas. Olhando do topo, a bandeira vermelha com o círculo branco e a cruz preta parece inesperadamente pequena. Uma roda de rostos pálidos olha para cima, encarando-o. No alto é ainda mais quente, tórrido, e o cheiro da transpiração o deixa aturdido.

Sem hesitar, Werner dá um passo para a ponta da plataforma, fecha os olhos e salta. Ele atinge a bandeira bem no centro, e os garotos que seguram as pontas soltam um gemido coletivo.

Ele gira até ficar de pé, ileso. O examinador pressiona o botão do cronômetro, escreve na prancheta e olha para cima. Os olhos de ambos se encontram por meio segundo. Talvez menos. Então o homem retorna às suas anotações.

— *Heil* Hitler! — grita Werner.

O próximo garoto começa a subir a escada.

Bretanha

Na manhã seguinte, um caminhão de mudanças para na estrada. O pai a levanta e a coloca na carroceria do veículo, onde uma dúzia de pessoas se aninha sob a cobertura de lona encerada. O motor ronca e estala; o caminhão raramente ultrapassa a velocidade de uma caminhada.

Uma mulher reza com sotaque normando; alguém compartilha patê; tudo tem cheiro de chuva. Nenhum bombardeiro se precipita sobre eles com metralhadoras disparando. Ninguém no caminhão sequer viu um alemão. Durante metade da manhã, Marie-Laure tenta se convencer de que os dias anteriores foram um elaborado teste planejado pelo pai, de que o caminhão não está se afastando de Paris, mas ruma em direção à cidade, de que esta noite eles vão voltar para casa. A maquete vai estar no lugar de sempre, e o pote de açúcar vai estar no centro da mesa da cozinha, a pequena colher descansando na borda. Pelas janelas abertas, o vendedor de queijos da Rue des Patriarches vai trancar a porta e guardar aqueles aromas maravilhosos, como tem feito quase toda noite de que ela se lembra, e as folhas da castanheira vão estalar e murmurar, e seu pai vai passar o café, preparar para ela um banho quente e dizer: "Você foi ótima, Marie-Laure. Estou orgulhoso de você."

O caminhão salta de uma rodovia para uma estrada secundária que leva a um caminho de terra. O mato roça as laterais do veículo. Bem depois da meia-noite, a oeste de Cancale, eles ficam sem combustível.

— Falta pouco — sussurra o pai de Marie.

Ela caminha trôpega, semiadormecida. O caminho parece pouco mais largo do que uma trilha. O ar tem cheiro de grão molhado e grama cortada; no silêncio entre as passadas, ela ouve um ronco profundo, quase subsônico. Então puxa o pai e estanca.

— Exército — diz ela.

— O mar.

Ela inclina a cabeça.

— É o oceano, Marie. Juro.

Ele a carrega nas costas. Agora se ouve o grasnado das gaivotas. Cheiros de pedras molhadas, de bosta de passarinho, de sal, embora ela não soubesse que sal tinha cheiro. O mar murmurando em uma língua que viaja através das pedras, do ar e do céu. O que o capitão Nemo dizia? "O mar não pertence aos tiranos."

— Estamos entrando em Saint-Malo agora — diz o pai de Marie —, a parte que chamam de cidade intramuros.

Ele narra o que vê: um portão levadiço; muros de defesa, também chamados de baluartes; mansões de granito; torres sobre os telhados das casas. Os ecos de suas passadas ricocheteiam nas casas altas e recaem sobre os dois, e ele avança com dificuldade por baixo do peso da filha, que já tem idade suficiente para suspeitar de que aquilo que ele apresenta como singular e acolhedor na realidade pode ser estranho e aflitivo.

Acima de suas cabeças, os pássaros emitem sons abafados. O pai vira à esquerda, à direita. Marie-Laure sente como se os dois tivessem se perdido em um labirinto desnorteante nesses quatro últimos dias, e agora estão caminhando na ponta dos pés, transpassando a fronteira de uma última câmara interna. Dentro da qual uma fera terrível pode estar cochilando.

— Rue Vauborel — diz o pai com a respiração ofegante. — Deve ser aqui. Ou seria aqui?

Ele dá meia-volta, refaz seus passos, percorre uma viela, depois vira.

— Não tem ninguém para perguntar?

— Não vejo uma única luz acesa, Marie. Todo mundo está dormindo ou fingindo dormir.

Finalmente se aproximam de um portão, e ele a coloca sobre o meio-fio e toca a campainha, e Marie pode ouvi-la apitar no interior de uma casa. Nada. Ele aperta outra vez. Nada. Aperta de novo.

— Esta é a casa do seu tio?

— É, sim.

— Ele não nos conhece.

— Ele está dormindo. Nós também deveríamos estar.

Os dois se sentam encostados no portão. Metálico e frio. Uma pesada porta de madeira por trás. Ela deita a cabeça no ombro do pai; ele tira os sapatos da filha. O mundo cai em um embalo gentil, para trás e para a frente, como se a cidade deslizasse suavemente para longe da costa. Como se deixasse para trás o interior da França a roer as unhas, a fugir, a tropeçar, a chorar e a acordar em um alvorecer cinzento, entorpecido, incapaz de acreditar no que está acontecendo. A quem pertencem as estradas agora? E os campos? As árvores?

O pai tira o último cigarro do bolso da camisa e o acende.

No interior da casa, atrás deles, ouvem-se passos.

Madame Manec

Assim que o chaveiro diz seu nome, a respiração do outro lado da porta torna-se engasgo, fôlego suspenso. O portão guincha quando a porta atrás dele abre.

— Minha Nossa Senhora — diz uma voz de mulher. — Você era tão pequeno...

— Minha filha, madame. Marie-Laure, esta é a madame Manec.

Marie-Laure ensaia uma reverência. A mão que apalpa sua bochecha é forte: a mão de uma geóloga ou de uma jardineira.

— Meu Deus, não há distância que o destino não apague. Mas, criança querida, suas meias. E os seus calcanhares! Você deve estar faminta.

Eles passam por uma entrada estreita. Marie-Laure ouve o clangor do portão sendo fechado e depois os movimentos da mulher trancando a porta atrás deles. Duas fechaduras, uma corrente. Eles são levados até um cômodo que cheira a ervas e massa de pão fermentando: uma cozinha. O pai desabotoa o casaco dela e a ajuda a se sentar.

— Agradecemos muito, sabemos como está tarde — diz ele.

A velha madame Manec é enérgica, eficiente, dando sinais óbvios de já ter superado a surpresa inicial; ela ignora os agradecimentos e empurra a cadeira de Marie-Laure para perto de uma mesa. Acende-se um fósforo; enche-se de água uma chaleira; uma geladeira se abre e se fecha com um clique. Há o chiado do gás e o tique-tique de metal esquentando. Em outro momento, uma toalha morna está limpando o rosto de Marie-Laure. Uma jarra de água fresca e pura aparece na frente dela. Cada gole é uma bênção.

— Ah, a cidade está absolutamente apinhada — diz madame Manec, com um tom de conto de fadas, enquanto se movimenta de um lado para o outro.

Ela parece pequena; está usando sapatos pesados, grosseiros. Sua voz é baixa e cheia de falhas, como a voz de um marinheiro ou de um fumante.

— Algumas pessoas podem bancar um hotel ou um aluguel, mas muitas estão em depósitos, sobre leitos de palha, sem ter o suficiente para comer. Eu os acolheria, mas o seu tio, você sabe, isso pode aborrecê-lo. Não há óleo diesel, nem querosene, os navios britânicos foram embora há muito tempo. Queimaram tudo que deixaram para trás, no início eu nem queria acreditar naquilo, mas o Etienne, o rádio fica ligado o tempo todo...

Ovos se quebrando. Manteiga estalando em uma panela quente. O pai de Marie conta um resumo da história da fuga deles, das estações de trem, das multidões amedrontadas, omitindo a parada em Evreux, mas em pouco tempo toda a atenção de Marie-Laure está voltada para os aromas que brotam ao redor dela: ovo, espinafre, queijo derretido.

Chega uma omelete. Ela posiciona o rosto acima do vapor que sai do prato.

— A senhora poderia me dar um garfo, por favor?

A velha senhora ri: uma risada que imediatamente aquece Marie-Laure. Em um instante, um garfo é colocado na mão da menina.

Os ovos têm um sabor de nuvens. Como fios de ouro.

— Acho que ela gostou — madame Manec ri novamente.

Logo aparece uma segunda omelete. Agora é o pai dela que come rapidamente.

— Você quer pêssego, querida? — murmura madame Manec. Marie-Laure ouve um pote se abrir e o caldo sendo despejado em uma tigela. Segundos depois, ela está comendo fatias úmidas de raios de sol.

— Marie — murmura o pai —, olhe os modos.

— Mas eles estão...

— Temos muito — interrompe madame Manec. — Aproveite, criança. Faço todos os anos.

Após Marie-Laure terminar dois potes inteiros de pêssegos, madame Manec limpa os pés da menina com um pano, sacode o casaco dela e enfia a louça na pia.

— Cigarros? — ela oferece.

E o pai de Marie suspira de gratidão, um fósforo brilha e os adultos fumam. Abre-se uma porta, ou uma janela, e Marie-Laure pode ouvir a voz hipnótica do mar.

— E Etienne? — pergunta o chaveiro.

— Ele se enterra como um defunto em um dia, come como um albatroz no dia seguinte — responde madame Manec.

— Ele ainda não...?

— Há vinte anos que não.

Provavelmente os adultos estão conversando em silêncio, movimentando os lábios. Provavelmente Marie-Laure deveria ser mais curiosa — sobre o tio-avô dela que vê coisas que não estão lá, sobre o destino de tudo e todos que ela já conheceu — mas seu estômago está cheio, o sangue se tornou um fluxo dourado e morno no interior de suas artérias, e para além da janela aberta, para além dos muros, o oceano rebenta, apenas um monte de pedras empilhadas a separando dele, a orla da Bretanha, o parapeito mais longínquo da França — e talvez os alemães estejam avançando tão inexoravelmente quanto lava, mas Marie-Laure está deslizando para dentro de algo, um sonho, ou talvez seja a lembrança de um sonho: ela tinha seis ou sete anos, tinha acabado de perder a visão, e o pai dela está sentado na cadeira ao lado de sua cama, talhando uma pequena peça de madeira, fumando um cigarro, e a noite está cobrindo as centenas de milhares de telhados e chaminés de Paris, e todas as paredes em volta dela estão se desfazendo, os tetos também, a cidade inteira está se desintegrando em fumaça, e enfim o sono cai sobre ela como uma sombra.

Você foi selecionado

Todo mundo quer ouvir as histórias de Werner. Como eram os exames, o que os meninos tinham que fazer, conte-nos tudo. As crianças menores puxam as mangas dele; as mais velhas tratam-no com uma atitude mais respeitosa do que a habitual. Este sonhador de cabelos de neve resgatado da fuligem.

— Disseram que vão aceitar apenas dois da minha faixa etária. Talvez três.

Da ponta da mesa, a atenção de Jutta o aquece. Com o restante do dinheiro de Herr Siedler, ele comprou um Rádio do Povo por trinta e quatro marcos e oitenta: um rádio de duas válvulas de baixa potência ainda mais barato do que o Volksempfänger subsidiado pelo governo que ele costumava consertar nas casas dos vizinhos. Sem alterações, o rádio pode captar apenas os programas de ondas longas de alcance nacional da Deutchlandsender. Nada mais. Nada do exterior.

As crianças gritam, encantadas, quando ele o exibe. Jutta não demonstra qualquer interesse.

— Tinha um monte de cálculos? — pergunta Martin Sachse.

— Tinha queijo? E bolo?

— Eles deixaram você atirar com rifle?

— Você andou de tanque? Aposto que você entrou num tanque.

— Eu não sabia a resposta para metade das perguntas. Nunca vou conseguir ser selecionado — responde Werner.

Mas ele é selecionado. Cinco dias após voltar de Essen, a carta é entregue em mãos na Casa das Crianças. Uma águia e uma cruz em um envelope imaculado. Nenhum selo. Como se tivesse sido enviado por Deus.

Frau Elena está lavando roupa. Os meninos pequenos estão aglomerados em volta do novo rádio: um programa de meia hora chamado *Clube das crianças*. Jutta e Claudia Förster levaram três das meninas mais novas para um espetáculo de marionetes no mercado; Jutta não dirigiu mais que seis palavras para Werner desde que ele retornou.

"Você foi selecionado", diz a carta. Werner deve se apresentar no Instituto Nacional de Educação Política, nº 6, em Schulpforta. Ele está na sala da Casa das Crianças, tentando absorver a informação. Paredes rachadas, teto caindo, bancos que sustentam criança após criança após criança desde que as minas começaram a produzir órfãos. Ele encontrou uma saída.

Schulpforta. Diminuto ponto no mapa, perto de Naumburg, na Saxônia. Trezentos e vinte quilômetros a leste. Somente em seus sonhos mais intrépidos ele se permitiu ter esperanças de poder viajar para tão longe. Em estado de torpor ele carrega a folha de papel até o beco, onde Frau Elena ferve lençóis em meio a ondas de vapor.

— Não podemos pagar — diz Frau Elena após reler a carta várias vezes.
— Não precisamos.
— Qual é a distância?
— Cinco horas de trem. Eles já pagaram a passagem.
— Quando você deve partir?
— Daqui a duas semanas.

Frau Elena: fios de cabelo grudam nas maçãs do rosto, as bolsas sob os olhos se avermelham, bordas cor-de-rosa em volta das narinas. Magro crucifixo decorando o aperto na garganta. Será que ela está orgulhosa? Ela esfrega os olhos e aquiesce distraidamente.

— Eles vão comemorar isso — comenta Frau Elena.

Ela entrega a carta de volta, o olhar fixo no beco, para as filas compactas de varais de roupa e despensas de carvão.

— Quem, Frau?
— Todo mundo. Os vizinhos. — Ela dá uma risada repentina e espantosa. — Pessoas como aquele vice-ministro. O homem que tirou o seu livro.
— Jutta, não.
— Não. Jutta, não.

Ele ensaia na cabeça o argumento que vai apresentar à irmã. *Pflicht*. Significa dever. Obrigação. Cada alemão cumprindo sua função. Ponha as botas e vá para o trabalho. *Ein Volk, ein Reich, ein Führer*. Todos temos papéis a desempenhar, maninha. Porém, antes de as meninas chegarem, a notícia de sua aprovação reverbera por todo o quarteirão. Os vizinhos se aproximam, um após o outro, e soltam exclamações e acenam com a cabeça. As mulheres dos mineiros trazem joelho de porco e queijo; passam a carta de aceitação de Werner de mão em mão; os que sabem ler a leem em voz alta para aqueles que não sabem, e ao chegar Jutta encontra uma sala alegre e cheia de gente. As gêmeas — Hannah e Susanne Gerlitz — correm empolgadas, dando voltas ao redor do sofá, e Rolf Hupfauer, de seis anos, canta "Para cima! Para cima! Toda a glória para a pátria!", e diversas outras crianças se juntam a ele, e Werner não vê Frau Elena falar com Jutta no canto da sala, não vê Jutta correr para o andar de cima.

Na sineta do jantar, ela não desce. Frau Elena pede que Hannah Gerlitz lidere a oração, e diz a Werner que ela vai falar com Jutta, que ele não deve segui-la, que todas aquelas pessoas estão lá por causa dele. De tempos em tempos, as palavras faíscam em sua mente como centelhas: "Você foi selecionado." Cada minuto que passa é um minuto a menos nesta casa. Nesta vida.

Após a refeição, o pequeno Siegfried Fischer, de apenas cinco anos, dá uma volta na mesa, puxa a manga de Werner e lhe entrega uma fotografia que rasgou de um jornal. No retrato, seis bombardeiros flutuam acima de uma cordilheira de nuvens. Raios de sol cintilam em pequenos pontos congelados no ar, quase pousando na fuselagem. Os cachecóis dos pilotos esvoaçam para trás.

— Vai mostrar para eles, não vai? — pergunta Siegfried Fischer.

O rosto do garoto está exaltado pela crença; parece delinear um círculo em volta de todas as horas que Werner passou na Casa das Crianças, sonhando com algo melhor.

— Vou, sim — responde Werner.

Os olhos de todas as crianças estão grudados nele.

— Pode contar com isso.

OCCUPER

Marie-Laure acorda com sinos de igreja: dois três quatro cinco. Um leve cheiro de mofo. Antigos travesseiros de penugem afinados pelo uso. Papel de parede de seda por trás da cama irregular onde ela está sentada. Quando estica os dois braços para se espreguiçar, quase consegue tocar as paredes em ambos os lados.

Cessam as badaladas dos sinos. Ela dormiu durante a maior parte do dia. O que será aquele rumor abafado? Multidões? Ou ainda é o barulho do mar?

Pousa os pés no chão. As feridas de seus calcanhares estão latejando. Onde está a bengala dela? Ela arrasta os pés para não bater as canelas em nada. Por trás das cortinas, uma janela muito alta para ela. No lado oposto à janela, ela encontra uma cômoda cujas gavetas só abrem pela metade, bloqueadas pela cama.

O clima neste lugar: você pode senti-lo entre os dedos.

Ela tateia sua passagem por uma porta que dá para onde? Um corredor? Aqui fora o rumor é mais fraco, quase um murmúrio.

— Olá?

Silêncio. Então um barulho apressado e distante, os sapatos pesados de madame Manec subindo lances estreitos de uma escada com curvas, os pulmões de fumante chegando mais perto, terceiro andar, quarto — qual é a altura desta casa?

— Mademoiselle — chama a voz de madame Manec.

Marie-Laure é conduzida pela mão até o quarto onde despertou e é obrigada a sentar-se na beirada da cama.

— Precisa ir ao banheiro? Deve precisar, e depois um banho, você teve um sono excelente, seu pai está no centro tentando o serviço de telégrafo, apesar de eu ter lhe assegurado que vai ser tão útil quanto tentar achar uma agulha em um palheiro. Você está com fome?

Madame Manec afofa os travesseiros e sacode a colcha. Marie-Laure tenta se concentrar em alguma coisa pequena, concreta. A maquete que ficou em Paris. Uma única concha do laboratório do dr. Geffard.

— Esta casa toda pertence ao meu tio-avô Etienne?
— Toda.
— Como é que ele paga por isso tudo?

Madame Manec ri.

— Você vai direto ao ponto, não é? Seu tio-avô herdou a casa do pai dele, que era seu bisavô. Ele era um homem muito bem-sucedido, dono de uma riqueza considerável.
— A senhora conheceu meu bisavô?
— Trabalho aqui desde que o mestre Etienne era um menininho.
— Meu avô também? Conheceu meu avô?
— Conheci.
— Eu vou me encontrar com o tio Etienne agora?

Madame Manec hesita.

— Provavelmente não.
— Mas ele está aqui?
— Sim, querida. Ele está sempre aqui.
— Sempre?

As mãos grandes e espessas de madame Manec a envolvem.

— Vamos preparar o seu banho. Seu pai pode explicar tudo quando voltar.
— Mas o Papa não explica nada. Ele só diz que o tio esteve na guerra com o meu avô.
— É verdade. Mas o seu tio-avô, quando retornou para casa — madame busca as palavras apropriadas —, não era mais o mesmo.
— A senhora quer dizer que ele tinha mais medo das coisas?
— Quero dizer que ele estava perdido. Um rato em uma ratoeira. Ele via pessoas mortas atravessando as paredes. Coisas horríveis nas esquinas das ruas. Agora o seu tio-avô não sai de casa.
— Nunca?
— Há muitos anos. Mas Etienne é maravilhoso, você vai ver. Ele sabe de tudo.

Marie-Laure escuta a madeira da casa estalar, as gaivotas grasnarem e o rumor suave do mar pela janela.

— Estamos em pleno ar, madame?
— Estamos no sexto andar. É uma boa cama, não é? Achei que você e o seu pai conseguiriam descansar bem aqui.

— A janela abre?

— Abre, querida. Mas é melhor deixá-la fechada enquanto...

Marie-Laure já está em pé na cama apalpando a parede.

— Dá para ver o mar daqui?

— Nós temos que manter as venezianas e as janelas fechadas. Mas talvez por um minuto.

Madame Manec gira um trinco e puxa, abrindo as duas vidraças da janela, e empurra a veneziana. Vento: imediato, vivo, doce, salgado, luminoso. O rumor sobe e desce.

— Há caramujos lá fora, madame?

— Caramujos? No oceano? — Novamente aquela risada. — Há tantos caramujos no mar quanto pingos na chuva. Você se interessa por caramujos?

— Sim, sim, sim. Já encontrei caracóis de árvore e caracóis de jardim, mas nunca encontrei caramujos.

— Bem, então você veio ao lugar certo.

A velha senhora prepara um banho morno em uma banheira no terceiro andar. Da banheira, Marie-Laure escuta quando ela fecha a porta, e o banheiro atulhado geme sob o peso da água, e as paredes estalam, como se ela estivesse em uma cabine dentro do *Nautilus*, do capitão Nemo. A dor nos calcanhares esmorece. Ela mergulha a cabeça. Nunca sair para a rua! Esconder-se durante décadas dentro desta casa estranha, estreita!

Na hora do jantar, ela é enfiada em um vestido engomado e ultrapassado, de alguma outra década. Eles se sentam à mesa quadrada da cozinha, o pai e madame Manec em lados opostos, joelhos contra joelhos, janelas completamente fechadas, venezianas trancadas. Um aparelho de rádio resmunga os nomes de ministros em uma voz aflita, ritmada — De Gaulle em Londres, Pétain substituindo Reynaud. Eles comem peixe ensopado com tomates verdes. O pai relata que há três dias nenhuma carta é entregue ou enviada. As linhas de telégrafo não estão funcionando. O jornal mais recente data de seis dias. No rádio, o locutor lê classificados de utilidade pública.

"Monsieur Cheminoux refugiado em Orange procura os três filhos, deixados com a bagagem em Ivry-sur-Seine."

"Francis, em Genebra, busca informações sobre Marie-Jeanne, vista pela última vez em Gentilly."

"Mamãe envia orações para Luc e Albert, onde quer que estejam."

"L. Rabier procura notícias da esposa, vista pela última vez na Gare d'Orsay."

"A. Cotteret avisa à mãe que está seguro em Laval."

"Madame Meyzieu quer saber o paradeiro de seis filhas, enviadas de trem para Redon."

— Todo mundo se perdeu de alguém — murmura madame Manec.

O pai de Marie-Laure desliga o rádio, e as válvulas estalam enquanto esfriam. No andar de cima, vagamente, a mesma voz continua lendo os nomes. Ou será a imaginação dela? Ela escuta madame Manec se levantar e recolher as tigelas, e o pai exala fumaça de cigarro como se pesasse muito nos seus pulmões e ele ficasse contente de se livrar dela.

Naquela noite, Marie-Laure e o pai sobem a escada sinuosa e vão dormir lado a lado na mesma cama irregular, do mesmo quarto do sexto andar com o papel de parede de seda esfarrapado. Ele mexe na mochila, no ferrolho da porta, nos fósforos. Em pouco tempo vem o cheiro familiar de seus cigarros: Gauloises *bleues*. Ela ouve a madeira estalar e ranger quando a janela se abre. O assobio bem-vindo do vento inunda o quarto, ou talvez sejam o mar e o vento, os ouvidos dela são incapazes de discernir. Com ele, vêm os odores de sal, feno, mercados de peixe, pântanos distantes e absolutamente nada que se assemelhe à guerra.

— Podemos visitar o mar amanhã, Papa?

— Provavelmente não amanhã.

— Onde está o tio Etienne?

— Espero que esteja no quarto dele, no quinto andar.

— Vendo coisas que não estão lá?

— Somos sortudos de ter o nosso tio, Marie.

— Sortudos de termos a madame Manec também. Ela é um gênio com a comida, não é, Papa? Acho até que talvez ela seja um pouquinho melhor que você na cozinha.

— Só bem pouquinho melhor.

Marie-Laure fica contente ao perceber o tom de um sorriso na voz dele. Mas ela também pode sentir os pensamentos do pai batendo asas como passarinhos engaiolados.

— O que significa, Papa, que nós vamos ser *ocupados*?

— Significa que eles vão estacionar os caminhões nas praças.

— Eles vão nos obrigar a falar a língua deles?

— Podem nos obrigar a adiantar nossos relógios em uma hora.

A casa estala. As gaivotas grasnam. Ele acende mais um cigarro.

— É como *ocupação*, Papa? Como o tipo de trabalho que a pessoa faz?

— É como um controle militar, Marie. E chega de perguntas por agora.

Silêncio. Vinte batidas do coração. Trinta.

— Como um país pode obrigar outro a mudar o horário? E se todo mundo se recusar?

— Então muita gente vai chegar cedo. Ou atrasada.

— Lembra do nosso apartamento, Papa? Com meus livros, nossa maquete e todas aquelas pinhas no parapeito?

— É claro.

— Eu coloquei as pinhas em fila, da maior para a menor.

— Elas ainda estão lá.

— Você acha?

— Eu sei disso.

— Você não sabe.

— Não sei. Mas acredito nisso.

— Os soldados alemães estão invadindo nossos quartos agora, Papa?

— Não.

Marie-Laure tenta ficar deitada completamente imóvel. Ela quase pode ouvir a máquina na cabeça do pai se remexer.

— Vai ficar tudo bem — sussurra ela.

A mão da menina encosta no antebraço do pai.

— Vamos ficar aqui por um tempo e então vamos voltar para o nosso apartamento, e as pinhas vão estar exatamente no mesmo lugar e o livro *Vinte mil léguas submarinas* vai estar no chão do depósito de chaves do jeito que o deixamos, e ninguém vai usar as nossas camas.

O canto distante do mar. O barulho das botas batendo contra as pedras do pavimento lá embaixo. Ela quer desesperadamente que seu pai diga, "Sim, você está inteiramente certa, *ma chérie*", mas ele não diz uma única palavra.

Não conte mentiras

Ele não consegue se concentrar no dever de casa nem em conversas simples ou nas tarefas de Frau Elena. Toda vez que ele fecha os olhos, sobrevém da imaginação algum cenário da escola em Schulpforta: bandeiras de cor vermelha, cavalos musculosos, laboratórios cintilantes. Os melhores garotos da Alemanha. Em certos momentos, ele vê a si mesmo como um símbolo de possibilidade, para o qual todos os olhos se voltam. Entretanto, em outros momentos, tremeluzindo na frente dele, Werner vê o garoto robusto dos exames de admissão: o rosto completamente pálido acima da plataforma bem alta, no topo do salão de danças. O modo como ele caiu. Como ninguém se mexeu para ajudá-lo.

Por que Jutta não pode ficar feliz por ele? Por que, mesmo no momento de sua emancipação, ele ouve um alerta inexplicável, um ruído de fundo em sua mente?

— Conte de novo sobre as granadas de mão! — pede Martin Sachse.

— E os falcões! — emenda Siegfried Fischer.

Por três vezes ele prepara o seu argumento e por três vezes Jutta lhe dá as costas e se afasta a passos largos. Hora após hora ela ajuda Frau Elena com as crianças mais novas ou anda até o mercado ou encontra alguma outra desculpa para ser prestativa, estar ocupada, se afastar.

— Ela não me escuta — reclama Werner com Frau Elena.

— Continue tentando.

Sem ao menos notar, só falta um dia para sua partida. Ele acorda antes do amanhecer e encontra Jutta dormindo no quarto das meninas. Está com a cabeça entre os braços, o cobertor de lã está enroscado em sua cintura, o travesseiro está preso no espaço entre o colchão e a parede — mesmo no sono, um retrato do conflito. Acima da cama, estão pendurados seus fantásticos desenhos a lápis da aldeia de Frau Elena, de uma Paris com mil torres brancas sob um redemoinho de pássaros revoando.

Ele a chama pelo nome.

Ela se enrosca ainda mais no cobertor.

— Quer dar uma volta comigo? — convida ele.

Para sua surpresa, ela se levanta. Eles saem dali antes que alguém mais acorde. Ele a conduz em silêncio. Eles pulam uma cerca, depois outra. Os cadarços desamarrados de Jutta se arrastam atrás dela. Os cardos espetam os joelhos deles. O sol nascendo parece um ponto luminoso no horizonte.

Eles param na beira de um canal de irrigação. Em invernos passados, Werner costumava rebocá-la no carrinho para aquele exato local, e eles assistiam aos patinadores ao longo do canal congelado, fazendeiros com lâminas fixadas nos sapatos e gelo preso nas barbas, cinco ou seis deslizando ao mesmo tempo, muito próximos, em meio a uma competição de doze a quatorze quilômetros entre cidades. Os patinadores tinham o olhar como o de cavalos que correram uma longa distância, e era sempre emocionante para Werner vê-los, sentir o ar alterado por sua velocidade, ouvir seus patins batendo no gelo, depois esvanecendo — a sensação de que sua alma podia se desgarrar de seu corpo e se pôr em movimento atrás dos patinadores. Porém, logo que os competidores avançavam pela curva e deixavam para trás apenas as marcas brancas de suas lâminas no gelo, a emoção desaparecia, e ele arrastava Jutta de volta para a Casa das Crianças se sentindo sozinho e desamparado e mais preso em sua vida do que antes.

— Não veio nenhum esquiador no inverno passado — diz ele.

A irmã olha fixamente a vala. Os olhos dela são violeta. O cabelo dela é revolto e indomável e talvez mais branco do que o dele. *Schnee*.

— Nenhum virá este ano também — comenta Jutta.

O complexo de minas é uma cadeia de montanhas negras incandescentes por trás dela. Mesmo agora Werner pode ouvir o barulho mecânico percutir a distância, o primeiro turno descendo nos elevadores enquanto o turno da madrugada sobe — todos aqueles meninos com olhos exaustos e rostos tingidos de fuligem surgindo dos elevadores para encontrar o sol —, e por um momento ele percebe uma horrível presença se assomando logo além da manhã.

— Sei que você está com raiva...

— Você vai ficar exatamente como Hans e Herribert.

— Não vou.

— Passe um bom tempo com garotos assim e vai ficar como eles.

— Então, você quer que eu fique aqui? E me enfurne nas minas?

Eles observam um ciclista ao longe na estrada. Jutta cruza os braços e prende as mãos nas axilas.

— Você sabe o que eu costumava escutar? No nosso rádio? Antes de você o destruir?

— Shhh, Jutta. Por favor.

— Transmissões de Paris. Eles diziam o oposto de tudo o que a Deutschlandsender diz. Diziam que somos demônios. Que estamos cometendo *atrocidades*. Sabe o que significa esta palavra, *atrocidades*?

— Por favor, Jutta.

— É certo — pergunta Jutta — fazer algo apenas porque todas as outras pessoas estão fazendo?

Dúvidas: deslizando como enguias. Werner as enxota. Jutta tem pouco mais de doze anos, ainda é uma criança.

— Vou escrever cartas para você toda semana. Duas vezes por semana, se puder. Não precisa mostrar as cartas para Frau Elena, se não quiser.

Jutta fecha os olhos.

— Não é para sempre, Jutta. Dois anos, talvez. Metade dos garotos que são admitidos não conseguem se formar. Mas talvez eu aprenda alguma coisa: talvez me ensinem a ser um engenheiro de verdade. Talvez eu possa aprender a pilotar um avião, como diz Siegfried. Não balance a cabeça, nós sempre quisemos ver o interior de um avião, não é? Vou nos levar voando para o oeste, você e eu, Frau Elena também, se ela quiser. Ou podíamos pegar um trem. Vamos passar por florestas e *villages de montagnes*, todos esses lugares de que Frau Elena falava quando éramos pequenos. Talvez possamos ir bem longe, para Paris.

A luz crescente. O sibilo suave da grama. Jutta abre os olhos, mas não encara o irmão.

— Não conte mentiras. Minta para você mesmo, Werner, mas não minta para mim.

Dez horas depois, ele embarca em um trem.

Etienne

Por três dias ela não encontra com o tio-avô. Então, na quarta manhã, tateando para achar o caminho para o banheiro, ela pisa em algo pequeno e duro. Agacha-se e localiza o objeto com os dedos.

Retorcido e liso. Um cone abaulado com um entalhe em espiral. A abertura ampla e oval.

— Um búzio — sussurra.

A uma distância de um passo para frente, ela encontra outra concha. Depois, uma terceira e uma quarta. A trilha de conchas descreve um arco, passa em frente ao banheiro e desce um lance de escada até a porta fechada do quinto andar, que ela já sabe que é a dele. Além da qual despontam os sussurros harmônicos de um piano.

— Entre — chama uma voz.

Ela espera um cheiro embolorado, o ranço da velhice, mas o quarto tem um odor suave de sabonete, livros e alga marinha seca. Parecido com o laboratório do dr. Geffard.

— Tio-avô?

— Marie-Laure.

A voz dele é baixa e suave, uma peça de seda que você poderia guardar dentro de uma gaveta e retirar apenas em raras ocasiões, somente para senti-la entre os dedos. Ela adentra o espaço e é conduzida por uma mão fria e de ossatura delicada como a de um pássaro. Ele está se sentindo melhor.

— Peço desculpas por não ter podido encontrar você mais cedo — diz o tio-avô.

O tinir dos pianos acompanha-os suavemente; a música soa como se uma dúzia deles fosse tocada simultaneamente, como se o som viesse de todos os pontos cardeais.

— Quantos rádios o senhor tem, tio?

— Vou mostrar a você.

Ele leva as mãos dela até uma prateleira.

— Este aqui é estéreo. Heteródino. Eu mesmo montei.

Ela imagina um pianista pequenino vestindo um smoking, tocando dentro do aparelho. Em seguida, coloca as mãos em um rádio que mais parece um pequeno armário, depois em um terceiro, não maior do que uma torradeira. Onze aparelhos no total, um orgulho jovial escapando da voz dele.

— Posso ouvir os navios no mar. Madri. Brasil. Londres. Uma vez ouvi a Índia. Aqui na extremidade da cidade, nesta casa tão alta, temos uma recepção soberba.

Ele a deixa vasculhar uma caixa de fusíveis, outra de interruptores. Depois a leva até as estantes de livros: as lombadas de centenas de livros; uma gaiola de passarinho; besouros em caixas de fósforos; uma ratoeira elétrica; um pesa-papéis de vidro dentro do qual, segundo ele, um escorpião foi sepultado; jarros com uma miscelânea de conectores; cem outras coisas que ela não consegue identificar.

Ele tem o quinto piso inteiro para ele — o cômodo ocupa o andar todo, deixando de fora apenas o patamar da escada. Três janelas abrem para a Rue Vauborel na frente, mais três abrem para o beco nos fundos. Há uma cama pequena e antiga, a colcha lisa e esticada. Uma escrivaninha arrumada, um sofá.

— E isso é tudo — diz ele, quase sussurrando.

O tio-avô parece ser gentil, curioso e absolutamente são. Tranquilidade: é isso que ele transmite. A tranquilidade de uma árvore. De um rato piscando no escuro.

Madame Manec traz sanduíches. Etienne não tem nenhum Júlio Verne, mas tem um Darwin, conta, e lê para ela *A viagem do Beagle*, traduzindo do inglês para o francês enquanto prossegue: "a variedade das espécies entre as aranhas saltadoras parece quase infinita..." A música rodopia dos rádios, e é esplêndido cochilar no sofá, sentir-se quente e alimentada, sentir as sentenças a alçando para algum outro lugar.

A seis quarteirões de distância, na agência de telégrafo, o pai de Marie-Laure aproxima o rosto ao vidro da janela para observar duas motocicletas alemãs com *sidecars*, que rugem ao atravessar a Porte Saint-Vincent. As venezianas em toda a cidade estão fechadas, mas entre as palhetas, recostados nos peitoris, mil olhos estão espiando. Atrás das motocicletas seguem dois caminhões. Logo atrás desliza um único Mercedes preto. A luz do sol cintila nos ornamentos do capô e nos acessórios cromados no momento em que a pequena procissão canta os freios sobre o caminho de pedras arredondadas em frente aos muros altos rajados de líquen do Château de Saint-Malo. Um homem mais velho, com um bronzeado fora do normal — o prefeito, explica alguém —, espera segurando um lenço branco nas grandes mãos de marinheiro com um tremor quase imperceptível.

Mais de doze alemães descem dos veículos. Suas botas brilham e seus uniformes são impecáveis. Dois carregam cravos; um deles encoraja um beagle em uma coleira. Vários olham estupefatos pela fachada do château.

Um homem baixo vestindo uniforme de comando surge do banco traseiro da Mercedes e retira algo invisível da manga do casaco. Ele troca algumas palavras com um magro ajudante de ordens, que traduz para o prefeito. O prefeito anui. Então, o homem baixo desaparece através das imensas portas. Minutos depois, o ajudante de ordens abre com ímpeto as venezianas de uma janela do andar superior. Por um momento lança o olhar para além dos telhados, e então desfralda uma bandeira vermelha e prende suas argolas no parapeito.

JUNGMÄNNER

É um castelo saído de um livro de faz de conta: oito ou nove construções de pedra abrigadas no sopé de colinas, tetos cor de ferrugem, janelas estreitas, pináculos e pequenas torres, ervas-daninhas brotando entre as telhas. Um riacho bonito ziguezagueia ao redor dos campos de atletismo. Nem na hora mais clara do dia mais claro de Zollverein Werner respirou um ar tão pouco afetado pela poluição.

Um chefe de dormitório de um braço só despeja as regras em um fluxo beligerante.

— Este é o seu uniforme de desfile, este é o seu uniforme de campo, este é o seu uniforme de ginástica. Suspensórios cruzados atrás, paralelos na frente. Mangas arregaçadas até o cotovelo. Cada rapaz deve portar uma faca em uma bainha no lado direito do cinto. Levantem o braço direito quando quiserem ser chamados. Sempre se alinhem em filas de dez. Nenhum livro, nem cigarro, nem comida, nem bens pessoais, nada nos seus armários a não ser uniformes, botas, faca, graxa. Nada de conversa após as luzes se apagarem. Cartas para casa serão postadas às quartas-feiras. Vocês vão se desfazer de suas fraquezas, de suas covardias, de suas hesitações. Vocês vão se tornar uma torrente, uma saraivada de balas. Todos vocês vão se lançar na mesma direção, com o mesmo ritmo, para a mesma causa. Vocês vão se privar de confortos; vão viver apenas pelo dever. Vão comer país e respirar nação.

Estão entendendo?

Os meninos gritam que estão. São quatrocentos, além de trinta instrutores e cinquenta membros na equipe, que englobam funcionários terceirizados e cozinheiros, criados e zeladores. Alguns cadetes são bem jovens, com cerca de nove anos. Os mais velhos têm dezessete. Rostos góticos, narizes afilados, queixos pontudos. Olhos azuis, todos eles.

Werner dorme em um pequeno dormitório com sete outros rapazes de quatorze anos. O leito superior em seu beliche pertence a Frederick: um menino quebradiço, magro como uma folha de grama, pele pálida como leite. Frederick também é novato. Ele é de Berlim. O pai dele é assistente de um embaixador. Quando Frederick fala, a atenção de Werner se lança para o alto, como se investigasse o céu à procura de algo.

Ele e Werner sentam-se a uma comprida mesa de madeira no refeitório e fazem a primeira refeição vestindo seus uniformes novos engomados. Alguns rapazes murmuram, alguns se sentam sozinhos, outros tragam a comida como se não comessem há dias. Através de três janelas em arco, a aurora cria uma rama de santificados raios dourados.

— Você gosta de pássaros? — pergunta Frederick, tamborilando os dedos.
— Claro.
— Sabe algo sobre gralhas-cinzentas?

Werner nega com a cabeça.

— As gralhas-cinzentas são mais inteligentes do que a maioria dos mamíferos. Até macacos. Já vi gralhas que, sem conseguir quebrar uma noz, a colocam no meio da estrada e vigiam até que um carro passe por cima, então elas apanham o miolo. Werner, você e eu vamos ser bons amigos, tenho certeza.

Um retrato do Führer obsidia em cada sala de aula. O aprendizado se dá em bancos sem encosto, em mesas de madeira entalhadas pelo tédio de inúmeros meninos antes deles — cavalheiros, monges, recrutas, cadetes. No primeiro dia de Werner, ele passa pela porta entreaberta do laboratório de Ciências Tecnológicas e dá uma espiada no cômodo, e é tão grande quanto a loja de conveniências de Zollverein, com fileiras de pias novas e armários de portas de vidro dentro dos quais esperam béqueres cintilantes, provetas, balanças e bicos de Bunsen. Frank tem que insistir para que ele continue o caminho.

No segundo dia, um débil frenologista faz uma apresentação para todo o corpo discente. A iluminação do refeitório é reduzida, um projetor chia e um gráfico repleto de círculos aparece na parede dos fundos. O homem idoso está de pé à frente da tela de projeção e movimenta a ponta de um taco de bilhar pelos diagramas.

— Os círculos brancos representam sangue alemão puro. Os círculos com preto indicam a proporção de sangue estrangeiro. Reparem o grupo dois, número cinco.

Ele dá uma batida com a ponta do taco na tela, que se agita.

— Casamento entre alemão puro e um quarto de judeu ainda é permitido, estão vendo?

Meia hora depois, Werner e Frederick estão lendo Goethe na aula de Poética. Depois estão magnetizando agulhas em exercícios de campo. O chefe do dormitório anuncia uma grade horária de complicação babilônica: nas segundas-feiras, Mecânica, História Nacional, Ciências Raciais. As terças-feiras são para Arte da Cavalaria, Orientação, História Militar. Todos os alunos, mesmo aqueles com nove anos de idade, vão aprender a limpar, desmontar e disparar um rifle Mauser.

Nas tardes, se lançam ao emaranhado açoite de cintos de guarnição e correm. Correm até as valas; correm até a bandeira; correm subindo a colina. Correm carregando um colega nas costas, correm carregando o rifle acima da cabeça. Correm, rastejam, nadam. Depois correm ainda mais.

As noites enxurradas de estrelas, as auroras úmidas de orvalho, as caminhadas em silêncio, a austeridade obrigatória — nunca Werner se sentira como parte de algo tão resoluto. Nunca sentira tanta avidez para pertencer. Nas filas dos dormitórios estão cadetes que falam de esqui alpino, de duelos, de clubes de jazz, de governantas e caçadas de javalis; garotos virtuosos no emprego de palavrões e garotos que falam sobre cigarros com nomes de estrelas de cinema; garotos que falam de "telefonar para o coronel" e garotos cujas mães são baronesas. Alguns rapazes foram admitidos não porque sejam bons em algo, mas porque os pais deles trabalham nos ministérios. E a maneira como falam: "Pois não se colhem figos dos espinheiros!"; "Eu ia deixar ela prenha num piscar de olhos, seu merda!"; "Aguentem firme e arrebentem, rapazes!". Há cadetes que fazem tudo à perfeição — postura perfeita, exímios no tiro, botas lustradas com tamanho apuro que chegam a espelhar as nuvens. Há cadetes com pele de leite, íris de safiras e redes ultrafinas de veias azuis nas costas das mãos. Por enquanto, todavia, com as rédeas nas mãos da administração, eles são todos iguais, todos *Jungmänner*. Eles se amontoam pelos portões juntos, engolem ovos fritos no refeitório juntos, marcham pelo quadrilátero, passam por revista, fazem continência para a bandeira, atiram com rifles, tomam banho e sofrem juntos. Cada um é uma porção de argila, e o ceramista, que é o imponente comandante, está moldando quatrocentos jarros idênticos.

"Somos jovens", cantam, "somos firmes, nunca cedemos, temos ainda tantos castelos para atacar."

Werner se equilibra entre exaustão, confusão e empolgação. Fica estupefato de ver como sua vida foi completamente redirecionada. Controla seus questionamentos memorizando as letras das músicas ou os itinerários para as salas de aula, mantendo diante dos olhos uma visão do laboratório de Ciências Tecnológicas: nove mesas, trinta tamboretes; bobinas, condensadores variáveis, amplificadores, baterias e ferros de solda trancados naqueles armários reluzentes.

Acima dele, de joelhos no beliche, Frederick usa um binóculo para observar pássaros no campo pela janela aberta e registra o que viu na grade da cama. Um visto em "mergulhão-de-pescoço-vermelho". Seis vistos em "rouxinol". Do lado de fora, um grupo de garotos de dez anos carrega tochas e bandeiras com suásticas em direção ao rio. A procissão faz uma pausa, e uma lufada de vento ameaça as chamas das tochas. Logo eles prosseguem com sua marcha, cantando uma música que se insinua pela janela como uma névoa brilhante e pulsante.

"Ó me leve, me leve para as fileiras
para que eu não tenha uma morte comum!
Não quero morrer em vão, o que eu quero
é tombar no altar dos sacrifícios."

Viena

O sargento-mor Reinhold von Rumpel tem quarenta e um anos, uma idade em que ainda é possível receber promoção. Tem lábios vermelhos úmidos; bochechas pálidas, quase transparentes, como fatias cruas de linguado, além de um instinto para a moralidade quase infalível. Tem uma esposa que sofre com as suas ausências sem reclamar e que organiza gatinhos de porcelana com base na cor, do mais claro ao mais escuro, em duas prateleiras diferentes na sala de estar da casa deles em Stuttgart. Também tem duas filhas, que não vê há nove meses. A mais velha, Veronika, é extremamente séria. As cartas que ela lhe escreve incluem expressões como "determinação sagrada", "realizações dignas de orgulho" e "sem paralelos na História".

Diamantes são o talento particular de Von Rumpel: ele pode lapidar e polir as gemas tão bem quanto qualquer joalheiro ariano da Europa e geralmente detecta pedras falsas só de olhar. Estudou cristalografia em Munique, foi aprendiz de um lapidador na Antuérpia, esteve até mesmo — uma tarde gloriosa — na Charterhouse Street, em Londres, em uma loja de diamantes não identificada, onde lhe obrigaram a esvaziar completamente os bolsos para então o conduzirem por três lances de escada e três portas trancadas até uma mesa, à qual um homem com um bigode no formato de ponta de faca modelado com cera o deixou examinar um diamante bruto de noventa e dois quilates originário da África do Sul.

Antes da guerra, a vida de Reinhold von Rumpel era bastante agradável: gemologista, ele administrava um negócio de avaliações de joias em uma loja de segundo andar atrás da velha chancelaria de Stuttgart. Os clientes traziam as pedras, e ele lhes dizia quanto valiam. Algumas vezes ele relapidava diamantes ou dava consultoria em projetos de facetamento de alto nível. Se ocasionalmente ele enganava algum freguês, convencia-se de que isso fazia parte do jogo.

Devido à guerra, seu trabalho se expandiu. Agora o sargento-mor Von Rumpel tem a oportunidade de fazer algo que ninguém faz há séculos — não desde a Dinastia Mogul, não desde os Khans. Talvez nada se iguale na História. Há algumas poucas semanas, a França se rendeu, e ele já viu coisas que não sonharia ver nem se vivesse seis vidas. Um globo do século XVII com uma circunferência tão grande quanto um automóvel, com rubis para demarcar os vulcões, safiras agrupadas nos polos e diamantes representando as capitais mundiais. Ele segurou — segurou! — um cabo de adaga de pelo menos quatrocentos anos, feito de jade branco e incrustado com esmeraldas. Ontem mesmo, a caminho de Viena, tomou posse de um conjunto de porcelana chinesa de quinhentas e setenta peças com um diamante de lapidação *navette* encrustado na borda de cada uma. Ele não pergunta de quem nem de onde tais tesouros foram confiscados. Já os embalou e lacrou em um caixote, o qual foi numerado com tinta branca e embarcado em um vagão de trem, no qual aguarda sob uma vigilância ininterrupta.

Esperando para ser enviado para o alto comando. Esperando por mais.

Nesta tarde de verão em particular, em uma biblioteca de Viena especializada em Geologia, o sargento-mor Von Rumpel caminha em meio a uma pilha de periódicos, seguindo uma secretária excessivamente magra, vestida com blusa marrom, saia marrom, meias marrons e sapatos marrons. A secretária pousa uma banqueta-escada, sobe, alcança.

Viagens na Índia, de Tavernier, 1676.

Viagens pelas províncias do sul do Império Russo, de P.S. Pallas, 1793.

Gemas e pedras preciosas, de Streeter, 1898.

Há um boato de que o Führer está compilando em uma lista de desejos os objetos preciosos de toda a Europa e a Rússia. Dizem que ele pretende reconstruir a cidade austríaca de Linz para transformá-la em uma cidade empírea, a capital cultural do mundo. Um passeio amplo, mausoléu, acrópole, planetário, biblioteca, ópera — tudo de mármore e granito, tudo profundamente imaculado. No cerne, ele planeja um museu de um quilômetro de comprimento: uma coleção das maiores realizações culturais da humanidade.

O documento é genuíno, ouviu dizer Von Rumpel. Quatrocentas páginas.

Ele se senta a uma mesa entre as pilhas. Tenta cruzar as pernas, mas um leve inchaço na virilha o aflige hoje: estranho, apesar de não ser doloroso. A bibliotecária de marrom traz livros. Ele folheia lentamente a obra de Tavernier, de Streeter, e os *Esboços da Pérsia*, de Malcolm. Lê verbetes sobre o diamante Orloff de Moscou, de trezentos quilates, sobre o Nur-al-Ain e sobre o Diamante Verde de Dresden, de quarenta e oito quilates e meio. Ao cair da noite, ele encontra o que procurava. A história de um príncipe que não podia morrer, um sacerdote que o alertou sobre a ira de uma deusa, um dignitário francês que acreditava ter comprado a mesma pedra séculos mais tarde.

Mar de Chamas. Azul-acinzentado com um matiz vermelho no centro. Com registro de cento e trinta e três quilates. Perdido ou então doado para o rei da França em 1738, com a condição de que permanecesse trancado por duzentos anos.

O sargento-mor ergue o olhar. Lampiões suspensos, fileiras de lombadas douradas, desbotadas e empoeiradas. A Europa inteira, e ele almeja encontrar uma pedra escondida em algum recanto do continente.

Os boches

As armas deles cintilam como se nunca tivessem sido usadas. As botas deles são limpas, e os uniformes, impecáveis. Parece que acabaram de sair de vagões de trem com ar-condicionado. É o que o pai de Marie-Laure diz sobre os alemães.

Os cidadãos que param perto da porta da cozinha de madame Manec, sozinhos ou em duplas, dizem que os boches (eles se referem assim aos alemães) compram todos os cartões-postais das prateleiras das lojas de conveniências; dizem que os boches compram bonecas de palha, damascos secos e bolos velhos do balcão da confeitaria. Os boches compram camisas do monsieur Verdier e roupa de baixo de monsieur Morvan; os boches demandam quantidades absurdas de manteiga e queijo; os boches entornaram cada garrafa de champanhe que o *caviste* vendeu para eles.

Hitler, cochicham as mulheres, está fazendo uma excursão pelos monumentos de Paris.

Toques de recolher são instaurados. É proibido ouvir música em um volume que extravase para a rua. Danças públicas são proibidas. O país está de luto, e precisamos nos comportar com respeito, anuncia o prefeito. Ainda que não fique claro o tipo de autoridade que ele ainda possui.

Sempre que está dentro de sua área de alcance, Marie-Laure escuta o *fsst* de mais um fósforo sendo aceso pelo pai. As mãos dele remexem dentro dos bolsos. As manhãs, ele as alterna entre a cozinha de madame Manec, a tabacaria e o correio, onde aguarda, em filas intermináveis, a vez para falar ao telefone. Durante as tardes, ele conserta coisas na casa de Etienne — a porta solta de um armário, uma tábua que range. Ele pergunta à madame Manec se os vizinhos são confiáveis. Levanta e abaixa o fecho da caixa de ferramentas tantas vezes que Marie-Laure lhe implora para parar.

Há dias em que Etienne se senta ao lado de Marie-Laure e lê para ela com sua voz delicada; em outros, ele é assomado por aquilo que chama de dor de cabeça e se isola atrás da porta trancada de seu estúdio. Madame Manec oferece às escondidas barras de chocolate e fatias de bolo para Marie-Laure; em certa manhã, elas espremem limão em copos cheios de água e açúcar, e ela deixa a menina beber o quanto quiser.

— Quanto tempo ele vai ficar lá, madame?

— Às vezes fica apenas um ou dois dias — responde madame Manec. — Às vezes, muito mais tempo.

A estadia de uma semana em Saint-Malo se estende a duas. Marie começa a ter a sensação de que a vida dela, assim como *Vinte mil léguas submarinas*, foi interrompida pela metade. Havia o primeiro volume, onde Marie-Laure e o pai moravam em Paris e iam para o trabalho, e agora há o segundo volume, em que alemães andam de motocicleta por essas ruas estranhas e estreitas, em que o tio dela desaparece dentro da própria casa.

— Papa, quando vamos embora daqui?

— Logo que eu tiver alguma notícia de Paris.

— Por que temos que dormir neste quarto tão pequeno?

— Tenho certeza de que podemos limpar um quarto de outro andar se você quiser.

— Pode ser o quarto do outro lado do corredor?

— Etienne e eu concordamos que não íamos usar aquele quarto.

— Por que não?

— Pertencia ao seu avô.

— Quando vou poder ir até o mar?

— Hoje não, Marie.

— Podemos dar uma volta no quarteirão?

— É perigoso demais.

Ela tem vontade de gritar. Que perigos são esses? Quando ela abre a janela do quarto, não ouve nenhum berro, nenhuma explosão, apenas os grasnados das aves que seu tio-avô chama de gansos-patola, e o mar, e a vibração ocasional de um avião sobrevoando.

Ela passa as horas conhecendo a casa. O primeiro andar pertence à madame Manec: limpo, de fácil deslocamento, cheio de visitas que atravessam a porta da cozinha para compartilhar escândalos de cidade pequena. Há ainda o vestíbulo, a sala de jantar com uma cristaleira repleta de louças antigas na entrada, que estremece cada vez que alguém caminha perto dela, e uma porta na cozinha que dá para o quarto de madame Manec: uma cama, uma pia e um penico.

Um sinuoso lance de onze degraus leva para o segundo andar, tomado pela fragrância de uma imponência desbotada: o velho quarto de costura, um antigo quarto de empregada. Exatamente aqui no patamar, diz-lhe madame Manec, os carregadores deixaram cair o caixão que levava a tia-avó de Etienne.

— O caixão virou, e o corpo rolou escada abaixo. Todos ficaram horrorizados, mas nada se alterou na expressão dela!

Mais bagunça no terceiro andar: caixas de jarras, discos de metal e serrotes enferrujados; baldes com algo semelhante a componentes eletrônicos; manuais de engenharia amontoados ao lado de um vaso sanitário. Pelo quarto andar, pilhas de objetos estão distribuídas, nos quartos, nos corredores e ao longo da escada: cestos que um dia já foram peças de máquina, caixas de sapato lotadas de parafusos, antigas casas de boneca construídas pelo bisavô de Marie. O imenso estúdio de Etienne toma o quinto andar inteiro, alternando-se entre o silêncio profundo e os ruídos de vozes, música e estática.

Então, vem o sexto andar: o quarto arrumado do bisavô à esquerda, o banheiro logo em frente, o pequeno quarto onde ela dorme com o pai à direita. Com o vento quase sempre soprando, as paredes gemendo e as venezianas batendo, os quartos superlotados e a escadaria em curva fechada ao redor de seu eixo, a casa reflete o íntimo do tio-avô: apreensivo, isolado, mas cheio de maravilhas inimagináveis.

Na cozinha, os amigos de madame Manec tagarelam sobre o cabelo e as sardas de Marie-Laure. Em Paris, dizem as mulheres, as pessoas estão esperando cinco horas na fila para conseguir um pedaço de pão. As pessoas estão comendo animais de estimação, esmagando pombos com tijolos para fazer sopa. Não se tem mais carne de porco, nem de coelho, nem couve-flor. Os faróis dos carros estão todos pintados de azul, dizem, e à noite a cidade fica silenciosa como um túmulo: sem ônibus nem trens, com pouquíssima gasolina. Marie-Laure permanece sentada à mesa quadrada, diante de um prato de biscoitos, e imagina as velhas senhoras com mãos enrugadas, olhos turvos e orelhas grandes. Da janela da cozinha vêm os barulhos de uma andorinha, passos nas muralhas, adriças batendo contra os mastros, juntas e correntes rangendo no cais. Fantasmas. Alemães. Caramujos.

Hauptmann

Dr. Hauptmann, um instrutor de Ciências Tecnológicas baixo e de faces rosadas, desabotoa os botões de latão de seu casaco e o pendura no encosto de uma cadeira. Ele ordena que os cadetes da turma de Werner se dirijam a um armário trancado nos fundos do laboratório e apanhem as caixas de metal com dobradiças nas tampas.

Dentro de cada caixa há rodas dentadas, lentes, fusíveis, molas, manilhas e resistores. Há também uma bobina volumosa de fio de cobre, um martelo pequeno e uma bateria com dois terminais, tão grande quanto um sapato — o melhor equipamento a que Werner já teve acesso na vida. O pequeno professor desenha no quadro-negro um diagrama para o circuito de um aparelho de código Morse simples. Ele abaixa o giz, pressiona as pontas dos finos dedos, os da mão direita respectivamente contra os da esquerda, e pede aos rapazes para montarem o circuito com as peças que estão nos respectivos kits.

— Vocês têm uma hora — complementa o professor.

A maioria empalidece. Eles esvaziam a caixa sobre as mesas e cutucam cuidadosamente as peças como se fossem badulaques trazidos do futuro. Frederick retira os itens ao acaso e os segura contra a luz.

Por um momento, Werner está de volta em seu quarto na lucarna na Casa das Crianças, um enxame de perguntas em sua cabeça. "O que é o relâmpago? Até que altura você pularia se vivesse em Marte? Qual a diferença entre dois vezes vinte e cinco e dois vezes cinco e vinte?" Então, ele apanha a bateria, dois retângulos de chapa de metal, alguns pregos e o martelo. Em menos de um minuto, ele construiu um oscilador que combina com o diagrama.

O professor ergue as sobrancelhas. Ele testa o circuito de Werner, que funciona.

— Certo — diz.

Ele se coloca em frente à mesa de Werner e entrelaça as mãos por trás do corpo.

— Em seguida, tirem de dentro da caixa o ímã em forma de disco, um fio, um parafuso e a bateria.

Embora suas instruções pareçam se dirigir à turma toda, ele encara apenas Werner.

— É tudo o que vocês podem usar. Quem consegue construir um motor simples?

Alguns garotos remexem nas peças das caixas com pouco entusiasmo. A maior parte deles apenas observa.

Werner sente a atenção do dr. Hauptmann sobre ele como um holofote. Ele prende o ímã na cabeça do parafuso e mantém a ponta do parafuso no terminal positivo da bateria. Quando liga o fio do lado negativo da bateria à cabeça do parafuso, tanto o parafuso quanto o ímã começam a girar. Ele não leva mais de quinze segundos para concluir a operação.

A boca de dr. Hauptmann está parcialmente aberta. O rosto dele está vermelho, tomado por adrenalina.

— Qual é seu nome, cadete?

— Pfennig, senhor.

— O que mais você consegue montar?

Werner estuda as peças em cima da mesa.

— Uma campainha, senhor? Ou um sinalizador de código Morse? Um ohmímetro?

Os outros rapazes esticam os pescoços. Os lábios do dr. Hauptmann são cor-de-rosa, e suas pálpebras são incrivelmente finas. Como se estivesse observando Werner mesmo ao piscar.

— Monte todos.

SOFÁ VOADOR

Os cartazes são pendurados no mercado, em troncos de árvores na Place Chateaubriand. Entrega voluntária de armas de fogo. Quem não cooperar será executado. Ao meio-dia do dia seguinte, uma procissão de bretões surge para entregar as armas, fazendeiros percorrem quilômetros em carroças puxadas por mulas, velhos marinheiros fatigados com pistolas antigas, alguns caçadores com ultraje nos olhos entregam os rifles encarando o chão.

No final, trata-se de uma pilha patética, talvez trezentas armas ao todo, metade delas enferrujada. Dois soldados as carregam para a caçamba de um caminhão, saem dirigindo pela rua estreita e desaparecem por um caminho de pedras. Sem discursos, sem explicações.

— Por favor, Papa, posso sair de casa?

— Em breve, minha pequenina.

Mas ele está distraído; parece estar se transformando em cinzas, de tanto fumar. Ultimamente fica até tarde da noite trabalhando freneticamente em uma maquete de Saint-Malo que ele alega ser para a filha, acrescentando novas casas todos os dias, modelando as muralhas, mapeando as ruas da mesma maneira como mapeou o bairro deles em Paris, de modo que ela possa aprender a geografia da cidade. Madeira, cola, pregos, lixa: em vez de tranquilizá-la, os ruídos e odores do empenho maníaco do pai a deixam mais ansiosa. Por que ela tem que conhecer as ruas de Saint-Malo? Por quanto tempo eles vão ficar aqui?

No estúdio do quinto andar, Marie-Laure escuta seu tio-avô ler outra página de *A viagem do Beagle*. Darwin caçou emas na Patagônia, estudou corujas nas cercanias de Buenos Aires e escalou uma cachoeira no Taiti. Ele dirige sua atenção a escravos, rochas, raios, tentilhões e à prática de encostar os narizes como saudação na Nova Zelândia. Ela adora ouvir principalmente os relatos sobre a orla obscura da América do Sul, com suas impenetráveis muralhas de árvores e o cheiro de algas marinhas mortas trazido do continente pela brisa, além dos gritos das focas parindo. Ela adora imaginar Darwin à noite, apoiando-se no parapeito do navio para observar as ondas bioluminescentes, o rastro verde-vivo dos pinguins.

— *Bonsoir* — diz para Etienne, de pé no sofá no quarto dele. — Posso ser apenas uma garota de doze anos, mas sou uma corajosa exploradora francesa que veio para ajudar o senhor com suas aventuras.

Etienne adota um sotaque britânico.

— Boa noite, mademoiselle, por que não vamos juntos para a selva e comemos estas borboletas, tão grandes quanto um prato, e que talvez sejam venenosas, quem sabe?

— Eu adoraria comer suas borboletas, monsieur Darwin, mas primeiro tenho que comer meus biscoitos.

Em outras noites eles brincam de Sofá Voador. Sobem no sofá e se sentam lado a lado, e Etienne sempre repete "Para onde esta noite, mademoiselle?", ao que ela responde "Para a selva!" ou "Taiti!" ou "Moçambique!".

— Ah, é uma viagem longa desta vez — diz Etienne, em um tom inteiramente novo, suave, aveludado, arrastado. — É o oceano Atlântico lá embaixo, está brilhando sob o luar, consegue sentir o cheiro? Sente como é frio aqui em cima? E o vento nos seus cabelos?

— Onde estamos agora, tio?

— Estamos em Bornéu, não percebe? Estamos roçando as copas das árvores agora, grandes folhas reluzindo sob nós, e vejo arbustos de café daquele lado, sente o cheiro?

E Marie-Laure efetivamente sente o odor de algo, talvez porque o tio esteja passando grãos de café sob o nariz dela, talvez porque eles realmente estejam voando sobre os pés de café de Bornéu, ela prefere não tirar conclusões.

Visitam a Escócia, Nova York, Santiago. Mais de uma vez, vestem os casacos de inverno e visitam a lua.

— Consegue sentir como estamos leves aqui, Marie? Você mal precisa mexer um músculo para se locomover!

Ele a senta com cuidado em sua cadeira de escritório com rodinhas e fica ofegante enquanto a gira em círculos até que ela não se aguenta mais de tanto rir.

— Olhe aqui, experimente um pouco de carne da lua — diz ele.

Marie-Laure então saboreia algo com o sabor de queijo. No final eles sempre voltam a se sentar um ao lado do outro, afofam as almofadas e lentamente o quarto se materializa de novo em torno deles.

— Ah — diz Etienne, mais baixo, o sotaque diminuindo, um ligeiro toque de pavor retornando à sua voz —, cá estamos. Em casa.

A SOMA DOS ÂNGULOS

Werner é chamado ao escritório do professor de Ciências Tecnológicas. Um trio de cães de patas longas e pelo macio gira ao redor dele quando entra. O cômodo é iluminado por um par de abajures com cúpula verde, e na penumbra Werner consegue ver prateleiras abarrotadas de enciclopédias, maquetes de moinhos de vento, telescópios em miniatura, prismas. O dr. Hauptmann está de pé atrás de sua grande mesa ainda trajando o casaco com botões de latão, como se também ele tivesse acabado de chegar. Cachos pequenos emolduram sua testa de marfim; ele retira as luvas de couro um dedo de cada vez.

— Coloque lenha na lareira, por favor.

Werner atravessa o escritório e aviva o fogo. No canto, percebe, há uma terceira pessoa, uma figura robusta prostrada, sonolenta, em uma poltrona construída para um homem muito menor. Trata-se de Frank Volkheimer, um rapaz do terceiro ano, de dezessete anos, um rapaz colossal vindo de uma aldeia do norte, um mito entre os cadetes mais jovens. Reza a lenda que Volkheimer atravessou o rio carregando três estudantes do terceiro ano nos ombros e também que levantou a parte de trás do carro do comandante o suficiente para enfiar um macaco embaixo do eixo das rodas. Há um boato de que ele esmagou a traqueia de um comunista com as mãos. E outro de que ele agarrou o focinho de um vira-lata e arrancou os olhos do animal apenas para se acostumar com o sofrimento alheio.

Ele é chamado de Gigante. Mesmo à luz fraca e oscilante, Werner nota que as veias escalam os antebraços de Volkheimer como trepadeiras.

— Nunca um aluno conseguiu construir o motor — começa Hauptmann, as costas parcialmente voltadas para Volkheimer. — Não sem ajuda.

Werner não sabe o que responder, então permanece calado. Mexe no fogo uma última vez, e centelhas se elevam pela chaminé.

— Você sabe trigonometria, cadete?

— Somente o que eu consegui aprender sozinho, senhor.
Hauptmann tira uma folha de papel de uma gaveta e escreve algo.
— Tem ideia do que é isso?
Werner semicerra os olhos.

$$l = \frac{d}{\tan \alpha} + \frac{d}{\tan \beta}$$

— Uma fórmula, senhor.
— Sabe para que serve?
— Acredito ser uma maneira de usar dois pontos conhecidos para descobrir a localização de um terceiro ponto, desconhecido.

Os olhos azuis de Hauptmann brilham como se ele tivesse acabado de encontrar algo muito valioso jogado no chão.

— Se eu lhe der os pontos conhecidos e uma distância entre eles, cadete, você consegue resolver isso? Consegue desenhar o triângulo?
— Creio que sim.
— Sente-se à mesa, Pfennig. Tome a minha cadeira. Aqui está o lápis.

Ao se sentar na cadeira da mesa do professor, Werner sente os pés balançando sem tocarem o chão. A lareira enche o cômodo de calor. Ignore o gigantesco Frank Volkheimer com suas botas mastodônticas e mandíbula de concreto. Ignore o pequeno e aristocrático professor caminhando em frente à lareira, a hora tardia, os cães e as prateleiras abarrotadas de coisas interessantes. Só existe isto.

$\tan \alpha = \sin \alpha / \cos \alpha$
$\sin (\alpha + \beta) = \sin \alpha \cos \beta + \cos \alpha \sin \beta$

Agora d pode se mover para a frente da equação.

$$d = \frac{l \sin \alpha \sin \beta}{\sin(\alpha + \beta)}$$

Werner insere os números de Hauptmann na equação. Imagina dois observadores em um campo medindo com passos a distância entre eles e depois nivelando os olhos em direção a um marco distante: um veleiro ou uma chaminé. Quando Werner pede uma régua de cálculo, o professor a desliza imediatamente sobre a mesa, como se esperasse o pedido. Werner a apanha sem olhar e começa a calcular os senos.

Volkheimer observa. O pequeno professor caminha, mãos cruzadas atrás do corpo. O fogo crepita. Os únicos sons são a respiração dos cães e o clique do cursor da régua de cálculo.

Afinal, Werner dá a resposta.

— Dezesseis vírgula quatro três, Herr Doktor.

Ele desenha o triângulo, indica as distâncias de cada segmento e entrega o papel de volta. Hauptmann checa algo em um livro de capa de couro. Volkheimer se mexe ligeiramente na cadeira; seu olhar é tanto interessado quanto indolente. O professor espalma uma das mãos na mesa enquanto lê, franzindo o cenho distraidamente, como se esperasse um pensamento passar. Werner é acometido por um mau presságio repentino, mas então Hauptmann o olha de volta, e o sentimento desaparece.

— Nos seus formulários de pedido de admissão, está escrito que, quando sair daqui, você gostaria de estudar Eletromecânica em Berlim. Você é órfão, correto?

Outro olhar para Volkheimer. Werner confirma com um aceno de cabeça.

— Minha irmã...

— O trabalho de um cientista, cadete, é determinado por dois fatores. Os interesses dele e os interesses da época dele. Compreende?

— Acho que sim.

— Vivemos em uma época excepcional, cadete.

O entusiasmo invade o peito de Werner. Salas com fileiras de livros, iluminados por lareiras — estes são os locais onde acontecem as coisas importantes.

— Você vai trabalhar no laboratório após o jantar. Toda noite. Mesmo aos domingos.

— Sim, senhor.

— Começando amanhã.

— Sim, senhor.

— O Volkheimer aqui vai manter os olhos abertos por você. Pegue estes biscoitos.

O professor apresenta uma lata com um laço em cima.

— E respire, Pfennig. Você não pode prender a respiração toda vez que estiver no meu laboratório.

— Sim, senhor.

O ar frio assobia pelos corredores, tão puro que deixa Werner zonzo. Um trio de mariposas desliza no teto do seu dormitório. Ele desamarra as botas, dobra as calças no escuro e coloca a lata de biscoito por cima. Frederick espia da beirada do beliche.

— Aonde você foi? — pergunta Frederick.

— Ganhei uns biscoitos — murmura Werner.

— Ouvi um bufo-real hoje à noite.

— Shhh — sussurra um garoto dois beliches adiante.

Werner passa um biscoito para cima.

— Sabe alguma coisa sobre o bufo-real? — sussurra Frederick. — É uma ave bem rara. Grande como um planador. O que ouvi provavelmente era um macho jovem em busca de território novo. Ele estava no galho de um dos choupos ao lado do pátio de desfiles.

— Ah — fala Werner.

Letras gregas se movimentam de um lado para outro por baixo de suas pálpebras: triângulos isósceles, betas, curvas senoidais. Ele se imagina em um jaleco branco, caminhando por entre máquinas.

"Algum dia provavelmente ele vai ganhar um grande prêmio."

"Quebra de códigos, propulsão de foguetes, tudo de mais recente."

"Vivemos em uma época excepcional."

Do corredor se aproxima o barulho das botas do chefe de dormitório. Frederick tomba de costas no beliche dele.

— Não consegui ver o bufo-real — sussurra —, mas ouvi perfeitamente.

— Cale a boca! — diz um segundo garoto. — Você vai nos meter em encrenca.

Frederick não fala mais nada. Werner para de mastigar. As botas do chefe de dormitório se silenciam: ou ele se afastou ou está parado do outro lado da porta. Lá fora, no pátio, alguém está cortando lenha, e Werner escuta o ruído do machado contra a madeira e a respiração rápida, amedrontada, de todos os garotos ao redor dele.

O PROFESSOR

Etienne está lendo Darwin para Marie-Laure quando se interrompe no meio de uma sílaba.

— Tio?

Ele tem uma respiração nervosa, com os lábios franzidos, como se estivesse soprando uma colher de sopa quente.

— Tem alguém aqui — sussurra.

Marie-Laure não consegue ouvir nada. Nem passadas, nem batidas na porta. Madame Manec está varrendo o patamar um andar acima. Etienne entrega o livro para Marie-Laure. Ela o ouve desligar o rádio e depois enrolar os fios do aparelho na própria mão.

— Tio? — chama novamente.

Ele está deixando o quarto, descendo as escadas aos trambolhões — será que eles estão em perigo? —, e ela o segue até a cozinha, onde pode ouvi-lo fazer um esforço para afastar a mesa.

Ele puxa um aro no centro do piso. O alçapão revela um buraco quadrado do qual sai um odor úmido, ameaçador.

— Um passo para o fundo, não perca tempo.

Será um porão? O que o tio dela viu? Ela coloca um pé no degrau superior de uma escada quando os sapatos pesados de madame Manec entram com estardalhaço na cozinha.

— Francamente, mestre Etienne, por favor!

A voz de Etienne vem de baixo.

— Ouvi alguma coisa. Alguém.

— Você está assustando a menina. Não é nada, Marie-Laure. Venha agora.

Marie-Laure volta. Abaixo dela, o tio-avô murmura cantigas infantis para si mesmo.

— Posso ficar mais um pouco com ele, madame. Talvez possamos ler mais um pouco do livro, tio?

O porão, conclui ela, não passa de um buraco abafado no piso. Eles se sentam em um tapete enrolado no chão, mantendo o alçapão aberto, e escutam madame Manec cantarolar enquanto prepara um chá na cozinha acima deles. Etienne treme ligeiramente ao lado dela.

— O senhor sabia — diz Marie-Laure — que a chance de ser atingido por um raio é de uma em um milhão? O dr. Geffard me ensinou isso.

— Em um ano ou durante a vida inteira?

— Não tenho certeza.

— Devia ter perguntado.

De novo aquela respiração rápida e contida. Como se todo o corpo dele pedisse para fugir.

— O que acontece se o senhor for lá fora, tio?

— Fico desconfortável.

A voz dele é quase inaudível.

— Mas o que deixa o senhor desconfortável?

— Estar lá fora.

— Em qual parte?

— Espaços amplos.

— Nem todos os espaços são amplos. A sua rua não é tão grande assim, não é?

— Não tão grande quanto as ruas com que você está acostumada.

— O senhor gosta de ovos e figos. E tomates. Comemos no almoço. Crescem lá fora.

Ele ri suavemente.

— É claro que crescem.

— O senhor não sente falta do mundo?

Ele fica em silêncio; ela também. Ambos caminham por espirais de recordações.

— Tenho o mundo inteiro aqui — diz ele, e bate na capa de Darwin. — E nos meus rádios. Ao alcance dos dedos.

O tio da menina parece quase uma criança, monástico com relação à frugalidade de suas necessidades e totalmente alheio a qualquer tipo de obrigação temporal. Ainda assim, Marie-Laure percebe que ele é perseguido por medos tão imensos, tão múltiplos, que ela quase sente o terror pulsando dentro dele. Como se alguma fera espreitasse o tempo todo nas janelas de sua mente.

— O senhor pode ler um pouco mais, por favor? — pergunta ela, e Etienne abre o livro.

— "Deleite é uma palavra insuficiente para expressar os sentimentos de um naturalista que, pela primeira vez, vagueou sozinho em uma floresta brasileira…"

Após alguns parágrafos, Marie-Laure o interrompe.

— Me fale daquele quarto lá em cima. O que fica logo em frente ao quarto onde eu durmo.

Ele para. Novamente, a respiração nervosa e curta.

— Tem uma portinha nos fundos — continua ela —, mas está trancada. O que existe depois dela?

Ele permanece em silêncio por tanto tempo que ela fica preocupada de tê-lo aborrecido. Porém, ele se levanta, e os joelhos estalam como gravetos.

— Está com aquela sua dor de cabeça, tio?

— Venha comigo.

Eles sobem pelas curvas da escadaria. No patamar do sexto andar, viram à esquerda, e ele empurra a porta do que um dia fora o quarto do avô de Marie. Ela já correu as mãos pelo conteúdo do quarto muitas vezes: um remo de madeira pregado em uma parede, uma janela coberta com cortinas compridas. Cama de solteiro. Navio em miniatura na prateleira. Aos fundos há um guarda-roupa tão alto que ela não consegue alcançar o topo e tão largo que ela não o consegue abraçar.

— São as coisas dele?

Etienne destranca a portinha ao lado do guarda-roupa.

— Vá em frente.

Ela a atravessa tateando. Calor seco, confinado. Camundongos passam correndo. Os dedos dela encontram uma escada.

— Dá em um sótão. Não é alto.

Sete degraus. Quando alcança o patamar, fica de pé; tem a sensação de ser um espaço comprido de paredes inclinadas imprensado sob a empena do telhado. O ponto mais alto do teto está pouco acima dela.

Etienne sobe logo depois dela e pega sua mão. Os pés dela encontram cordas no chão, que serpenteiam entre caixas empoeiradas, encobrindo um cavalete; ele a conduz nos fundos por entre um amontoado de cordas, até alcançar o que parece um banco estofado de piano, e a ajuda a se sentar.

— Este é o sótão. E a chaminé na nossa frente. Coloque suas mãos na mesa; aqui está.

Caixas de metal cobrem o tampo da mesa: válvulas, bobinas, interruptores, medidores, pelo menos um gramofone. Toda esta parte do sótão, ela percebe, é algum tipo de máquina. O sol esquenta as telhas de ardósias acima das cabeças deles. Etienne tampa os ouvidos de Marie-Laure com um fone de ouvido. Mesmo assim, ela pode ouvi-lo girar uma manivela, ligar alguma coisa, e então, como se estivesse localizado bem no centro da cabeça dela, um piano inicia uma música doce e singela.

A música diminui, e surge uma voz cheia de estática: "Considerem um único pedaço de carvão incandescente no forno da sua casa. Estão vendo, crianças? Esta porção de carvão já foi uma planta verde, uma samambaia ou junco, que viveu um milhão de anos atrás, ou talvez cem milhões. Vocês podem imaginar cem milhões de anos..."

Depois de um breve período, a voz dá lugar ao piano novamente. O tio retira os fones dela.

— Quando éramos crianças, meu irmão era bom em tudo, mas a voz dele era aquilo que as pessoas mais elogiavam. As freiras de St. Vincent queriam montar um coro no qual ele seria o solista. Tínhamos o sonho, Henri e eu, de vender nossas gravações. Ele tinha a voz, e eu tinha o cérebro, e, naquela época, todo mundo queria gramofones. E quase ninguém fazia programas para crianças. Assim, entramos em contato com uma gravadora de Paris, e eles mostraram interesse, e escrevi dez roteiros diferentes sobre ciência. Henri os ensaiou, e finalmente começamos a gravar. Seu pai era só um menino, mas vinha nos ouvir. Foi uma das fases mais felizes da minha vida.

— E aí veio a guerra.

— Nós nos tornamos sinaleiros. Nosso trabalho, o meu e o do seu avô, era criar linhas de comunicação por telégrafo, das posições de comando na retaguarda para os oficiais de campo na linha de frente. Na maioria das noites o inimigo disparava sinalizadores sobre as trincheiras, estrelas de vida curta suspensas no ar por paraquedas, feitas para iluminar possíveis alvos de franco-atiradores. Cada soldado dentro do alcance do brilho permanecia imobilizado enquanto a luz durasse. Algumas horas, oitenta ou noventa desses fachos estouravam, um após o outro, e a noite ficava desoladora e estranha sob aquele brilho de magnésio. Era tão quieto, o chiado dos fachos era o único som, e então você ouvia o assobio da bala de um franco-atirador riscar a escuridão e se enterrar na lama. Ficávamos o mais próximo que podíamos. Mas eu ficava paralisado às vezes; não conseguia mexer nenhuma parte do meu corpo, nem mesmo os dedos. Nem mesmo as pálpebras. Henri ficava bem ao meu lado e sussurrava os roteiros que nós havíamos gravado. Às vezes a noite inteira. Repetidamente. Como se estivesse tecendo um tipo de teia de proteção ao nosso redor. Até chegar a manhã.

— Mas ele morreu.

— E eu, não.

Isso, ela percebe, é a base do medo dele, todo o medo. Que uma luz que você é incapaz de deter vai se lançar sobre você, guiando uma bala ao alvo.

— Quem construiu tudo isso, tio? Esta máquina?

— Fui eu. Depois da guerra. Levou anos.

— Como funciona?

— É um rádio transmissor. Este interruptor aqui — ele guia a mão dela para tocar o aparelho — liga o microfone, e este aqui roda o gramofone. Aqui está o amplificador de pré-modulação, e estas aqui são as válvulas de vácuo, e aqui estão as bobinas. A antena se estende ao longo da chaminé. Doze metros. Dá para sentir a alavanca? Pense na energia como se fosse uma onda, e no transmissor como o responsável por enviar ciclos suaves dessas ondas. A sua voz cria uma interrupção nos ciclos...

Ela para de escutar. É empoeirado, confuso e fascinante ao mesmo tempo. Há quanto tempo será que isso existe? Dez anos? Vinte?

— O que o senhor transmitia?

— As gravações do meu irmão. A gravadora de Paris perdeu o interesse, mas toda noite eu botava para tocar as dez gravações que tínhamos feito, até a maioria delas ficar gasta. E a música dele.

— O piano?

— "Clair de Lune", de Debussy.

Ele toca um cilindro de metal com uma esfera presa no topo.

— Eu simplesmente encostava o microfone na saída de som do gramofone, e *voilà*.

Ela se inclina sobre o microfone e fala.

— Alô, alô.

Ele dá a leve e característica risada.

— Algum dia a transmissão chegou até as crianças? — pergunta ela.

— Não sei.

— Até onde pode transmitir, tio?

— Longe.

— Até a Inglaterra?

— Facilmente.

— Até Paris?

— Sim. Mas eu não estava tentando alcançar a Inglaterra. Ou Paris. Pensei que, se eu fizesse uma transmissão realmente potente, meu irmão poderia me ouvir. Que eu poderia trazer alguma paz para ele, protegê-lo da mesma maneira como ele sempre me protegeu.

— Você tocava a voz do seu próprio irmão para ele? Depois que ele morreu?

— E Debussy.

— E ele alguma vez respondeu?

O sótão está vivo. Que fantasmas deslizam perto das paredes justo agora, tentando ouvir o que é dito? Ela quase consegue sentir o gosto do pavor do tio-avô no ar.

— Não. Ele nunca respondeu.

Para minha querida irmã Jutta

Os rumores entre os rapazes é de que o dr. Hauptmann tem ligações com ministros muito poderosos. Ele não está subordinado a ▇▇▇▇▇▇▇▇▇▇▇▇▇▇▇▇▇▇. *Mas ele me chama para ajudá-lo como assistente o tempo todo! Vou ao laboratório dele toda noite, e ele me põe a trabalhar com circuitos para um rádio que está testando. Trigonometria também. Ele me manda ser o mais criativo possível; diz que a criatividade alimenta o Reich. Ele manda um rapaz forte do terceiro ano, e que chamam de Gigante, ficar me vigiando com um cronômetro para testar a velocidade com que eu faço cálculos. Triângulos, triângulos, triângulos. Provavelmente faço cinquenta cálculos por noite. Eles não me contam por quê. Você não acreditaria no fio de cobre daqui; eles têm* ▇▇▇▇▇▇▇▇▇▇▇▇▇▇▇▇▇▇. *Todo mundo abre caminho quando o Gigante passa.*

O dr. Hauptmann diz que somos capazes de tudo, podemos construir qualquer coisa. Diz que o Führer reuniu uns cientistas para ajudá-lo a controlar o clima. Diz que o Führer vai desenvolver um foguete que pode chegar até ao Japão. Diz que o Führer vai construir uma cidade na lua.

Para minha querida irmã Jutta

Hoje, nos exercícios de campo, o comandante nos contou a história de Reiner Schicker. Ele era um jovem cabo, e o capitão dele precisava de alguém para se infiltrar em território inimigo a fim de mapear as defesas deles. O capitão pediu voluntários, e Reiner Schicker foi o único que se levantou. Mas no dia seguinte Reiner Schicker foi capturado. Bem no dia seguinte! Os poloneses o capturaram e o torturaram com eletricidade. Aplicaram tanta eletricidade que o cérebro dele derreteu, contou o comandante, mas, antes disso, Reiner Schicker disse algo surpreendente. Ele disse: "Minha única tristeza é só ter uma vida para dar pelo meu país."

Todo mundo diz que logo vai haver um teste importante. Mais difícil do que todos os outros.

O Frederick diz que aquela história sobre o Reiner Schicker é ▇▇. *Como estou sempre perto do Gigante — o nome verdadeiro dele é Frank*

Volkheimer —, *os outros rapazes me tratam com respeito. Minha cabeça não passa da cintura dele. Ele parece um homem, não um rapaz. E possui a lealdade de Reiner Schicker. Marcada na pele, na cabeça e no coração. Por favor, diga a Frau Elena que estou comendo muito bem aqui, mas que ninguém faz bolos como ela, aliás, não fazem nenhum bolo aqui. Diga ao pequeno Siegfried para se animar. Penso em você todos os dias.* Sieg Heil.

Para minha querida irmã Jutta

Ontem foi domingo e, como exercício de campo, fomos até o bosque. A maior parte dos caçadores está na frente de batalha, por isso, o bosque está cheio de veados e fuinhas. Os outros garotos permaneceram nos esconderijos, comentando sobre vitórias magníficas e sobre como em breve vamos cruzar o Canal e destruir os ▉▉▉▉▉▉▉▉▉▉▉▉▉▉▉▉▉▉▉ *os cães do dr. Hauptmann retornaram com três coelhos, um para cada, mas o Frederick, ele voltou com umas mil frutas silvestres na camisa, e suas mangas estavam rasgadas por causa dos espinhos dos arbustos, a bolsa do binóculo estava com um buraco, e eu disse "Você vai levar a maior bronca" e ele olhou para as próprias roupas como se nunca as tivesse visto! Frederick conhece tudo sobre as aves só escutando o grito ou o canto delas. Perto do lago, ouvimos cotovias, abibes, borrelhos e um tartaranhão-azulado e provavelmente mais dez que já esqueci. Você ia gostar do Frederick, acho eu. Ele vê o que as outras pessoas não veem. Espero que você esteja melhor da tosse, e Frau Elena, também.* Sieg Heil.

Perfumista

O nome dele é Claude Levitte, mas as pessoas só o chamam de Grande Claude. Há uma década ele vem administrando uma perfumaria localizada na Rue Vauborel: uma atividade inconstante, que prospera apenas quando o bacalhau está sendo salgado e até o momento em que pedras da cidade começam a feder.

Porém, novas oportunidades chegaram, e Grande Claude não é de perder uma oportunidade. Ele está pagando fazendeiros perto de Cancale para esfolar carneiros e coelhos; Claude embala a carne, a armazena no par de malas de vinil da esposa e ele mesmo as carrega de trem para Paris. É fácil: em algumas semanas ele chega a ganhar quinhentos francos. Oferta e demanda. Sempre há papelada, claro; algum oficial mais graduado capta o cheiro do empreendimento e quer uma porcentagem. É necessário ter uma mente como a de Claude para navegar pelas complexidades do negócio.

Hoje ele está com muito calor; o suor escorre por suas costas e pelas laterais do tronco. Saint-Malo ferve. Outubro chegou, e ventos frios deveriam soprar do oceano; as folhas deveriam cair pelas alamedas. Mas o vento veio e se foi. Como se as mudanças no local lhe tivessem desagradado.

Durante toda a tarde, Claude fica de plantão dentro da loja, pairando sobre centenas de pequenos frascos de essências florais e orientais e *fougères* na vitrine de perfumes, cor-de-rosa e carmim e azul-bebê, e ninguém entra, e um ventilador vacilante sopra em seu rosto, para a esquerda, depois para a direita, e Claude se mantém parado sem nem ao menos ler. Só se mexe de tempos em tempos para apanhar um punhado de biscoitos de uma lata redonda atrás de seu tamborete e encher a boca com eles.

Por volta das quatro da tarde, uma pequena companhia de soldados alemães vagueia pela Rue Vauborel. São magros, enérgicos, os rostos cor de salmão; têm olhos sérios; carregam as armas com o cano voltado para baixo, penduradas nos ombros como se fossem clarinetes. Riem entre si e, por baixo dos capacetes, parecem reluzir como ouro.

Claude sabe que deveria sentir rancor, mas os admira por sua competência e seus modos, a limpa eficiência com que se movimentam. Parecem estar sempre se dirigindo a algum lugar e nunca duvidam de que se trata do lugar certo a atingir. Uma característica em falta em seu próprio país.

Os soldados viram, descem a Rue St. Philippe e desaparecem. Os dedos de Claude desenham figuras ovais no topo da vitrine. No andar de cima, a esposa dele usa um aspirador de pó; ele pode ouvir o aparelho deslizar de um lado para o outro. Ele está quase pegando no sono quando vê o parisiense que está morando três portas abaixo sair da casa de Etienne LeBlanc. Um homem magro, de nariz afilado, que tenta ser discreto enquanto esculpe pequenas caixas de madeira do lado de fora da agência de telégrafos.

O parisiense caminha na mesma direção dos soldados alemães, pé ante pé. Ele alcança o final da rua, escreve qualquer coisa em um bloco, vira cento e oitenta graus e caminha de volta. Quando chega ao final do quarteirão, fixa o olhar na casa dos Ribaults e faz as mais diversas anotações. Olhando para cima, olhando para baixo. Medindo. Mordendo a borracha do lápis como se estivesse pouco à vontade.

Grande Claude vai até a vitrine. Talvez isso também seja uma oportunidade. As autoridades da Ocupação vão querer saber que um estranho está medindo distâncias com os pés e fazendo desenhos de casas. Vão querer saber qual é a aparência dele, quem está patrocinando a atividade dele. Quem a sancionou.

Isso é bom. Isso é excelente.

Tempo dos avestruzes

Eles ainda não voltaram para Paris. Ela ainda não sai de casa. Marie-Laure conta os dias em que fica trancada na casa de Etienne. Cento e vinte. Cento e vinte e um. Ela pensa no transmissor no sótão, em como ele enviava a voz do seu avô voando por cima do mar — "Considerem um único pedaço de carvão incandescente no forno da sua casa" —, velejando como Darwin, de Plymouth Sound para Cabo Verde para a Patagônia para as Ilhas Malvinas, acima das ondas, acima das fronteiras.

— Quando você terminar a maquete, eu vou poder sair? — pergunta ela ao pai.

A lixa dele não para.

As histórias que os visitantes de madame Manec trazem para a cozinha são aterradoras e difíceis de acreditar. Primos parisienses de quem ninguém nunca ouviu falar há décadas agora escrevem cartas implorando por frangos, presuntos, galinhas. O dentista está vendendo vinho pelo correio. O perfumista está abatendo carneiros e transportando-os de trem para Paris em malas, onde vende a carne com um lucro enorme.

Em Saint-Malo, as pessoas são multadas por trancarem as portas, por criarem pombos, por estocarem carne escondida. As trufas desaparecem. Os vinhos espumantes desaparecem. Não há mais contato visual. Nenhuma conversa na porta de casa. Nada de tomar banho de mar, de cantar, nada de namorados passeando pelas muralhas à noite — tais regras não estão escritas, mas são cumpridas como se estivessem. Ventos congelantes sopram do Atlântico, Etienne se refugia dentro do antigo quarto do irmão, e Marie-Laure suporta o gotejar lento das horas passando os dedos sobre as conchas no quarto dele, ordenando-as por tamanho, por espécie, por morfologia, verificando mais de uma vez a ordem dos itens para garantir que não tenha cometido qualquer erro.

Que mal causaria sair por meia hora? De braços dados com o pai? E ainda assim o pai nega todas as vezes, e uma voz ecoa de um recanto de sua memória: "Provavelmente eles vão querer as meninas cegas antes das aleijadas."

"Vão obrigar as meninas a fazer umas coisas."

Fora dos muros da cidade, barcos militares cruzam para lá e para cá, e o linho é empacotado, enviado e tratado para virar cordões de paraquedas, corda ou cabos, e gaivotas em pleno ar deixam cair ostras, mexilhões e mariscos, e o súbito estrépito no telhado faz Marie-Laure sentar-se de um pulo na cama. O prefeito anuncia um novo imposto, e alguns dos amigos de madame Manec sussurram que ele se vendeu aos outros, os quais precisam de *un homme à poigne*, mas algumas pessoas perguntam o que o prefeito poderia fazer. Chamam o período de tempo dos avestruzes.

— Nós temos nossas cabeças enfiadas na areia, madame? Ou eles?

— Talvez todos — murmura ela.

Madame Manec começa a cair no sono ao lado de Marie-Laure na mesa. Ela leva um longo tempo para carregar as refeições escada acima, os cinco andares até o quarto de Etienne, com respiração ofegante o trajeto inteiro. Na maioria das manhãs, madame Manec começa a cozinhar antes mesmo de as pessoas da casa acordarem; no meio da manhã, ela vai até a cidade, cigarro na boca, para levar bolos ou paneladas de ensopado para os doentes e os carentes, e no andar de cima o pai de Marie-Laure trabalha na maquete, lixando, pregando, cortando, medindo, trabalhando mais freneticamente a cada dia, como se corresse atrás de um prazo que só ele conhecesse.

O MAIS FRACO

O oficial encarregado dos exercícios de campo é o comandante, um diretor de escola excessivamente zeloso chamado Bastian, com um caminhar de passos largos, uma barriga redonda e um casaco com medalhas de ouro chacoalhantes. O rosto dele tem marcas de varíola, e os ombros parecem esculpidos em argila macia. Ele usa botas militares com travas no solado todos os dias, o tempo todo, e os cadetes brincam que ele já saiu do útero com elas.

Bastian ordena que eles memorizem mapas, estudem o ângulo do sol, façam seus próprios cintos usando couro de boi. Toda tarde, não importa como esteja o clima, ele se põe de pé em um campo e grita pronunciamentos divulgados pelo governo.

— A prosperidade depende da braveza. A única coisa que pode proteger o chá com biscoitos de suas queridas avós são os punhos de vocês.

Uma pistola antiga pende do cinto dele; os cadetes mais entusiasmados o fitam com olhos brilhantes. Para Werner, ele parece ser capaz de atos violentos crônicos e graves.

— A corporação militar é um corpo — explica ele, girando um pedaço de mangueira de borracha, a ponta zunindo a centímetros do nariz de um dos rapazes. — Nada diferente de um corpo humano. Da mesma forma que pedimos que cada um de vocês reprima as fraquezas de seu próprio corpo, vocês também devem aprender a conter as fraquezas da corporação.

Em uma tarde de outubro, Bastian retira um garoto com pés tortos da fila.

— Você vai ser o primeiro. Quem é você?

— Bäcker, senhor.

— Bäcker. Diga-nos, Bäcker. Quem é o membro mais fraco deste grupo?

Werner estremece. Ele é mais baixo do que qualquer cadete do ano dele. Tenta expandir o peito, parecer o mais alto possível. O olhar de Bäcker varre as filas de cadetes.

— Ele, senhor?

Werner solta a respiração; Bäcker escolheu um garoto mais adiante à sua direita, um dos poucos com cabelos pretos. Ernst-Qualquer-Coisa. Uma escolha devidamente segura: de fato, Ernst é lento na corrida. Um garoto cujas pernas desajeitadas ainda têm o que crescer.

Bastian chama Ernst para a frente. O lábio inferior do menino treme quando ele se vira para encarar o grupo.

— Ficar todo choroso não vai ajudar — diz Bastian, e faz um gesto vago em direção ao extremo do campo, onde uma linha de árvores corta o mato. — Você tem uma vantagem de dez segundos na partida. Você precisa me alcançar antes que eles alcancem você. Entendeu?

Ernst não confirma nem nega. Bastian finge frustração.

— Quando eu levantar minha mão esquerda, você corre. Quando eu levantar minha mão direita, o restante de vocês, idiotas, começa a correr.

Bastian se afasta com um andar afetado, mangueira de borracha em volta do pescoço, pistola balançando na cintura.

Sessenta garotos esperam, respirando fundo. Werner pensa em Jutta com seu cabelo perolado, olhos rápidos e maneiras francas: ela nunca seria considerada a mais fraca. O tremor já se espalhou por todo o corpo de Ernst-Qualquer-Coisa, até os punhos e os tornozelos. Quando Bastian está talvez a duzentos metros de distância, ele se vira e levanta a mão esquerda.

Ernst corre com os braços quase retos e as pernas longas e desengonçadas. Bastian conta de dez a zero.

— Três — grita com sua voz distante. — Dois. Um.

No zero, levanta o braço direito, e o grupo se lança na corrida. O rapaz de cabelos pretos está a cerca de cinquenta metros na frente dos outros, mas imediatamente o grupo começa a ganhar terreno.

Avançando, galopando, correndo com máxima potência, cinquenta e nove rapazes de quatorze anos perseguem um. Werner se mantém no centro do grupo quando este se espalha, o coração batendo em uma confusão sombria, imaginando onde está Frederick, por que estão perseguindo o garoto e o que eles devem fazer se o alcançarem.

Talvez alguma parte primitiva do seu cérebro não entenda, mas ele sabe perfeitamente o que vão fazer.

Alguns dos corredores são excepcionalmente velozes; vão se aproximando da figura solitária. As pernas de Ernst se impulsionam furiosamente, mas é visível que ele não está acostumado com corridas curtas e rápidas, e ele perde vigor. A grama se agita, as árvores são entremeadas pela luz do sol, o grupo chega mais perto, e Werner se sente irritado: por que Ernst não podia ser mais veloz? Por que não praticou? Como ele conseguiu passar nos exames de admissão?

O cadete mais rápido está se esticando para agarrar as costas da camisa do garoto. Quase o tem nas mãos. Ernst vai ser apanhado, e Werner se pergunta se, de alguma forma, ele quer que isso aconteça. Mas o garoto alcança o comandante um milésimo de segundo antes que os outros passem pisoteando.

Rendição obrigatória

Marie-Laure tem que importunar o pai três vezes antes que ele leia alto o aviso: "Membros da população devem abdicar de todos os receptores de rádio que tiverem em suas posses. Os aparelhos devem ser entregues na Rue de Chartres, número 27, antes do meio-dia de amanhã. Qualquer pessoa que deixe de cumprir essa ordem será preso como sabotador."

Ninguém fala nada por um instante, e um antigo mal-estar ronda Marie-Laure.

— Ele está...?

— No antigo quarto de seu avô — diz madame Manec.

Amanhã ao meio-dia. Metade da casa, pensa Marie-Laure, é ocupada por rádios sem fio e seus componentes.

Madame Manec bate à porta do quarto de Henri e não recebe nenhuma resposta. De tarde, eles embalam o equipamento do estúdio de Etienne, a velha senhora e Daniel desconectando os rádios e os colocando dentro de caixotes, Marie-Laure sentada no sofá, os aparelhos indo embora, um a um: o velho Radiola V; um G.M.R. Titan; um G.M.R. Orphée. Um rádio de bateria Delco de trinta e dois volts que Etienne tinha encomendado dos Estados Unidos em 1922.

O pai dela embala o maior em papelão e usa um antigo carrinho de mão para levá-lo para baixo, aos trancos. Marie-Laure se senta, os dedos dormentes no colo, e pensa na máquina do sótão, nos cabos e nos interruptores. Um transmissor construído para falar com fantasmas. Será que pode ser qualificado como um rádio-receptor? Será que ela deve mencioná-lo? Será que Papa e madame Manec sabem da existência dele? Não parecem saber. De noite, o nevoeiro cai sobre a cidade, trazendo um cheiro frio, de peixe, e eles comem batatas e cenouras na cozinha, e madame Manec deixa um prato do lado de fora da porta do quarto de Henri, mas a porta não se abre, e a comida permanece intocada.

— O que eles vão fazer com os rádios? — pergunta Marie-Laure.
— Mandá-los para a Alemanha — responde o pai.
— Ou jogá-los no mar — diz madame Manec. — Vamos, querida, tome seu chá. Não é o fim do mundo. Vou colocar um cobertor extra na sua cama hoje à noite.

De manhã, Etienne permanece trancado no quarto do irmão. Se ele tem ideia do que está acontecendo em casa, Marie-Laure não sabe dizer. Às dez da manhã, seu pai começa a levar o material no carrinho até a Rue de Chartres, uma viagem, duas viagens, três, e mesmo quando ele volta e carrega o carrinho com o último rádio, Etienne continua trancado. Marie-Laure segura a mão de madame Manec enquanto escuta o barulho do portão se fechar, escuta o eixo do carrinho sacodir enquanto o pai o empurra descendo a Rue Vauborel e escuta o silêncio que se segue ao afastamento de seu pai.

Museu

O sargento-mor Reinhold von Rumpel acorda cedo. Ele se paramenta com seu uniforme, enfia no bolso a lupa e a pinça, calça as luvas brancas. Pelas seis da manhã, está no saguão do hotel devidamente vestido, sapatos polidos, coldre da pistola abotoado. O hoteleiro lhe traz pão e queijo em uma cesta de vime escuro, delicadamente coberta com um guardanapo de algodão: tudo meticulosamente arrumado.

Há um grande prazer em andar na cidade antes de o sol se levantar, a iluminação da rua brilhando, o rumor do dia parisiense começando. Enquanto sobe a Rue Cuvier e vira para entrar no Jardin des Plantes, as árvores parecem nebulosas e importantes: guarda-sóis levantados exclusivamente para ele.

Ele gosta de chegar cedo.

Na entrada da Grande Galeria, dois vigias noturnos se aprumam. Dão uma olhada nas listras no galão do colarinho e nas mangas; um nó se aperta em suas gargantas. Um homem baixo vestido em flanela preta vem descendo a escada pedindo desculpas em alemão; diz ser o diretor-assistente. Só esperava a chegada do sargento-mor uma hora mais tarde.

— Podemos falar francês — diz Von Rumpel.

Logo atrás dele chega apressado um segundo homem, de pele clara e lisa, além de um evidente pavor em manter contato visual.

— Sentimos imensa honra em lhe mostrar nossas coleções, sargento-mor — murmura o diretor-assistente. — Este aqui é o professor Hublin, mineralogista.

Hublin pisca duas vezes, dá a impressão de ser um animal encurralado. A dupla de vigias observa do final do corredor.

— Posso levar a cesta do senhor?

— Não é preciso.

A Galeria de Mineralogia é tão longa que Von Rumpel mal consegue avistar o final. Nas seções, as vitrines de exposição, uma após a outra, se revelam vazias, com pequenos formatos nas prateleiras de feltro marcando as silhuetas daquilo que foi removido, seja o que for. Von Rumpel caminha com a cesta no braço, esquecendo-se de fazer qualquer outra coisa, a não ser olhar. Que tesouros deixaram para trás! Um magnífico conjunto de topázio amarelo em uma matriz cinzenta. Um pedaço grande e rosa de berilo que parece um cérebro cristalizado. Uma coluna violeta de turmalina de Madagascar de aparência tão bela que ele não consegue resistir à tentação de acariciá-la. Bournonita, apatita encravada em muscovita; zircônio natural em uma vasta gama de cores; dezenas de outros minerais que ele não consegue nomear. Esses homens, pensa Von Rumpel, provavelmente manuseiam mais pedras preciosas em uma semana do que ele já viu em sua vida inteira.

Cada peça está registrada em imensos fólios que levaram séculos para serem organizados. O pálido Hublin mostra-lhe as páginas.

— Luís XIII iniciou a coleção como um Gabinete de Substâncias Medicinais, jade para os rins, argila para o estômago e assim por diante. Já havia duzentas mil entradas no catálogo no ano de 1850, uma herança mineral inestimável...

De vez em quando, Von Rumpel puxa o caderno do bolso e faz uma anotação. Ele não tem pressa. Quando chegam ao final, o diretor-assistente segura o cinto com os dedos.

— Esperamos que o senhor tenha ficado impressionado, sargento-mor. Gostou da visita?

— Muito.

As luzes elétricas no teto estão afastadas, e o silêncio no colossal espaço é opressivo.

— Porém — continua, pronunciando as palavras com muita lentidão —, onde estão as coleções que não estão em exposição ao público?

O diretor-assistente e o mineralogista trocam um olhar.

— O senhor viu tudo o que podemos mostrar, sargento-mor.

Von Rumpel mantém a voz polida. Civilizada. Paris não é a Polônia, afinal de contas. Deve-se tomar cuidado com atritos. As coisas não podem ser simplesmente confiscadas. O que o pai dele costumava dizer? "Veja os obstáculos como oportunidades, Reinhold. Veja os obstáculos como inspirações."

— Há algum lugar onde possamos conversar? — pergunta Von Rumpel.

O escritório do diretor-assistente ocupa um canto empoeirado no terceiro andar com vista para os jardins: revestido de nogueira, superaquecido, decorado com besouros e borboletas afixados com alfinete em quadros variados. Na parede atrás de sua mesa de meia tonelada pende a única imagem: um retrato a carvão do biólogo francês Jean-Baptiste Lamarck.

O diretor-assistente se senta atrás da mesa, e Von Rumpel se senta em frente a ele com a cesta entre os pés. O mineralogista se mantém de pé. Uma secretária de pescoço longo traz chá.

— Estamos sempre fazendo aquisições, sabe? Em toda parte do mundo, a industrialização coloca os depósitos minerais em perigo. Coletamos todos os tipos de minerais que existem. Para um curador, nenhum é superior a qualquer outro — diz Hublin.

Von Rumpel dá uma risada. Ele aprecia a tentativa de entrar no jogo. Mas será que não compreendem que o vencedor já foi determinado?

— Gostaria de ver seus exemplares mais protegidos. Estou interessado especificamente em uma peça que acredito que vocês só há pouco tempo tenham retirado de seus cofres — diz, pousando a xícara de café.

O diretor-assistente passa os dedos da mão esquerda no cabelo e libera uma nuvem de caspa.

— Sargento-mor, os minerais que o senhor acabou de ver ajudaram em descobertas em eletroquímica, nas leis fundamentais da cristalografia matemática. O papel de um museu nacional é operar acima de caprichos e tendências de colecionadores, para salvaguardar para as futuras gerações o...

Von Rumpel sorri.

— Vou esperar.

— O senhor nos entendeu mal. O senhor viu tudo o que podemos lhe mostrar.

— Vou esperar para ver o que vocês não podem me mostrar.

O diretor-assistente tem os olhos voltados para a xícara de chá. O mineralogista joga seu peso de um pé para o outro; ele parece estar lutando com uma fúria interior.

— Tenho um dom para esperar — continua Von Rumpel, em francês. — É uma das minhas principais habilidades. Nunca fui muito bem em atletismo ou matemática, mas, mesmo quando criança, eu possuía uma paciência fora do comum. Eu ficava esperando minha mãe enquanto ela fazia o cabelo. Eu me sentava em uma cadeira e ficava esperando por horas, sem revista, sem brinquedo, nem mesmo balançava as pernas para a frente e para trás. Todas as outras mães ficavam muito impressionadas.

Os dois franceses estavam impacientes. Atrás da porta do escritório, quais ouvidos estão escutando?

— Por favor, sente-se, se preferir — Von Rumpel se dirige a Hublin e dá um tapinha na cadeira do lado dele. Hublin, porém, não se senta. O tempo passa. Von Rumpel engole o restante do chá e pousa a xícara com extremo cuidado na beira da mesa do diretor-assistente. Em algum lugar um ventilador elétrico ganha vida, gira durante um tempo, depois para.

— Não está claro o que estamos esperando, sargento-mor — diz Hublin.

— Estou esperando que vocês sejam sinceros.

— Se eu puder...

— Fique — diz Rumpel. — Sente-se. Estou certo de que, se um de vocês tiver que gritar alguma instrução, a mademoiselle que parece uma girafa vai ouvir, não é verdade?

O diretor-assistente cruza e recruza as pernas. Agora já passa do meio-dia.

— O senhor gostaria de ver os fósseis? — tenta o diretor-assistente. — A Galeria do Homem é bem espetacular. E nossa coleção zoológica está além...

— Eu gostaria de ver os minerais que vocês não exibem para o público. Um deles em particular.

Manchas rosadas despontam na alvura da garganta de Hublin. Ele persiste de pé. O diretor-assistente parece conformado com o impasse e puxa a grossa pilha de papéis encadernada de uma gaveta e começa a ler. Hublin se movimenta como se fosse sair.

— Por favor, fique até resolvermos isso — diz Von Rumpel.

Esperar, pensa Von Rumpel, é uma espécie de guerra. Você simplesmente fala para si mesmo que não pode perder. O telefone do diretor-assistente toca, e ele faz um gesto para atender, mas Von Rumpel levanta uma das mãos, e o telefone toca dez, onze vezes, e depois fica em silêncio. Passa-se o que deve ser uma boa meia hora, Hublin de olhos fixos nos cadarços dos próprios sapatos, o diretor-assistente fazendo anotações ocasionais no manuscrito com uma caneta prateada, Von Rumpel permanecendo absolutamente imóvel, e então se ouve uma batida distante na porta.

— Senhores? — indaga a voz.

— Estamos bem, obrigado — grita Von Rumpel.

— Tenho outras providências para tomar, sargento-mor — fala o diretor-assistente.

Von Rumpel não eleva o tom de voz.

— Você vai esperar aqui. Vocês dois. Vocês vão esperar aqui até eu ver aquilo que vim ver. E então vamos os três voltar para os nossos trabalhos importantes.

O queixo do mineralogista treme. O ventilador começa de novo, depois morre. Um temporizador de cinco minutos, imagina Von Rumpel. Ele aguarda o ventilador ligar e morrer mais uma vez. Depois levanta a cesta e a põe no colo. Aponta para a cadeira, a voz suave.

— Sente-se, professor. Vai ficar mais confortável.

Hublin não se senta. Os sinos soam duas horas em uma centena de igrejas da cidade. Pedestres passam pelos caminhos. As últimas folhas do outono caem em espiral até o chão.

Von Rumpel desenrola o guardanapo no colo, retira o queijo da cesta. Parte o pão vagarosamente, deixando cair uma considerável cascata de farelos no guardanapo. Enquanto mastiga, quase consegue ouvir os estômagos dos outros dois roncando. Não oferece nada a eles. Quando termina, limpa os cantos da boca.

— Vocês me entenderam mal, messieurs. Não sou um animal. Não estou aqui para aniquilar as coleções de vocês. Elas pertencem a toda a Europa, a toda a humanidade, não é verdade? Estou aqui para algo menor. Algo menor do que o osso da rótula dos seus joelhos.

Olha para o mineralogista enquanto diz as palavras. Que olha para o outro lado, vermelho.

— Isso é absurdo — diz o diretor-assistente.

Von Rumpel dobra o guardanapo e o coloca de volta na cesta e a deposita no chão. Lambe a ponta do dedo, retira as migalhas da roupa, uma a uma. Depois olha diretamente para o diretor-assistente.

— O Lycée Charlemagne, não é? Na Rue Charlemagne?

A pele em torno dos olhos do diretor-assistente se enruga.

— A escola que a sua filha frequenta? — Von Rumpel se vira. — E o Collège Stanislas, não é, dr. Hublin? Onde seus filhos gêmeos estudam? Na Rue Notre-Dame des Champs? Esses dois bonitos rapazes não estariam se preparando para voltar para casa agora?

Hublin coloca as mãos no encosto da cadeira vazia ao lado dele, e as juntas de seus dedos se tornam muito brancas.

— Um carrega um violino, e o outro, uma viola, não estou certo? Cruzam todas aquelas ruas cheias. É uma longa caminhada para garotos de dez anos.

O diretor-assistente está sentado muito ereto.

— Sei que não está aqui, messieurs — continua Von Rumpel. — Nem mesmo o mais humilde zelador seria estúpido suficiente a ponto de manter o diamante aqui. Mas gostaria de ver o lugar onde vocês o guardaram. Gostaria de saber que tipo de lugar vocês acham que é suficientemente seguro.

Nenhum dos franceses diz uma palavra. O diretor-assistente volta a olhar para o manuscrito, embora esteja claro para Von Rumpel que ele não está mais lendo. Às quatro horas, a secretária dá uma batida ligeira na porta, e novamente Von Rumpel a dispensa. Ele concentra-se apenas em piscar. A pulsação no pescoço. *Toc toc toc toc.* Outros, pensa, fariam isso com menos sutileza. Outros usariam um polígrafo, explosivos, cano de pistolas, músculos. Von Rumpel usa o mais barato dos materiais, apenas minutos, apenas horas.

Cinco badaladas dos sinos. A luz se esvanece nos jardins.

— Sargento-mor, por favor — diz o diretor-assistente. As mãos espalmadas na mesa. Olhando para cima agora. — Já está muito tarde. Preciso me aliviar.

— Sinta-se à vontade.

Von Rumpel faz um gesto com a mão em direção a uma lixeira de metal ao lado da mesa.

O mineralogista franze o cenho. Novamente o telefone toca. Hublin arranca as cutículas com os dentes. A dor transparece no rosto do diretor-assistente. O ventilador gira. Lá fora, nos jardins, a luz do dia se desfaz, e Von Rumpel continua a esperar.

— Seu colega — dirige-se ao mineralogista — é um homem racional, não é? Não acredita nas lendas. Mas você parece mais impetuoso. Não quer acreditar, diz para si mesmo para não acreditar. Mas você acredita. Você já teve o diamante nas mãos. Já sentiu o seu poder.

— Isso é ridículo — retruca Hublin.

Os olhos do professor giram como os de um potro amedrontado.

— Este não é um comportamento civilizado. Nossas crianças estão seguras, sargento-mor? Exijo que o senhor nos deixe averiguar se nossos filhos estão a salvo — diz Hublin.

— Um homem da ciência, e ainda assim você acredita nos mitos. Acredita no poder da razão, mas também acredita em contos de fada. Deusas e maldições.

O diretor-assistente faz uma inspiração abrupta.

— Basta — diz. — Basta.

A pulsação de Von Rumpel sobe às alturas: já aconteceu? Tão fácil? Ele poderia esperar mais dois dias, três, enquanto fileiras de homens se quebram diante dele como ondas.

— Nossos filhos estão seguros, sargento-mor?

— Se você assim quer.

— Posso usar o telefone?

Von Rumpel faz um gesto afirmativo com a cabeça. O diretor-assistente pega o fone, fala "Sylvie" na direção dele, escuta alguma coisa e desliga. A mulher entra com uma argola cheia de chaves. De dentro de uma gaveta da mesa do diretor-assistente, ela retira uma outra chave presa em uma corrente. Simples, elegante, de haste longa.

Uma pequena porta trancada nos fundos da galeria do piso principal. São necessárias duas chaves para abri-la, e o diretor-assistente parece ter pouca experiência com a fechadura. Eles conduzem Von Rumpel e descem por uma escada de pedra em espiral, bem estreita; lá embaixo, o diretor-assistente destranca um segundo portão. Eles rodam no meio de um labirinto de corredores, encontrando um vigia que deixa cair o jornal que está lendo e senta-se com a coluna completamente reta à passagem deles. Em um quarto de depósito despretensioso, repleto de cobertas, paletes e caixotes por trás de uma folha de compensado, o mineralogista revela um cofre de combinação simples que o diretor-assistente abre com uma considerável facilidade.

Sem alarmes. Apenas um guarda.

Dentro do cofre, está uma segunda caixa, bem mais interessante. É tão pesada que é preciso tanto o diretor-assistente quanto o mineralogista para erguê-la.

Elegante, o trabalho de marcenaria invisível. Nenhuma marca de fabricante, nenhum dial de combinação. Provavelmente é oca, mas sem dobradiças aparentes, nem pregos, nem pontos de conexão; parece um bloco sólido de madeira inteiramente lustrada. Trabalho personalizado.

O mineralogista insere uma chave em um orifício pequenino, quase invisível, no fundo; quando a gira, dois outros buracos de fechadura se abrem no lado oposto. O diretor-assistente insere chaves combinadas nesses orifícios; elas destrancam o que se parece com cinco hastes diferentes.

Três trancas de cilindro sobrepostas, cada uma dependente da seguinte.

— Engenhoso — murmura Von Rumpel.

A caixa inteira se abre delicadamente.

Dentro dela está pousada uma pequena bolsa de feltro.

— Abra — ordena Von Rumpel.

O mineralogista olha para o diretor-assistente, que apanha a bolsa, desamarra sua parte de cima e despeja um objeto embrulhado na palma de sua mão. Com um único dedo, desfaz o embrulho. Dentro dele se encontra uma pedra azul do tamanho de um ovo de pomba.

O GUARDA-ROUPA

Os cidadãos que violam o blecaute são multados ou levados para interrogatório, mas segundo os relatos de madame Manec, lampiões queimam a noite inteira no Hôtel-Dieu, e os oficiais alemães passam cambaleando para dentro e para fora, de hora em hora, enfiando as camisas e ajeitando as calças. Marie-Laure se mantém acordada, esperando ouvir o tio se mexer. Finalmente, ela ouve o som da porta do outro lado do corredor se abrindo e dos passos se arrastando nas tábuas. Ela imagina um rato de uma fábula saindo da toca.

Ela desce da cama, tentando não acordar o pai, e atravessa o corredor.

— Tio — sussurra. — Não tenha medo.

— Marie-Laure?

O cheiro dele é como o de um inverno próximo, uma tumba, a pesada inércia do tempo.

— Você está bem?

— Melhor.

Estão de pé no patamar da escada.

— Mandaram um aviso — diz Marie-Laure. — Madame deixou na sua mesa.

— Um aviso?

— Os seus rádios.

Ele desce até o quinto andar. Ela pode ouvi-lo gaguejando. Os dedos viajando pelas prateleiras recém-esvaziadas. Velhos amigos que se foram. Ela se prepara para ouvir gritos de raiva, mas capta cantigas infantis ditas de maneira meio ofegante: "...à la salade je suis malade au céleri je suis guéri..."

Ela segura o cotovelo do tio, o ajuda a chegar até o sofá. Ele continua murmurando as rimas, tentando se convencer a sair da borda de um abismo íntimo, e ela sente o medo martelando nele, virulento, tóxico, fazendo-a relembrar os vapores se elevando dos barris de formalina no Departamento de Zoologia.

A chuva bate na vidraça da janela. A voz de Etienne vem de um lugar distante.

— Todos eles?

— Não o rádio no sótão. Não contei nada sobre a existência dele. Madame Manec sabe que ele existe?

— Nunca falamos disso.

— Está escondido, tio? Será que alguém poderia descobrir o rádio se vasculhasse a casa?

— Quem vasculharia a casa?

Segue-se o silêncio.

— Nós ainda podemos entregá-lo. Dizer que nos esquecemos dele? — diz o tio.

— O prazo para a entrega era ontem ao meio-dia.

— Talvez eles entendam.

— Tio, o senhor realmente acredita que eles vão entender que o senhor se esqueceu de um transmissor que pode atingir a Inglaterra?

Mais respirações agitadas. As engrenagens da noite giram sobre seus rolamentos silenciosos.

— Me ajude — pede Etienne.

Ele encontra um macaco em um cômodo do terceiro andar. Sobem juntos até o sexto andar, fecham a porta do quarto do avô dela e se ajoelham ao lado do volumoso guarda-roupa sem arriscar acender nem uma única vela. Ele desliza o macaco por baixo do móvel e o usa para levantar a lateral esquerda. Sob a base do guarda-roupa, joga trapos dobrados; depois coloca o macaco no outro lado e repete a operação.

— Agora, Marie-Laure, coloque as mãos aqui. E empurre.

Com um arrepio, ela compreende: eles vão posicionar o guarda-roupa em frente à pequena porta que leva ao sótão.

— Toda a sua força, preparada? Um, dois, três.

O imenso armário desliza uns três centímetros. No processo, as pesadas portas com espelhos batem levemente. Ela sente como se estivessem empurrando uma casa sobre uma superfície de gelo.

— Meu pai — diz Etienne, ofegante — costumava dizer que nem o próprio Cristo poderia ter carregado este guarda-roupa aqui para cima. Que devem ter construído a casa em torno dele. Vamos outra vez, preparada?

Eles empurram, descansam, empurram, descansam. Finalmente o guarda--roupa se acomoda na frente da portinhola, e a entrada para o sótão fica bloqueada. Com a ajuda do macaco, Etienne levanta os dois lados do móvel novamente, puxa os panos e desaba no chão, respirando com dificuldade, e Marie-Laure se senta ao lado dele. Antes que a aurora se desenrole sobre a cidade, ambos estão adormecidos.

Melros

Chamada. Café da manhã. Frenologia, treinamento com rifle, exercícios. Ernst, o rapaz de cabelos pretos, deixa a escola cinco dias após ser escolhido como o mais fraco no exercício de Bastian. Mais dois desistem na semana seguinte. De sessenta alunos, sobram cinquenta e sete. Toda noite Werner trabalha no laboratório do dr. Hauptmann, ora conectando números em fórmulas de triangulação, ora trabalhando com engenharia: Hauptmann quer que ele aperfeiçoe a eficiência e a potência de um aparelho de rádio direcional de transmissão e recepção que está projetando. O aparelho tem de ser ressintonizado rapidamente para transmitir em múltiplas frequências, diz o pequeno doutor, e necessita ser capaz de medir o ângulo das transmissões que recebe. Será que Werner pode dar conta disso?

Ele reconfigura quase tudo no projeto. Algumas noites Hauptmann está falante, explicando o papel de um solenoide ou um resistor nos mínimos detalhes, ou até mesmo classifica uma aranha suspensa em uma viga ou se entusiasma com reuniões de cientistas em Berlim, onde praticamente toda conversa, segundo ele, parece revelar alguma nova possibilidade. Relatividade, mecânica quântica — nessas noites ele parece bem feliz em conversar com Werner sobre qualquer assunto que o garoto pergunte.

No entanto, na noite seguinte, o comportamento de Hauptmann pode se mostrar assustadoramente frio; não abre nenhuma brecha para perguntas e supervisiona o trabalho de Werner em silêncio. A ideia de que o dr. Hauptmann possa ter vínculos com pessoas do topo — que o telefone na mesa dele o conecte a homens a mais de cento e cinquenta quilômetros de distância que, com um estalar de dedos, podem mandar uma dúzia de Messerschmitts decolar da pista para bombardear uma cidade — intoxica Werner.

"Vivemos em uma época emocionante."

Ele se pergunta se Jutta o perdoou. As cartas dela consistem principalmente de banalidades — "estamos ocupados; Frau Elena manda um alô" — ou então chegam no seu dormitório tão cheias de marcas de censura que seu significado fica comprometido. Será que ela está triste com a ausência dele? Ou será que ela endureceu seus sentimentos, se protegendo, exatamente como ele está aprendendo a fazer?

Volkheimer, assim como Hauptmann, parece um poço de contradições. Para os outros garotos, o Gigante é um bruto, um instrumento de força pura, mas às vezes, quando Hauptmann viaja para Berlim, Volkheimer desaparece no escritório do doutor e retorna com um rádio de válvula Grundig, engancha a antena de ondas curtas e enche o laboratório com música clássica. Mozart, Bach, até mesmo o italiano Vivaldi. Quanto mais sentimental, melhor. O enorme rapaz se inclina em uma cadeira, que range em protesto sob seu peso, e deixa suas pálpebras semicerradas.

Por que sempre triângulos? Qual é o propósito do transmissor que estão construindo? Quais são os dois pontos que Hauptmann conhece, e por que ele precisa descobrir o terceiro?

— São meros números, cadete — diz Hauptmann, uma de suas máximas prediletas. — Matemática pura. Você tem que se habituar a raciocinar desta forma.

Werner formula várias teorias com Frederick, mas ele está descobrindo que Frederick se movimenta como num sonho, as calças grandes demais na cintura, as barras arrastando. Os olhos dele são ao mesmo tempo intensos e vagos; raramente percebe quando erra o alvo na aula de tiro. Na maioria das noites, Frederick murmura algo para si mesmo antes de adormecer: pedaços de poemas, os hábitos dos gansos, morcegos que ele ouviu batendo as asas próximos das janelas.

As aves, sempre as aves.

— ... agora, os trinta-réis-árticos, Werner, eles voam do Polo Sul para o Polo Norte, verdadeiras navegadoras do globo, provavelmente as criaturas mais migratórias que já existiram, setenta mil quilômetros por ano...

Uma luz de inverno metálica se manifesta sobre os estábulos, o vinhedo e o campo de tiro, e pássaros canoros sobrevoam velozes as colinas, grandes e irregulares emaranhados de aves rumando em direção ao sul, uma via expressa migratória correndo bem acima dos pináculos da escola. De vez em quando um bando desce para uma das imensas tílias no terreno e se agita por baixo de suas folhas.

Alguns dos rapazes do último ano, de dezesseis e dezessete anos, cadetes que têm acesso liberado a uma quantidade maior de munição, desenvolvem um gosto por atirar nas árvores e ver quantos pássaros conseguem acertar. A árvore parece calma e desabitada; então, alguém atira, e sua copa se espalha em todas as direções, cem passarinhos explodindo em voo em meio segundo, soltando gritos agudos como se a árvore toda estivesse se desfazendo no ar.

Uma noite, na janela do dormitório, Frederick repousa a testa contra a vidraça.

— Odeio aqueles rapazes. Odeio todos por causa disso.

O sino do jantar toca, e todo mundo sai em disparada, Frederick vindo por último, os olhos inchados, os cabelos castanhos, os cadarços das botas se arrastando no chão. Werner lava a marmita de Frederick para ele; compartilha as respostas do dever de casa, a graxa dos sapatos, os doces do dr. Hauptmann; correm lado a lado nos exercícios de campo. Um alfinete de metal pesa levemente em cada uma das lapelas; cento e quatorze botas militares batem com vigor contra as pedras da trilha. O castelo, com suas torres e ameias, surge como uma visão enevoada de uma glória passada. O sangue de Werner galopa por suas veias, os pensamentos no transmissor de Hauptmann, em solda, fusíveis, baterias, antenas; as suas botas e as de Frederick tocam o solo no mesmo exato momento.

SSG35 A NA513 NL WUX
DUPLICATA DE TELEGRAMA FONADO

10 DE DEZEMBRO DE 1940

M. DANIEL LEBLANC
SAINT-MALO FRANÇA

= RETORNE A PARIS FINAL DO MÊS = VIAJE COM SEGURANÇA =

Banho

Um último impulso dá fim aos frenéticos trabalhos com cola e lixa, e o pai de Marie-Laure conclui a maquete de Saint-Malo. Está imperfeita, não pintada, desigual devido à meia dúzia de diferentes tipos de madeira e sem alguns detalhes. Porém, é o suficiente para a filha dele usar em caso de necessidade: o polígono irregular da ilha cercada por muralhas, cada um dos seus oitocentos e sessenta e cinco prédios nos seus devidos lugares.

Ele se sente atormentado. Durante semanas, a lógica tem lhe deixado na mão. A pedra que o museu lhe pediu para proteger não é real. Se fosse, o museu já teria enviado alguns homens para apanhá-la. Por que, então, quando ele a observa com o auxílio de uma lupa, as profundezas da pedra revelam pequenas adagas de chamas? Por que ele ouve passos atrás de si quando não há ninguém lá? E por que ele continua flertando com a possibilidade irracional de a pedra, dentro de um saquinho de linho em seu bolso, ter lhe causado infortúnios, colocando Marie-Laure em perigo, e talvez até ter precipitado toda a invasão da França?

Estúpido. Ridículo.

Ele tentou todos os testes que pôde imaginar sem envolver outra pessoa.

Embrulhou-a entre retalhos e golpeou-a com um martelo — ela não despedaçou.

Tentou esfregá-la com um pedaço de quartzo partido ao meio — não arranhou.

Tentou segurá-la na chama de uma vela, envolvendo-a com fogo, fervendo-a. Escondeu a pedra preciosa embaixo do colchão, na caixa de ferramentas, no sapato. Certa noite, deixou-a enterrada por horas no pé dos gerânios de madame Manec que ficam em uma jardineira de janela, e depois se convenceu de que as flores estavam murchando e a desencavou.

Nesta tarde, um rosto conhecido surgiu na estação de trem, umas quatro ou cinco pessoas entre eles na fila. Ele já viu o homem antes, atarracado, com queixo duplo, suando. Eles se encaram; o olhar do homem se desvia.

O vizinho de Etienne. O perfumista.

Semanas atrás, enquanto estava fazendo medições para a maquete, o chaveiro viu o mesmo homem em cima das muralhas apontando uma câmera para o mar. Um homem em quem não se deve confiar, disse madame Manec. Mas é apenas um homem esperando na fila para comprar uma passagem.

Lógica. Os princípios da solidez dos argumentos. Toda fechadura tem sua chave.

Por mais de duas semanas, o telegrama ecoou em sua mente. Uma escolha de palavras tão enlouquecedoramente ambígua para a instrução final — "Viaje com segurança". Significa que ele deve levar a pedra ou deixá-la para trás? Levar Marie-Laure ou deixá-la para trás? Viajar de trem? Ou usando outro meio de transporte, teoricamente mais seguro?

E se, considera o chaveiro, o telegrama não tiver nem mesmo sido mandado pelo diretor?

Voltas e voltas fazem as perguntas. Quando chega a sua vez para comprar a passagem, ele compra um bilhete só de ida no trem da manhã para Rennes com conexão para Paris e retorna pelas ruas estreitas e sem sol à Rue Vauborel. Vai fazer isso e dar um fim a essa história toda. Voltar ao trabalho, aparecer no depósito de chaves, trancar o que é preciso. No prazo de uma semana, ele volta para a Bretanha e apanha Marie-Laure.

Na ceia, madame Manec serve ensopado de carne e baguetes. Após a ceia, ele conduz Marie-Laure para subir os lances instáveis de escada até o banheiro do terceiro andar. Enche a grande banheira de ferro e vira as costas enquanto ela se despe.

— Use o tanto de sabonete que você quiser — diz ele. — Comprei mais.

A passagem de trem permanece dobrada no bolso, como uma traição.

Ela deixa que ele lave o cabelo dela. Várias vezes Marie-Laure afunda os dedos na espuma sobre a água, como se tentasse avaliar o seu peso. Sempre houve uma ponta de pânico nele, profundamente arraigada, quando se trata da filha: medo de não ser bom como pai, medo de estar fazendo tudo errado. De nunca ter compreendido as regras. Todas aquelas mães parisienses empurrando carrinhos no meio do Jardin des Plantes ou segurando casacos em lojas — para ele parecia que as mulheres se cumprimentavam ao passarem uma pela outra, como se possuíssem algum conhecimento secreto, e ele não. Como você tem a certeza de que está fazendo a coisa certa?

No entanto, também há lugar para o orgulho — orgulho de fazer tudo sozinho. De ver a filha tão curiosa, tão resiliente. Há a humildade de ser o pai de alguém tão forte, como se ele fosse meramente um canal para algo maior. Esse é o sentimento de agora, pensa ele, ajoelhado ao lado da menina, lavando o cabelo dela: como se o seu amor pela filha ultrapassasse os limites do seu corpo. As muralhas poderiam desmoronar, até mesmo a cidade toda, e o esplendor desse sentimento não desvaneceria.

O ralo grunhe; a casa abarrotada se contrai ao redor dele. Marie levanta o rosto molhado.

— O senhor vai partir, não vai?

Ele fica contente, só neste momento, por ela não poder vê-lo.

— Madame me contou sobre o telegrama.

— Não vou demorar, Marie. Uma semana. Dez dias no máximo.

— Quando?

— Amanhã. Antes de você acordar.

Ela traz os joelhos ao peito e abraça as pernas. Suas costas são longas, brancas e divididas pelas suas vértebras protuberantes. Ela costumava adormecer segurando o dedo indicador dele. Ela costumava se esparramar com seus livros por baixo do depósito de chaves e movimentar as mãos como aranhas pelas páginas.

— Tenho que ficar aqui?

— Com madame Manec. E Etienne.

Ele lhe entrega uma toalha, a ajuda a sair da banheira e espera do lado de fora enquanto ela veste a camisola. Depois ele a leva para o sexto andar e para o quartinho deles, embora saiba que ela não precisa ser conduzida; ele se senta na beirada da cama, ela se ajoelha ao lado da maquete e coloca três dedos na torre da catedral.

Ele pega a escova de cabelos, não se dá o trabalho de acender a luz.

— Dez dias, Papa?

— No máximo.

As paredes rangem; a janela entre as cortinas está preta; a cidade se prepara para dormir. Em algum lugar lá fora, *U-boats* alemães deslizam sobre fossas submarinas, e lulas de quase dez metros navegam seus olhos imensos através da fria escuridão.

— Nós já passamos alguma noite separados?

— Não.

O olhar dele se movimenta pelo quarto apagado. A pedra em seu bolso parece pulsar. Se ele conseguir dormir esta noite, com o que vai sonhar?

— Posso sair enquanto o senhor estiver fora, Papa?

— Assim que eu voltar. Prometo.

Da forma mais delicada possível, ele passa a escova pelas mechas molhadas do cabelo da filha. Entre escovadelas, podem ouvir o vento do mar chacoalhar a janela.

As mãos de Marie-Laure roçam as casas enquanto ela recita os nomes das ruas.

— Rue des Cordiers, Rue Jacques Cartier, Rue Vauborel.

— Em uma semana você vai conhecer todas elas — diz ele.

Os dedos de Marie-Laure vagueiam pelas muralhas externas. O mar além delas.

— Dez dias — fala ela.

— No máximo.

O MAIS FRACO (Nº 2)

Dezembro suga a luz do castelo. O sol mal clareia o horizonte e logo desaparece. A neve cai uma vez, duas, e então toma residência sobre os gramados. Será que Werner já viu uma neve tão branca, uma neve que não fica imediatamente turva com cinzas e poeira de carvão? Os únicos emissários do mundo exterior são os pássaros canoros ocasionais que pousam nas tílias além do pátio, desviados do rumo por tempestades distantes, batalhas ou ambas, e dois cabos de rosto imaturo que entram no refeitório quase toda semana — sempre após a oração, exatamente quando os garotos estão colocando a primeira garfada de jantar nas bocas — e passam por baixo dos brasões para se postarem atrás de um cadete e murmurar no ouvido dele que o pai foi morto em ação.

Outras noites um monitor berra *Achtung!*, e os rapazes se levantam dos bancos, e Bastian, o comandante, entra pomposamente. Os rapazes olham para baixo, para a comida, em silêncio, enquanto Bastian caminha entre as fileiras, arrastando um único dedo indicador pelas costas deles.

— Saudades de casa? Não devemos nos preocupar com as nossas casas. No final todos vamos para casa, para o Führer. Que outra casa importa?

— Nenhuma outra! — gritam os garotos.

Toda tarde, não importa o clima, o comandante sopra o apito, e os rapazes de quatorze anos correm para fora; então ele aparece diante deles com o sobretudo abotoado na barriga, as medalhas tilintando e a mangueira de borracha girando.

— Existem dois tipos de morte — diz, o vapor de sua respiração mergulhando no frio. — Vocês podem lutar como um leão. Ou podem se deixar apanhar tão facilmente quanto um fio de cabelo em uma xícara de leite. Os nadas, os ninguéns, esses morrem da maneira fácil.

Ele vasculha as filas com os olhos, balança o pedaço de mangueira e arregala os olhos de modo dramático.

— Como é que vocês, rapazes, vão morrer?

Em uma tarde com ventos, ele puxa Helmut Rödel para fora da fila. Helmut é uma criança pequena, pouco promissora, que veio do sul e que mantém as mãos fechadas como bolas quase o tempo todo.

— E quem é, Rödel? Em. Sua. Opinião. Quem é o membro mais fraco deste pelotão?

O comandante gira a mangueira.

Helmut Rödel não perde tempo.

— É ele, senhor.

Werner sente um peso se abater sobre ele. Rödel está apontando diretamente para Frederick.

Bastian ordena que Frederick se adiante. Se o medo obscurece o rosto do amigo, Werner não consegue ver. Frederick parece confuso. Quase filosófico. Bastian coloca a mangueira em volta do pescoço e atravessa o campo, neve ao nível das canelas, sem se apressar, até ser pouco mais do que uma silhueta escura na extrema distância. Werner tenta estabelecer contato visual com Frederick, mas os olhos dele estão a um quilômetro de distância.

O comandante levanta a mão esquerda.

— Dez! — grita Bastian.

E o vento esvanece a palavra devido à longa distância. Frederick pisca diversas vezes, como ele faz frequentemente quando lhe dirigem a palavra em sala de aula, esperando que seu mundo interior emparelhe com o exterior.

— Nove!

— Corra — sibila Werner.

Frederick é um corredor eficiente, mais rápido do que Werner, mas o comandante parece contar mais rápido nesta tarde, e a vantagem de Frederick é reduzida, e a neve impede seu andamento, e ele não corre nem vinte metros quando Bastian ergue o braço direito.

Os rapazes arrancam em movimento. Werner corre com os outros, tentando ficar no grupo mais ao final, seus rifles batendo sincopadamente contra as costas. Já o mais veloz dos rapazes parece estar correndo mais rápido do que de costume, como se estivesse cansado de ser ultrapassado.

Frederick corre com firmeza. Porém, os rapazes mais rápidos são como cães de corrida, angariados por todo o país por causa de sua velocidade e vontade de obedecer, e parecem para Werner estar correndo com mais paixão, com mais precisão do que faziam antes. Estão impacientes para descobrir o que acontecerá se alguém for apanhado.

Frederick está a quinze passos de Bastian quando é derrubado.

O grupo se aglutina ao redor dos que estavam na frente quando Frederick e seus perseguidores se põem de pé, todos cobertos de neve. Bastian se aproxima a passos largos. Os cadetes circundam o instrutor, os peitos arfantes, muitos com as mãos nos joelhos. A respiração dos rapazes pulsa diante deles em uma nuvem que é desfeita velozmente pelo vento. Frederick está no meio, ofegante e piscando os longos cílios.

— Geralmente não leva tanto tempo — diz Bastian de forma branda, quase como se falasse para si mesmo. — Para que o primeiro seja apanhado.

Frederick semicerra os olhos, voltados para o céu.

— Cadete, você é o mais fraco? — pergunta Bastian.

— Não sei, senhor.

— Não sabe?

Uma pausa. No rosto de Bastian surge uma propensão oculta ao antagonismo.

— Olhe para mim ao falar — diz o comandante.

— Algumas pessoas são fracas de algumas maneiras, senhor. Outras, de outras maneiras.

Os lábios do comandante se afinam, seus olhos se estreitam, e uma expressão de malícia lenta e intensa surge em seu rosto. Como se uma nuvem se distanciasse e, por um momento, o seu caráter genuíno e deformado aparecesse reluzindo. Ele puxa a mangueira do pescoço e a entrega a Rödel.

Rödel vê de relance a corpulência do comandante.

— Vamos, então — incentiva Bastian.

Em algum outro contexto, ele poderia estar encorajando um garoto relutante a entrar na água fria.

— Faça algum bem a ele.

Rödel olha para baixo, para a mangueira: preta, um metro de comprimento, rija no frio. Passa-se um tempo que podem ser apenas segundos, mas que para Werner parecem horas, e o vento agita a grama congelada, enviando zéfiros e pedaços de neve sibilando em meio à brancura, e uma súbita nostalgia por Zollverein o acomete como uma onda: tardes da infância em passeios pelas comunidades manchadas de fuligem, puxando a irmã mais nova no carrinho. Sujeira nos becos, os gritos roucos das equipes de trabalho, cada um dos garotos dormindo com o rosto virado para o pé do outro enquanto os seus casacos e calças pendem de ganchos pelas paredes. A caminhada de Frau Elena à meia-noite entre as camas, como se fosse um anjo, murmurando: "Sei que está frio. Mas estou aqui ao seu lado, está vendo?"

Jutta, feche os olhos.

Rödel se adianta, balança a mangueira e a estala violentamente contra o ombro de Frederick, que dá um passo para trás. O vento açoita através do campo.

— De novo — diz Bastian.

Tudo se torna encharcado de uma lentidão repulsiva e insólita. Rödel recua e golpeia de novo. Dessa vez, atinge a mandíbula de Frederick. Werner força sua mente a relembrar imagens de casa: a lavanderia; os dedos rosados e curtidos de Frau Elena; cães nos becos, vapor saindo das chaminés — todo o seu ser quer gritar: isto não está errado?

Mas aqui está correto.

Leva tanto tempo. Frederick resiste a um terceiro golpe.

— De novo — ordena Bastian.

No quarto golpe, Frederick levanta os antebraços, a mangueira estala contra sua pele, e ele cambaleia. Rödel balança a mangueira novamente.

— Em seu exemplo luminoso, Cristo, conduza o caminho, agora e sempre.

E a tarde inteira vira pelo avesso, é rasgada; Werner observa a cena se afastar como se a observasse da extremidade de um túnel: o pequeno campo branco, um grupo de rapazes, árvores nuas, um castelo de brinquedo, tão etéreo quanto as histórias de Frau Elena sobre a infância dela na Alsácia ou os desenhos de Paris feitos por Jutta. Mais seis vezes ele ouve Rödel, o assovio da mangueira girando e a pancada surda da borracha atingindo as mãos, os ombros e o rosto de Frederick.

Frederick pode caminhar durante horas no bosque, pode identificar pássaros canoros a cinquenta metros de distância só por ouvir o canto de cada um deles. Frederick raramente pensa em si mesmo. Frederick é mais forte do que ele em todos os sentidos que se possam imaginar. Werner abre a boca, mas a fecha novamente; ele afunda; fecha os olhos, a mente.

Em algum momento, o outro para de bater. Frederick está com o rosto enfiado na neve.

— Senhor?

Rödel está ofegante. Bastian apanha de volta o pedaço de mangueira das mãos de Rödel, recoloca-a ao redor do pescoço e ajeita o cinto com a mão. Werner se ajoelha ao lado de Frederick e o vira. Está saindo sangue do nariz do rapaz, ou do olho, ou do ouvido, talvez dos três. Um dos olhos já está fechado de tão inchado; o outro permanece aberto. A atenção dele, Werner percebe, está concentrada no céu. Rastreando algo lá em cima.

Werner arrisca um olhar para cima: um único falcão, cavalgando o vento.

— Levante-se — ordena Bastian.

Werner obedece. Frederick não se mexe.

— Levante-se.

Bastian fala com mais calma da segunda vez, e Frederick consegue se ajoelhar. Ele levanta, cambaleando. Sua face tem um corte profundo de onde escoam filetes de sangue. Manchas de umidade estão visíveis nas costas, nos locais onde a neve derreteu na camisa. Werner oferece o braço a Frederick.

— Cadete, você é o mais fraco?

Frederick não fita o comandante.

— Não, senhor.

O falcão ainda gira em círculos lá em cima. O corpulento comandante reflete por um instante. Depois sua voz clara ecoa, voando acima do grupo, incitando-os a correr. Cinquenta e sete cadetes atravessam o terreno e correm pelo caminho nevado acima, em direção ao bosque. Frederick corre no lugar de costume ao lado de Werner, o olho esquerdo inchando, trilhas idênticas de sangue deslizando de suas bochechas, o colarinho molhado e marrom.

Os galhos se agitam em um estrépito. Todos os cinquenta e sete rapazes em uníssono.

"Vamos marchar adiante,
Mesmo que tudo se despedace;
Pois hoje a nação nos escuta,
E amanhã será o mundo todo!"

É inverno nos bosques da velha Saxônia. Werner não arrisca outro olhar na direção do amigo. Ele marcha acelerado no frio, um rifle de cinco balas no ombro. Ele tem quase quinze anos.

A prisão do chaveiro

Ele é preso nas cercanias de Vitré, horas distante de Paris. Dois policiais à paisana o tiram apressadamente do trem enquanto uma dúzia de passageiros observa. Ele primeiramente é interrogado em uma van e depois em um escritório localizado em um frio mezanino decorado com aquarelas de má qualidade retratando navios a vapor. Os primeiros interrogadores são franceses; uma hora mais tarde chegam os alemães. Exibem ostensivamente seus cadernos de notas e sua caixa de ferramentas. Levantam o seu chaveiro e contam sete diferentes chaves mestras. O que elas destrancam, querem saber, e de que maneira você usa estes pequeninos serrotes e limas? E quanto a este caderno cheio de medidas arquitetônicas?

Uma maquete para a minha filha.

Chaves do museu onde trabalho.

Por favor.

Eles o arrastam à força para uma cela. As dobradiças e a fechadura são tão grandes e antiquadas que devem ser da época de Luís XIV. Talvez de Napoleão. A qualquer minuto o diretor ou alguém enviado por ele vai aparecer e explicar tudo. Certamente isso vai acontecer.

De manhã, os alemães realizam um segundo e mais lacônico turno de perguntas enquanto um datilógrafo tamborila em um canto. Parece que o estão acusando de planejar destruir o Château de Saint-Malo, apesar de não estar claro por que acreditam nisso. O francês que falam é pouco fluente, e parecem mais interessados nas próprias perguntas do que nas respostas que ele dá. Negam-lhe acesso a papel, roupas de cama, um telefone. Tiram fotografias dele.

Ele anseia por um cigarro. Deita-se no chão de rosto virado para cima e se imagina dando um beijo em cada olho de Marie-Laure enquanto ela dorme. Dois dias após a prisão, é levado para uma área de confinamento a alguns quilômetros de Estrasburgo. Por entre ripas da cerca, observa um grupo de estudantes uniformizadas caminhar em fila dupla ao sol do inverno.

Os guardas trazem sanduíches pré-embalados, queijo duro, um pouco de água. No estábulo, cerca de trinta outros indivíduos dormem na palha colocada por cima da lama congelada. A maioria deles franceses, mas alguns belgas, quatro de Flandres, dois da Valônia. Todos foram acusados de crimes sobre os quais só comentam com reticências, ansiosos por causa das armadilhas que possam estar embutidas em qualquer pergunta que lhes seja feita. À noite, compartilham boatos aos sussurros.

— Só vamos ficar na Alemanha por alguns meses — diz alguém, e a informação vai circulando de um para o outro.

— Apenas para ajudar com a lavoura da primavera enquanto a população masculina deles está na guerra.

— Depois vão nos mandar para casa.

Cada homem pensa que isso é impossível, mas depois: talvez seja verdade. Apenas alguns meses. Depois, voltar para casa.

Não há nenhum advogado oficialmente designado. Nenhum tribunal militar. O pai de Marie-Laure passa três dias no estábulo. Nenhum resgate chega do museu, nenhuma limusine do diretor atravessa a passagem. Não o deixam escrever cartas. Quando pede para usar um telefone, os guardas nem se dão o trabalho de rir.

— Você sabe a última vez que *nós* usamos um telefone?

A cada hora, ele faz uma oração para Marie-Laure. A cada respiração.

No quarto dia, todos os prisioneiros são amontoados em um caminhão de gado e levados para o leste.

— Estamos perto da Alemanha — murmuram os homens.

É possível vislumbrá-la na margem mais distante do rio. Conjuntos baixos de árvores desfolhadas agrupadas por círculos de neve. Fileiras pretas de vinhedos. Quatro faixas desconectadas de fumaça cinzenta se mesclam em um céu branco.

O chaveiro semicerra os olhos. Alemanha? Nada parece diferente deste lado do rio.

Pode muito bem ser a beira de um precipício.

Quatro

8 de agosto de 1944

O Fort de la Cité

O sargento-mor Von Rumpel sobe uma escada no escuro. Ele consegue sentir os linfonodos nos dois lados do pescoço pressionando o esôfago e a traqueia. Seu peso como um tapete no varal.

Os dois atiradores na torre periscópica lançam um olhar por baixo da borda dos capacetes. Sem oferecer ajuda, sem fazer continência. A torre é coroada por uma redoma de aço e é usada principalmente para identificar armamentos de grande porte a distância. A oeste, a vista é para o mar; para as escarpas abaixo, cercadas por arame farpado retorcido; e diretamente do outro lado do mar, a cerca de oitocentos metros de distância, para a cidade de Saint-Malo em chamas.

A artilharia cessou por enquanto, e o fogo dentro das muralhas alcança a estabilidade da maturidade, uma vida adulta. A extremidade ocidental da cidade se tornou um holocausto encarnado, do qual se erguem múltiplas colunas de fumaça. A maior se aglutinou na forma de um pilar, como a nuvem de fragmentos de pedra, cinzas e vapor que cresce por cima da erupção de um vulcão. Vista de longe, a fumaça parece estranhamente sólida, como se tivesse sido esculpida em madeira reluzente. Ao longo de todo o perímetro da cidade, sobem centelhas e caem cinzas e pairam documentos burocráticos: planos diretores, ordens de compra, registros de impostos.

Com o binóculo, Von Rumpel observa o que podem ser morcegos em combustão tombando sobre as muralhas. Uma erupção de faíscas irrompe violentamente de uma casa — um transformador elétrico ou combustível armazenado ou talvez uma bomba retardatária —, como se raios açoitassem a cidade de dentro para fora.

Um dos atiradores faz comentários prosaicos acerca da fumaça, de um cavalo morto que ele avista na base das muralhas, da intensidade do fogo em certos quadrantes. Como se fossem nobres nas tribunas assistindo a combates no castelo nos anos das Cruzadas. Von Rumpel puxa com força o colarinho que lhe aperta a garganta, tenta engolir.

A lua se põe e o céu oriental se ilumina, a borda da noite descobrindo a manhã, levando consigo as estrelas uma a uma até restarem apenas duas. Vega, talvez. Ou Vênus. Ele nunca aprendeu.

— O pináculo da igreja foi destruído — diz o segundo atirador.

Ontem, acima da silhueta em zigue-zague dos telhados, o pináculo da catedral apontava para o alto, acima de tudo. Não nesta manhã. O sol logo emerge do horizonte, se elevando das muralhas ocidentais e inchando como uma membrana sobre a cidadela, e o laranja das chamas noturnas dá lugar ao preto da fumaça.

Finalmente, por alguns segundos, a fumaça se abre por tempo suficiente para Von Rumpel examinar o labirinto serrilhado da cidade e localizar o que está procurando: a parte superior de uma casa alta com uma larga chaminé. Duas janelas visíveis, sem os vidros. Uma veneziana dependurada, outras três no lugar.

Rue Vauborel, número 4. Ainda intacta. Passam-se os segundos; a fumaça a encobre novamente.

Um avião solitário trilha o azul cada vez mais profundo do céu, voando incrivelmente alto. Von Rumpel desce a longa escada até os túneis do forte abaixo. Tentando não mancar, não pensar nas calosidades em suas virilhas. No entreposto subterrâneo, homens sentam apoiados nas paredes e apanham aveia dos capacetes. A luz elétrica os arranja em poças de brilho e sombra.

Von Rumpel se senta em uma caixa de munição e come o queijo cremoso de dentro de uma bisnaga. O coronel responsável por defender Saint-Malo proferiu discursos para os homens, discursos sobre bravura, sobre como a Divisão de Hermann Göring em breve vai romper as linhas americanas em Avranches, sobre como os reforços vão jorrar da Itália e possivelmente da Bélgica, tanques e Stukas, caminhões carregados de morteiros de cinquenta milímetros, sobre como as pessoas em Berlim acreditam neles assim como uma freira acredita em Deus, sobre como ninguém vai abandonar o posto e, se o fizer, será executado como desertor, mas Von Rumpel está pensando agora na hera dentro dele. Uma hera negra ramificando no interior de suas pernas e braços. Corroendo seu abdômen de dentro para fora. Aqui, na fortaleza peninsular fora de Saint-Malo, separada das guarnições em retirada, parece apenas uma questão de tempo até canadenses, britânicos e os brilhantes olhos americanos da Octogésima Terceira Divisão estarem se aglomerando na cidade, vasculhando as casas em busca de hunos saqueadores, capturando prisioneiros para sabe-se lá o quê.

Apenas uma questão de tempo até a hera negra sufocar seu coração.

— O quê? — pergunta um soldado ao lado dele.

Von Rumpel dá uma fungada.

— Eu não disse nada.

O soldado volta os olhos novamente para a aveia no seu capacete.

Von Rumpel aperta o que resta do abjeto queijo salgado e joga a bisnaga vazia entre os pés. A casa ainda está lá. O exército germânico ainda mantém a cidade. Por algumas horas, os incêndios vão persistir, e então os alemães vão se amontoar como formigas de volta para suas posições e lutar por mais um dia.

Ele vai esperar. Esperar, esperar e esperar, e quando a fumaça clarear, ele vai entrar.

Atelier de réparation

Bernd, o engenheiro, se contorce de dor, arrastando o rosto no encosto da poltrona dourada. Há algo errado com a perna e algo pior com o peito.

Não há esperança quanto ao rádio. O cabo de energia ficou danificado, e o condutor para a antena na superfície se perdeu, e Werner não ficaria surpreso se o painel seletor estivesse quebrado. No âmbar enfraquecido da lanterna de Volkheimer, ele fita uma sequência de pinos de tomada esmagados.

O bombardeio parece ter destruído a audição do seu ouvido esquerdo. O direito, pelo que percebe, está voltando gradualmente ao normal. Ele começa a ouvir algum som além do zumbido.

O crepitar do incêndio arrefecendo.

O rangido do hotel acima.

Uma estranha miscelânea gotejando.

E Volkheimer, à medida que ele golpeia, de forma intermitente e insana, o entulho que bloqueia a escadaria. A técnica de Volkheimer, aparentemente, é se agachar por baixo do teto envergado, ofegante, segurando um pedaço de vergalhão em uma das mãos. Acende a lanterna e mapeia a escadaria bloqueada procurando por qualquer coisa que ele possa arrancar dali. Memorizando posições. Então, apaga a luz para preservar a bateria e prossegue com a tarefa no escuro. Quando a luz é religada, a confusão da escadaria parece a mesma. Um emaranhado comprimido de metal, tijolos e madeira tão espesso que é difícil acreditar que vinte homens pudessem passar por ela.

"Por favor", diz Volkheimer. Se ele está falando em voz alta ou não, Werner não é capaz de dizer. Mas Werner ouve a expressão no ouvido direito como uma oração distante. "Por favor. Por favor." Como se tudo na guerra até agora fosse tolerável para Frank Volkheimer, o jovem de vinte e um anos, mas não esta injustiça final.

Os incêndios acima já deveriam ter sugado o restante de oxigênio deste buraco. Todos ali já deveriam estar asfixiados. Dívidas pagas, contas resolvidas. Ainda assim, estão respirando. As três vigas rachadas no teto seguram um peso que só é conhecido por Deus: dez toneladas de hotel carbonizado, os cadáveres de oito homens do pelotão antiaéreo e um enorme arsenal que não explodiu. Talvez Werner, devido a suas dez mil pequenas traições, e Bernd, por seus inúmeros crimes, e Volkheimer, por ser o instrumento, o executor das ordens, a espada do Reich — talvez os três tenham algumas contas maiores a ajustar, alguma sentença final a ser proferida.

Primeiro o porão de um corsário, construído para estocar e ocultar ouro, armas e um excêntrico equipamento de apicultura. Depois uma adega de vinho. Depois o recanto de um faz-tudo. *Atelier de réparation*, um local para consertar coisas, pensa Werner. Um lugar tão apropriado quanto qualquer outro. Certamente há pessoas no mundo que acreditam que estes três têm algumas reparações a fazer.

Duas latas

Quando Marie-Laure acorda, a pequena casa da maquete está alocada abaixo de seu peito, suado dentro do casaco do tio-avô.

Será que já amanheceu? Ela sobe a escada e encosta o ouvido no alçapão. Nada de sirenes. Talvez a casa tenha queimado até desabar enquanto ela dormia. Ou então ela dormiu durante as últimas horas da guerra e a cidade foi liberada. Pode haver pessoas nas ruas: voluntários, policiais, bombeiros. Até americanos. Ela deveria passar pelo alçapão, caminhar até a porta da frente e sair na Rue Vauborel.

Mas e se a cidade ainda estivesse tomada pela Alemanha? E se os alemães estivessem agora entrando de casa em casa, atirando em quem lhes apetecesse?

Ela vai esperar. A qualquer momento Etienne a encontrará, lutando com todas as suas forças para alcançá-la.

Ou está encolhido em algum lugar, balançando a cabeça. Vendo demônios.

Ou está morto.

Ela diz para si mesma para economizar o pão, mas está esfomeada, e o pedaço está ficando seco; antes que possa perceber, já comeu tudo.

Se ao menos tivesse trazido o romance dela para o porão.

Marie-Laure perambula pelo ambiente calçando apenas meias. Isto aqui é um tapete enrolado, a cavidade repleta de algo que cheira a raspas de madeira: ratos. Isto aqui é um caixote com papéis velhos. Um lustre antigo. As latas para armazenar conservas de madame Manec. E aqui, no fundo de uma prateleira perto do teto, dois pequenos milagres. Latas ainda cheias! Na cozinha não há mais quase nenhum alimento — apenas farinha de milho, um feixe de lavanda e duas ou três garrafas de um Beaujolais fedorento —, mas, aqui embaixo, duas latas pesadas.

Ervilha? Feijão? Talvez milho. Marie-Laure reza para que não seja óleo; as latas de óleo não são menores? Balança as latas, mas não consegue adivinhar.

Marie-Laure tenta calcular as chances de que uma delas possa conter os pêssegos de madame Manec, os pêssegos brancos do Languedoc que ela comprava aos caixotes, descascava, cortava em quatro e fervia com açúcar. A cozinha toda se enchia com o cheiro e as cores dos pêssegos, os dedos de Marie-Laure ficavam grudentos, uma espécie de êxtase.

Duas latas que Etienne não percebeu.

Mas aumentar a expectativa é um risco ainda maior de se decepcionar. Ervilha. Ou feijão. Qualquer um dos dois seria mais do que bem-vindo. Ela enfia uma lata em cada bolso do casaco do tio, verifica novamente se a casinha está no bolso do vestido, se senta em um baú, agarra a bengala com as duas mãos e tenta não pensar na bexiga pressionando.

Certa vez, quando tinha oito ou nove anos, o pai a levou até o Panthéon, em Paris, para descrever o pêndulo de Foucault. O peso, contou ele, era uma objeto dourado no formato de um peão. Pendia de uma corda de sessenta e sete metros; uma vez que sua trajetória mudava com o tempo, explicou o pai, comprovou-se sem sombra de dúvida o movimento de rotação da terra. Mas aquilo de que Marie-Laure se lembrava, perto do parapeito enquanto o pêndulo assobiava ao passar, era o seu pai dizendo que o pêndulo de Foucault jamais interromperia seu movimento. Continuaria balançando, segundo ela entendeu, depois que ela e o pai saíssem do Panthéon, depois que ela fosse para a cama naquela noite. Depois que ela tivesse se esquecido sobre aquilo, e vivido sua vida inteira, e tivesse morrido.

Agora é como se ela conseguisse ouvir o pêndulo no ar na frente dela: aquele enorme peão dourado, da largura de um barril, balançando o tempo todo, sem parar jamais. Talhando e retalhando sua verdade desumana no piso.

Rue Vauborel, número 4

Cinzas, cinzas: neve em agosto. O bombardeio continuou esporadicamente após o café da manhã e cessou por volta das seis da tarde. Uma metralhadora é acionada em algum ponto, soando como uma fileira de contas correndo entre os dedos. O sargento-mor Von Rumpel carrega um cantil, meia dúzia de ampolas de morfina e a sua pistola de campo. Sobre o quebra-mar. Sobre a língua de areia em direção ao imenso baluarte em chamas de Saint-Malo. Lá no porto, o píer foi estilhaçado em múltiplos lugares. Um barco pesqueiro semissubmerso flutua à deriva com a popa para cima.

Na cidade velha, blocos de pedra empilhados, sacas, venezianas, galhos, peças em ferro trabalhado e topos de chaminés enchem a Rue de Dinan. Floreiras esmagadas, molduras de janelas chamuscadas e cacos de vidro. Algumas construções ainda soltam fumaça, e apesar de manter um lenço umedecido pressionado contra a boca e o nariz, Von Rumpel precisa parar diversas vezes para retomar o fôlego.

Aqui, um cavalo morto começando a apodrecer. Aqui, uma cadeira de veludo verde listrado. Aqui, as tiras rasgadas de um toldo anunciam um restaurante. Nas janelas quebradas, cortinas balançam ao acaso sob a luz estranha e irregular; elas o deixam irritado. Andorinhas voam de um lado para outro, procurando ninhos perdidos, e alguém muito, muito ao longe, pode estar gritando, ou talvez seja o vento. As explosões arrancaram dos suportes muitos letreiros de loja, e as cantoneiras pendem abandonadas.

Um schnauzer corre atrás dele, ganindo. Ninguém grita de alguma janela com o intuito de avisá-lo para ficar longe das minas. De fato, em quatro quarteirões ele avista somente uma alma, uma mulher do lado de fora do que era, no dia anterior, o cinema. Uma pá de lixo na mão, nenhuma vassoura à vista. Ela levanta o olhar na direção dele, estupefata. Através de uma porta aberta atrás dela, fileiras de cadeiras esmagadas sob grandes placas do teto desabado.

— A sessão só vai começar às oito — diz ela em seu francês bretão, e ele anui ao passar mancando.

Na Rue Vauborel, vastas quantidades de telhas de ardósia escorregaram dos telhados e se espatifaram nas ruas. Fragmentos de papel queimado flutuam no céu. Nenhuma gaivota. Mesmo que a casa tenha pegado fogo, pensa ele, o diamante vai estar lá. Ele vai arrancá-lo das cinzas como um ovo quente.

Mas a casa alta e estreita permanece quase sem danos. Onze janelas na fachada, a maior parte sem as vidraças. Molduras de janelas azuis, granito antigo de tons de cinza e marrom-claro. Quatro de suas seis floreiras estão penduradas. A lista oficial dos residentes está pregada na porta da frente.

M. Etienne LeBlanc, 63 anos.

Mlle. Marie-Laure LeBlanc, 16 anos.

Está disposto a suportar todos os perigos. Pelo Reich. Por si mesmo.

Ninguém o detém. Nenhum tiro silvando pelo ar. Às vezes o olho de um furacão é o lugar mais seguro para se estar.

O QUE ELES TÊM

Quando é dia e quando é noite? O tempo parece ser medido melhor por *flashes*: a lanterna de campo de Volkheimer se apaga, se acende.

Werner observa o rosto coberto de cinzas de Volkheimer na luz indireta da lanterna, sua ajuda enquanto se inclina sobre Bernd. "Beba", fala Volkheimer sem emitir som ao segurar o cantil nos lábios de Bernd, e as sombras arremetem para o teto quebrado como um círculo de assombrações se preparando para o banquete.

Bernd vira o rosto para o outro lado, o pânico nos olhos, e tenta examinar a perna.

A luz da lanterna se apaga e a escuridão retorna.

Entre os pertences de Werner estão o caderno de sua infância, o cobertor e meias secas. Três porções de alimento. É toda a comida que lhes resta. Volkheimer não tem ração alguma. Tampouco Bernd. Só possuem dois cantis de água, cada um pela metade. Volkheimer também descobriu um balde de pincéis em um canto com algum sedimento aguado no fundo, mas até que ponto irá o desespero deles para beber isso?

Duas granadas de vara: modelos 24, uma em cada bolso lateral do casaco de Volkheimer. Cabos de madeiras ocos na base de uma lata de aço repleta de cargas altamente explosivas — bombas de mão que os rapazes de Schulpforta chamavam de espremedor de batata. Por duas vezes Bernd implorou a Volkheimer para usar uma delas na confusão compacta da escada, para verificar se conseguiam abrir caminho com a explosão. Porém, usar uma granada aqui embaixo, em um local tão fechado, por baixo de entulho presumivelmente coberto com munições intactas de 88 milímetros, seria suicídio.

E ainda há o rifle de Volkheimer: a Karabiner 98K, um fuzil de ferrolho carregado com cinco balas. O suficiente, pensa Werner. Bastante. Só precisariam de três, uma para cada um deles.

Em alguns momentos na escuridão, Werner acha que o porão tem sua própria luz esmaecida, talvez emanando dos entulhos, o espaço se tornando um pouco mais vermelho à medida que o dia de agosto acima deles progride rumo ao entardecer. Após um momento, ele percebe que mesmo a escuridão total não é exatamente escuridão; mais de uma vez ele acha que pode ver seus dedos abertos quando os passa em frente aos olhos.

Werner lembra de sua infância, as meadas de pó de carvão suspensas no ar nas manhãs do inverno, se instalando nos parapeitos das janelas, nos ouvidos das crianças, nos pulmões das pessoas, mas, neste buraco, a poeira branca é o inverso, como se ele estivesse encurralado em alguma mina profunda, igual mas ao mesmo tempo diferente daquela que matou o pai dele.

Escuro novamente. Luz novamente. O rosto de Volkheimer, grotesco coberto de cinzas, se materializa na frente de Werner, a insígnia de posto em parte arrancada do ombro. Com o facho de sua lanterna, mostra a Werner que está segurando duas chaves de fenda em L e uma caixa de fusíveis elétricos.

— O rádio — diz, em direção ao ouvido bom de Werner.

— Você chegou a dormir?

Volkheimer vira a luz para o próprio rosto. "Antes de ficarmos sem bateria", desenha sua boca.

Werner balança a cabeça. O rádio não tem conserto. Ele quer fechar os olhos, esquecer, desistir. Esperar que o cano do rifle toque sua têmpora. Mas Volkheimer quer provar que a vida vale a pena ser vivida.

Os filamentos da lâmpada dentro de sua lanterna têm um brilho amarelado: já estão fracos. A boca iluminada de Volkheimer está vermelha em contraste com a escuridão. "Nosso tempo está se esgotando", dizem seus lábios. O prédio ruge. Werner vê grama verde, insetos zumbindo, luz do sol. Os portões de uma casa de veraneio escancarados. Quando a morte chegar para Bernd, deve chegar para ele também. Economizaria uma viagem.

"A sua irmã", diz Volkheimer. "Pense na sua irmã."

Fio de alarme

A bexiga de Marie não vai suportar muito mais. Ela escala os degraus do porão, prende a respiração e não ouve nada durante trinta batidas do coração. Quarenta. Então ela empurra o alçapão e sobe até a cozinha.

Ninguém atira nela. Ela não ouve nenhuma explosão.

Marie-Laure se move com esforço por cima das prateleiras caídas na cozinha e se dirige até o pequenino quarto de madame Manec, as duas latas balançando pesadamente no casaco do tio-avô. A garganta pinica, as narinas pinicam. A fumaça é ligeiramente mais fina aqui.

Ela se alivia na comadre que fica aos pés da cama de madame Manec. Puxa as meias-calças e reabotoa o casaco do tio-avô. Já chegou a tarde? Ela deseja pela milésima vez poder falar com o pai. Seria melhor sair pela cidade, especialmente se ainda é dia claro, e tentar encontrar alguém?

Um soldado a ajudaria. Qualquer um ajudaria. Embora ela questione essa ideia assim que surge.

A fraqueza nas pernas, ela sabe, é devido à fome. No tumulto em que se transformou a cozinha, ela não consegue encontrar um abridor de lata, mas consegue, sim, encontrar uma das facas de madame Manec na gaveta e o grande tijolo áspero que a velha senhora usava para manter o gradeado da lareira aberto.

Ela vai comer seja lá o que estiver em uma das duas latas. Depois vai esperar um pouco mais no caso de o tio voltar para casa, no caso de ouvir alguém passar por ali, o pregoeiro público, um bombeiro, um militar americano com intenções cavalheirescas. Se ela não ouvir ninguém vindo até o momento em que sentir fome novamente, vai sair naquilo que sobrou da rua.

Primeiro sobe até o terceiro andar para beber água da banheira. Com os lábios contra a superfície da água, toma longos goles. Encharcando, borbulhando em suas entranhas. Um truque que ela e Etienne aprenderam com uma centena de refeições medíocres: antes de comer, beba o máximo de água que conseguir, e você vai se sentir saciado com mais rapidez.

— Pelo menos, Papa — diz em voz alta —, fui esperta a respeito da água.

Depois, ela se senta no patamar do terceiro andar com as costas contra a mesa de telefone. Envolve uma das latas entre as coxas, pressiona a tampa com a ponta da faca e levanta o tijolo para bater com força contra o cabo da faca. Porém, antes que possa baixar o tijolo, o fio do alarme atrás dela dá uma sacudida, e o sino toca, e alguém entra na casa.

Cinco

Janeiro de 1941

Recesso de janeiro

O comandante faz um discurso sobre virtude e família e o fogo emblemático que os garotos de Schulpforta carregam para todos os lugares, um cálice de chama pura para aquecer os lares da nação, Führer isso e Führer aquilo, as palavras dele se chocando nos ouvidos de Werner em uma batida conhecida.

— Ah, eu tenho um cálice cheio de um negócio bem quente aqui comigo — murmura um dos garotos mais ousados logo depois.

No dormitório, Frederick se debruça sobre a beirada da cama. O rosto dele exibe um mapa de roxos e amarelos.

— Por que você não vai para Berlim? Meu pai vai estar trabalhando, mas você poderia conhecer a minha mãe.

Por duas semanas, Frederick prossegue mancando, inchado, tediosamente lento e cheio de hematomas, e nem uma vez sequer falou com Werner sem usar de uma amabilidade distraída, uma característica da boa índole dele. Nem uma vez sequer acusou Werner de traição por nada ter feito enquanto Frederick estava sendo surrado e por nada ter feito desde então: não perseguiu Rödel nem apontou um rifle para Bastian ou esmurrou indignado a porta do dr. Hauptmann, exigindo justiça. Como se Frederick já entendesse que ambos haviam sido designados para suas trajetórias específicas, que não houvesse espaço para desvios agora.

— Eu não tenho... — começa Werner.

— Minha mãe paga a sua passagem — diz Frederick, e se inclina para trás e fixa o olhar no teto. — Não é nada.

A viagem de trem é um sonolento épico de seis horas, sendo que a cada hora o vagão cambaleante no qual estavam era manobrado para um desvio a fim de deixar passar velozes os trens repletos de soldados, rumo à frente de batalha. Finalmente, Werner e Frederick desembarcam em uma estação escura como carvão e sobem uma longa escadaria, cada degrau pintado com a mesma exclamação — "Berlim fuma Junos!" — e ascendem até as ruas da maior cidade que Werner já viu.

Berlim! O próprio nome como dois agudos dobres de glória. A capital da ciência, a sede para o Führer, o viveiro de cientistas como Einstein, Staudinger, Bayer. Em algum lugar nestas ruas, o plástico foi inventado, os raios X foram descobertos, a plataforma continental foi identificada. Que maravilhas a ciência cultiva aqui agora? Soldados superdotados, diz o dr. Hauptmann, máquinas capazes de alterar o clima e mísseis que podem ser guiados por homens a milhares de quilômetros de distância.

Do céu caem fios prateados de chuva e neve. Casas cinzentas se dispõem em linhas convergentes no horizonte, geminadas, como se juntas evitassem o frio. Eles passam por lojas repletas de pedaços de carne pendurados, um bêbado com um bandolim quebrado no colo e um trio de prostitutas aconchegadas umas nas outras sob um toldo, e as três assobiam para os rapazes em seus uniformes.

Frederick o conduz até uma construção de cinco andares, a um quarteirão de distância de uma bonita avenida chamada Knesebeckstrasse. Ele toca no nº 2, um alarme ecoa de volta e a porta se destranca. Eles entram em um saguão escuro e se posicionam na frente de uma porta dupla. Frederick pressiona um botão, e alguma coisa no alto do edifício emite um barulho de chocalho.

— Você tem um elevador? — murmura Werner.

Frederick sorri. A máquina desce rangendo e para com um estrépito no lugar devido, e Frederick empurra as portas de madeira. Werner observa atônito a parte interna do edifício deslizar por eles.

— Podemos andar de novo? — pergunta Werner assim que eles chegam ao segundo andar.

Frederick ri. Eles descem. E sobem. Para baixo, para cima, para o saguão uma quarta vez, e Werner observa os cabos e pesos acima do elevador, tentando entender o mecanismo, então uma mulher baixa entra no prédio e balança o guarda-chuva. Com a outra mão, carrega uma sacola de papel, e seus olhos rapidamente reconhecem os uniformes dos rapazes e a brancura intensa dos cabelos de Werner e os hematomas visíveis por baixo dos olhos de Frederick. No casaco dela, na altura do peito, uma estrela de cor amarelo-mostarda foi cuidadosamente costurada. De formato perfeito, um vértice para baixo, outro para cima. Gotas caem como sementes da ponta do guarda-chuva da mulher.

— Boa tarde, Frau Schwartzenberger — cumprimenta Frederick.

Ele recua até a parede do elevador e faz um gesto para ela entrar.

Ela se aperta dentro do elevador, e Werner entra atrás dela. Um molho de verduras murchas se projeta da parte superior da sacola dela. Pelo que ele pode perceber, a gola do casaco está descosturando da peça; a linha está arrebentando. Se ela se virasse, os olhos deles estariam a uma mão de distância.

Frederick aperta 2, e depois 5. Ninguém fala uma palavra. A velha senhora esfrega a ponta trêmula de um dedo indicador por uma sobrancelha. O elevador sobe barulhento um andar. Frederick abre a porta de grade e Werner o segue para fora do elevador. Ele observa os sapatos cinzentos da velha senhora passarem pelo seu nariz. A porta do nº 2 já está se abrindo, e uma mulher de avental com braços flácidos e rosto macio corre para fora e abraça Frederick. Ela o beija em ambas as faces, depois toca seus hematomas com os polegares.

— Tudo bem, Fanni, uma brincadeira estúpida.

O apartamento é arrumado e lustroso, repleto de carpetes espessos que absorvem o barulho. Grandes janelas dão para os fundos, para o centro de quatro tílias desfolhadas. A neve continua a cair lá fora.

— Sua mãe ainda não chegou em casa — diz Fanni, alisando o avental com ambas as mãos.

Os olhos dela continuam fixos em Frederick.

— Tem certeza de que você está bem?

— É claro — responde ele.

Frederick e Werner caminham até um quarto de dormir aquecido, com cheiro de limpo. Frederick abre uma gaveta e, quando se volta novamente para Werner, está usando óculos com armação preta. Ele olha o amigo com timidez.

— Ah, não me diga que você não sabia?

Com os óculos no rosto, a expressão de Frederick parece se desanuviar; o rosto faz mais sentido — este, pensa Werner, é quem ele é de fato. Um rapaz de pele macia com óculos e cabelos castanhos e um suave traço de bigode acima dos seus lábios. Amante dos pássaros. Garoto rico.

— Eu mal consigo acertar alguma coisa no tiro ao alvo. Você realmente não notou?

— Talvez — diz Werner. — Talvez soubesse. Como você passou nos exames?

— Memorizei os cartões.

— Eles não usam cartões diferentes?

— Memorizei todos os quatro. Meu pai conseguiu cópias deles com antecedência. Minha mãe me ajudou a estudar.

— E o seu binóculo?

— Calibrei as lentes para os meus olhos. Levei uma eternidade.

Na grande cozinha, eles se sentam a uma mesa de pés de madeira e tampo de mármore. A criada chamada Fanni aparece com um pão escuro e uma rodela de queijo, e sorri para Frederick enquanto pousa o alimento na mesa. Conversam sobre o Natal e sobre a tristeza de Frederick por tê-lo perdido, e a criada atravessa uma porta vai-vem e retorna com dois pratos brancos tão delicados que tilintam quando ela os coloca sobre a mesa.

A mente de Werner está rodando: "Um elevador! Uma judia! Uma criada! Berlim!" Os rapazes voltam para o quarto de Frederick, que está abarrotado de soldados de chumbo, miniaturas de aeroplanos e caixotes de madeira cheios de histórias em quadrinhos. Ficam deitados de bruços folheando os quadrinhos, sentindo o prazer de estarem fora da escola, dando uma espiada um no outro de vez em quando como se estivessem curiosos para descobrir se a amizade vai persistir quando os estudos terminarem.

— Já estou indo! — grita Fanni.

Assim que a porta se fecha atrás dela, Frederick leva Werner pelo braço até a sala de estar, sobe uma escada construída ao longo de prateleiras de madeira de lei e desliza uma grande cesta de vime para o lado com o intuito de trazer para a frente um volumoso livro que estava atrás dela: dois tomos encadernados com uma capa dourada, cada um deles tão grande quanto um colchão de berço.

— Olhe aqui — diz em tom empolgado. — Isto é o que eu queria mostrar para você.

Dentro dos livros, há magníficas pinturas multicoloridas de aves. Dois falcões se lançam um sobre o outro, os bicos abertos. Um flamingo vermelho mantém o bico de ponta preta sobre a água estagnada. Gansos deslumbrantes, em um promontório, espiam um céu carregado. Frederick vira as páginas com ambas as mãos. *Pipiry flycatcher. Buff-breasted merganser. Red-cockaded woodpecker.* Grande parte das aves maiores no livro do que na vida real.

— Audubon — diz Frederick — era americano. Caminhou pelos pântanos e florestas durante anos, em uma época remota em que o país era constituído apenas de pântanos e florestas. Ele passava o dia inteiro observando uma única ave. Depois atirava nela, a escorava com fios e varetas e a pintava. Provavelmente conhecia mais sobre os pássaros do que qualquer outra pessoa antes ou depois dele. Costumava comer a maioria das aves depois de pintar.

A voz de Frederick treme de veemência. Ele olha para o alto.

— Dá para imaginar aquelas neblinas iluminadas, a arma dele no ombro e seus olhos atentos?

Werner tenta visualizar o mesmo que Frederick: uma época antes da fotografia, antes dos binóculos. E aqui estava alguém tentando percorrer a pé um território inóspito, em meio ao desconhecido, e trazer pinturas na volta. Um livro não apenas cheio de aves, mas também de fugacidade, de mistérios vistosos, de asas azuis.

Werner pensa no programa de rádio do francês, em *Os princípios da Mecânica*, de Heinrich Hertz — não é a mesma a emoção na voz de Frederick?

— Minha irmã ia adorar isso — diz Werner.

— Meu pai diz que não deveríamos ter este livro. Que temos que manter escondido atrás da cesta porque é americano e foi impresso na Escócia. Mas são apenas aves!

A porta da frente se abre, e passadas ressoam através do saguão. Frederick rapidamente enfia os volumes dentro das capas.

— Mãe? — grita o rapaz.

Uma mulher vestindo um conjunto de esqui verde com faixas brancas ao longo das pernas entra gritando.

— Fredde! Fredde!

Ela abraça o filho e depois o segura a uma pequena distância, enquanto desliza as pontas dos dedos sobre um corte quase curado ao longo da testa dele. Frederick mantém o olhar acima do ombro dela com um vestígio de pânico no rosto. Será medo de que ela descubra que ele estava olhando o livro proibido? Ou que ela ficará zangada por causa dos hematomas? Ela não diz nada, simplesmente encara o filho, envolta em pensamentos que Werner não consegue adivinhar, e depois recupera a atenção.

— E você deve ser o Werner!

O sorriso está de volta ao seu rosto.

— Frederick escreveu muito sobre você. Olhe este cabelo! Ah, adoramos visitas.

Ela sobe na escada e recoloca os pesados volumes de Audubon na prateleira, um de cada vez, como se estivesse descartando algo irritante. Os três se sentam à larga mesa de carvalho, e Werner agradece à mãe de Frederick pela passagem de trem, e ela conta uma história sobre um homem, "com quem se deparou agora mesmo, realmente inacreditável", que parece ser um famoso tenista, e de vez em quando ela estica o braço e aperta o antebraço do filho.

— Vocês ficariam totalmente admirados — repete ela mais de uma vez.

Werner examina o rosto do amigo para avaliar se ele ficaria ou não admirado, e Fanni volta e serve vinho e mais Rauchkäse, e durante uma hora Werner se esquece de Schulpforta, de Bastian e do pedaço de mangueira preta, da judia do andar de cima — e se depara com as *coisas* que essas pessoas possuem! Um violino em um suporte no canto, o mobiliário lustroso feito de aço cromado, um telescópio de bronze, um jogo de xadrez de prata de lei e este magnífico queijo com sabor defumado que foi batido até alcançar a textura de manteiga.

O vinho arde suavemente no estômago de Werner e a neve cai pelas tílias quando a mãe de Frederick anuncia que eles vão sair.

— Ajeitem suas gravatas, está bem?

Ela aplica pó por baixo dos olhos de Frederick, e os três caminham até um bistrô, um tipo de restaurante onde Werner nunca sonhou entrar, e um rapaz de paletó branco, pouco mais velho do que eles, traz mais vinho.

Um fluxo constante de fregueses do restaurante vem até a mesa para apertar as mãos de Werner e Frederick, perguntando à mãe de Frederick, em vozes baixas e bajuladoras, sobre o último avanço do marido dela. Werner repara em uma garota no canto, radiante, dançando sozinha, virando a face para o teto. Olhos fechados. A comida é deliciosa, e de vez em quando a mãe de Frederick ri, e Frederick toca distraído a maquiagem no rosto.

— Bem, Fredde tem tudo do melhor na escola, do melhor — diz a mãe.

Aparentemente, a cada minuto um rosto novo se aproxima e beija a mãe de Frederick nas duas faces e cochicha algo no ouvido dela. Werner por acaso escuta a conversa da mãe de Frederick.

— Ah, até o final do ano a velha Schwartzenberger vai ter deixado o prédio, e então vamos ter o último andar, *du wirst schon sehen*.

Ele olha para Frederick, cujos óculos embaçados ficaram opacos à luz das velas, cuja maquiagem agora parece esquisita e lúbrica, como se intensificasse os hematomas em vez de ocultá-los, e ele é acometido por uma grande sensação de inquietação. Ele ouve Rödel balançar a mangueira, o estalo dela nas palmas abertas de Frederick. Ouve as vozes dos rapazes no seu Kameradschaft, lá em Zollverein, cantando "Viver com lealdade, lutar com bravura e morrer com um sorriso". O bistrô está apinhado de gente; as bocas de todos se movimentam exageradamente rápidas; a mulher que conversa com a mãe de Frederick está usando um perfume enjoativo demais; e, na penumbra, subitamente parece que o cachecol que desce do pescoço da garota dançando é um nó de forca.

— Você está bem? — pergunta Frederick.

— Tudo bem, está delicioso.

Mas Werner sente que algo dentro dele se aperta cada vez mais.

No caminho para casa, Frederick e a mãe caminham na frente. Ela cruza seu braço longilíneo com o braço do filho e conversa com ele em voz baixa. Fredde isso, Fredde aquilo. A rua está vazia, as janelas, fechadas, os letreiros luminosos, apagados. Incontáveis lojas, milhões de pessoas dormindo em suas camas ao redor deles, e ainda assim onde estão elas? Quando chegam no quarteirão de Frederick, uma mulher usando vestido, debruçada contra um edifício, se inclina e vomita na calçada.

Na casa, Frederick veste um pijama de seda verde-claro, coloca os óculos dobrados na mesa de cabeceira e sobe, descalço, na cama de metal de sua infância. Werner dorme na parte de baixo de uma bicama, fato pelo qual a mãe de Frederick se desculpou em três diferentes ocasiões, embora o colchão seja mais confortável do que qualquer outro em que ele já tenha dormido.

O edifício repousa em completo silêncio. As miniaturas de automóveis reluzem na estante de Frederick.

— Você já sonhou alguma vez — murmura Werner — que não tem a obrigação de voltar?

— Meu pai precisa que eu frequente a Schulpforta. Minha mãe também. Não interessa o que eu quero.

— É claro que interessa. Eu quero ser engenheiro. E você quer estudar as aves. Ser como aquele pintor americano nos pântanos. Para que então serviria tudo isso se não fosse para nos tornarmos o que queremos?

O quarto está em silêncio. Lá fora, na direção das árvores além da janela de Frederick, pende uma luz estranha.

— Seu problema, Werner — diz Frederick —, é que você ainda acredita que a sua vida lhe pertence.

Quando Werner acorda, o dia já amanheceu há muito tempo. A cabeça dele dói, seus olhos parecem pesados. Frederick já está vestido, calças compridas, uma camisa passada, gravata, e está ajoelhado perto da janela com o nariz na vidraça.

— Alvéola cinzenta — diz Frederick.

Aponta para fora. Werner olha na direção das tílias sem folhas.

— Não parece grande coisa, não é? — murmura Frederick. — Apenas uns poucos gramas de penas e ossos. Mas esse passarinho pode ir voando para a África e voltar. Movido a insetos, minhocas e vontade.

A alvéola pula de galho em galho. Werner esfrega os olhos doloridos. É só um passarinho.

— Dez milhões de anos atrás — sussurra Frederick —, eles vieram para cá aos milhões. Quando este lugar era um jardim, um jardim interminável de um extremo ao outro.

Ele não vai voltar

Marie-Laure desperta e acha que está ouvindo o arrastar dos sapatos do pai, o tilintar do seu chaveiro. Quarto andar, quinto andar, sexto. Os dedos roçam a maçaneta. O corpo dele irradia um calor débil mas palpável na cadeira ao lado dela. As pequenas ferramentas dele raspam a madeira. Ele tem cheiro de cola, lixa e Gauloises *bleues*.

Porém, se trata apenas da casa gemendo. O mar jogando sua espuma contra as pedras. Ilusões da mente.

Na vigésima manhã sem ouvir a voz do pai, Marie-Laure não se levanta da cama. Ela não se importa mais que o tio-avô ponha uma gravata antiga e se coloque na porta da frente, em duas ocasiões distintas, e murmure rimas esquisitas para si mesmo — "*à la pomme de terre, je suis par terre; au haricot, je suis dans l'eau*" —, tentando angariar a coragem para sair e falhando. Ela não lhe implora mais para levá-la na estação de trem, escrever mais uma carta, despender mais uma tarde fútil na prefeitura tentando fazer uma petição às autoridades da Ocupação para localizarem o pai dela. Torna-se inacessível, taciturna. Não toma banho, não se aquece perto do fogo da cozinha, deixa de perguntar se pode sair para a rua. Mal come.

— O museu diz que eles estão procurando, criança — murmura madame Manec.

Quando ela tenta pressionar os lábios contra a testa de Marie-Laure, a garota dá um salto para trás como se tivesse se queimado.

O museu responde aos apelos de Etienne; relatam que o pai de Marie-Laure nunca chegou.

— Nunca chegou? — diz Etienne em voz alta.

Esta se transforma na questão que fica martelando na mente de Marie-Laure. Por que ele não chegou a Paris? Se não conseguiu, por que não retornou para Saint-Malo?

"Nunca vou abandonar você, nem em um milhão de anos."

Ela só quer voltar para casa, ficar no apartamento deles, de quatro cômodos, e ouvir a castanheira farfalhando na janela do pai; ouvir o vendedor de queijo levantar o toldo, sentir os dedos do pai se fecharem em torno dos dela.

Se pelo menos ela tivesse implorado para que ele ficasse.

Agora, tudo na casa a amedronta: as escadas rangendo, as venezianas fechadas das janelas, os quartos vazios. O tumulto e o silêncio. Etienne tenta realizar experiências idiotas para animá-la: um vulcão de vinagre, um furacão em uma garrafa.

— Você consegue ouvir, Marie? A rotação ali dentro?

Ela nem sequer finge. Madame Manec lhe traz omeletes, cassoulet, espetinho de peixe, faz milagres com os cupons de racionamento e os restos que ela encontra na despensa, mas Marie-Laure se recusa a comer.

— Como um caramujo.

Ela ouve por acaso Etienne falar perto da porta dela.

— Toda encolhida ali dentro.

No entanto, ela está com raiva. De Etienne, por fazer tão pouco, de madame Manec, por fazer tanto, do pai dela, por não estar aqui para fazê-la entender a ausência dele. Dos olhos dela, por não funcionarem. De tudo e de todos. Quem sabia que o amor poderia matar? Ela passa horas ajoelhada sozinha no sexto andar com a janela aberta e o mar lançando o ar ártico dentro do quarto, os dedos na maquete de Saint-Malo lentamente se tornando entorpecidos. Ao sul, o Portão de Dinan. A oeste, a Plage du Môle. De volta à Rue Vauborel. Segundo a segundo, a casa de Etienne fica cada vez mais fria; segundo a segundo, ela tem a sensação de que o pai está cada vez mais longe.

Prisioneiro

Em uma manhã de fevereiro, os cadetes são acordados às duas da madrugada e conduzidos a um pátio iluminado. No centro, ardem tochas. Bastian, com seu peito de barril, sai gingando com as pernas aparentes por baixo do casaco.

Frank Volkheimer emerge das sombras, arrastando um homem esquelético e esfarrapado com sapatos de pares diferentes. Volkheimer o deixa ao lado do comandante, onde uma estaca foi fincada na neve. Metodicamente, Volkheimer amarra o tronco do homem na estaca.

Uma abóbada de estrelas está suspensa acima deles; a respiração coletiva dos cadetes se mescla vagarosamente, como um pesadelo flutuando no pátio.

Volkheimer recua; o comandante avança.

— Vocês, rapazes, não vão acreditar quem é esta criatura. Uma fera abominável, um centauro, um *Untermensch*.

Todo mundo ergue o pescoço para ver. Os tornozelos do prisioneiro estão algemados, e seus braços, atados, dos punhos até os antebraços. A camisa fina se rasgou nas costuras, e ele fita algum ponto a meia distância e permanece impassível em relação à temperatura. Parece polonês. Russo, talvez. Apesar das amarras, consegue balançar ligeiramente para trás e para a frente.

— Este homem escapou de um campo de trabalhos. Tentou invadir uma casa de fazenda e roubar um litro de leite fresco. Foi detido antes que pudesse cometer algum ato mais execrável.

Fez um gesto vago para além dos muros.

— Este bárbaro cortaria a garganta de vocês em um segundo, se vocês deixassem.

Desde a visita a Berlim, um pavor intenso vem brotando dentro do peito de Werner. Surgiu aos poucos, insinuando-se tão lentamente quanto a passagem do sol pelo céu, mas em sua atual situação ele deve contornar a verdade nas cartas que escreve para Jutta, deve afirmar que tudo está bem quando as coisas não parecem estar bem. Ele é invadido por sonhos em que a mãe de Frederick se transforma em um demônio de boca pequena, que bate com os triângulos do dr. Hauptmann na cabeça dele.

Mil estrelas congeladas marcam sua presença sobre o pátio. O frio é invasivo, implacável.

— Este olhar? — continua Bastian, fazendo um gesto floreado com a mão roliça. — A forma como mostra que para ele nada mais resta? Um soldado alemão jamais chega a tal ponto. Existe um nome para esse olhar. Chama-se "está chegando a hora".

Os garotos tentam não tremer. O prisioneiro olha a cena por cima, piscando, como se estivesse em um poleiro muito alto. Volkheimer retorna trazendo uma porção barulhenta de baldes; dois outros estudantes do último ano desenrolam uma mangueira de água do outro lado do pátio.

— Primeiro os instrutores. Depois os rapazes dos últimos anos. Todos vão fazer uma fila e jogar um balde de água no prisioneiro. Todos os homens da escola — explica Bastian.

Começam. Um por um, cada instrutor pega um balde cheio da mão de Volkheimer e atira seu conteúdo no prisioneiro a poucos metros de distância. Gritos de celebração na gélida noite.

Nos dois ou três primeiros baldes de água, o prisioneiro desperta, jogando o peso novamente sobre os calcanhares. Rugas surgem entre os seus olhos; ele parece alguém que está tentando se lembrar de algo vital.

Entre os instrutores, todos vestidos com capas escuras, o dr. Hauptmann se adianta do grupo, os dedos enluvados apertando o colarinho em volta do pescoço. Hauptmann aceita o balde, joga a dose de água e não permanece para vê-la atingir o alvo.

A água continua a ser arremessada. O rosto do prisioneiro fica vazio. Ele afunda nas cordas que o sustentam, e seu tronco desliza pela estaca, e de vez em quando Volkheimer surge das sombras, assomando com sua figura fantasticamente volumosa, e o prisioneiro se endireita novamente.

Os estudantes dos últimos anos desaparecem dentro do castelo. Os baldes fazem um barulho surdo e congelante, à medida que são enchidos novamente. Os estudantes de dezesseis anos terminam. Os estudantes de quinze anos terminam. Os gritos de celebração perdem a graça, e Werner é invadido pelo mais puro desejo de fugir. Correr. Correr.

Três rapazes até a vez dele. Dois. Werner tenta visualizar imagens em frente aos olhos, mas as únicas que aparecem são infelizes: a máquina de extração acima do Poço Nove; os mineiros curvados caminhando como se arrastassem o peso de correntes monstruosas. O garoto do exame de admissão tremendo antes de cair. Todos presos em seus papéis: órfãos, cadetes, Frederick, Volkheimer, a judia idosa que mora no andar de cima. Até Jutta.

Quando chega a vez dele, Werner arremessa a água como todos os outros, ela atinge o prisioneiro no tórax, e um grito mecânico de celebração se eleva. Ele se junta aos cadetes que esperam para serem liberados. Botas molhadas, punhos das camisas molhados; as mãos dele ficaram tão dormentes que não parecem lhe pertencer.

Cinco rapazes depois, chega a vez de Frederick. Frederick, que claramente não consegue ver bem sem os óculos. Que não gritou vivas quando cada balde de água encontrava seu destino. Que está franzindo o cenho em direção ao prisioneiro como se reconhecesse algo ali.

E Werner sabe o que Frederick vai fazer.

Frederick tem que ser empurrado para a frente pelo rapaz atrás dele. Um dos estudantes responsáveis por encher a água entrega um balde para Frederick, que o derrama no chão.

Bastian dá um passo à frente. O rosto dele brilha, vermelho, no frio.

— Dê outro para ele.

Novamente Frederick despeja o conteúdo no gelo a seus pés.

— Ele já está morto, senhor — diz Frederick em voz baixa.

O outro rapaz entrega o balde a ele uma terceira vez.

— Jogue a água — ordena Bastian.

A névoa da noite se adensa, as estrelas ardem, o prisioneiro pende para um lado, os rapazes observam, o comandante inclina a cabeça. Frederick despeja a água no chão.

— Não vou jogar.

Plage du Môle

O pai de Marie-Laure está desaparecido há vinte e nove dias, sem uma só notícia. Ela desperta com os sapatos pesados de madame Manec subindo para o terceiro andar, para o quarto, para o quinto.

A voz de Etienne no patamar do lado de fora do estúdio.

— Não faça isso.

— Ele não vai saber.

— Ela é responsabilidade minha.

Um inesperado tom metálico emerge da voz de madame Manec.

— Não consigo ficar à espera nem mais um minuto sequer.

Ela sobe o último lance. A porta de Marie-Laure se abre com um rangido; a velha mulher atravessa o cômodo e coloca a mão de ossos pesados na testa de Marie-Laure.

— Está acordada?

Marie-Laure rola até o canto e fala por baixo dos lençóis.

— Sim, senhora.

— Vou levar você para passear. Traga a sua bengala.

Marie-Laure se veste; madame Manec a encontra na base da escada com um naco de pão. Ela amarra um cachecol sobre a cabeça de Marie-Laure, abotoa o casaco dela até o colarinho e abre a porta da frente. É uma manhã de final de fevereiro, o ar tem o odor de chuva e calmaria.

Marie-Laure hesita, e escuta. O coração dela bate dois, quatro, seis, oito.

— Quase ninguém saiu a esta hora, querida — sussurra madame Manec. — E não estamos fazendo nada de errado.

O portão range.

— Um degrau para baixo, e agora em frente, só isso.

A rua de pedras mostra sua superfície irregular contra os sapatos de Marie-Laure; a ponta de sua bengala bate, vibra, bate novamente. Uma chuva fina cai sobre os telhados, goteja pelos riachos, forma pingos sobre o cachecol dela. O som ricocheteia entre as casas mais altas; ela sente, como aconteceu na sua primeira hora neste lugar, como se tivesse entrado em um labirinto.

Muito acima delas, alguém balança um espanador pela janela. Um gato choraminga. Quais são os terrores que rangem os dentes aqui fora? Contra o que o pai ansiava tanto protegê-la? Fazem uma curva, depois outra, e então madame Manec a conduz para a esquerda em um ponto que Marie-Laure não esperava, onde as muralhas da cidade, cobertas de musgo, correm intactas, e elas atravessam um portão.

— Madame?

Elas saem da cidade.

— Degraus aqui, tome cuidado, um para baixo, dois, aqui estamos, fácil demais...

O oceano. O oceano! Bem na frente dela! Tão perto esse tempo todo. Ele se retrai e se lança, esguicha e ruge; move-se e dilata e cai sobre si mesmo; o labirinto de Saint-Malo se abriu para um portal de som mais amplo do que tudo que já vivenciara. Mais amplo do que o Jardin des Plantes, do que o Sena, mais amplo do que as maiores galerias do museu. Ela não imaginava o oceano corretamente; não compreendia sua amplitude.

Quando ergue o rosto para o céu, consegue sentir as milhares de pontadas de gotas de chuva em suas bochechas, em sua testa. Ela ouve a respiração ofegante de madame Manec, o som profundo do mar entre as rochas e os gritos de alguém na praia ecoando pelas altas muralhas. Em sua mente, ela consegue ouvir o pai lustrando os cadeados. O dr. Geffard caminhando ao longo das fileiras de suas gavetas. Por que não disseram para ela que seria assim?

— É o monsieur Radom chamando o cachorro dele — explica madame Manec. — Não é nada com que se preocupar. Aqui, se apoie no meu braço. Sente-se e tire os sapatos. Enrole as mangas do casaco.

Marie-Laure faz o que a senhora pediu.

— Eles estão nos observando?

— Os boches? E se estiverem? Uma mulher velha e uma menina? Digo para eles que estou catando mariscos. O que eles podem fazer?

— O tio diz que enterraram bombas nas praias.

— Não se preocupe com isso. Ele tem medo até de formiga.

— Ele disse que a lua puxa o oceano para trás.

— A lua?

— Às vezes o sol puxa também. Ele diz que ao redor das ilhas, as marés criam uns funis que podem engolir barcos inteiros.

— Não vamos chegar nem perto desse lugar, querida. Estamos apenas na praia.

Marie-Laure desenrola o cachecol, e madame Manec o apanha. O ar salgado, com cheiro de algas, de cor de estanho, desliza pela gola do casaco.

— Madame?

— O quê?

— O que eu faço?

— Apenas caminhe.

Ela caminha. Aqui há pedrinhas redondas e frias por baixo de seus pés. Ali, algas quebradiças. Acolá, algo mais macio: areia molhada e lisa. Ela se curva e abre os dedos. É como seda fria. Seda fria, suntuosa sobre a qual o mar deixou oferendas: pedrinhas, conchas, cracas. Pequeninos pedaços de destroços. Seus dedos cavam e tocam; os pingos de chuva batem na nuca dela, nas costas das mãos. A areia absorve o calor das pontas dos dedos das mãos, das solas dos pés.

Um aperto no peito de Marie-Laure, que já persiste há meses, começa a se desfazer. Ela se movimenta ao longo da beira da água, quase engatinhando no início, e imagina a praia se estendendo nas duas direções, circundando o promontório, envolvendo as ilhas vizinhas, todo o recorte voluptuoso do litoral bretão com seus cabos selvagens, fortalezas aos pedaços e ruínas sufocadas por ervas daninhas. Ela imagina a cidade murada atrás dela, os baluartes se elevando, as ruas formando um quebra-cabeças. Tudo isso de repente bem pequeno, como na maquete do pai. Porém, o que rodeia a maquete não é algo que o pai tenha transmitido para ela; o que existe além da maquete é a coisa mais impressionante.

Um bando de gaivotas berra no alto. Cada um dos milhares de diminutos grãos de areia em seus punhos se batem contra o do lado. Ela sente o pai dela a colocar no colo e girar com ela três vezes.

Nenhum soldado da Ocupação se aproxima para prendê-las; ninguém nem mesmo lhes dirige a palavra. Em três horas, os dedos dormentes de Marie-Laure descobrem uma água-viva encalhada, uma boia enterrada e milhares de pedras lisas. Ela entra na água até a altura dos joelhos e ensopa a bainha do vestido. Quando madame Manec finalmente a leva de volta — molhada e encantada — para a Rue Vauborel, Marie-Laure sobe os cinco lances de escada e bate de leve na porta do estúdio de Etienne; ela está diante dele, com areia molhada grudada em todo o seu rosto.

— Vocês saíram há muito tempo — murmura ele. — Eu estava preocupado.

— Tome aqui, tio.

Dos bolsos, ela retira algumas conchas. Cracas, búzios, treze pedaços de quartzo envoltos em areia.

— Eu trouxe isto para o senhor. E isto e isto e isto.

LAPIDADOR

Em três meses, o sargento-mor Von Rumpel viajou de Berlim a Stuttgart; avaliou o valor de uma centena de anéis confiscados, uma dúzia de pulseiras de brilhantes, um estojo de cigarros letão no qual reluzia um losango de topázio azul; agora, de volta a Paris, ele dormiu no Grand Hôtel por uma semana e deu liberdade a suas perguntas como a pássaros. Toda noite, recorda-se daquele momento: quando segurou o diamante em forma de lágrima entre o polegar e o indicador, ampliou-o com o auxílio da lente de sua lupa e acreditou ter nas mãos o Mar de Chamas, a pedra de cento e trinta e três quilates.

Examinou o interior azul-claro, onde cordilheiras em miniatura pareciam emitir fogo, vermelhos e corais e violetas, polígonos de cores cintilando à medida que o girava, e quase se convenceu de que as histórias eram verdadeiras, que séculos atrás o filho de um sultão usou uma coroa que cegava os visitantes, que o dono do diamante não morreria nunca, que a lendária pedra fora jogada adiante pelas curvas da História e caíra direto na palma da mão dele.

Foi um momento de felicidade — de triunfo. No entanto, um medo inesperado surgiu; a pedra parecia algo encantado, que não era destinado aos olhos humanos. Um objeto que, uma vez contemplado, nunca mais seria esquecido.

Porém, no final, a razão prevaleceu. As junções das facetas do diamante não eram tão afiadas como deveriam ser. A cintura, apenas ligeiramente lustrosa. Mais exatamente, a pedra não revelava nenhuma rachadura sutil, nenhum pontinho, nem uma única inclusão. "Um diamante genuíno", o pai dele costumava dizer, "nunca é inteiramente livre de inclusões. Um diamante genuíno nunca é perfeito."

Será que ele esperava que fosse genuíno? Que o encontraria tão facilmente? Ganhar tal vitória em um único dia?

É evidente que não.

Pode-se pensar que Von Rumpel ficaria frustrado, mas ele não está. Pelo contrário, está bastante esperançoso. O museu nunca teria encomendado uma imitação de tão alta qualidade se não possuísse a pedra verdadeira em algum lugar. Nas últimas semanas em Paris, nas horas entre suas tarefas, ele reduziu uma lista de cinco lapidadores para três, e depois para um: um meio-argelino chamado Dupont que cresceu cortando opalas. Parece que Dupont estava ganhando dinheiro antes da guerra lapidando diamantes falsos a partir de espinélios para baronesas e senhoras nobres. E também para museus.

Certo dia de fevereiro, à meia-noite, Von Rumpel invade a meticulosa oficina de Dupont, não longe da Sacré-Coeur. Examina uma cópia de *Gemas e pedras preciosas*, de Streeter; desenhos de modelos de facetas; gráficos trigonométricos usados para facetar. Encontra diversas repetições apuradas de um molde que combina exatamente com o tamanho e o formato de lágrima da gema no cofre do museu, percebe que encontrou o homem que procurava.

A pedido de Von Rumpel, Dupont recebe cupons de racionamento forjados. Agora Von Rumpel espera. Prepara suas perguntas. "Você fabricou outras réplicas? Quantas? Sabe quem as possui agora?"

No último dia de fevereiro de 1941, um homem da Gestapo, baixo e garboso, vem à sua presença com a notícia de que Dupont tentou usar os cupons que ele não sabia serem falsificações. Ele tinha sido preso. *Kinderleicht*: brincadeira de criança.

Está uma noite de inverno atraente e com garoa, fragmentos de neve derretida grudados nas pontas da Place de la Concorde, a cidade com uma aparência fantasmagórica, as janelas salpicadas de pingos de chuva. Um cabo de cabelos muito curtos verifica a identificação de Von Rumpel e lhe aponta não uma cela, mas um escritório de pé direito alto, no terceiro andar, onde uma datilógrafa está sentada atrás de uma mesa. Na parede atrás dela, a pintura de uma glicínia com mesclas modernistas de manchas coloridas deixa Von Rumpel desconfortável.

Dupont está algemado a uma cadeira barata no centro da sala. Seu rosto tem a cor e o lustro de madeira tropical. Von Rumpel esperava um misto de medo, indignação e fome, mas Dupont está sentado ereto. Uma das lentes de seus óculos já está rachada, mas, fora isso, ele parece com boa aparência.

A datilógrafa espreme o cigarro em um cinzeiro, uma mancha de batom vermelho brilhante na guimba. O cinzeiro está cheio: cinquenta tocos esmagados, inertes, parecendo ensanguentados.

— Pode sair — diz Von Rumpel.

Faz um gesto com a cabeça na direção da datilógrafa e foca sua atenção no lapidador.

— Ele não sabe falar alemão, senhor.

— Vamos ficar bem — ele responde em francês. — Feche a porta, por favor.

Dupont levanta o olhar, alguma glândula liberando coragem no seu sangue. Von Rumpel não tem que forçar um sorriso, que vem naturalmente. Ele espera obter nomes, mas tudo de que necessita é um número.

Minha querida Marie-Laure,

Estamos na Alemanha e está tudo bem. Consegui encontrar um anjo que vai tentar levar esta carta para você. Os amieiros e pinheiros de inverno são muito bonitos aqui. E — você não vai acreditar nisso, mas tem que confiar em mim — eles nos servem uma comida excelente. Primeira-classe: codorna, pato e coelho ensopado. Coxa de galinha e batatas fritas com bacon e tortas de damasco. Carne de panela com cenoura. Coq au vin e arroz. Tortas de ameixa. Frutas e crème glacée. A quantidade que quisermos. Fico ansiando pela hora das refeições!

Seja educada com o seu tio e com a madame Manec também. Agradeça a eles por lerem esta carta. E saiba que estou sempre com você, que estou do seu lado.

Seu Papa

Entropia

Por uma semana o prisioneiro morto permanece atado à estaca no pátio, a carne congelada cinzenta. Os garotos param e pedem informações ao cadáver; alguém o vestiu com um cinto de cartuchos e capacete. Após alguns dias, um par de corvos se coloca sobre os ombros dele e começam a cortá-lo com os bicos, e depois de um tempo o zelador se aproxima com dois rapazes do terceiro ano, e eles desenterram os pés do cadáver do gelo com uma marreta, o jogam sobre um carrinho e o levam embora.

Três vezes em nove dias, Frederick é escolhido como o mais fraco nos exercícios de campo. Bastian caminha cada vez mais longe, e conta cada vez mais rápido, de forma que Frederick tem que correr quatrocentos ou quinhentos metros, frequentemente em neve espessa, e os rapazes correm atrás dele como se suas vidas dependessem disso. Toda vez, ele é apanhado; toda vez ele é espancado enquanto Bastian observa; toda vez Werner não faz nada para interromper.

Frederick dura sete golpes antes de cair. Depois seis. Depois três. Ele nunca chora e nunca pede para sair, e isso em particular parece fazer o comandante tremer de frustração homicida. Os devaneios de Frederick, sua alteridade — estão fixadas nele como um odor, e todos parecem sentir esse odor.

Werner tenta se concentrar no trabalho no laboratório de Hauptmann. Construiu um protótipo do transmissor-receptor e testa fusíveis, válvulas, telefones e tomadas — mas, mesmo nessas horas tardias, é como se o céu ficasse mais negro e a escola se transformasse em um lugar mais sombrio, cada vez mais diabólico. O estômago dele o incomoda. Fica com diarreia. Acorda em diferentes horas da noite e lembra de Frederick no quarto dele em Berlim, usando óculos e gravata, libertando passarinhos presos das páginas de um livro volumoso.

"Você é um rapaz inteligente. Vai se sair bem."

Certa noite, quando Hauptmann está na entrada do escritório, Werner dá uma espiada no imponente e sonolento Volkheimer no canto.

— Aquele prisioneiro — diz Werner.

Volkheimer pisca, a pedra se transformando em carne.

— Eles fazem isso todo ano — responde Volkheimer.

Ele tira o boné e passa uma das mãos sobre seu denso cabelo.

— Dizem que é polonês, um vermelho, um cossaco. Roubou bebida alcoólica, combustível ou dinheiro. Todo ano é a mesma coisa.

Sob o arremate das horas, os rapazes batalham em uma dúzia de arenas diferentes. Quatrocentas crianças engatinhando ao longo do fio de uma navalha.

— Sempre a mesma expressão também — acrescenta Volkheimer. — "Está chegando a hora."

— Mas é decente deixar o homem lá fora daquele jeito? Mesmo depois de estar morto?

— A decência não importa para eles.

Então as passadas resoluta das botas de Hauptmann irrompem no cômodo, e Volkheimer se inclina de novo para o canto, e as órbitas de seus olhos são novamente preenchidas com sombras, e Werner não tem a oportunidade de perguntar o que ele quis dizer com *eles*.

Os rapazes deixam ratos mortos nas botas de Frederick. Chamam-no de maricas, chupador, outros incontáveis apelidos juvenis. Por duas vezes, um rapaz do quinto ano pega o binóculo de Frederick e passa excremento nas lentes.

Werner diz a si próprio que faz o que pode. Toda noite ele engraxa as botas de Frederick até ficarem completamente brilhantes — menos um pretexto para um mestre de dormitório, ou Bastian ou um estudante dos últimos anos saltarem em cima dele. Nas manhãs de domingo, no refeitório, eles se sentam tranquilos sob um raio de sol, e Werner o ajuda com o dever de casa. Frederick sussurra que, na primavera, ele espera encontrar ninhos de cotovias nas folhagens fora dos muros da escola. Uma vez ele ergue o lápis, fita o espaço e diz "pica-pau-malhado-pequeno", e Werner ouve os gritos distantes de um passarinho viajarem pelo terreno, ultrapassando o muro.

Na aula de Ciências Tecnológicas, o dr. Hauptmann apresenta as leis da termodinâmica.

— Entropia, quem pode me dizer o que é?

Os rapazes se curvam nas carteiras. Ninguém levanta a mão. Hauptmann percorre as filas. Werner tenta não mexer nem um músculo.

— Pfennig.

— Entropia é o grau de acaso ou desordem em um sistema, Doutor.

Seus olhos pousam nos de Werner pelo tempo de uma batida do coração, um olhar simultaneamente terno e congelante.

— Desordem. Vocês ouvem o comandante dizer. Vocês ouvem os chefes de dormitório dizer. Deve haver ordem. A vida é um caos, senhores. E o que representamos é a imposição de uma ordem ao caos. Mesmo no caso dos genes. Estamos impondo ordem na evolução das espécies. Separando os inferiores, os desregrados, separando o joio do trigo. Esse é o grande projeto do Reich, o maior projeto no qual os seres humanos nunca antes embarcaram.

Hauptmann escreve no quadro-negro. Os cadetes transcrevem as palavras em seus cadernos. "A entropia de um sistema fechado nunca diminui. Todo processo deve decair por lei."

As rondas

Embora Etienne continue a fazer objeções, madame Manec caminha com Marie-Laure na praia todas as manhãs. A menina amarra os sapatos sozinha, desce tateando a escadaria e espera no saguão com a bengala na mão, enquanto madame Manec termina suas tarefas na cozinha.

— Consigo achar o caminho — diz Marie-Laure na quinta vez que saem na rua. — Não precisa me conduzir.

Vinte e dois passos até o cruzamento com a Rue d'Estrées. Mais quarenta até o portão pequeno. Nove passos para baixo, e ela está na areia, e os vinte mil sons do oceano a envolvem.

Ela recolhe pinhas caídas e se pergunta o quão longe estão das árvores. Meadas grossas de corda. Glóbulos escorregadios de pólipos de corais desgarrados. Certa vez, um pardal afogado. Seu maior prazer é caminhar para a extremidade norte da praia na maré baixa, se agachar em uma ilha que madame Manec chama de Le Grand Bé e deixar os dedos das mãos varrerem as poças de água. Só então, com os pés e as mãos na fria água do mar, a mente dela parece abandonar o pai por inteiro; só então ela para de se perguntar o quanto da carta dele é verdadeira, quando ele vai escrever novamente, por que foi preso. Ela simplesmente escuta, ouve, respira.

O quarto de Marie-Laure está repleto de pedrinhas, cristais marinhos, conchas: quarenta conchas de vieira ao longo do peitoril da janela, sessenta e um búzios dispostos no alto do guarda-roupa. Ela os organiza por espécie, na medida do possível, e depois por tamanho. Os menores à esquerda, os maiores à direita. Ela enche potes, baldes, bandejas; o quarto assume os odores do mar.

Na maioria das manhãs, após a praia, ela faz uma ronda com madame Manec. Vão ao mercado de frutas e legumes, às vezes ao açougueiro, e depois entregam alimentos para os vizinhos que madame Manec escolhe como os mais necessitados. Sobem uma escadaria em meio a ecos, batem de leve em uma porta; uma senhora idosa as convida a entrar, pergunta pelas novidades, insiste que as três tomem um dedinho de xerez. A energia de madame Manec — Marie-Laure percebe agora — é extraordinária; ela planta, retira os caules, acorda cedo, trabalha até tarde, prepara sopas cremosas sem um pingo de creme, ou pães com menos de uma xícara de farinha. Elas caminham barulhentas pelas ruas estreitas, a mão de Marie-Laure nas costas do avental da velha senhora, seguindo os aromas dos seus ensopados e bolos; nesses momentos, madame Manec se parece com uma grande parede ambulante de roseiras, com espinhos e fragrâncias, estalando devido às abelhas.

Pão ainda morno para uma viúva idosa chamada madame Blanchard. Sopa para o monsieur Saget. Lentamente o cérebro de Marie-Laure se torna um mapa tridimensional onde brilham pontos de referência: um plátano largo na Place aux Herbes; nove vasos de planta do lado de fora do Hôtel Continental; seis degraus subindo uma viela chamada Rue du Connétable.

Diversos dias por semana, madame Manec leva comida para Hubert Bazin, um veterano da Grande Guerra que dorme em um vão atrás da biblioteca, no sol ou na neve. Aquele que perdeu o nariz, a orelha esquerda e o olho em um tiroteio. Aquele que usa uma máscara de cobre esmaltada cobrindo metade do rosto.

Hubert Bazin adora conversar a respeito das muralhas, dos feiticeiros e dos piratas de Saint-Malo. Ao longo dos séculos, conta para Marie-Laure, as muralhas da cidade mantiveram afastados saqueadores sanguinários, romanos, celtas, escandinavos. Há quem fale de monstros marinhos. Por mil e trezentos anos, conta ele, as muralhas mantiveram afastados os marinheiros ingleses que paravam seus navios a pouca distância da praia e lançavam projéteis em chamas em direção às casas, que tentavam queimar tudo e deixar todos passando fome, que não se sentiam coibidos em matar todo mundo.

— As mães de Saint-Malo — continua ele — costumavam dizer aos filhos: "Sentem-se eretos. Cuidado com os modos. Ou um inglês virá à noite para cortar a sua garganta."

— Hubert, por favor — reclama madame Manec. — Você vai assustar a menina.

Em março Etienne completa sessenta anos, e madame Manec cozinha pequenos mariscos — *palourdes* — com cebolinhas e os serve com cogumelos e dois ovos cozidos cortados em quatro: segundo ela, os dois únicos ovos que conseguiu encontrar na cidade. Etienne fala com sua voz suave sobre a erupção do Krakatoa, sobre como, em suas memórias mais antigas, as cinzas das Índias Orientais tingiram o pôr do sol de Saint-Malo de vermelho-sangue, grandes veias encarnadas brilhando acima do mar toda noite; e para Marie-Laure — os bolsos forrados de areia, o rosto polido pelo vento — a Ocupação parece, por um momento, a mil quilômetros de distância. Ela sente saudades do pai, de Paris, do Dr. Geffard, dos jardins, de seus livros, das pinhas no parapeito da janela — tudo isso constitui uma série de vazios em sua vida. Porém, nas últimas poucas semanas, a existência se tornou suportável. Pelo menos, lá na praia, a sua carência e o seu medo são lavados pelo vento, pelas cores e pela luz.

Na maioria das tardes, depois de fazer a ronda com madame Manec, Marie-Laure senta-se na cama, o quarto com a janela aberta, e percorre a maquete da cidade que o pai fez. Os dedos passam pelos abrigos dos construtores de navios na Rue de Chartres, passam pela padaria de madame Ruelle na Rue Robert Surcouf. Em sua imaginação, ela ouve os padeiros deslizando no chão escorregadio devido a farinha, movimentando-se da maneira como ela imagina que os esquiadores fazem, assando pães no mesmo forno de quatrocentos anos que o tataravô do monsieur Ruelle usava. Os dedos dela passam pelos degraus da catedral — aqui um velho poda rosas em um jardim; ali, perto da biblioteca, o maluco Hubert Bazin murmura algo para si mesmo enquanto espia com o seu único olho uma garrafa de vinho vazia; acolá está o convento; depois, o restaurante Chez Chuche, perto do mercado de peixe; aqui está o prédio da Rue Vauborel, número 4, a porta ligeiramente recuada, onde no andar de baixo madame Manec se ajoelha perto da cama, descalça, as contas do terço deslizando nos dedos, uma oração para praticamente todo mundo na cidade. Ali, em um quarto do quinto andar, Etienne caminha ao lado de prateleiras vazias, correndo os dedos pelos locais onde antes estavam seus rádios. E em algum lugar além das fronteiras da maquete, além das fronteiras da França, em um local que seus dedos não podem alcançar, o pai dela está dentro de uma cela, uma dúzia dos seus modelos esculpidos sobre o parapeito de uma janela, um guarda se aproximando com aquilo que ela quer muito acreditar se tratar de um banquete — "codorna, pato e coelho ensopado. Coxa de galinha e batatas fritas com bacon e tortas de damasco" —, uma dúzia de bandejas, uma dúzia de travessas, a quantidade de comida que ele quiser.

Nadel im Heuhaufen

Meia-noite. Os cães do dr. Hauptmann saltam pelos campos congelados vizinhos à escola, gotas de mercúrio movendo-se rapidamente no meio do campo. Atrás deles, vem Hauptmann com seu quepe de pele, caminhando com passos curtos como se contasse as passadas de uma grande distância. Por último, vem Werner, carregando o par de transmissores-receptores que ele e Hauptmann estão testando há meses.

Hauptmann se vira, o rosto reluzindo.

— Um bom local este aqui, bom campo de visão, coloque no chão, Pfennig. Mandei nosso amigo Volkheimer na frente. Ele está em algum ponto da colina.

Werner não percebe nenhum rastro, apenas uma pequena depressão no chão brilhando à luz da lua e as florestas brancas no horizonte.

— Volkheimer está com o transmissor KX em uma caixa de munição — diz Hauptmann. — Ele deve se esconder e irradiar a transmissão regularmente até o encontrarmos, ou até a bateria morrer. Eu mesmo não sei onde ele está.

O homem bate palmas com as mãos enluvadas, e os cães rodam em torno dele, fumaça saindo ao arquejarem.

— Dez quilômetros quadrados. Localizamos o transmissor, localizamos o nosso amigo.

Werner fita as dez mil árvores cobertas de neve.

— Lá longe, senhor?

— Lá longe.

Hauptmann retira um frasco do bolso e o desenrosca sem olhar.

— Esta é a parte divertida, Pfennig.

Hauptmann usa o pé para criar um buraco na neve, e Werner deposita o primeiro rádio, usando uma fita métrica para medir duzentos metros, e coloca o segundo. Desenrola os fios terra, levanta as antenas e liga tudo. Seus dedos já estão dormentes.

— Experimente oitenta metros, Pfennig. Em geral, as equipes não sabem em que banda procurar. Mas hoje, em nosso primeiro teste de campo, vamos trapacear um pouquinho.

Werner coloca o fone e seus ouvidos se enchem com estática. No dial, ele aumenta o ganho de RF, ajusta o filtro. Em pouco tempo, ele sintonizou ambos os receptores no assobio do transmissor de Volkheimer.

— Já captei, senhor.

Hauptmann começa a sorrir com gosto. Os cães rodopiam e fungam entusiasmados. Ele tira um lápis de cera do casaco.

— Escreva no rádio. As equipes nem sempre vão ter papel, não no campo.

Werner esboça a equação na caixa de metal do rádio e começa a inserir números. Hauptmann lhe passa uma régua. Em dois minutos, Werner tem um vetor e uma distância: dois quilômetros e meio.

— E o mapa?

O rosto pouco aristocrático de Hauptmann brilha de satisfação.

Werner usa transferidor e compasso para desenhar as linhas.

— Siga em frente, Pfennig.

Werner dobra o mapa e o enfia no bolso do casaco, embala os transmissores-receptores, e carrega um em cada mão como se fossem malas iguais. Pequenos flocos de neve caem esparsos sob o luar. Em pouco tempo a escola e seus prédios parecem como brinquedos na planície branca. A lua desliza mais para baixo, um olho semicerrado, e os cães se mantêm perto do dono, o vapor lhes saindo da boca. Werner transpira.

Eles caem em uma ravina e sobem de novo. Um quilômetro. Dois.

— Perfeito — diz Hauptmann, ofegante. — Sabe o que significa, Pfennig?

Ele está alegre, animado, quase tagarela. Werner jamais o vira assim.

— É o momento de transformação de uma coisa em outra. O dia em noite, a lagarta em borboleta. O cabrito em bode. O experimento em resultado. O garoto em homem.

Muito depois de uma terceira subida, Werner desdobra o mapa e verifica novamente o resultado de suas contas com um compasso. Por todo lado as árvores brilham silenciosas. Nenhuma pegada a não ser as deles. A escola perdida na distância.

— Devo ligar os aparelhos de novo, senhor?

Hauptmann coloca os dedos nos lábios.

Werner repete a triangulação e vê como o resultado está próximo de sua leitura original — menos de meio quilômetro. Ele volta a empacotar os aparelhos e aperta o passo, caçando agora, pelo faro, com os três cães, e Werner pensa: descobri uma maneira de entrar, estou resolvendo o problema, os números estão se tornando reais. E as árvores descarregam salpicos de neve, os cães ficam imóveis e mexem os focinhos, presos a um odor, apontando como se fosse um faisão, e Hauptmann levanta a palma da mão. Werner atravessa uma abertura entre árvores carregando as caixas grandes com esforço e finalmente vê a forma de um homem deitado de rosto para cima na neve, o transmissor a seus pés, a antena se elevando nos galhos baixos.

O Gigante.

Os cães tremem na posição onde estão. Hauptmann mantém a palma para cima. Com a outra mão, abre o coldre da pistola.

— Tão perto, Pfennig, você não pode vacilar.

Volkheimer tem a face esquerda voltada para eles. Werner consegue ver o vapor de sua respiração ascender e dispersar. Hauptmann mira sua Walther na exata direção de Volkheimer, e por um momento, cheio de surpresa, Werner está certo de que o professor está prestes a atirar no rapaz, que estão em grande perigo, cada um dos cadetes, e não pode deixar de ouvir as palavras de Jutta quando ela estava perto do canal: "É certo fazer algo apenas porque todas as outras pessoas estão fazendo?" Algo na alma de Werner fecha os olhos reptilianos, e o pequeno professor ergue a pistola e atira para o céu.

Volkheimer dá um salto e fica de cócoras, a cabeça se recompondo enquanto os cães são liberados e correm na direção dele, e Werner sente como se seu coração tivesse explodido.

Os braços de Volkheimer se erguem quando os cães o atingem, mas eles o conhecem; estão pulando nele para brincar, latindo e saltitando, e Werner observa o imenso rapaz desviando dos cães como se estes fossem gatos de estimação. O dr. Hauptmann ri. A pistola solta fumaça, e ele toma um longo gole do cantil e o passa para Werner, e Werner o leva aos lábios. Afinal de contas, ele agradou ao professor; os transmissores-receptores funcionam; ele está aqui fora na noite resplandecente, iluminada pelas estrelas, sentindo o ardor do conhaque aquecer seu estômago...

— Isso — diz Hauptmann — é o que estamos fazendo com os triângulos.

Os cães andam em círculos, se abaixam e pulam. Hauptmann se alivia atrás das árvores. Volkheimer vem caminhando com esforço na direção de Werner, arrastando o enorme transmissor KX; ele fica cada vez mais volumoso; pousa uma enorme mão enluvada no gorro de Werner.

— São apenas números — diz, baixo o suficiente para Hauptmann não ouvir.

— Matemática pura, cadete — acrescenta Werner, imitando o sotaque entrecortado de Hauptmann.

Pressiona as pontas dos dedos enluvados, os da mão direita exatamente contra os da mão esquerda.

— Você tem que se habituar a raciocinar desta forma.

É a primeira vez que Werner ouve Volkheimer rir, e sua fisionomia se transforma; ele se torna menos ameaçador e mais como uma criança avantajada e benevolente. Mais como a pessoa em que ele se transforma quando escuta música.

Ao longo do dia seguinte, o prazer do sucesso perdura no sangue de Werner, a memória de como parecia quase divino para ele caminhar ao lado do grande Volkheimer de volta ao castelo, descendo pelas árvores congeladas, passando pelos quartos de rapazes adormecidos, classificados como barras de ouro em caixas-fortes — Werner sentiu uma sensação quase paternal de proteção em relação aos outros enquanto se despia ao lado de sua cama beliche, enquanto Volkheimer continuava se arrastando em direção aos dormitórios dos estudantes mais velhos, um ogro entre anjos, um guarda atravessando um campo de lápides à noite.

Proposta

Marie-Laure está sentada em seu local habitual, no canto da cozinha, mas próxima do fogo, e escuta as amigas de madame Manec reclamando.

— O preço da cavalinha! — exclama madame Fontineau. — Desse jeito parece que velejaram para o Japão para conseguir o peixe!

— Não consigo me lembrar — acrescenta madame Hébrard, que trabalha nos correios — qual é o sabor de uma ameixa razoável.

— E esses ridículos cupons de racionamento de sapatos — diz madame Ruelle, a mulher do padeiro. — Theo está com o número três mil quinhentos e um, e ainda não chamaram nem o quatrocentos!

— Não são mais só os bordéis na Rue Thévenard. Estão dando todos os apartamentos de veraneio para os colaboradores.

— O Grande Claude e a esposa estão conseguindo porção extra de banha.

— Os malditos boches ficam de luz acesa o dia todo!

— Não consigo suportar mais uma noite presa em casa com o meu marido.

Nove pessoas estão sentadas em volta da mesa quadrada, joelhos pressionados uns contra os outros. Restrições de cartões de racionamento, pudins horrorosos, a deterioração da qualidade dos esmaltes de unhas — são crimes que elas sentem nas almas. Ouvir tantas pessoas juntas em um cômodo deixa Marie-Laure confusa e agitada; são frívolas quando deveriam ser sérias, soturnas após piadas; Madame Hébrard chora a impossibilidade de encontrar açúcar demerara; a reclamação de uma outra mulher sobre o fumo se desintegra no meio da frase em uma histeria sobre o tamanho absurdo do traseiro do perfumista. Elas exalam o odor de pão vencido, de salas de estar abafadas com mobília bretã escura e volumosa.

— Então, a garota Gautier quer se casar — diz madame Ruelle. — A família tem que derreter todas as joias deles para obter o ouro para a aliança.

O ouro é taxado a trinta por cento pelas autoridades da Ocupação. Depois, o trabalho do joalheiro também tem um imposto de trinta por cento. Quando acabarem de pagar, não sobra mais nenhuma aliança!

A taxa de câmbio é uma farsa, o preço das cenouras, indefensável, e a falsidade está por toda parte. Depois de algum tempo, madame Manec tranca a porta da cozinha e limpa a garganta. As mulheres ficam em silêncio.

— Nós somos as pessoas que fazem o mundo deles rodar — diz madame Manec. — Você, madame Guiboux, o seu filho conserta os sapatos deles. madame Hébrard, você e a sua filha selecionam a correspondência deles. E você, madame Ruelle, a sua padaria fornece grande parte do pão que eles consomem.

O ar fica pesado; Marie-Laure tem a sensação de que estão observando alguém deslizar sobre o gelo fino ou espalmar a mão sobre uma chama.

— O que você quer dizer?

— Que devemos fazer alguma coisa.

— Colocar bombas nos sapatos deles?

— Defecar na massa do pão?

Risos nervosos.

— Nada tão ousado assim. Mas poderíamos fazer coisas menores. Coisas mais simples.

— Como o quê?

— Primeiro preciso saber se vocês querem fazer isso.

Segue-se um silêncio carregado. Marie-Laure consegue senti-las empertigadas. Nove mentes vagarosamente se remoendo. Ela pensa no pai — aprisionado, por que motivo? — e sofre.

Duas mulheres se retiram, alegando obrigações envolvendo os netos. Outras duas puxam as blusas e arrastam as cadeiras, como se a temperatura na cozinha tivesse aumentado. Seis permanecem. Marie-Laure se senta entre elas, imaginando quem irá ceder, quem vai espalhar boatos, quem será a mais corajosa. Quem vai deitar para sempre e deixar seu último sopro espiralar até o teto como uma maldição contra os invasores.

Você tem outros amigos

— Cuidado, fracote — berra Martin Burkhard quando Frederick atravessa o pátio. — Vou chegar até você hoje à noite!

Ele remexe a pelve freneticamente.

Alguém defeca no beliche de Frederick. Werner lembra das palmeiras de Volkheimer: "A decência não importa para eles."

— Cagão — cospe um rapaz —, traga as minhas botas.

Frederick finge não ouvir.

Noite após noite, Werner se refugia no laboratório de Hauptmann. Já foram três vezes na neve para rastrear o transmissor de Volkheimer, e a cada vez eles o encontram com mais precisão. Durante o último teste de campo, Werner conseguiu posicionar os transmissores-receptores, encontrar a transmissão e demarcar a localização de Volkheimer no mapa em menos de cinco minutos. Hauptmann promete viagens a Berlim; ele expõe plantas de uma fábrica de eletrônicos na Áustria.

— Vários ministérios demonstraram entusiasmo por nosso projeto — diz Hauptmann.

Werner está obtendo sucesso. Está sendo leal. Está sendo o que todos definem como bom. E, no entanto, toda vez que ele acorda e abotoa a túnica, sente que está traindo alguma coisa.

Certa noite, ele e Volkheimer retornam caminhando penosamente através da neve parcialmente derretida, Volkheimer carregando o transmissor, ambos os receptores e a antena dobrada embaixo do braço. Werner caminha atrás, feliz de ficar na sombra dele. Caem gotas das árvores; parece que falta pouco para seus galhos florescerem. Primavera. Em mais dois meses, Volkheimer receberá sua patente e irá para a guerra.

Pausam por um instante para que Volkheimer possa descansar, e Werner se inclina para examinar um dos aparelhos, retira uma pequena chave de fenda do bolso e aperta uma placa de junção que está solta. Volkheimer olha para baixo, na direção dele, com extrema ternura.

— O que você poderia ser... — diz.

Naquela noite, Werner vai para a cama e fita a parte de baixo do colchão de Frederick. Um vento quente sopra contra o castelo, e em algum lugar uma veneziana bate e a neve semiderretida pinga pelas longas calhas.

— Está acordado? — sussurra o mais baixo que consegue.

Frederick se inclina pela lateral do beliche, e, por um momento, na escuridão quase completa, Werner acredita que finalmente vão dizer um para o outro aquilo que não tinham sido capazes de falar.

— Você poderia ir para casa, sabe? Para Berlim. Sair daqui.

Frederick apenas pisca os olhos.

— A sua mãe não se importaria. Ela provavelmente vai gostar de você estar lá. Fanni também. Apenas por um mês. Ou mesmo uma semana. Logo que você for embora, os cadetes vão deixar você de lado e, na época em que voltar, já vão estar em cima de outra pessoa. O seu pai nem precisaria ficar sabendo.

Mas Frederick se vira de novo na cama, e Werner não consegue mais vê-lo. A voz dele ricocheteia no teto.

— Talvez seja melhor que você e eu não sejamos mais amigos, Werner. — Alto demais, perigosamente alto. — Sei que é uma desvantagem, caminhar comigo, comer comigo, sempre dobrar as minhas roupas, engraxar minhas botas e me ajudar no dever. Você tem que pensar nos seus estudos.

Werner fecha os olhos. Uma recordação do seu quarto de dormir na lucarna o invade: o ruído de patas de ratos nas paredes, a fuligem batendo na janela. O teto tão inclinado que ele só conseguia ficar de pé no local mais próximo da porta. E a sensação de que, em algum lugar além do seu campo de visão, enfileirados como espectadores em um balcão, a mãe, o pai e o francês do rádio o estavam observando através da janela que rangia, para ver o que ele faria.

Ele vê o rosto abatido de Jutta, curvado sobre os pedaços do rádio quebrado. Tem a sensação de que algo imenso e oco está prestes a devorá-los.

— Não foi isso o que eu quis dizer — fala Werner, debaixo do cobertor.

Mas Frederick não abre mais a boca, e ambos os rapazes ficam deitados imóveis durante um longo tempo, observando os círculos azuis do luar girarem pelo quarto.

Clube de Resistência das Velhas Senhoras

Madame Ruelle, a mulher do padeiro — uma mulher de voz bonita com cheiro de levedura, mas que às vezes também exalava odor de pó de arroz ou aroma doce de maçãs fatiadas —, amarra uma escada portátil no teto do carro do marido e dirige pela Route de Carentan ao anoitecer com madame Guiboux e rearruma os sinais da estrada com um estojo de ferramentas. Elas retornam bêbadas e risonhas para a cozinha da casa da Rue Vauborel.

— Dinan agora fica a vinte quilômetros para o norte — conta madame Ruelle.

— Bem no meio do mar!

Três dias depois, madame Fontineau ouve por acaso que o comandante da guarnição alemã é alérgico a uma flor chamada tango. Madame Carré, a florista, enfia ramas de tango em um arranjo que seria mandado para o château.

As mulheres direcionam uma remessa de raiom para o endereço errado. Intencionalmente cometem um erro na impressão dos horários dos trens. Madame Hébrard, responsável pelo correio, faz deslizar para a própria calcinha uma carta que aparentava ser importante, leva-a para casa e a utiliza para iniciar o fogo da lareira.

Elas chegam até a cozinha de Etienne espalhando relatos bem-humorados de que alguém viu o comandante da guarnição espirrando, ou que a bosta de cachorro colocada na saída de um bordel atingiu o alvo com perfeição: a sola de uma bota alemã. Madame Manec serve xerez ou cidra ou Muscadet; alguém se senta junto à porta para atuar como sentinela. A pequena e curva madame Fontineau se gaba de ter bloqueado a mesa telefônica do château por uma hora; a robusta e desleixada madame Guiboux diz ter ajudado os netos a pintar um cão vira-latas nas cores da bandeira francesa e o tocaram a atravessar correndo a Place Chateaubriand.

As mulheres falam sem parar, entusiasmadas.

— O que eu posso fazer? — pergunta madame Blanchard, uma viúva anciã. — Quero fazer alguma coisa.

Madame Manec pede que todas deem o dinheiro que carregam para madame Blanchard.

— Vocês vão receber de volta — diz ela —, não se preocupem. Agora, madame Blanchard, você teve uma letra linda a vida toda. Pegue esta caneta tinteiro do Mestre Etienne. Quero que escreva, em cada nota de cinco francos, as palavras *Libertem a França Agora*. Ninguém pode se dar ao luxo de destruir dinheiro, não é? Uma vez que todo mundo tenha gastado as notas, nossa pequena mensagem vai viajar por toda a Bretanha.

As mulheres batem palmas. Madame Blanchard aperta a mão de madame Manec, respira ofegante e pisca os olhos brilhantes de prazer.

Ocasionalmente, Etienne desce rosnando, e a cozinha inteira permanece em silêncio enquanto madame Manec prepara um chá para ele, coloca-o em uma bandeja, e Etienne sobe as escadas de novo. Então, as mulheres recomeçam os planos, maquinando, tagarelando. Madame Manec penteia os cabelos de Marie-Laure em escovadelas longas e distraídas.

— Setenta e seis anos de idade — murmura ela — e ainda consigo me sentir assim? Como uma garotinha com os olhos brilhando?

Diagnóstico

O médico militar toma a temperatura do sargento-mor Von Rumpel. Bombeia o aparelho de medir a pressão sanguínea. Examina a garganta com uma lanterna de mão. Nesta mesma manhã, Von Rumpel inspecionou uma escrivaninha do século XV e supervisionou sua montagem sobre um vagão que se dirige ao chalé de caça do marechal Göring. O recruta que trouxe a peça descreveu o saque à mansão de onde a retiraram; chamou a ação de "ir às compras".

A peça faz Von Rumpel meditar sobre uma caixa de tabaco holandesa do século XVIII, feita de bronze e cobre e incrustada com pequeninos brilhantes que ele havia examinado no início da semana, e a caixa de tabaco leva seus pensamentos, de forma tão inexorável quanto a gravidade, de volta ao Mar de Chamas. Em seus momentos de maior fragilidade, ele se imagina em algum momento no futuro caminhando sob os arcos do imponente Führermuseum, em Linz, as botas martelando vigorosamente sobre o mármore do piso, a luz do crepúsculo vertendo pelas altas janelas. Vê mil expositores transparentes, tão cristalinos que parecem flutuar sobre o chão; dentro deles estão dispostos os tesouros minerais do mundo, coletados de cada buraco do globo: dioptásio, topázio, ametista, rubelita da Califórnia...

O médico pede que Von Rumpel abaixe as calças. Ainda que a indústria da guerra não tenha cessado por nem mesmo um dia, Von Rumpel tem andado feliz há meses. Suas responsabilidades duplicaram; ficou óbvio que não há no Reich muitas pessoas arianas que sejam especialistas em diamantes. Apenas três semanas atrás, do lado de fora de uma pequena estação raiada pelo sol, a oeste de Bratislava, ele examinou um envelope cheio de pedras muito bem facetadas, perfeitamente translúcidas; atrás dele rugia um caminhão carregado de pinturas enroladas em papel e acomodadas em palha. Os guardas cochicharam que havia um Rembrandt no meio, além de pedaços de um famoso retábulo da Cracóvia. Tudo sendo enviado para uma mina de sal em algum lugar subterrâneo na aldeia austríaca de Altaussee, onde um túnel de um quilômetro e meio dá para uma galeria brilhante lotada de estantes de três andares de altura, sobre as quais o alto comando está armazenando o melhor da Europa em termos de arte. Vão reunir todas as peças sob um mesmo teto inexpugnável, um templo para o esforço humano. Os visitantes vão se maravilhar com a exposição por mil anos.

O médico examina a virilha dele.

— Não sente dor?

— Nenhuma.

— Nem aqui?

— Nada.

Esperar que o lapidador de Paris lhe desse algum nome era pedir de mais. Dupont, afinal de contas, não saberia a quem as réplicas do diamante foram entregues; ele não sabia nada sobre as medidas de proteção de última hora do museu. No entanto, Dupont tinha servido para alguma coisa; Von Rumpel precisava de um número, e o tinha obtido.

Três.

— Pode se vestir — diz o médico, e lava as mãos em uma pia.

Nos dois meses que culminaram na invasão da França, Dupont modelou três réplicas para o museu. Ele usou o diamante genuíno para confeccioná-las? Usou um molde. Ele nunca chegou a ver o diamante verdadeiro. Von Rumpel acreditou nele.

Três réplicas. Além da gema verdadeira. Em algum ponto deste planeta no meio de seus sextilhões de grãos de areia.

Quatro diamantes, um deles no porão de um museu, trancado em um cofre. Mais três para serem encontrados. Há momentos em que Von Rumpel sente a impaciência crescendo dentro de si como fel, mas se força a engoli-la de volta. O diamante virá.

Ele afivela o cinto.

— Precisamos fazer uma biópsia — diz o médico. — É melhor telefonar para a sua esposa.

O MAIS FRACO (N⁰ 3)

A escalada de crueldade se afunila. Talvez Bastian precise de alguma vingança pessoal; talvez Frederick continue procurando a única maneira de sair dali. Tudo o que Werner sabe com certeza é que, em uma manhã de abril, ele acorda e encontra sete centímetros de neve enlameada no chão, e Frederick não está no beliche.

Ele não aparece no café da manhã ou na aula de Poética ou nos exercícios de campo da manhã. Cada relato que Werner ouve contém suas próprias falhas e contradições, como se a verdade fosse uma máquina cujas engrenagens não encaixassem. Primeiro ouve que um grupo de rapazes levou Frederick, fincou tochas na neve e lhe disse para atirar nas tochas com o rifle — para provar que ele não tinha visão apropriada. Depois Werner ouve que lhe trouxeram cartões de exame de vista e, depois que ele não conseguiu ler, forçaram-no a comê-los.

Porém, o que importa a verdade neste lugar? Werner imagina vinte rapazes soterrando o corpo de Frederick como ratos; vê o rosto gordo e reluzente do comandante, a garganta pulando do colarinho, reclinado como um rei em algum trono com encosto alto de carvalho, enquanto o sangue vagarosamente se espalha pelo chão, sobe pelos seus tornozelos, pelos seus joelhos...

Werner falta ao almoço e caminha em um estado de torpor para a enfermaria da escola. Ele pode ser detido ou ganhar um castigo ainda pior; é um meio-dia ensolarado e brilhante, mas seu coração está sendo esmagado pouco a pouco, tudo está lento e hipnótico, e ele observa o braço trabalhar para abrir a porta, como se estivesse olhando através de vários metros de água azul.

Uma única cama suja de sangue. Sangue no travesseiro e nos lençóis e até no metal esmaltado da armação da cama. Manchas rosadas em uma bacia. Bandagens desenroladas no chão. A enfermeira se movimenta vigorosamente e faz uma expressão de sofrimento para Werner. Ela é a única mulher na escola que não trabalha na cozinha.

— Por que tanto sangue? — pergunta ele.

Ela coloca quatro dedos nos lábios. Debatendo consigo mesma se vai contar para ele ou fingir que não sabe. Acusação ou resignação ou cumplicidade.

— Onde ele está?

— Leipzig. Para uma cirurgia.

Ela toca um botão branco redondo no uniforme com o que deve ser um dedo que treme inconvenientemente. Afora isso, seu comportamento é firme.

— O que aconteceu?

— Você não deveria estar no almoço?

A cada vez que ela pisca, ele vê os homens de sua infância, mineiros demitidos vagueando pelas vielas, homens com ganchos no lugar de dedos e um vazio nos olhos; ele vê Bastian de pé sobre um rio que emana vapor, a neve caindo em torno dele. "Führer, povo, pátria. Endureça o seu corpo, endureça a sua alma."

— Quando ele vai voltar?

— Ah — uma palavra suave e suficiente.

Ela balança a cabeça.

Uma caixa de sabão azul sobre a mesa. Em cima, o retrato de algum oficial de antigamente em uma moldura se despregando. Algum rapaz de outra época enviado para este local para morrer.

— Cadete?

Werner tem que se sentar na cama. O rosto da enfermeira parece ocupar múltiplas distâncias, uma máscara em cima de uma máscara em cima de uma máscara. O que será que Jutta está fazendo neste exato momento? Limpando o nariz de algum recém-nascido choroso, recolhendo jornais, escutando as palestras das enfermeiras do exército ou cerzindo outra meia? Rezando por mim? Acreditando em mim?

Werner pensa: nunca serei capaz de contar isso para Jutta.

Minha queridíssima Marie-Laure,

As outras pessoas em minha cela são bastante gentis. Algumas contam piadas. Aqui vai uma delas: você já ouvir falar do programa de exercícios Wermacht? Isso, toda manhã você levanta as mãos na cabeça e as deixa lá em cima!

Ha ha. Meu anjo prometeu levar esta carta para mim, correndo grande risco. É muito seguro e gostoso ficar fora da "Gasthaus" por um instante. Estamos construindo uma estrada agora, e o trabalho é bom. Meu corpo está ficando cada vez mais forte. Hoje vi um carvalho disfarçado de castanheira. Acho que se chama carvalho castanheiro. Gostaria muito de perguntar a respeito dele para os botânicos do Jardins dés Plantes quando eu voltar para casa.

Espero que você, madame Manec e Etienne continuem me enviando coisas. Eles dizem que temos a permissão de receber um pacote cada um, então alguma coisa acaba entrando em alguma hora. Duvido que me deixem manter uma ferramenta, mas seria ótimo se deixassem. Você realmente não acreditaria em como é bonito aqui, ma chérie, *e como estamos protegidos do perigo. Estou inacreditavelmente seguro, mais seguro impossível.*

Seu Papa

GRUTA

É verão, e Marie-Laure está sentada na alcova atrás da biblioteca com madame Manec e Hubert Bazin.

— Quero mostrar uma coisa para vocês — diz Hubert, por trás de sua máscara de cobre, por sobre uma colherada de sopa.

Ele conduz Marie-Laure e madame Manec por uma rua que a menina acha que é a Rue du Boyer, embora pudesse ser a Rue Vincent de Gournay ou a Rue des Hautes Salles. Chegam à base das muralhas e viram à direita, seguindo um caminho que Marie-Laure não tinha percorrido antes. Descem dois degraus, passam por uma cortina de trepadeiras.

— Hubert, por favor, o que é isto? — pergunta madame Manec.

A viela fica cada vez mais e mais estreita, até que precisam caminhar em fila indiana, as paredes bem próximas dos dois lados, e então param. Marie-Laure pode sentir blocos de rocha empilhados à esquerda e à direita, roçando os seus ombros: parecem subir até o infinito. Se o pai dela tiver construído esta viela na maquete, os dedos dela ainda não a descobriram.

Hubert vasculha suas calças imundas, respirando forte por trás da máscara. No local onde a parede das muralhas deveria estar, à esquerda, Marie-Laure ouve um cadeado se soltar. Um portão se abre com um rangido.

— Cuidado com a cabeça — diz ele, e a ajuda a entrar.

Eles descem com dificuldade até um espaço úmido e constrito, em meio ao cheiro de maresia.

— Estamos por baixo da muralha. Vinte metros de granito acima de nós.

— Realmente, Hubert, aqui é sombrio como uma tumba — diz a senhora.

Marie-Laure se aventura um pouco além, as solas dos sapatos escorregando, o piso fazendo um declive, e então os sapatos dela tocam na água.

— Sinta isso — diz Hubert Bazin.

Ele se agacha e leva a mão dela a uma parede curva que está completamente coberta de caramujos. Centenas deles. Milhares.

— Tantos — sussurra.

— Não sei por quê. Talvez por estarem a salvo das gaivotas? Olhe aqui, sinta isso, vou virar.

Centenas de pequeninas ventosas se contorcendo por baixo de uma carcaça calosa, enrugada: uma estrela do mar.

— Mexilhões azuis aqui. E um siri morto, dá para sentir a garra? Cuidado com a cabeça.

A rebentação bate próxima; a água faz marolas por entre os seus sapatos. Marie-Laure avança; o chão é arenoso, a água quase bate nos tornozelos. Pelo que ela pode dizer, é uma gruta profunda, talvez quatro metros de comprimento e dois metros de largura, o formato de um pão de forma. Na extremidade há uma grade grossa através da qual entra um vento marinho limpo e denso. Os dedos dela descobrem craca, algas, mais mil caramujos.

— Que lugar é este?

— Lembra que eu contei sobre os cachorros da vigília? Há muito tempo os responsáveis pelos canis da cidade mantinham os mastiffs aqui, cachorros do tamanho de cavalos. À noite, soava o toque de recolher, e os cachorros ficavam soltos nas praias para comer qualquer marinheiro que se atrevesse a vir à terra. Em algum lugar entre estes mariscos, existe uma pedra com a data de 1165 riscada.

— Mas, e a água?

— Mesmo com a maré mais alta, não passa da altura da cintura. Naquela época, a maré devia ser mais baixa. Nós costumávamos brincar aqui quando éramos garotos. Eu e o seu avô. Às vezes o seu tio-avô também.

As ondas passam entre os pés deles. Por toda parte, os mariscos se mexem e estalam. Ela pensa nos velhos homens do mar que viveram nesta cidade, contrabandistas e piratas, velejando pelos oceanos escuros, levando seus navios com a ajuda dos ventos por entre dez mil recifes.

— Hubert, precisamos ir agora — grita madame Manec, a voz dela fazendo um eco. — Não é um lugar adequado para uma jovem.

— Está tudo bem, madame. — diz Marie-Laure.

Caranguejos-eremitas. Anêmonas-do-mar soltando diminutos jatos de água quando cutucadas. Galáxias de caramujos. Uma história de vida imanente em cada um deles.

Finalmente madame Manec os persuade a sair do canil, e Hubert conduz Marie-Laure de volta passando pelo portão e o tranca atrás deles. Antes de atingirem a Place Broussais, madame Manec caminhando na frente, ele bate no ombro de Marie-Laure. O sussurro atinge o seu ouvido esquerdo; o hálito dele cheira a insetos esmagados.

— Você acha que consegue chegar até aquele lugar novamente?
— Acho que sim.
Ele coloca um objeto de ferro na mão dela.
— Sabe o que é isso?
Marie-Laure fecha a mão.
— Uma chave.

Intoxicados

Todo dia chega a notícia de mais uma vitória, mais um avanço. A Rússia se contrai como uma sanfona. Em outubro, o corpo discente se reúne ao redor de um grande rádio sem fio para escutar o Führer anunciar a Operação Tufão. Regimentos alemães fincam bandeiras a poucos quilômetros de Moscou; a Rússia vai ser deles.

Werner tem quinze anos. Um rapaz novo dorme na cama de Frederick. Às vezes, à noite, Werner acha que vê Frederick mesmo quando ele não está lá. O rosto dele aparece na ponta da cama de cima do beliche ou a silhueta dele pressiona o binóculo na vidraça da janela. Frederick: que não morreu, mas não se recuperou. Mandíbula fraturada, crânio quebrado, trauma cerebral. Ninguém foi punido, ninguém foi interrogado. Um automóvel azul veio até a escola, e a mãe de Frederick saltou e caminhou até a residência do comandante e saiu pouco depois, curvada sob o peso da sacola de lona do filho, parecendo muito pequena. Ela entrou no banco traseiro do carro, que foi embora.

Volkheimer partiu; há histórias de que ele se tornou um terrível sargento na Wehrmacht. Que ele liderou um pelotão para a última aldeia a caminho de Moscou. Cortou os dedos de russos mortos para fumá-los como cachimbo.

A mais nova lavra de cadetes cresce selvagemente em sua urgência de se provarem. Eles saltam, gritam, se lançam contra os obstáculos; nos exercícios de campo, fazem um jogo em que dez rapazes têm braçadeiras vermelhas e dez outros usam braçadeiras pretas. O jogo termina quando um time consegue todas as vinte braçadeiras de uma cor.

Para Werner, parecia que todos os rapazes em torno dele estavam intoxicados. Como se, em toda refeição, os cadetes enchessem as canecas de estanho não com a água mineral fria de Schulpforta, mas com uma bebida alcoólica que os deixa vidrados e deslumbrados, como se reprimissem uma vasta e inevitável onda de angústia apenas permanecendo o tempo todo embriagados de rigor e de exercício e do lustre de suas botas de couro. Os olhos dos mais obstinados irradiam uma fulgurosa determinação: foram treinados a dedicar toda sua atenção para descobrir fraquezas. Eles analisam Werner com desconfiança quando este volta do laboratório de Hauptmann. Desconfiam pelo fato de ele ser órfão, de estar frequentemente sozinho, de que o sotaque dele carrega um cicio do francês que ele aprendeu enquanto criança.

"Somos uma saraivada de balas", cantam os cadetes mais novos, "somos balas de canhão. Somos a ponta da espada."

Werner lembra o tempo todo de sua casa. Sente saudades do som da chuva no teto de zinco no sótão; a energia selvagem dos órfãos; a cantoria desafinada de Frau Elena quando ela embala um bebê na sala de estar. O cheiro da fábrica de coque chegando com a alvorada, fielmente o primeiro cheiro de cada dia. Sente principalmente saudades de Jutta: a lealdade da irmã, a sua obstinação, a maneira como ela sempre parece reconhecer tudo que é correto.

Apesar disso, Werner, em seus momentos mais frágeis, se ressente exatamente dessas qualidades da irmã. Talvez ela represente a impureza nele, a estática em sua transmissão, aquilo que os provocadores conseguem sentir. Talvez ela seja a única coisa que o impeça de se entregar inteiramente. Se você tem uma irmã mais nova em casa, supostamente você tem que pensar nela como uma garota bonita no cartaz de propaganda: bochechas rosadas, corajosa, imperturbável. É por ela que você luta. Por quem você morre. Mas Jutta? Jutta envia cartas que o censor da escola risca quase completamente. Faz perguntas que não devem ser feitas. Apenas a associação de Werner com o dr. Hauptmann — seu status privilegiado como o predileto do professor de Ciências Tecnológicas — o mantém a salvo. Uma firma em Berlim está produzindo o transmissor-receptor deles, e já é o caso de algumas unidades estarem retornando do que Hauptmann chama de "o campo", destruídas por explosão, queimadas, afundadas em lama ou com defeito, e a tarefa de Werner é reconstruí-las enquanto Hauptmann fala ao telefone, escreve requerimentos para peças de reposição ou passa quinzenas inteiras afastado da escola.

Passam-se semanas sem que Werner receba uma carta de Jutta. Werner escreve quatro linhas, uma pequena quantidade de chavões — "Estou bem; ando tão ocupado" — e entrega a carta para o chefe do dormitório. O pavor o invade.

— Vocês têm mentes — murmura Bastian certa noite no refeitório.

Cada rapaz se curva mais sobre a comida, quase imperceptivelmente, à medida que o dedo do comandante roça-lhe as costas do uniforme.

— Mas não se deve confiar na mente. A mente está sempre vagueando em direção à ambiguidade, às indagações, quando o que vocês realmente precisam é de certezas. Propósito. Clareza. Não confiem na mente de vocês.

Werner está no laboratório tarde da noite, novamente sozinho, e gira as frequências no rádio de válvula Grundig que Volkheimer costumava pegar emprestado do escritório de Hauptmann, à procura de música, ecos, algo que ele não sabe bem o quê. Ele vê circuitos se rompendo e remontando. Vê Frederick olhando fixo o livro de aves; vê o furor das minas em Zollverein, os carrinhos de transporte, as portas que batiam, as esteiras circulantes, chaminés manchando o céu dia e noite; vê Jutta se movendo para a frente e para trás com uma tocha acesa enquanto a escuridão invade por todos os lados. O vento pressiona as paredes do laboratório — vento, o comandante adora lembrar, que vem diretamente da Rússia, um vento cossaco, o vento de bárbaros com cabeças de porcos que não se deterão por nada para beberem o sangue de meninas alemãs. Gorilas que devem ser exterminados da face da terra.

Estática, estática.

"Você está aí?"

Afinal, desliga o rádio. Na quietude, vêm as vozes de seus mestres, ecoando de um lado de sua cabeça ao passo que a memória fala do outro.

"Abram os olhos e vejam o máximo que puderem antes que eles se fechem para sempre."

A Lâmina e O Caramujo

A sala de jantar do Hôtel-Dieu é grande e sombria e está cheia de gente falando sobre *U-boats* perto de Gibraltar, as injustiças do câmbio de moedas e os motores a diesel a quatro tempos. Madame Manec pede duas tigelas de creme de mariscos que ela e Marie-Laure terminam rapidamente. Ela diz não saber o que fazer em seguida — devem continuar esperando? — e então pede mais duas tigelas.

Finalmente, um homem em roupas farfalhantes se senta à mesa delas.

— A senhora tem certeza de que seu nome é madame Walter?

— O senhor tem certeza de que seu nome é René? — responde madame Manec.

Uma pausa.

— E ela?

— Minha cúmplice. Ela é capaz de dizer se alguém está mentindo só ao ouvir a voz da pessoa.

Ele ri. Falam sobre o clima. As roupas do homem exsudam o ar marinho, como se ele tivesse chegado ali de carona em uma ventania. Enquanto fala, o homem faz movimentos desajeitados e bate contra a mesa, a ponto de as colheres se mexerem nas tigelas.

— Admiramos os seus esforços, madame — diz finalmente.

O homem que se autodenomina René começa a falar de forma extremamente suave. Marie-Laure só capta trechos.

— Procure emblemas especiais em suas placas. *WH* para exército, *WL* para força aérea, *WM* para marinha. E a senhora pode anotar, ou encontrar alguém que faça isso, cada navio que entra e sai do porto. Essa informação é de extrema importância.

Madame Manec fica quieta. Se algo que Marie-Laure não consegue captar é transmitido — se há alguma mímica acontecendo entre os dois, bilhetes passados, estratagemas combinados —, ela não consegue saber. Os dois chegam a algum tipo de acordo, e logo ela e madame Manec estão de volta à cozinha da casa da Rue Vauborel, número 4. Madame Manec anda ruidosamente no porão e puxa para cima reservas de alimentos enlatados. Justamente nesta manhã, afirma ela, conseguiu obter o que talvez sejam as últimas duas caixas de pêssegos da França. Ela cantarola com os lábios fechados enquanto ajuda Marie-Laure a descascar.

— Madame?
— Sim, Marie.
— O que é um pseudônimo?
— É um nome falso, um nome alternativo.
— Se eu precisasse de um, que tipo de nome eu poderia escolher?
— Bem, pode ser qualquer coisa — responde madame Manec.

Ela tira o caroço de mais um pêssego e corta a fruta em quatro.

— Pode ser Sereia, se quiser. Ou Margarida? Violeta?
— O que acha de Caramujo? Acho que eu gostaria de ser O Caramujo.
— O Caramujo. Excelente pseudônimo.
— E a senhora, madame? Do que a senhora gostaria?
— Eu?

A faca de madame Manec faz uma pausa. Os grilos cantam no porão.

— Acho que gostaria de ser A Lâmina.
— A Lâmina?
— Isso.

O perfume dos pêssegos forma uma nuvem rosada e brilhante.

— A Lâmina? — repete Marie-Laure.

Então, as duas começam a rir.

Querido Werner,

Por que você não escreve? ▇▇▇▇▇▇▇▇▇▇▇▇▇▇▇▇▇▇▇▇▇▇ *As fundições funcionam dia e noite e as chaminés nunca param de soltar fumaça e tem estado frio por aqui, então todo mundo queima o que tiver para se manter aquecido. Serragem, carvão duro, carvão macio, cal, lixo. Viúvas de guerra* ▇▇▇▇▇▇▇▇▇▇▇▇▇▇▇▇▇▇▇▇▇▇▇▇▇▇▇▇▇▇▇▇▇▇▇▇▇▇ *e todo dia surgem mais. Estou trabalhando na lavanderia com as gêmeas, Hannah e Susanne, e Claudia Förster, lembra-se dela?, estamos remendando calças e fardas principalmente. Estou cada vez melhor com a agulha, então ao menos não fico me espetando o tempo todo. Agorinha acabei de fazer o dever de casa. Você tem dever de casa? Há escassez de tecidos, e as pessoas trazem capas de móveis, cortinas, casacos velhos. Tudo o que puder ser aproveitado. Exatamente como fazíamos aqui. Ha. Encontrei isso embaixo do seu catre velho. Parece que você poderia usar.*

Com amor,
Jutta

Dentro do envelope feito à mão, está o caderno que Werner usava quando criança, a letra dele na capa: "Perguntas." Dentro dele, abundam desenhos de criança, invenções: um aquecedor de cama elétrico que ele queria construir para Frau Elena; uma bicicleta com correntes que movimentem as duas rodas. "Será que os ímãs afetam os líquidos? Por que os barcos flutuam? Por que ficamos tontos quando rodamos?"

Uma dúzia de páginas vazias no final. Pueril demais, provavelmente, para ser retido pelo censor.

Ao redor dele, soam ruidosas batidas de botas, o estalar de rifles. Cabos no chão, canos na parede. Canecas com alças fora dos ganchos, pratos fora das prateleiras. Filas para carne cozida. Sobre ele paira uma onda de saudade de casa tão intensa que ele precisa manter os olhos abertos.

Vivo antes de morrer

Madame Manec vai até o estúdio de Etienne no quinto andar. Marie-Laure escuta na escada.

— Você poderia ajudar — diz a senhora.

Alguém, provavelmente madame Manec, abre uma janela, e o ar fresco do mar entra no recinto, atingindo tudo: as cortinas de Etienne, os papéis, a poeira, a saudade que Marie-Laure sente do pai.

— Por favor, madame. Feche as janelas. Estão inspecionando quem não cumpre o blecaute — diz Etienne.

A janela permanece aberta. Marie-Laure desce mais um lance de escada engatinhando.

— Como você sabe quem eles estão inspecionando, Etienne? Uma mulher em Rennes recebeu nove meses de prisão porque deu o nome a um de seus cachorros de Goebbels, sabia disso? Uma quiromante de Cancale levou um tiro porque previu que De Gaulle voltaria na primavera. Um tiro!

— São apenas boatos, madame.

— Madame Hébrard diz que um homem de Dinard, um avô, Etienne, recebeu a pena de dois anos na prisão por usar a Cruz de Lorena por baixo do colarinho. Ouvi dizer que vão transformar a cidade inteira em um grande depósito de munições.

O tio-avô de Marie ri suavemente.

— Parece que tudo isso foi inventado por um adolescente do último ano da escola.

— Onde há fumaça há fogo, Etienne.

Marie-Laure percebe que, durante toda a vida adulta de Etienne, madame Manec cuidou dos medos dele. Limitou-os, atenuou-os. De mansinho ela desce mais um degrau.

— Você conhece muita coisa, Etienne. Sobre mapas, marés, rádios — prossegue madame Manec.

— Já está muito perigoso com todas essas mulheres em minha casa. As pessoas têm olhos, madame.

— Quem?

— O perfumista, por exemplo.

— Claude? — Ela solta um ruído de desprezo. — O pequeno Claude está ocupado demais cheirando a si mesmo.

— O Claude não é mais tão pequeno. Eu mesmo consigo ver que a família dele ganha mais do que as outras: mais carne, mais eletricidade, mais manteiga. Sei bem como ele consegue essas recompensas.

— Então, nos ajude.

— Não quero criar problema, madame.

— Será que não fazer nada também não é um tipo de problema?

— Não fazer nada é não fazer nada.

— Não fazer nada é o mesmo que colaborar.

O vento sopra com força. Na mente de Marie-Laure, ele muda de lugar e cintila, desenha agulhas e espinhos no ar. Prateados, depois verdes, depois prateados novamente.

— Conheço maneiras de ajudar — diz madame Manec.

— Que maneiras? Em quem você vai confiar?

— Às vezes você tem que confiar em alguém.

— Se o mesmo sangue não corre nos braços e nas pernas da pessoa que está próxima de você, você não pode confiar nela. E olhe lá! Não é uma pessoa que você quer combater, madame, é um sistema. Como se combate um sistema?

— Tentando.

— O que você quer que eu faça?

— Desencave aquela coisa velha que você tem no sótão. Você costumava saber mais sobre rádios do que qualquer outra pessoa da cidade. Da Bretanha, talvez.

— Eles levaram todos os receptores.

— Nem todos. As pessoas esconderam coisas por toda parte. Você só teria que ler os números, é assim que eu entendo, números em uma tira de papel. Alguém, não sei quem, talvez Hubert Bazin, vai trazer para madame Ruelle, e ela vai juntar tudo e assar pães com as mensagens dentro. Dentro deles!

Ela ri; para Marie-Laure, sua voz parece vinte anos mais jovem.

— Hubert Bazin. Você confia em Hubert Bazin? Você está assando pão com códigos secretos?

— Que *Kraut* gordo iria comer aqueles pães horrorosos? Eles pegam toda a farinha boa para eles mesmos. Trazemos o pão para casa, você transmite os números, depois queimamos o papel.

— Isso é ridículo. Vocês estão agindo como crianças.

— É melhor do que deixar de agir. Pense no seu sobrinho. Pense em Marie-Laure.

As cortinas batem, os papéis farfalham e os dois adultos ficam em um impasse no estúdio. Marie-Laure se esgueirou para tão perto da porta do estúdio do tio-avô que dá para tocar no batente.

— Você não quer se sentir vivo antes de morrer? — pergunta madame Manec.

— Marie tem quase quatorze anos, madame. Não tão jovem, não na guerra. Pessoas de quatorze anos morrem como os outros. Mas quero que aqueles que têm quatorze anos sejam jovens. Quero...

Marie-Laure retrocede um passo rapidamente. Será que eles a viram? Ela pensa no canil de pedras que Hubert Bazin lhe mostrou: os caramujos agrupados em profusão. Pensa nas muitas vezes em que seu pai a colocou na bicicleta dele: ela se equilibrava no assento, e ele ficava em pé nos pedais, e eles deslizavam pelo tumulto de algum bulevar parisiense. Ela segurava nos quadris dele e dobrava os joelhos, e eles voavam entre os carros, ladeira abaixo, no meio de corredores de odores e barulhos e cores.

— Vou voltar para o meu livro, madame — diz Etienne. — Você não deveria estar preparando o jantar?

SEM ESCAPATÓRIA

Em janeiro de 1942, Werner se aproxima do dr. Hauptmann em seu escritório luminoso, aquecido pela lareira e duas vezes mais quente do que o restante do castelo, e pede para ir para casa. O pequeno doutor está sentado atrás da grande mesa, uma ave assada de aparência anêmica servida sobre o prato na sua frente. Codorna, pombo ou uma ave silvestre. Esboços de circuitos à sua direita. Os cães refestelados no tapete na frente da lareira.

Werner está de pé com o gorro nas mãos. Hauptmann fecha os olhos e desliza a ponta de um dedo pela sobrancelha.

— Vou trabalhar para pagar a passagem de trem, senhor — diz Werner.

O relevo azulado das veias na testa de Hauptmann pulsa. Ele abre os olhos.

— Você?

Os cães olham para cima em uníssono, uma hidra de três cabeças.

— Você, que ganha tudo? Que vem aqui, escuta música, come chocolates e se aquece perto da lareira?

Um pedaço de ave assada dança nas bochechas de Hauptmann. Talvez pela primeira vez, Werner vê, no cabelo louro cada vez mais ralo do professor, em suas narinas escuras, em suas orelhas pequenas, quase como as de um duende, algo implacável e desumano, algo determinado apenas a sobreviver.

— Talvez você acredite que é alguém agora? Alguém importante?

Werner aperta o gorro atrás das costas para evitar que seus ombros tremam.

— Não, senhor.

Hauptmann dobra o guardanapo.

— Você é um órfão, Pfennig, sem aliados. Posso fazer de você absolutamente o que eu quiser. Um encrenqueiro, um criminoso, um adulto. Posso enviar você para a frente de batalha e me certificar de que você fique agachado atrás de uma trincheira no gelo até que os russos cortem suas mãos e façam você comê-las.

— Sim, senhor.

— Você vai receber suas ordens quando a escola estiver pronta para lhe dar suas ordens. Não antes disso. Servimos o Reich, Pfennig. Ele não serve a nós.

— Sim, senhor.

— Você virá para o laboratório hoje à noite. Como de hábito.

— Sim, senhor.

— Nada de chocolates. Nada de tratamento especial.

No corredor, com a porta fechada atrás de si, Werner apoia a testa na parede, e uma visão dos últimos momentos de seu pai vêm à sua mente, a pressão esmagadora dos túneis, o teto desabando. A mandíbula pressionada contra o chão. O crânio se estilhaçando. Não posso ir para casa, pensou ele. E não posso ficar aqui.

O desaparecimento de Hubert Bazin

Marie-Laure segue o cheiro da sopa de madame Manec pela Place aux Herbes e, segurando a panela quente, aguarda do lado de fora da alcova que fica aos fundos da biblioteca enquanto a senhora bate de leve na porta.

— Monsieur Bazin se encontra? — pergunta madame Manec.

— Deve ter se mudado — responde o bibliotecário, em tom um tanto incerto.

— Para onde se mudaria Hubert Bazin?

— Não tenho certeza, madame Manec. Por favor. Está frio.

A porta se fecha. Madame Manec solta um palavrão. Marie-Laure pensa nas histórias de Hubert Bazin: monstros pavorosos feitos de espuma do mar, sereias cujas partes íntimas são iguais às dos peixes, o romantismo dos cercos ingleses.

— Ele vai voltar — diz madame Manec, tanto para si quanto para Marie-Laure.

Porém, na manhã seguinte, Hubert Bazin não volta. Nem na outra.

Apenas metade do grupo está presente na reunião que se segue.

— Será que eles acham que Hubert Bazin estava nos ajudando? — sussurra madame Hébrard.

— Ele estava nos ajudando?

— Pensei que ele estivesse transportando mensagens.

— Que tipo de mensagens?

— Está ficando perigoso demais.

Madame Manec anda de um lado para o outro; do lado oposto do cômodo, Marie-Laure quase pode sentir o calor da frustração dela.

— Saiam, então — diz a senhora, e a voz dela arde. — Todas vocês.

— Não seja precipitada — diz madame Ruelle. — Vamos dar um tempo, uma semana ou duas. Esperar que as coisas se acomodem.

Hubert Bazin, com sua máscara de cobre, seu entusiasmo pueril e seu hálito de insetos esmagados. Para onde, fica pensando Marie-Laure, eles levam as pessoas? A "*Gasthaus*" para onde seu pai foi levado? Onde eles escrevem cartas para casa sobre a comida maravilhosa e as árvores míticas? A mulher do padeiro alega que são enviados para acampamentos militares nas montanhas. A mulher do quitandeiro diz que são enviados para fábricas de náilon na Rússia. Parece igualmente provável para Marie-Laure que as pessoas simplesmente desapareçam. Os soldados jogam o escolhido dentro de um saco, eletrocutam a pessoa, e então ela desparece, some. Transferida para algum outro mundo.

A cidade, pensa Marie-Laure, está vagarosamente sendo remodelada para ficar mais parecida com a maquete no andar de cima. Ruas se esvaziando, uma a uma. Ela está ciente da quantidade de janelas ao seu redor quando põe os pés na rua. A quietude é aflitiva, pouco natural. É isso que um rato deve sentir, pensa ela, quando sai do buraco onde mora para a vegetação aberta de uma campina, sem nunca saber que tipo de sombra poderá encobri-lo.

Tudo envenenado

Novas faixas de seda pendem acima das mesas de refeitório, abarrotada de slogans.

Dizem: "Desgraça não é cair, mas mentir."

Dizem: "Seja magro e esbelto, tão rápido quanto um galgo, tão resistente quanto o couro, tão rijo quando o aço Krupp."

Poucas semanas passam antes que mais um instrutor desapareça, tragado pelo motor da guerra. Cidadãos idosos, de disposição e sobriedade contestáveis, assumem os postos. Todos eles, repara Werner, de alguma maneira não estão inteiros: mancam, ou são cegos de um olho, ou têm rostos deformados por pancadas ou pela guerra anterior. Os cadetes mostram menos respeito aos novos instrutores, que, por sua vez, são mais impacientes, e para Werner a escola logo se torna uma granada com o pino puxado.

Coisas estranhas começam a acontecer com a eletricidade. Some por quinze minutos, depois volta. Os relógios andam mais rápido, as lâmpadas brilham mais, tremeluzem e estouram arremessando uma fina chuva de vidro pelos corredores. Seguem-se dias de escuridão, os interruptores sem funcionar, a grade horária se esvazia. Os dormitórios e chuveiros se tornam gélidos; para iluminar, o zelador recorre a tochas e velas. Toda a gasolina está sendo enviada para a guerra, e pelos portões da escola passam poucos e vagarosos carros; os alimentos são entregues pela mesma mula mirrada, as costelas visíveis enquanto ela puxa a carroça.

Mais de uma vez Werner encontra larvas rosadas se contorcendo dentro das salsichas em seu prato. Os uniformes dos novos cadetes são mais pesados e baratos do que os dele; eles deixaram de ter acesso à munição real para tiro ao alvo. Werner não ficaria surpreso se Bastian começasse a distribuir pedras e bastões.

E, apesar disso, todas as notícias são boas.

"Estamos às portas do Cáucaso", proclama o rádio de Hauptmann, "ocupamos campos de petróleo, vamos tomar Svalbard. Avançamos com velocidade espantosa. Cinco mil e setecentos russos mortos, quarenta e cinco baixas no lado alemão."

A cada seis ou sete dias, os mesmos dois pálidos oficiais responsáveis por comunicar as baixas de guerra entram no refeitório, e quatrocentos rostos ficam lívidos pelo esforço de não se voltarem para olhar. Apenas os olhos se movimentam, apenas os pensamentos, traçando mentalmente a passagem dos dois homens enquanto estes se locomovem por entre as mesas, procurando o mais recente filho a perder o pai em combate.

Geralmente o cadete da vez finge não perceber os dois emissários parados atrás dele. Leva o garfo à boca e mastiga, e costuma ser nessa hora que o oficial mais alto, um sargento, coloca uma das mãos no ombro do garoto. O garoto olha para eles, com a boca cheia e um rosto indeciso, e os acompanha para fora do refeitório, as grandes portas duplas de carvalho rangendo ao fechar, e então o recinto volta a respirar, ganhando vida novamente.

O pai de Reinhard Wöhlmann cai. O pai de Karl Werterholzer cai. O pai de Martin Burkhard cai, e Martin diz a todo mundo, na exata noite em que bateram em seu ombro, que está contente.

— Não é verdade que todos morrem, cedo ou tarde? — argumenta ele. — Quem não se sentiria honrado em ser abatido? Em pavimentar a estrada para a vitória final?

Werner procura um traço de desconforto nos olhos de Martin, mas não consegue encontrar.

Para Werner, as dúvidas surgem regularmente. Pureza racial, pureza política — Bastian fala com horror de qualquer tipo de corrupção. No entanto, medita Werner na calada da noite, a vida não é uma espécie de corrupção? Uma criança nasce, e o mundo se apossa dela. Arrancando coisas dela, alojando coisas nela. Cada porção de comida, cada partícula de luz entrando no olho — o corpo nunca pode ser puro. Mas é nisso que o comandante insiste, o motivo pelo qual o Reich mede o nariz de cada um deles, avalia a cor dos seus cabelos.

"A entropia de um sistema fechado nunca diminui."

À noite, Werner fita a parte de baixo da antiga cama de Frederick, as ripas finas, o colchão manchado e ordinário. Um novato está dormindo ali em cima,

Dieter Ferdinand, um garoto baixo e musculoso de Frankfurt, que faz tudo o que mandam com uma ferocidade aterradora.

Alguém tosse; outra pessoa boceja. Soa um apito solitário de trem em algum ponto bem além dos lagos. Para o leste, os trens sempre avançam para o leste, além dos limites das colinas; dirigem-se às pisoteadas linhas de frente nas imensas fronteiras.

Mesmo enquanto ele dorme, os trens se movimentam. As catapultas da história passando barulhentas.

Werner amarra as botas, canta as músicas e marcha como os outros, movido mais por um desgastado desejo de ser diligente do que pela diligência em si. Bastian caminha entre as filas de rapazes na hora do jantar.

— O que é pior do que a morte, rapazes?

Um pobre cadete é instado a ficar em posição de sentido e responder.

— Covardia!

— Covardia — concorda Bastian.

O rapaz então se senta enquanto o comandante segue adiante, anuindo para si mesmo, satisfeito. Ultimamente o comandante fala com intimidade cada vez maior sobre o Führer e sobre o que ele tem precisado — orações, petróleo, lealdade. O Führer precisa de probidade, eletricidade, couro para botas. Werner está começando a notar, com a aproximação do seu décimo sexto aniversário, que o que o Führer realmente precisa é de rapazes. Grandes filas de jovens se encaminhando para uma esteira rolante. Abrir mão de comer creme pelo Führer, dormir pelo Führer, alumínio para o Führer. Abrir mão do pai de Reinhard Wölmann e do pai de Karl Westerholzer e do pai de Martin Burkhard.

Em março de 1942, o dr. Hauptmann chama Werner até o seu escritório. Caixotes se espalham pelo chão, cheios só até a metade. Não há sinais dos cães. O homenzinho anda de um lado para o outro, e só depois que Werner pede licença para entrar é que Hauptmann para. Ele aparenta estar sendo engolfado por algo além do seu controle.

— Fui convocado para ir a Berlim. Querem que eu continue meu trabalho lá.

Hauptmann pega uma ampulheta de uma prateleira e a coloca no caixote, e seus dedos pálidos, de pontas acinzentadas, pendem no ar.

— Será como o senhor sonhou. O melhor equipamento, as mentes mais brilhantes, senhor.

— Isso é tudo — diz Hauptmann.

Werner volta para o corredor. Lá fora, no pátio salpicado de neve, trinta alunos do primeiro ano correm no lugar, ofegantes. Bastian, gordo, abominável e de queixo liso, berra algo. Levanta um braço, e os rapazes dão meia-volta, levantam os rifles acima das cabeças e correm mais rápido nos seus lugares, os joelhos reluzindo à luz do luar.

Visitantes

A campainha toca na casa número 4 da Rue Vauborel. Etienne LeBlanc, madame Manec e Marie-Laure param de mastigar ao mesmo tempo, cada um deles pensando: fui descoberto. O transmissor no sótão, as mulheres na cozinha, as centenas de idas à praia.

— Você está esperando alguém? — pergunta Etienne.
— Ninguém — responde a senhora.

As mulheres teriam vindo pela porta da cozinha.

A campainha toca novamente.

Os três vão até o saguão; madame Manec abre a porta.

Policiais franceses, dois deles. Vieram, explicam, atendendo a um pedido do Museu de História Natural, de Paris. O barulho desagradável dos saltos das botas no assoalho do saguão é tão alto que parece capaz de estilhaçar os vidros das janelas. O primeiro está comendo alguma coisa — uma maçã, imagina Marie-Laure. O segundo tem cheiro de espuma de barbear. E carne assada. Como se tivessem vindo de um banquete.

Os cinco — Etienne, Marie-Laure, madame Manec e os dois homens — se acomodam em torno da mesa quadrada da cozinha. Os homens recusam uma tigela de ensopado. O primeiro limpa a garganta.

— Certo ou errado — diz —, ele foi condenado por conspiração e roubo.
— Todos os prisioneiros, políticos ou não — acrescenta o segundo —, são levados a trabalhos forçados, mesmo que esta não tenha sido a sentença deles.
— O museu mandou cartas para vigias e diretores de prisão de toda a Alemanha.
— Não sabemos ainda exatamente qual é a prisão.
— Acreditamos que possa ser Breitenau.
— Temos certeza de que não providenciaram um julgamento adequado.

A voz de Etienne vem espiralando do lado de Marie-Laure.

— É uma prisão boa? Quer dizer, uma das melhores?

— Receio que não haja prisões alemãs boas.

Um caminhão passa na rua. Uma onda quebra na Plage du Môle, a cinquenta metros de distância. Eles apenas enunciam as palavras, pensa Marie, e o que são as palavras senão sons que estes homens moldam com seu fôlego, vapores leves que jogam no ar da cozinha, onde se espalham e morrem.

— Os senhores tiveram o trabalho de vir até aqui para nos contar algo que já sabíamos — diz Marie-Laure.

Madame Manec segura a mão dela.

— Não conhecíamos este lugar chamado Breitenau — murmura Etienne.

— Vocês contaram ao museu que ele conseguiu enviar duas cartas clandestinamente? — diz o policial.

— Podemos vê-las? — emenda o segundo.

Etienne se retira, aliviado por acreditar que alguém está se ocupando da tarefa. Marie-Laure também deveria ficar feliz, mas algo lhe diz para desconfiar. Ela se lembra de algo que o pai afirmou quando ainda estavam em Paris, na primeira noite da invasão, enquanto esperavam por um trem. "Todo mundo só está preocupado consigo mesmo."

O primeiro policial arranca um naco da maçã com os dentes. Será que estão olhando para ela? Ficar tão próxima deles faz com que se sinta fraca. Etienne volta com as duas cartas, e ela pode ouvir os dois homens passando as folhas para a frente e para trás.

— Ele disse alguma coisa antes de partir?

— Sobre instruções ou providências que deveríamos saber?

O francês deles é bom, um sotaque bem parisiense, mas quem pode saber para onde vai a lealdade deles? "Se o mesmo sangue não corre nos braços e nas pernas da pessoa que está próxima de você, não pode confiar em nada." Para Marie-Laure, o ambiente se tornou apertado e subaquático, como se os cinco estivessem mergulhados em um aquário sombrio lotado de peixes, as nadadeiras colidindo enquanto se movimentam.

— Meu pai não é um ladrão — diz ela.

Madame Manec aperta a mão dela.

— Ele parecia preocupado com o emprego, com a filha. Com a França, é evidente. Quem não estaria?

— Mademoiselle — diz o primeiro homem, falando diretamente com Marie-Laure —, não há alguma coisa específica que ele tenha mencionado?

— Nada.

— Ele tinha muitas chaves no museu.

— Ele devolveu as chaves antes de ir embora.

— Podemos dar uma olhada nas coisas que ele trouxe?

— As malas dele, talvez — acrescenta o segundo homem.

— Ele partiu com a mochila — diz Marie-Laure —, quando o diretor pediu que ele retornasse.

— Podemos olhar mesmo assim?

Marie-Laure pode sentir a seriedade do cômodo aumentar. O que esperam encontrar? Ela pensa no equipamento de rádio acima dela: microfone, rádio, todos aqueles discos, chaves e cabos.

— Pode — responde Etienne.

Eles percorrem todos os quartos. Terceiro andar, quarto andar. No sexto andar, param no meio do antigo quarto do avô dela, abrem as pesadas portas do imenso guarda-roupa, atravessam o corredor, se colocam diante da maquete de Saint-Malo no quarto de Marie-Laure, cochicham um com o outro e depois descem fazendo barulho.

Fazem apenas uma pergunta: sobre três bandeiras da França Livre enroladas em um armário do segundo andar. Por que Etienne as mantém ali?

— O senhor se coloca em perigo guardando essas bandeiras — diz o segundo policial.

— O senhor não gostaria que as autoridades pensassem que todos aqui são terroristas — acrescenta o primeiro. — As pessoas são presas por menos do que isso.

Não fica claro se o aviso foi oferecido como um favor ou uma ameaça. Marie-Laure se pergunta se eles estão se referindo ao pai dela.

Os policiais terminam a busca, dão boa-noite com toda educação e saem.

Madame Manec acende um cigarro.

O ensopado de Marie-Laure está frio.

Etienne atiça a lareira. Joga as bandeiras, uma após a outra, dentro do fogo.

— Não mais. Não mais — diz a segunda frase mais alto do que a primeira. — Não aqui.

— Eles não acharam nada. Não tem nada para eles acharem — diz madame Manec.

O odor acre de algodão queimando enche a cozinha.

— Faça o que quiser com a sua vida, madame — diz Etienne. — Você sempre esteve aqui cuidando de mim, e vou tentar fazer o mesmo por você. Mas não pode mais fazer estas coisas nesta casa. E não pode mais fazer estas coisas com minha sobrinha-neta.

Para minha querida irmã Jutta,

Está muito difícil agora. Até papel é difícil de ▨▨▨▨▨▨▨▨▨▨ *Tivemos que* ▨▨▨▨▨▨▨▨▨▨▨▨▨ *nenhum aquecimento no* ▨▨▨▨▨▨▨▨ ▨▨▨▨▨▨▨▨▨▨▨▨ *Frederick costumava dizer que não existe isso que chamam de livre-arbítrio e que o caminho de cada pessoa está predeterminado para ela assim como* ▨▨▨▨▨▨▨▨▨▨▨▨ *e que meu erro foi que eu* ▨▨▨▨▨▨▨▨▨▨▨▨▨▨▨▨▨▨▨▨▨▨ *Espero que algum dia você possa entender. Com amor para você e para Frau Elena também. Sieg heil.*

A RÃ COZINHA

Nas semanas seguintes, madame Manec se mantém completamente afetuosa; caminha com Marie-Laure para a praia quase todas as manhãs, leva-a ao mercado. Porém, ela parece ausente, perguntando a Marie-Laure e Etienne como estão passando na mais perfeita polidez, dando bom-dia como se fossem estranhos. Frequentemente ela desaparece durante metade do dia.

As tardes de Marie-Laure se tornam mais longas, mais solitárias. Certa noite, ela está na mesa da cozinha enquanto o tio-avô lê em voz alta.

"A vitalidade que os ovos dos caramujos possuem ultrapassa qualquer crença. Já vimos certas espécies congeladas em sólidos blocos de gelo e, ainda assim, voltam à vida quando submetidas às influências do aquecimento."

Etienne faz uma pausa.

— Devíamos preparar o jantar. Acho que madame não volta para casa esta noite.

Nenhum deles se mexe. Ele lê mais uma página. "Foram armazenados durante anos e, no entanto, quando umedecidos, começaram a rastejar como se nada tivesse acontecido... A carapaça pode estar quebrada, e mesmo algumas partes removidas, e ainda assim, depois de certo tempo, as partes danificadas se regeneram por sedimentação de material nas partes fraturadas."

— Ainda há esperança para o meu caso! — ri Etienne.

Marie-Laure se recorda de que o tio-avô nem sempre foi tão amedrontado, de que ele tinha uma vida antes desta guerra e antes da guerra anterior também; de que antes ele tinha sido um homem jovem que habitava e amava o mundo, assim como ela.

Enfim madame Manec adentra pela porta da cozinha e a tranca atrás de si, e Etienne diz boa-noite de maneira um tanto fria, ao que madame Manec retribui após uma pequena pausa. Em algum lugar na cidade, os alemães estão carregando armas ou bebendo conhaque, e a História se tornou um pesadelo do qual Marie-Laure deseja desesperadamente acordar.

Madame Manec pega uma panela na prateleira e a enche com água. Sua faca atravessa algo que soa como batata, a lâmina batendo contra a tábua de cortar embaixo.

— Por favor, madame — diz Etienne. — Deixe-me ajudá-la. Você está exausta.

Mas ele não se levanta, e madame Manec continua a picar as batatas e, quando ela termina, Marie-Laure a ouve empurrar uma porção delas na água com a lâmina da faca. A tensão na cozinha faz Marie-Laure se sentir tonta, como se ela pudesse sentir o planeta girando.

— Afundou algum *U-boat* hoje? — murmura Etienne. — Explodiu algum tanque alemão?

Madame Manec abre com um estrépito a tampa da geladeira. Marie-Laure pode ouvi-la remexendo dentro de uma gaveta. Um fósforo se acende; um cigarro é aceso. Em pouco tempo uma tigela de batatas pouco cozidas aparece na frente de Marie-Laure. Ela tateia a mesa procurando um garfo, mas não encontra.

— Sabe o que acontece, Etienne — diz madame Manec do outro lado da cozinha —, quando você joga uma rã em uma panela de água fervente?

— Você vai nos contar, tenho certeza.

— Ela pula para fora. Mas sabe o que acontece quando você coloca a rã em uma panela de água fria e então lentamente põe a água para ferver? Sabe o que acontece?

Marie-Laure aguarda. As batatas soltam fumaça.

— A rã cozinha — fala madame Manec.

ORDENS

Werner é convocado por um garoto de onze anos cheio de reverências para comparecer ao escritório do comandante. Ele fica aguardando em um banco de madeira com uma sensação de pânico que cresce aos poucos. Devem suspeitar de alguma coisa. Talvez tenham descoberto algum fato sobre seus pais que mesmo ele não sabe, algo devastador. Ele se lembra de quando o cabo atravessou a porta da Casa das Crianças para conduzi-lo até Herr Siedler: a certeza de que os instrumentos do Reich conseguem ver através das paredes, através da pele, no interior da alma de cada indivíduo.

Depois de várias horas, o assistente do comandante o manda entrar, abaixa o lápis e olha do outro lado da mesa como se Werner fosse um dentre uma vasta gama de problemas triviais que ele tem que resolver.

— Fomos informados, cadete, que a sua idade foi registrada incorretamente.

— Senhor?

— Você tem dezoito anos. Não dezesseis, como alegou.

Werner fica confuso. O absurdo é evidente: ele continua menor do que a maioria dos rapazes de quatorze anos.

— Nosso antigo professor de Ciências Tecnológicas, o dr. Hauptmann, chamou nossa atenção para essa discrepância. Ele organizou as coisas para que você seja enviado para uma divisão especial de tecnologia do Wehrmacht.

— Uma divisão, senhor?

— Você está aqui na escola sob alegações falsas.

A voz dele é escorregadia e denota satisfação; seu queixo é inexistente. Do lado de fora de uma janela ouve-se o som da banda da escola ensaiando uma marcha triunfal. Werner observa um rapaz com aparência nórdica que cambaleia sob o peso de uma tuba.

— O comandante requereu uma ação disciplinar, mas o dr. Hauptmann disse que você está ansioso para oferecer as suas habilidades para o Reich.

O assistente retira um uniforme dobrado que estava atrás de sua mesa — uniforme cinza-esverdeado, águia no peito, Litzen no colarinho. Depois um capacete preto-esverdeado em formato de cuia, obviamente grande demais.

A banda retumba, depois para. O instrutor da banda esbraveja nomes.

— Você tem muita sorte, cadete. Servir é uma honra — diz o assistente do comandante

— Quando, senhor?

— Vai receber suas instruções daqui a quinze dias. Isso é tudo.

Pneumonia

É primavera na Bretanha, e uma frente de umidade intensa invade a costa. Nevoeiro no mar, nevoeiro nas ruas, nevoeiro na mente. Madame Manec fica doente. Quando Marie-Laure coloca a mão sobre o peito da velha senhora, o calor parece emanar do esterno dela, como se cozinhasse por dentro. Sua respiração se degenera até uma série de tosses oceânicas.

— Observo as sardinhas — murmura madame Manec — e os cupins e os corvos...

Etienne chama um médico, que prescreve repouso, aspirina e comprimidos de violeta-de-cheiro. Marie-Laure fica ao lado de Madame durante a pior fase da doença, estranhos momentos em que as mãos da velha mulher ficam extremamente frias e ela fala sobre ser responsável pelo mundo. Ela é responsável por tudo, mas ninguém sabe. Trata-se de um fardo tremendo, diz ela, ser encarregada de zelar por todas as pequenas coisas, todas as crianças que nascem, todas as folhas caindo de todas as árvores, todas as ondas que rebentam na praia, todas as formigas em suas jornadas.

No fundo da voz de madame Manec, Marie-Laure ouve água: atóis, arquipélagos, lagoas e fiordes.

Etienne mostra-se ser um enfermeiro dedicado. Panos para limpeza, caldos, de vez em quando uma página de Pasteur ou Rousseau. A maneira como ele demonstra o perdão por todas as transgressões no passado e no presente. Ele enrola madame Manec em uma colcha, mas com o tempo ela tem tremedeiras tão intensas, tão profundas, que ele apanha o grande e pesado tapete de retalhos do chão e o coloca sobre ela.

Minha queridíssima Marie-Laure,

Seus pacotes chegaram, dois deles, datados com meses de diferença. A palavra alegria não é o suficiente para definir o que senti. Eles me deixaram ficar com a escova de dentes e o pente, mas não com o papel onde estavam embrulhados. Nem com o sabão. Como eu gostaria que nos deixassem ter sabão! Disseram que nossa próxima tarefa seria em uma fábrica de chocolate, mas era uma fábrica de papelão. O dia inteiro fabricamos papelão. O que será que eles fazem com tanto papelão?

Toda a minha vida, Marie-Laure, fui o responsável por carregar as chaves. Agora, quando se aproximam de nós tagarelando de manhã, toda vez procuro no meu bolso, mas apenas constato que está vazio.

Quando sonho, sonho que estou no museu.

Lembra-se dos seus aniversários? Como sempre havia duas coisas em cima da mesa quando você acordava? Lamento que tudo tenha mudado dessa forma. Se algum dia quiser entender, procure pelo interior da casa de Etienne, dentro da casa. Sei que vai fazer a coisa certa. Embora eu quisesse que o presente fosse melhor.

Meu anjo está partindo, então se eu puder mandar esta carta para você, vou fazer isso. Não me preocupo com você porque sei que você é muito esperta e se mantém a salvo. Estou a salvo também, e você não deve se preocupar. Agradeça ao Etienne por ler a carta para você. Agradeça de coração à alma corajosa que carrega esta carta para longe de mim, em direção a você.

Seu Papa

Tratamentos

O médico de Von Rumpel diz que estão sendo feitas pesquisas fascinantes sobre gases de mostarda. Que as propriedades antitumorais de um grande número de substâncias químicas estão sendo exploradas. O prognóstico está melhorando: em testes com cobaias, viu-se que tumores linfoides diminuíram em tamanho. Porém, as injeções deixam Von Rumpel tonto e fraco. Nos dias seguintes, ele mal consegue pentear o cabelo ou convencer os dedos a abotoarem o casaco. Sua mente também prega peças: ele entra em um cômodo e esquece por que está lá. Encara um superior e esquece o que o homem acabou de dizer. Os sons de carros são como garfos arranhando seus nervos.

Nesta noite, ele se envolve nos cobertores do hotel, pede sopa e desembrulha um pacote de Viena. A bibliotecária de marrom enviou cópias do Tavernier e do Streeter e até — o que é impressionante — duplicatas em estêncil da obra *Gemmarum et Lapidum Historia*, de Boodt, de 1604, escrita inteiramente em latim. Tudo o que ela conseguiu encontrar a respeito do Mar de Chamas. Nove parágrafos no total.

Ele precisa de toda a sua concentração para manter o foco no texto. Uma deusa da terra que se apaixonou por um deus do mar. Um príncipe que se recuperou de danos catastróficos, que reinou em meio a um véu de luz. Von Rumpel fecha os olhos e vê uma deusa de cabelos cor de fogo se movimentar pelos túneis da terra, centelhas brilhando em sua vigília. Ele escuta um padre sem língua dizer: "O portador da pedra viverá para sempre." Ouve seu pai dizer: "Veja os obstáculos como oportunidades, Reinhold. Veja os obstáculos como inspirações."

Céu

Madame Manec se recupera após algumas semanas. Ela promete a Etienne que vai se lembrar da própria idade, não vai tentar ser tudo para todo mundo, não vai combater a guerra sozinha. Um dia, no início de junho, quase exatos dois anos após a invasão da França, ela e Marie-Laure atravessam um campo de cenouras em flor a leste de Saint-Malo. Madame Manec contou a Etienne que elas iam verificar se havia morangos à venda no mercado de Saint-Servan, mas Marie-Laure tinha certeza de que, quando pararam para cumprimentar uma mulher no caminho, a velha senhora entregou um envelope e pegou outro.

Por sugestão de madame Manec, deitam sobre o gramado, e Marie-Laure escuta as abelhas explorarem as flores e tenta imaginar a jornada delas da maneira como Etienne havia descrito: cada operária seguindo um fluxo de odor, procurando padrões ultravioleta nas flores, coletando grãos de pólen com suas patas traseiras, e depois navegando, bêbadas e pesadas, pelo seu caminho de volta para casa.

Como elas sabem qual função devem desempenhar, essas pequenas abelhas?

Madame Manec tira os sapatos, acende um cigarro e solta um gemido contido. Os insetos pairam entre elas: vespas, moscas das flores, uma libélula ocasional — Etienne ensinou Marie-Laure a distinguir cada inseto pelo som.

— O que é um mimeógrafo, madame?

— Uma máquina para ajudar a criar panfletos.

— O que ela tem a ver com a mulher que encontramos?

— Nada com que você deva se preocupar, querida.

Cavalos relincham suavemente, e o vento sopra do mar, brando, frio e cheio de aromas.

— Madame? Como é a minha aparência?

— Você tem milhares de sardas.

— Papa costumava dizer que eram como estrelas no céu. Como maçãs em uma árvore.

— São pequenos pontos castanhos, querida. Milhares de pequeninos pontos castanhos.

— Assim soa feio.

— Em você, as sardas ficam lindas.

— A senhora acha, madame, que no céu nós realmente vamos conseguir ver Deus face a face?

— Pode ser que sim.

— E se você for cego?

— Acho que, se Deus quer que vejamos alguma coisa, então nós vamos efetivamente ver.

— O tio Etienne diz que o céu é como um cobertor a que os bebês costumam se apegar. Diz que as pessoas já pilotaram aviões dez quilômetros acima da terra e não encontraram nenhum reino dos céus. Nenhum portão, nem anjos.

Madame Manec é acometida por um dissonante ataque de tosse que faz Marie-Laure tremer de medo.

— Você está pensando no seu pai — finalmente consegue dizer. — Você tem que acreditar que o seu pai vai voltar.

— A senhora nunca fica cansada de acreditar, madame? A senhora nunca quer uma prova?

Madame Manec descansa uma mão na testa de Marie-Laure. A mão espessa que a princípio a fez lembrar as mãos de um jardineiro ou de um geólogo.

— Você nunca pode deixar de acreditar. Essa é a coisa mais importante.

As flores do campo balançam, e as abelhas continuam firmes em seu trabalho. Se pelo menos a vida fosse como um romance de Júlio Verne, pensa Marie-Laure, e você pudesse passar as páginas para a frente, quando precisasse, para descobrir o que estava para acontecer.

— Madame?

— Sim, Marie.

— O que a senhora acha que as pessoas comem no céu?

— Não tenho certeza se elas precisam comer no céu.

— Deixar de comer! A senhora não ia gostar disso, não é?

Madame, porém, não solta uma risada, como espera Marie-Laure. Não diz uma palavra. A respiração dela ressoa.

— Ofendi a senhora, madame?

— Não, querida.
— Estamos em perigo?
— Não mais do que em qualquer outro dia.
A grama sacode e vibra. Os cavalos relincham.
— Agora que pensei sobre isso, querida — sussurra madame Manec —, espero que o céu seja parecido com isso aqui.

FREDERICK

Werner gasta o que resta do seu dinheiro em uma passagem de trem. A tarde está bastante clara, mas Berlim não parece aceitar a luz do sol, como se seus prédios tivessem se tornado mais sombrios, mais sujos e mais manchados nos meses que se passaram desde a sua última visita. Talvez o que tenha se modificado sejam os olhos que veem a cidade.

Em vez de tocar a campainha imediatamente, Werner dá três voltas no quarteirão. As janelas do apartamento estão uniformemente escuras; se a luz está apagada ou bloqueada, não dá para ele dizer. Em um ponto do quarteirão, há uma loja cheia de manequins sem roupas e, embora ele saiba que não passe de um efeito da luz, a cada volta ele não consegue evitar que seus olhos os vejam como cadáveres suspensos por fios.

Finalmente toca a campainha do nº 2. Ninguém responde, e ele percebe, pelas placas na porta, que não estão mais no nº 2. O nome deles está no nº 5.

Ele toca. Um zumbido soa como resposta.

O elevador está com defeito; então, ele sobe pelas escadas.

A porta se abre. Fanni. Com uma leve camada de pelos no rosto fofo e a pele dos braços balançando. Fanni lança um olhar de pessoa encurralada; depois a mãe de Frederick surge de um cômodo ao lado vestindo um uniforme de tênis.

— Ora, Werner...

Ela se perde momentaneamente em um devaneio inquieto, cercada de móveis lustrosos, alguns deles enrolados em espessos cobertores de lã. Será que ela o culpa? Será que ela o considera em parte responsável? Será que ele talvez seja? Mas então ela desperta do devaneio e o beija nas duas bochechas, e o seu lábio inferior treme ligeiramente. Como se a materialização de Werner não deixasse que ela mantivesse algumas sombras a distância.

— Ele não vai reconhecer você. Não tente fazer com que se lembre. Isso só faria com que ele ficasse aborrecido. Mas você está aqui. Isso já faz alguma diferença. Eu estava pronta para sair, lamento não poder ficar. Mostre o caminho para ele, Fanni.

A criada o conduz até uma grande sala de estar, o teto com um padrão circular de ornamentos em gesso, as paredes pintadas em um delicado tom opaco de azul. Ainda não há nenhum quadro pendurado, as estantes aguardam vazias e caixas de papelão encontram-se abertas no chão. Frederick está sentado a uma mesa de tampo de vidro no fundo da sala, tanto a mesa quanto o rapaz parecendo pequenos no meio da desordem. O cabelo dele foi penteado com força para um dos lados, e a camisa solta de algodão subiu e ficou sobrando nos ombros, a ponto de enviesar a gola. Seus olhos não se erguem para encarar sua visita.

Frederick usa os mesmos velhos óculos de armação preta. Alguém estava dando comida para ele, e a colher descansa na mesa de vidro, porções de mingau grudadas acima dos lábios e no jogo americano, que é uma peça trançada com desenhos de crianças felizes de bochechas rosadas usando tamancos de madeira. Werner não consegue olhar para aquilo.

Fanni se inclina e empurra mais três colheradas na boca de Frederick, limpa o queixo dele, dobra o jogo americano e sai da sala atravessando uma porta vai-e-vem que deve dar para a cozinha. Werner fica de pé com as mãos cruzadas em frente ao cinto.

Um ano. Mais do que isso. Frederick agora precisa fazer barba, percebe Werner. Ou alguém a faz para ele.

— Olá, Frederick.

Frederick gira a cabeça para trás e olha em direção a Werner com os óculos na ponta do nariz.

— Sou o Werner. Sua mãe disse que talvez não se lembre de mim. Sou seu amigo da escola.

O olhar de Frederick parece transpassar Werner. Sobre a mesa há uma pilha de papéis, uma espiral grossa e esquisita foi desenhada por uma mão pesada na primeira folha.

— Você desenhou isso?

Werner levanta o desenho de cima. Embaixo, há outro desenho igual, depois outro, trinta ou quarenta espirais, cada uma ocupando uma página inteira, todas com a mesma marca forte de grafite. Frederick abaixa o queixo até o peito, possivelmente um sinal de confirmação. Werner dá uma olhada em volta: um baú, uma caixa de roupa de cama e mesa, o azul pálido das paredes e o branco vivo dos lambris. A luz do sol da tarde desliza pelas altas janelas envidraçadas, e o ar tem um aroma de polidor de prata. O apartamento do quinto andar realmente é mais agradável do que o do segundo andar — o teto de pé direito alto, decorado com estanho perfurado e enfeites de gesso: frutos, flores, folhas de bananeira.

O lábio de Frederick está virado, os dentes superiores estão aparentes e um fio de baba vem balançando do seu queixo e cai no papel. Werner, incapaz de suportar a cena mais um segundo, chama a criada. Fanni espia pela porta.

— Onde está aquele livro? — pergunta. — Aquele com os pássaros? Com a capa dourada?

— Acho que nunca tivemos aqui um livro assim.

— Não, vocês tiveram...

Fanni apenas balança a cabeça e entrelaça os dedos sobre o avental. Werner levanta as abas das caixas, espiando dentro delas.

— Certamente está por aqui.

Frederick começou a desenhar uma nova espiral em uma folha em branco.

— Talvez nesta?

Fanni permanece de pé ao lado de Werner e puxa a mão dele da caixa que ele está prestes a abrir.

— Acho — repete — que nunca tivemos aqui um livro assim.

O corpo inteiro de Werner começa a coçar. Lá fora, pelas janelas imensas, as tílias sacodem para trás e para a frente. A luz diminui. Um letreiro apagado em cima de um prédio a dois quarteirões de distância tem os dizeres "Berlim fuma Junos".

Fanni já voltou para a cozinha.

Werner observa Frederick criar mais uma espiral grosseira, o lápis grudado na mão fechada.

— Estou saindo de Schulpforta, Frederick. Eles trocaram a minha idade e estão me mandando para a frente de batalha.

Frederick levanta o lápis, ponderando, e depois volta à tarefa.

— Em menos de uma semana.

Frederick mexe a boca como se fosse mastigar o ar.

— Você está bonita — diz Frederick.

Não olha diretamente para Werner, e as palavras dele mais parecem grunhidos.

— Você está muito, muito bonita, Mutti.

— Não sou sua Mutti — sibila Werner. — Deixe disso.

A expressão de Frederick é inteiramente livre de artifícios. Em algum lugar da cozinha, a criada está escutando. Não há nenhum outro som, nem do tráfego nem de aviões nem de trens nem de rádios nem do espectro de Frau Schwartzenberger fazendo barulho no elevador. Nada de ladainha nem de cantoria nem de faixas de seda nem de bandas nem de trompetes nem de mães nem de pais nem de comandantes passando dedos ensebados nas costas de alguém. A cidade parece estar em silêncio completo, como se todos estivessem escutando, esperando que alguém deslize.

Werner fita o azul das paredes e pensa no *Birds of America*, o savacu-de-coroa, a mariquita do Kentucky, o tangará escarlate, uma ave gloriosa após outra, e o olhar de Frederick permanece fixado em algum terrível terreno intermediário, cada olho uma poça estagnada dentro da qual Werner não suporta olhar.

Recaída

No final de junho de 1942, pela primeira vez desde que ficou doente, madame Manec não está na cozinha quando Marie-Laure acorda. Será que ela já estaria no mercado? Marie-Laure bate na porta, espera com batidas do coração, e nada. Então abre a porta dos fundos e a chama na viela. Um glorioso e quente amanhecer de junho. Pombos e gatos. Risadas altas de uma janela vizinha.

— Madame?

O coração de Marie acelera. Ela volta a tentar a porta da madame Manec.

— Madame?

Quando resolve entrar, ouve primeiro o chiado. Como se uma onda sem força remexesse pedras nos pulmões da velha mulher. Odores acres de suor e urina se erguem da cama dela. As mãos da menina encontram o rosto de madame Manec, e a face da velha mulher está tão quente que Marie-Laure recolhe os dedos como se eles tivessem se queimado. Ela sobe as escadas aos tropeços, cambaleando, gritando "Tio! Tio!", a casa toda se tornando vermelha na mente dela, o teto se transformando em fumaça, as chamas engolindo as paredes.

Os joelhos de Etienne estalam quando ele se agacha ao lado de madame Manec, depois corre até o telefone e fala algumas palavras breves. Volta rápido para a cama dela. Durante a hora seguinte, a cozinha se enche de mulheres, madame Ruelle, madame Fontineau, madame Hébrard. O primeiro andar fica superlotado; Marie-Laure sobe e desce pela escada, como se estivesse encontrando o caminho na espiral de uma enorme concha. O médico vem e vai, de vez em quando uma mulher aperta o ombro de Marie-Laure com uma mão ossuda, e exatamente às duas horas pelo bater dos sinos da catedral, o médico volta com um homem que não diz nada além de boa tarde, que tem cheiro de sujeira e cravo, que ergue madame Manec, a carrega para a rua e a coloca em uma carroça puxada a cavalo como se ela fosse um saco de grãos moídos, e os cascos do cavalo trotam para longe, o médico tira os lençóis da cama, e Marie-Laure encontra Etienne no canto da cozinha murmurando: "Madame morreu, madame morreu."

Seis

8 de agosto de 1944

Um estranho na casa

Uma presença, uma respiração. Marie-Laure dirige todos os seus sentidos para a entrada da casa, três andares abaixo. O portão externo range ao fechar, seguido pela batida da porta.

Em sua cabeça, a voz do pai raciocina: "O portão fechou antes da porta, não depois. O que significa que, seja quem for, primeiro fechou o portão e depois fechou a porta. Ele está dentro de casa."

Todos os pelos de sua nuca se arrepiam.

"Etienne sabe que o sino seria acionado, Marie. Etienne já estaria chamando por você."

Botas no saguão. Alguém pisoteia os fragmentos de pratos.

"Não é Etienne."

A angústia é tão aguda que chega a ser insuportável. Ela tenta acalmar a mente, tenta imaginar a chama de uma vela fulgurando dentro do peito, um caramujo se recolhendo às espirais de sua concha, mas o coração dela pulsa forte e vibrações de medo reverberam por sua coluna, e de repente ela já não tem certeza se alguém no saguão pode olhar para cima, para as curvas da escadaria, e ver diretamente o terceiro andar. Ela se lembra do aviso de seu tio-avô sobre os cuidados que precisariam tomar contra os saqueadores, e o ar se agita com murmúrios e manchas fantasmagóricas, e Marie-Laure se imagina correndo pelo banheiro cheio de teias de aranhas e se atirando pela janela.

Botas no corredor. Uma travessa deslizando pelo piso após ser chutada. Um bombeiro, um vizinho, algum soldado alemão caçando comida?

"Se alguém viesse em resgate, gritaria para achar sobreviventes, *ma chérie*. Você tem que se mexer. Tem que se esconder."

Os passos viajam até o quarto de madame Manec. Andam vagarosamente; talvez esteja escuro. Já é noite?

Quatro ou cinco ou seis ou um milhão de batidas de coração. Ela está com a bengala, o casaco de Etienne, as duas latas, a faca, o tijolo. A casa da maquete no bolso do vestido. A gema dentro dela. Água na banheira no final do corredor.

Mexa-se. Vá.

Uma panela ou uma caçarola, provavelmente caída do seu gancho durante o bombardeio, se agita nos azulejos da cozinha. Ele sai da cozinha. Retorna para o saguão.

"Levante-se, *ma chérie*. Levante-se agora."

Ela se levanta. Com a mão direita, encontra o corrimão. Ele está na base da escada. Ela quase solta um berro. Mas depois ela reconhece — assim que ele coloca o pé no primeiro lance de escada — que o passo dele está fora de ritmo. Um-pausa-dois, um-pausa-dois. É um caminhar que ela já ouviu antes. O mancar do sargento-mor alemão de voz cadavérica.

"Vá."

Marie-Laure avança passo a passo com a maior cautela possível. Sente-se aliviada agora por não estar usando os sapatos. O coração pulsa tão furiosamente no peito que ela quase acredita que o homem lá embaixo pode ouvi-lo.

Sobe até o quarto andar. Um sussurro a cada degrau. O quinto. No patamar do sexto andar, dá uma pausa embaixo do lustre e tenta escutar. Ouve o alemão subir alguns degraus e depois fazer uma curta pausa para ganhar fôlego. Depois retoma a subida. Um degrau de madeira reclama por baixo do peso dele; para ela, soa como um pequeno animal sendo esmagado.

Ele para no que ela acredita ser o patamar do terceiro piso. No andar em que ela estava há pouco. O calor dela ainda no chão de madeira ao lado da mesa de telefone. Seu hálito no ar.

Para onde ela pode fugir agora?

"Esconda-se."

À esquerda fica o antigo quarto do avô. À direita, seu pequeno quarto, a vidraça da janela arrancada. Em frente fica o banheiro. Ainda há um cheiro forte de fumaça por toda parte.

Os passos dele cruzam o patamar. Um-pausa-dois, um-pausa-dois. Respiração ofegante. Subindo novamente.

Se ele me tocar, pensa ela, vou arrancar os olhos dele.

Ela abre a porta do quarto do avô e para. Lá embaixo, o homem também faz uma pausa. Será que ele a ouviu? Será que ele está subindo em silêncio? Lá fora, no mundo, aguarda uma profusão de santuários — jardins cheios de vento verde brilhante; reinados de arbustos; profundas sombras de floresta pelas quais flutuam borboletas pensando apenas no néctar. Nenhum deles a seu alcance.

Ela encontra o imenso guarda-roupa no fundo do quarto de Henri, abre as duas portas espelhadas, separa as camisas velhas penduradas lá dentro e abre a porta falsa que Etienne construiu no fundo. Ela se espreme no apertado corredor da escada para o sótão. Depois alcança as portas e as fecha.

Proteja-me agora, pedra preciosa, se você for minha protetora.

"Silêncio", diz a voz do pai dela. "Não faça barulho algum." Com uma das mãos, ela encontra a maçaneta que Etienne atrelou ao painel do fundo falso do guarda-roupa. Ela a desliza para fechar, centímetro a centímetro, até ouvir o clique no ponto certo, depois inspira profundamente e prende a respiração pelo máximo de tempo que consegue.

A morte de Walter Bernd

Durante uma hora, Bernd murmurou palavras desconexas. Depois, ficou em silêncio.

— Meu Deus, tenha piedade deste seu servo — diz Volkheimer.

Mas agora Bernd se senta e pede luz. Eles lhe dão o restante de água do primeiro cantil. Werner observa um único fio de água escorrer pelo rosto do engenheiro.

Bernd permanece sentado sob a fraca iluminação da lanterna e olha de Volkheimer para Werner.

— Na licença do ano passado — diz o engenheiro —, visitei meu pai. Ele estava velho; ele foi velho durante toda a minha vida. Mas agora parecia especialmente velho. Levou uma eternidade só para atravessar a cozinha. Ele tinha um pacote de biscoitos, pequenos biscoitos de amêndoa. Colocou-os dentro de um prato, o pacote jogado ali. Nenhum de nós comeu. E aí ele disse: "Você não precisa ficar. Eu gostaria que ficasse, mas você não precisa. Provavelmente tem coisas para fazer. Pode sair com os seus amigos, se quiser." Ele ficou o tempo todo repetindo isso.

Volkheimer apaga a luz, e Werner percebe uma dor excruciante salvaguardada pela escuridão.

— Eu saí — diz Bernd. — Desci as escadas e fui para a rua. Não tinha nenhum lugar para ir. Ninguém para ver. Eu não tinha nenhum amigo naquela cidade. Eu tinha andado em mais de um trem o maldito dia inteiro só para ver o meu pai. Mas eu saí, simples assim.

Então, ele fica quieto. Volkheimer o recoloca no chão com o cobertor de Werner em cima dele, e não muito tempo depois Bernd morre.

Werner trabalha no rádio. Talvez o faça por Jutta, como sugeriu Volkheimer, ou talvez ele o faça para não ter que pensar em Volkheimer carregando Bernd para um canto e empilhando tijolos sobre suas mãos, seu peito, seu rosto.

Werner segura a lanterna na boca e junta o que consegue: um martelo pequeno, três jarros com parafusos, cabo elétrico de calibre dezoito de um abajur de mesa despedaçado. Dentro da gaveta de um armário empenado, milagrosamente ele descobre uma bateria de onze volts de zinco-carbono com um gato preto impresso no lado. Uma bateria americana, seu slogan oferecendo nove vidas. Werner a examina na luz tremeluzente, impressionado. Verifica seus terminais. Ainda cheio de carga. Quando a lanterna de campo morrer, pensa ele, teremos isso aqui.

Ele desvira a mesa. Coloca sobre ela o transmissor-receptor amassado. Werner não acredita que ainda há jeito, mas talvez seja o suficiente para oferecer à mente algo para fazer, um problema para solucionar. Ele ajusta a lanterna de Volkheimer nos dentes. Tenta não pensar em fome e sede, na barreira de vácuo em seu ouvido esquerdo, em Bernd no canto, nos austríacos lá em cima, Frederick, Frau Elena, Jutta, nada mais.

Antena. Sintonizador. Condensador. Enquanto ele trabalha, sua mente fica quase quieta, quase tranquila. Trata-se de um ato de memória.

O QUARTO DO SEXTO ANDAR

Von Rumpel segue mancando pelos cômodos, encontrando inertes os frisos brancos desbotados e as candeias antigas, as cortinas bordadas e os espelhos *belle époque*, os navios em garrafas de vidro e os botões de interruptores elétricos. A luz fraca do crepúsculo refrata através das lâminas das venezianas e atravessa a fumaça em turvos fachos vermelhos.

Um templo para o Segundo Império, esta casa. No terceiro andar, uma banheira com água fria até quase a metade. Cômodos abarrotados no quarto andar. Por enquanto, nenhuma casa de boneca. Ele sobe até o quinto andar, suando. Preocupado de ter entendido tudo errado. A pressão em seu intestino pulsa. Aqui há um quarto grande e enfeitado, abarrotado de bugigangas, caixotes, livros e peças mecânicas. Uma mesa, uma cama, um divã, três janelas em cada lado. Nenhuma maquete.

Para o sexto andar. À esquerda, um pequeno quarto de dormir com uma única janela e longas cortinas. Um boné de garoto está pendurado na parede; no fundo, se apruma um sólido guarda-roupa, com camisas penduradas e bolas de naftalina.

De volta ao patamar. No pequeno toalete, o vaso sanitário cheio de urina. Além dele, um último quarto. Conchas do mar estão enfileiradas ao longo de todas as superfícies disponíveis, conchas nos peitoris e na cômoda e, alinhados no piso, jarras cheias de seixos, tudo organizado por algum sistema indiscernível, e aqui, aqui! Aqui, em uma mesa baixa, aos pés da cama, pousa o que ele vem procurando, uma maquete da cidade em madeira, abrigada como um presente. Tão grande quanto uma mesa de jantar. Transbordando de pequeninas casas. Com exceção de algumas lascas de gesso nas ruas, a cidade em miniatura está perfeita. O simulacro agora mais completo do que o original. Um trabalho de pura magnificência.

No quarto da filha. Para ela. É claro.

Von Rumpel sente o triunfo ao final de uma longa jornada, e se senta na beirada da cama, dois espasmos de dor subindo por suas virilhas; experimenta a curiosa sensação de ter visto o quarto antes, de ter vivido em um aposento como aquele, ter dormido em uma cama irregular como aquela, ter colecionado e organizado pedras polidas como aquelas. Como se, de alguma forma, este conjunto inteiro estivesse esperando pelo seu retorno.

Pensa em suas próprias filhas, em como elas adorariam ver uma cidade sobre uma mesa. A mais nova ia querer que ele ajoelhasse ao lado dela. "Vamos imaginar que todas as pessoas estão jantando", diria ela. "Vamos imaginar que nós estamos aqui, papai."

Além da janela quebrada, além das persianas fechadas, Saint-Malo está tão calma que Von Rumpel é capaz de ouvir o rufar das batidas de seu próprio coração. A fumaça soprando sobre o telhado. As cinzas caindo levemente. A qualquer momento, a artilharia vai recomeçar. Agora, delicadamente. O que ele procura está aqui em algum lugar. É típico do chaveiro repetir a si mesmo. A maquete — a pedra está no interior da maquete.

Montando o rádio

Werner engancha uma das pontas do fio em um cano rompido que sai enviesado do chão. Com saliva, ele limpa o restante do fio e o enrola cem vezes em torno da base do cano, criando uma nova bobina de sintonia. A outra ponta, ele arremessa através da dobra de uma escora presa no acúmulo de madeira, pedra e gesso em que se transformou o teto.

Volkheimer observa por entre as sombras. Um morteiro explode em algum ponto da cidade, e uma lufada de poeira se espalha.

O diodo une as extremidades soltas dos dois fios e se liga aos terminais da bateria para completar o circuito. Werner corre o facho da lanterna de Volkheimer sobre a operação inteira. Terra, antena, bateria. Então ele segura a lanterna entre os dentes, ergue a ponta dos dois terminais do fone de ouvido na altura dos olhos, os desencapa usando as ranhuras de um parafuso e encosta as extremidades livres no diodo. Invisivelmente, elétrons se movem pelos fios.

O hotel acima deles — o que restou dele — emite uma série de ruídos sinistros. A madeira se estilhaça, como se os escombros se desequilibrassem no sustentáculo que lhes resta. Como se uma única libélula pudesse pousar nele e desencadear uma avalanche que vai enterrá-los para sempre.

Werner pressiona o fone no ouvido direito.

Não funciona.

Ele vira o estojo de rádio amassado, examina dentro dele. Com uma pancada rápida, faz a luz esmaecida de Volkheimer voltar a iluminar. Assentar a mente. Visualizar a distribuição da corrente. Ele verifica novamente os fusíveis, as válvulas, as tomadas; ele liga e desliga a chave de transmissão e recepção, sopra a poeira do seletor de frequência. Recoloca os terminais na bateria. Tenta o fone de ouvido novamente.

E lá está ela, como se ele tivesse oito anos de idade novamente, agachado ao lado da irmã no chão da Casa das Crianças: estática. Nítida e firme. Em sua memória, Jutta diz o nome dele, e imediatamente surge uma segunda imagem, menos esperada: cordas duplas esticadas na parte frontal da casa de Herr Siedler, a grande faixa lisa pendurada nelas, imaculada, completamente vermelha.

Werner busca as frequências por intuição. Nenhum ruído, nenhum estalido de código Morse, nenhuma voz. Estática, estática, estática, estática, estática. Em seu ouvido bom, no rádio, no ar. Os olhos de Volkheimer permanecem nele. A poeira flutua pelo facho débil da lanterna: dez mil partículas, girando suavemente, piscando.

No sótão

O alemão fecha as portas do guarda-roupa e se afasta mancando, e Marie-Laure permanece no degrau mais baixo da escada e conta até quarenta. Sessenta. Cem. O coração com dificuldades para bombear sangue oxigenado, a mente com dificuldades para elucidar a situação. Uma frase que certa vez Etienne leu em voz alta volta à sua mente: "Mesmo o coração, que nos animais mais altos, quando agitados, pulsa com energia ampliada, no caramujo, sob uma excitação semelhante, bate em ritmo mais lento."

Deixe o coração mais lento. Flexione os pés. Não emita som algum. Ela pressiona o ouvido contra o painel falso nos fundos do guarda-roupa. O que ela escuta? Traças roendo as antigas batas do avô? Nada.

Lentamente, despropositadamente, Marie-Laure se sente cada vez mais sonolenta.

Ela sente as latas nos bolsos. Como abrir uma delas agora sem fazer barulho?

A única coisa a fazer é subir. Sete degraus até o longo túnel triangular do sótão. O teto de madeira rústica se inclina em ambos os lados em direção ao pico, unindo-se pouco acima da cabeça dela.

Ali, o calor não se dispersou. Sem janelas, sem saída. Nenhum lugar para escapar. Nenhuma maneira de fugir, a não ser pelo caminho pelo qual ela entrou.

Os dedos esticados de Marie-Laure encontram uma antiga bacia de barbear, um suporte de guarda-chuvas e um caixote cheio de sabe-se lá o quê. As tábuas do piso do sótão, sob os pés dela, têm a mesma largura de suas mãos. Marie-Laure sabe, por experiência, o quanto de barulho uma pessoa provoca ao andar sobre elas.

Não derrube nada.

Se o alemão abrir novamente o guarda-roupa, empurrar as roupas penduradas para o lado, se espremer para atravessar a porta e subir até o sótão, o que ela vai fazer? Golpear a cabeça dele com o suporte de guarda-chuvas? Dar uma punhalada com a faca?

Gritar.

Morrer.

Papa.

Ela rasteja ao longo da viga central, da qual se estendem as estreitas tábuas de assoalho, em direção à base de pedra da chaminé na outra extremidade. A viga central é mais grossa e fará menos barulho. Ela espera não estar desorientada. Ela espera que ele não esteja atrás dela, apontando uma pistola para suas costas.

Os gritos dos morcegos, quase inaudíveis, chegam através do respiradouro do sótão, e em algum lugar distante, talvez um navio da marinha, ou para além de Paramé, um canhão dispara.

Craque. Pausa. *Craque.* Pausa. Em seguida, um longo silvo à medida que a bala chega voando, o *famp* quando ela explode nas ilhas mais afastadas.

Um arrepio sinistro de pavor se ergue de um lugar além dos pensamentos. Algum alçapão sobre o qual ela precisa se jogar imediatamente para apoiar todo o seu peso e trancafiá-lo. Ela retira o casaco e o estende sobre o chão. Não ousa se levantar com medo do barulho que seus joelhos possam fazer nas tábuas. O tempo passa. Nada vem de baixo. Será que ele foi embora? Tão rápido?

É evidente que não foi embora. Ela sabe, afinal de contas, por que ele está aqui.

À sua esquerda, há diversos fios elétricos torcidos ao longo do chão. Logo acima da cabeça, a caixa de discos antigos de Etienne. A Victrola mecânica. Seu velho equipamento de gravação. A alavanca que ele usa para içar a antena pela chaminé.

Ela abraça os joelhos junto ao peito e tenta respirar através da pele. Sem barulho, como um caramujo. Ela tem as duas latas. O tijolo. A faca.

Sete

Agosto de 1942

Prisioneiros

Um cabo perigosamente magro usando um uniforme de serviço puído se aproxima de Werner a pé. Dedos compridos, cabelo rareado por baixo do quepe. Uma das botas tinha perdido o cadarço, assim a língua pendia canibalesca.

— Você é baixo — comenta o cabo.

Werner, em sua nova farda — capacete grande demais, a fivela de cinto com regulador e a inscrição *Gott mit uns* —, ajeita os ombros para trás. O homem fita a imensa escola à luz da aurora com os olhos semicerrados, depois se abaixa, abre o zíper da sacola de lona de Werner e vasculha pelos três uniformes do Napola cuidadosamente dobrados. Levanta uma calça, a analisa contra a luz e parece desapontado por não se aproximarem nem um pouco do seu número. Após fechar a sacola, joga-a sobre o ombro; se fez isso para mantê-la para si ou meramente para carregá-la, Werner não consegue adivinhar.

— Meu nome é Neumann. Me chamam de Segundo. Existe um outro Neumann, o motorista. Ele é chamado de Primeiro. E ainda tem o engenheiro, o sargento e você; assim, para todos os efeitos, somos cinco novamente.

Nenhuma corneta, nenhuma cerimônia. Foi assim que Werner foi apresentado à Wehrmacht. Caminham cinco quilômetros até a aldeia. Em uma delicatéssen, moscas pretas flutuam sobre meia dúzia de mesas. Neumann Segundo pede dois pratos de fígado de vitela e come os dois, usando pãezinhos integrais para ensopar no sangue. Os lábios dele brilham. Werner espera por explicações — para onde vão, de que tipo de unidade ele vai participar —, mas não aparece nenhuma. A cor das divisas costuradas nas mangas e colarinho do cabo são de tom vermelho-vivo, mas Werner não consegue lembrar o que significam. Infantaria mecanizada? Combate a substâncias químicas? A velha Frau recolhe os pratos. Neumann Segundo retira uma latinha do casaco, joga três comprimidos redondos na mesa e os engole. Depois torna a guardar a latinha dentro do casaco e olha para Werner.

— Remédio para dor nas costas. Você tem dinheiro?

Werner balança a cabeça. Neumann Segundo tira do bolso alguns marcos amassados e sujos. Antes de saírem, pede à Frau para trazer doze ovos cozidos e entrega quatro para Werner.

Eles pegam um trem em Schulpforta que passa por Leipzig e desembarcam em uma estação a oeste de Lodz para fazer baldeação. Os soldados de um batalhão de infantaria estão deitados ao longo da plataforma, todos dormindo, como se uma bruxa tivesse lançado um feitiço sobre eles. A penumbra confere uma aparência espectral a seus uniformes desbotados, e a respiração dos soldados parece sincronizada — o efeito é fantasmagórico e inquietante. De vez em quando, um alto-falante balbucia destinos sobre os quais Werner nunca ouviu falar — Grimma, Wurzen, Grossenhain —, apesar de nenhum trem chegar ou partir, e apesar de nenhum homem se mexer.

Neumann Segundo se senta com as pernas estendidas e come um ovo após o outro, empilhando as cascas como uma torre dentro do seu quepe. Cai o crepúsculo. Um ronco tênue e ritmado vem do grupo adormecido. Werner sente como se ele e Neumann Segundo fossem as únicas almas despertas em todo o mundo.

Bem depois de escurecer, soa um apito no leste, e os soldados sonolentos se mexem. Werner desperta em meio a um sono leve e se senta. Neumann Segundo já está ereto ao lado dele, as palmas das mãos, uma contra a outra, formando uma cuia como se tentasse segurar uma esfera de escuridão na tigela criada com as mãos.

Engates de vagões chacoalham, blocos de freios rangem contra as rodas e um trem rápido emerge das trevas. Primeiro aparece uma locomotiva escurecida, blindada, exalando um espesso jato de fumaça e vapor. Atrás da locomotiva, passam fazendo barulho alguns vagões fechados e depois uma metralhadora em um vagão sem bordos, dois atiradores agachados ao lado dela.

Todos os vagões seguintes ao dos atiradores são vagões sem bordos apinhados de gente. Algumas pessoas estão de pé; outras, ajoelhadas. Passam dois vagões, três, quatro. Cada um deles parece ter uma parede de sacos por toda a frente para servir como quebra-vento.

Os trilhos reluzem opacamente enquanto tremem sob o peso da locomotiva. Nove vagões sem bordo, dez, onze. Todos cheios. Os sacos, enquanto passam, têm uma aparência esquisita: parecem esculpidos a partir de argila cinzenta. Neumann Segundo levanta o queixo.

— Prisioneiros.

Werner tenta notar algum dos indivíduos enquanto os vagões passam em disparada: uma face encovada, um ombro, um olho brilhante. Será que estão usando uniformes? Muitos estão sentados com as costas recostadas nos sacos na frente do vagão: parecem espantalhos viajando para o oeste para serem empalados por estacas em alguma terrível horta. Werner repara que alguns dos prisioneiros estão dormindo.

Um rosto reluz ao passar, pálido e inerte, uma orelha pressionada contra o chão do vagão.

Werner pisca. Não são sacos. Não estão dormindo. Cada vagão tem uma parede de cadáveres empilhados na frente.

Quando se torna claro que o trem não vai parar, todos os soldados em torno deles se acomodam e fecham os olhos novamente. Neumann Segundo boceja. Um vagão atrás do outro cheio de prisioneiros passa por ali, um rio de seres humanos brotando da noite. Dezesseis, dezessete, dezoito: por que contar? Centenas e centenas de homens. Milhares. Finalmente desponta da escuridão o último vagão, onde de novo os vivos se recostam nos mortos, seguido pela sombra de outra metralhadora e quatro ou cinco atiradores, e aí o trem desaparece.

O som das rodas diminui; o silêncio se instala novamente. Em algum lugar naquela direção está Schulpforta com suas torres escuras, os que molham a cama, os sonâmbulos, os que provocam os colegas. Em algum lugar além de Schulpforta, está o leviatã que é Zollverein. As janelas rangentes da Casa das Crianças. Jutta.

— Eles estavam sentados em cima dos mortos? — pergunta Werner.

Neumann Segundo fecha um olho e inclina a cabeça como um atirador, mirando na escuridão para onde o trem se foi.

— Bang — diz ele. — Bang, bang.

O GUARDA-ROUPA

Nos dias que se seguem à morte de madame Manec, Etienne não sai do estúdio. Marie-Laure o imagina curvado no sofá, balbuciando cantigas infantis e vendo fantasmas atravessando paredes. Por trás da porta, o silêncio dele é absoluto, e ela fica preocupada com a possibilidade de ele ter se afastado de vez do mundo.

— Tio? Etienne?

Madame Blanchard leva Marie-Laure até St. Vincent para os serviços fúnebres de madame Manec. Madame Fontineau cozinha sopa de batata suficiente para durar por uma semana. Madame Guiboux traz geleia. Madame Ruelle conseguiu, de algum jeito, assar um bolo.

As horas se degradam e acabam. Marie-Laure coloca um prato cheio em frente a porta de Etienne à noite e recolhe um prato vazio de manhã. Ela fica sozinha no quarto de madame Manec e sente o cheiro de hortelã, cera de vela, seis décadas de lealdade. Empregada doméstica, enfermeira, mãe, membro da Resistência, conselheira, chefe de cozinha — quais seriam as dez mil coisas que madame Manec representava para Etienne? Para todos eles? Marinheiros alemães começam uma cantoria bêbada na rua. Em casa, uma aranha tece uma nova rede sobre o fogão todas as noites. Para Marie-Laure trata-se de uma crueldade dupla: que a vida continue, que a Terra continue girando, e não interrompa nem por um segundo o seu ciclo ao redor do Sol.

"Pobre criança."

"Pobre monsieur LeBlanc."

"Como se estivessem amaldiçoados."

Se pelo menos o pai dela aparecesse pela porta da cozinha. E sorrisse para as senhoras, colocasse as palmas das mãos nas bochechas de Marie-Laure. Cinco minutos com ele. Um minuto.

Depois de quatro dias, Etienne sai do quarto. A escada range quando ele desce, e as mulheres na cozinha ficam em silêncio. Com voz grave, pede que todas saiam por favor.

— Eu precisava de um tempo para me despedir e agora preciso cuidar de minha sobrinha e de mim mesmo. Obrigado.

Assim que a porta da cozinha se fecha, ele a tranca e pega Marie-Laure pela mão.

— Agora todas as luzes estão apagadas. Muito bem. Por favor, fique de pé aqui.

As cadeiras são afastadas para o lado. A mesa da cozinha é afastada para o lado. Ela consegue ouvi-lo tateando a argola no centro do piso: o alçapão abre. Ele desce até o porão.

— Tio? Do que o senhor precisa?
— Disso — grita ele.
— O que é?
— Uma serra elétrica.

Ela é capaz de sentir algo faiscar dentro de si. Etienne começa a subir as escadas para os pisos superiores, Marie-Laure o segue de perto. Segundo andar, terceiro, quarto, quinto, sexto, virar à esquerda no quarto do avô dela. Ele abre a porta do gigantesco guarda-roupa, retira as roupas velhas do irmão e as coloca em cima da cama. Estende um fio de extensão ao longo do patamar e o enfia na tomada.

— O barulho vai ser alto! — ele diz.
— Bom — diz ela.

Etienne alcança o fundo do guarda-roupa, e a serra ganha vida com um barulho alto. O som penetra nas paredes, no chão, no peito de Marie-Laure. Ela fica pensando quantos vizinhos estarão ouvindo, e se, em algum lugar, um alemão tomando café forçou o ouvido para escutar.

Etienne retira um retângulo dos fundos do guarda-roupa, depois alcança a porta do sótão atrás dele. Ele desliga a serra elétrica e se enfia através do buraco, até a escada atrás dele, até o sótão. Ela o segue. Durante toda a manhã, Etienne engatinha pelo sótão com cabos, alicate e ferramentas que os dedos dela não apreendem, se entrelaçando no centro do que ela imagina ser uma complexa rede eletrônica. Ele murmura algo para si mesmo; apanha manuais grossos e componentes elétricos de vários quartos dos pisos inferiores. O sótão range; moscas desenham no ar círculos azul-elétrico. Tarde da noite, Marie-Laure desce do sótão e adormece na cama do avô ouvindo o tio-avô trabalhando no andar de cima.

Quando desperta, andorinhas-de-bando estão chilreando por baixo dos beirais e uma música atravessa o teto.

"Clair de Lune", uma música que a faz pensar em folhas esvoaçando e em faixas de areia endurecida por baixo dos pés na maré baixa. A música se esgueira, ascende e volta de novo à terra, e então a voz jovem de seu avô falecido há tanto tempo fala: "Existem noventa e seis mil quilômetros de vasos sanguíneos no corpo humano, crianças! Quase o suficiente para dar duas voltas e meia na Terra..."

Etienne desce os sete degraus da escada, se aperta por trás do guarda-roupa e pega a mão dela. Antes que ele fale, ela sabe o que vai dizer.

— Seu pai me pediu para manter você a salvo.

— Eu sei.

— Isso aqui vai ser perigoso. Não é uma brincadeira.

— Quero fazer isso. Madame Manec gostaria de fazer...

— Então me conte a rotina inteira.

— Vinte e dois passos descendo a Rue Vauborel até a Rue d'Estrées. Depois à direita passando por dezesseis ralos de chuva. À esquerda na Rue Robert Surcouf. Mais nove ralos até a padaria. Vou até o balcão e digo: "Um pão comum, por favor."

— Como ela vai responder?

— Ela vai ficar surpresa. Mas então eu teria que falar "Um pão comum", e ela teria que dizer "E como vai o seu tio?".

— Ela vai perguntar por mim?

— É o que ela supostamente teria que fazer. É assim que ela vai saber que o senhor está querendo ajudar. Foi assim que madame sugeriu. Parte do protocolo.

— E o que você vai dizer?

— Vou responder "Meu tio vai bem, obrigada". E então vou pegar o pão e colocar dentro da minha mochila e voltar para casa.

— Isso vai acontecer mesmo agora? Sem a madame?

— Por que não?

— Como você vai pagar?

— Um cupom de racionamento.

— Nós temos algum?

— Na gaveta de baixo. E o senhor tem dinheiro, não é?

— Tenho. Temos algum dinheiro. Como você vai voltar para casa?

— Direto dali.

— Por qual caminho?

— Nove ralos de chuva descendo a Rue Robert Surcouf. À direita na Rue d'Estrées. Dezesseis ralos retornando pela Rue Vauborel. Eu sei tudo, tio, já memorizei. Já fui até a padaria umas trezentas vezes.

— Você não deve ir para nenhum outro lugar. Não deve ir em direção a praia.

— Vou voltar diretamente para casa.

— Promete?

— Prometo.

— Então, vá, Marie-Laure. Vá como o vento.

Leste

Eles atravessam Lodz, Varsóvia e Brest em um trem de carga. Werner não vê nenhum sinal de pessoas, a não ser ocasionalmente um vagão virado nos trilhos, retorcido e amassado por algum tipo de explosão. Os soldados entram e saem do trem com dificuldade, magros, pálidos, cada um carregando uma mochila, um rifle e um capacete de aço. Dormem apesar do barulho, apesar do frio, apesar da fome, como se estivessem desesperados para ficarem à parte do mundo desperto pelo maior tempo possível.

Fileiras de pinheiros dividem intermináveis planícies de cor de metal. Não há sol. Neumann Segundo acorda e urina porta afora, apanha a caixa de pílulas do casaco e engole mais dois ou três comprimidos.

— Rússia — diz, e Werner não sabe como ele consegue apontar a transição. O ar tem cheiro de aço.

Ao entardecer, o trem para e Neumann Segundo leva Werner a pé por entre fileiras de casas arruinadas, vigas e tijolos jogados em pilhas queimadas. As paredes ainda de pé estão hachuradas por tiros de metralhadora. É quase noite quando Werner é conduzido a um capitão musculoso que janta sozinho em um sofá, nada mais que uma plataforma de madeira e molas. Em uma bandeja de estanho, no colo do capitão, uma peça de carne cozida acinzentada solta vapor. Ele examina Werner por um tempo sem dizer nenhuma palavra, exibindo um olhar que não mostra decepção, mas sim um ar de quem está ao mesmo tempo se cansando e achando graça.

— Não mandam ninguém maior, não é?
— Não, senhor.
— Quantos anos tem?
— Dezoito, senhor.

O capitão ri.

— Está mais para doze.

Ele corta uma fatia circular de carne, mastiga um bom tempo; finalmente coloca dois dedos na boca e retira uma tira de cartilagem.

— Você vai querer se familiarizar com o equipamento. Veja se consegue fazer melhor do que o último que mandaram.

Neumann Segundo conduz Werner para a carroceria de um Opel Blitz sujo, um caminhão de três toneladas próprio para terrenos difíceis, com uma proteção de madeira construída na traseira. Latas amassadas de gasolina estão amarradas em uma lateral. Uma trilha de disparos marca a outra lateral com perfurações de tamanhos variados. O crepúsculo opressivo se esvai. Neumann Segundo traz uma lamparina a querosene para Werner.

— O equipamento está lá dentro.

E então ele some. Sem maiores explicações. Bem-vindo à guerra. Pequenos insetos giram na luz da lamparina. A fadiga se instala em cada parte de Werner. Esta ideia do dr. Hauptmann representava uma recompensa ou um castigo? Ele sente falta de se sentar nos bancos da Casa das Crianças novamente, ouvir as canções de Frau Elena, sentir o calor bombeando do forno grande e a voz alta de Siegfried Fischer falando entusiasmadamente sobre *U-boats* e aviões de combate, ver Jutta desenhando na extremidade da mesa, esboçando as mil janelas de sua cidade imaginária.

Dentro da carroceria do caminhão paira um odor: argila e diesel misturados a algo pútrido. Três janelas quadradas refletem a luz da lamparina. É um caminhão de rádio. Em um banco na parede esquerda está um par de consoles de escuta do tamanho de travesseiros. Uma antena RF dobrável que pode ser elevada ou abaixada a partir de dentro. Três fones de ouvido, uma armaria, armários com trancas. Lápis de cera, compassos, mapas. E aqui, em estojos danificados, aguardam dois transmissores-receptores que ele tinha projetado com o dr. Hauptmann.

Ver que eles percorreram toda essa distância até ali o conforta, como se estivesse à deriva no oceano e de repente, ao se virar, esbarrasse em um velho amigo boiando ao seu lado. Ele remove o primeiro rádio do estojo e desparafusa a placa de trás. O sintonizador está quebrado, diversos fusíveis estão estourados, e está sem a tomada do transmissor. Ele descobre ferramentas, uma chave soquete, fios de cobre. Pela porta aberta, Werner olha através do acampamento silencioso para as estrelas espalhadas aos milhares por todo o céu.

Será que os tanques russos espreitam lá fora? Mirando suas armas para a luz da lamparina?

Ele se lembra do grande Philco cor de nogueira de Herr Siedler. Examinar os fios, concentrar, avaliar. No final, um padrão vai surgir.

Quando levanta o olhar novamente, um suave brilho aparece por trás de uma fileira de árvores distantes, como se algo estivesse queimando lá. O amanhecer. A cerca de oitocentos metros, dois garotos com bastões andam encurvados por trás de um rebanho de gado ossudo. Werner está abrindo o segundo estojo de rádio quando um gigante aparece por trás do caminhão.

— Pfennig.

O homem apoia os longos braços na barra superior da lona do caminhão; ele eclipsa a aldeia em ruínas, os campos, o sol nascente.

— Volkheimer?

Um pão comum

Eles estão no meio da cozinha com as cortinas fechadas. Ela ainda sente a emoção de sair da padaria com o peso quente do pão na mochila.

Etienne corta o pão.

— Aqui está.

Ele coloca um pequeno rolo de papel, não maior do que uma concha, na palma da mão dela.

— O que está escrito?

— Números. Um monte de números. Os três primeiros devem ser frequências. Não tenho certeza. O quarto, dois três zero zero, pode ser um horário.

— Vamos fazer agora?

— Vamos esperar até escurecer.

Etienne instala fios pela casa toda, prendendo-os por trás das paredes, conectando um deles a um sino no terceiro andar, por baixo da mesa de telefone, um outro a um segundo sino no sótão, e um terceiro no portão da frente. Ele faz com que Marie-Laure teste três vezes: ela fica na rua e abre o portão, e no interior da casa dois sinos soam sem força.

Em seguida, ele constrói um fundo falso no guarda-roupa, instalando-o em um trilho deslizante de modo a poder ser aberto por ambos os lados. Ao entardecer, os dois bebem chá e mastigam o pão denso e farinhento da padaria dos Ruelles. Quando está completamente escuro, Marie-Laure segue o tio-avô escada acima, até o quarto do sexto andar, e dali para a escada que dá no sótão. Etienne ergue a pesada antena ao longo da chaminé. Ele mexe nas chaves, e o sótão se enche com um chiado delicado.

— Pronta?

Ele soa como o pai dela quando está prestes a dizer algo bobo. Em sua memória, Marie-Laure ouve os dois policiais: "As pessoas são presas por menos do que isso." E madame Manec: "Você não quer se sentir vivo antes de morrer?"

— Estou.

Ele limpa a garganta. Liga o microfone.

— 567, 32, 3011, 2300, 110, 90, 146, 7751.

E lá se vão os números, flutuando além dos telhados, além do mar, voando sabe-se lá para que destino. Até a Inglaterra, até Paris, até os mortos.

Ele muda para uma segunda frequência e repete a transmissão. Uma terceira. Depois desliga tudo. O equipamento solta uns estalos enquanto esfria.

— O que significam, tio?

— Não sei.

— Será que são decodificados em palavras?

— Suponho que sim.

Os dois descem do sótão e saem do guarda-roupa com dificuldade. Não há nenhum soldado à espera com armas apontadas no corredor. Nada parece diferente, de nenhuma maneira. Uma frase de um livro de Júlio Verne volta à mente de Marie-Laure: "A ciência, meu rapaz, é construída com erros, mas são erros úteis, porque levam, pouco a pouco, até a verdade."

Etienne ri, como se fosse para si mesmo.

— Lembra-se do que madame disse sobre cozinhar a rã?

— Lembro, tio.

— Fico pensando: quem seria a rã? Ela? Ou os alemães?

VOLKHEIMER

O engenheiro é um homem taciturno, mordaz, chamado Walter Bernd, cujas pupilas são desalinhadas. O motorista é um homem de trinta anos, com uma falha entre os dentes, a quem chamam de Neumann Primeiro. Werner sabe que Volkheimer, o sargento deles, não tem mais de vinte anos de idade, mas, na luz dura e cinzenta do amanhecer, ele parece ter o dobro.

— Os guerrilheiros estão atacando os trens — explica. — Eles são organizados, e o capitão acredita que estão coordenando os ataques com o auxílio de rádios.

— O último técnico — completa Neumann Primeiro — não encontrou nada.

— É um bom equipamento — diz Werner. — Devo conseguir colocar os dois em funcionamento dentro de uma hora.

Os olhos de Volkheimer emanam ternura por um momento.

— Pfennig — fala, olhando para Werner — não é nada parecido com o último técnico.

Eles começam. O Opel passa tremulando por estradas que são pouco mais do que trilhas de gado. A cada trecho de uns poucos metros param para instalar um transmissor-receptor sobre um pequeno monte ou uma saliência. Deixam Bernd e o magro e desconfiado Neumann Segundo para trás — um deles com um rifle, o outro usando os fones de ouvido. Depois trafegam mais alguns metros, o suficiente para montar a base de um triângulo, calculando a distância o tempo todo, e Werner liga o primeiro receptor. Ergue a antena do caminhão, coloca o fone no ouvido e varre o espectro, tentando encontrar alguma coisa que não seja autorizada. Nenhuma voz é permitida.

Ao longo do imenso e plano horizonte, múltiplos incêndios parecem queimar incessantemente. Na maior parte do tempo, Werner está dentro do caminhão olhando para trás, para o local do qual estão se afastando, em direção à Polônia, em direção ao Reich.

Ninguém atira neles. Poucas vozes são detectadas no barulho de estática, e as que ele ouve falam alemão. À noite, Neumann Primeiro apanha latas de pequenas salsichas das caixas de munição, e Neumann Segundo conta piadas batidas sobre prostitutas, de memória e inventadas, e em seus pesadelos Werner observa as formas dos rapazes se fechando sobre Frederick, só que, quando ele se aproxima, Frederick se transforma em Jutta, e ela encara Werner com olhos de acusação enquanto arrancam os membros dela, um por um.

De hora em hora, a cabeça de Volkheimer surge na carroceria do Opel.

— Nada ainda? — pergunta o sargento.

Werner nega com a cabeça. Ele remexe as baterias, recoloca as antenas, examina os fusíveis três vezes. Em Schulpforta, com o dr. Hauptmann, não passava de um jogo. Ele poderia adivinhar a frequência de Volkheimer; ele sempre sabia se o transmissor de Volkheimer estava enviando sinais. Aqui, porém, ele não sabe como, quando, onde ou mesmo se está sendo irradiada alguma transmissão; aqui, ele procura por fantasmas. Tudo o que fazem é gastar combustível passando por cabanas ainda em chamas, peças de artilharia usadas e túmulos sem identificação, enquanto Volkheimer desliza a mão gigantesca sobre a cabeça quase raspada, ficando mais desconfortável a cada dia que passa. Chega até eles, vindo de quilômetros de distância, o barulho de explosão de armamento pesado. Os trens de carga alemães estão sendo atingidos, o que entorta trilhos e manda vagões de gado para os ares, mutila os soldados do Führer e enche os oficiais alemães de fúria.

O homem idoso que ele viu cortando árvores, será ele um guerrilheiro? Aquele debruçado sobre o motor de um carro? E aquelas três mulheres pegando água no riacho?

A geada aparece à noite, cobrindo a paisagem com um manto prateado, e Werner acorda na traseira do caminhão com os dedos amassados embaixo das axilas, a respiração pesada e as válvulas do rádio brilhando em uma cor azul esmaecida. Qual será a profundidade da neve? Um metro e meio, três metros? Trinta?

Profundidade de quilômetros, pensa Werner. Vamos passar por cima de tudo o que havia antes.

Outono

As tempestades lavam o céu, as praias, as ruas, e um sol vermelho mergulha no mar, deixando em fogo todo o granito da parte oeste de Saint-Malo, e três limusines com silenciadores acoplados deslizam pela Rue de la Crosse como aparições, e uma dúzia, se tanto, de oficiais alemães, acompanhados por homens carregando holofotes e filmadoras, sobem os degraus do Bastion de la Hollande e caminham pelas muralhas no frio.

Da sua janela do quinto andar, Etienne os observa por um telescópio de metal, são quase vinte ao todo: capitães, majores e até um tenente-coronel segurando o sobretudo na altura do colarinho e gesticulando em direção aos fortes nas ilhas, um dos homens alistados tentando acender um cigarro no vento, os outros rindo enquanto o quepe dele sai voando sobre as construções.

Do outro lado da rua, na porta da frente da casa de Claude Levitte, três mulheres se acabam de tanto rir. As luzes estão acesas nas janelas de Claude, embora o restante do quarteirão não tenha eletricidade. Alguém abre uma janela do terceiro andar e arremessa um copo pequeno em direção à Rue Vauborel, que cai girando e girando e aterrissa fora do campo de visão.

Etienne acende uma vela e sobe até o sexto andar. Marie-Laure adormeceu. Do bolso, ele tira um rolo de papel e o desenrola. Já desistiu de decifrar o código: já transcreveu os números, colocou-os em uma matriz, somou, multiplicou, e nada aconteceu. E, no entanto, algo aconteceu, sim. Porque Etienne parou de se sentir enjoado à tarde; sua visão ficou clara, e o coração, tranquilo. Na verdade, faz mais de um mês que ele não se curva em frente a parede de seu estúdio e reza para parar de ver fantasmas vagando e atravessando paredes. Quando Marie-Laure chega na porta da frente com o pão, quando ele abre o rolinho de papel nos dedos, abaixa a voz no microfone, ele se sente inabalável; ele se sente vivo.

"56778.21.4567.1094.467813."

Depois o tempo e a frequência para a transmissão seguinte.

Eles estão participando disso há vários meses, novos rolinhos de papel chegando dentro do pão em um espaço de dias, e ultimamente Etienne põe música para tocar. Sempre à noite e apenas um trecho de uma música: sessenta ou noventa segundos no máximo. Debussy ou Ravel ou Massenet ou Charpentier. Ele ajusta o microfone no cone do gramofone, como costumava fazer anos atrás, e deixa a gravação rodar.

Quem escuta? Etienne imagina receptores de ondas curtas escondidos em caixas de aveia ou enfiados embaixo de tacos do piso, receptores enterrados por baixo de pavimentos de pedra ou escondidos dentro de berços de bebê. Imagina duas ou três dezenas de ouvintes ao longo das duas direções da costa — talvez alguns mais, sintonizando no mar, aparelhos de capitães em navios livres levando tomates, refugiados ou armas —, ingleses que esperam os números, mas não a música, que devem se perguntar: "Por quê?"

Hoje à noite ele põe Vivaldi para tocar. "L'Autunno — Allegro". Uma gravação do irmão comprada por cinquenta e cinco *centimes*, em uma loja na Rue Sainte-Marguerite quatro décadas atrás.

O cravo bate com ânimo, os violinos fazem amplos floreios barrocos — o espaço baixo e anguloso do sótão transborda de som. Além dos tetos de ardósia, a um quarteirão de distância e trinta metros abaixo, doze oficiais alemães sorriem para as câmeras.

Escutem isso, pensa Etienne. Ouçam isso.

Alguém toca no ombro dele. Ele tem que se agarrar na parede inclinada para evitar cair. Marie-Laure está atrás dele de camisola.

Os violinos vão diminuindo gradativamente e depois retomam a melodia. Etienne pega a mão de Marie-Laure, e juntos, por baixo do teto baixo e inclinado — o disco girando, o transmissor enviando a música para além das muralhas, atravessando os corpos dos alemães em direção ao mar —, os dois dançam. Ele a faz girar; os dedos dela reluzem no ar. À luz da vela, ela parece ser de outro mundo, o rosto todo cheio de sardas, e no centro das sardas aqueles dois olhos imóveis como as bolsas de ovos das aranhas. Eles não o seguem, mas tampouco o incomodam; parecem olhar para um lugar diferente, mais profundo, um mundo que consiste apenas de música.

Graciosa. Esbelta. Coordenada enquanto rodopia, e ele não consegue descobrir como ela aprendeu a dançar.

A música continua. Ele a deixa tocar por tempo demais. A antena ainda está erguida, provavelmente pouco visível contra o céu; o sótão inteiro talvez brilhe como um farol. Porém, à luz da vela, no doce acalanto do concerto, Marie-Laure morde o lábio inferior, e o rosto dela emite um brilho secundário, fazendo com que ele se recorde dos pântanos além dos muros da cidade, naqueles crepúsculos de inverno, enquanto o sol sumia no horizonte e grandes porções de junco captavam poças vermelhas de luz e ardiam — lugares que ele costumava ir com o irmão, o que parece ter acontecido muitas vidas atrás.

Isto, pensa ele, é o que os números significam.

O concerto termina. Uma vespa bate *tap tap tap* ao longo do teto. O transmissor permanece aceso, o microfone enfiado no cone do gramofone enquanto a agulha passa pelo último sulco. Marie-Laure respira pesadamente, sorrindo.

Após ela ter voltado a dormir, após Etienne ter apagado a vela, ele se ajoelha por um longo tempo ao lado da cama. A figura escaveirada da Morte cavalga nas ruas lá embaixo, parando sua montaria de vez em quando para perscrutar para dentro das janelas. Chifres de fogo na cabeça e fumaça escoando das narinas e, na mão esquelética, uma lista recém-preenchida de endereços. Fixando-se primeiro em uma equipe de oficiais saindo de suas limusines no château.

Depois para as salas iluminadas do perfumista Claude Levitte.

Depois para a casa alta e escura de Etienne LeBlanc.

Passe longe de nós, Cavaleiro da Morte. Passe longe desta casa.

Girassóis

Eles viajam por uma trilha empoeirada cercada por campos quilométricos de girassóis moribundos, tão altos que parecem árvores. Os caules secaram e enrijeceram, e as faces balançam como cabeças em meio à prece, e, à medida que o Opel passa barulhento, Werner tem a impressão de estarem sendo observados por dez mil olhos ciclópicos. Neumann Primeiro freia o caminhão, e Bernd apanha o rifle do ombro, pega o segundo transmissor-receptor e anda sozinho entre as demarcações para posicioná-lo. Werner levanta a grande antena e se senta em seu local costumeiro na carroceria do Opel com o fone no ouvido.

— Você nunca deu uma agarrada nos melões dela, seu virgem velho — diz Newmann Segundo, da cabine.

— Cale a boca — diz Neumann Primeiro.

— Você brinca sozinho à noite. Tira leitinho. Bate punheta.

— É o que faz metade do exército. Tanto os alemães quanto os russos.

— O arianinho imberbe lá atrás definitivamente bate punheta.

No rádio transmissor-receptor, Bernd lê alto as frequências. Nada, nada, nada.

— O ariano autêntico é louro como Hitler, magro como Göring e alto como Goebbels... — rebate Neumann Primeiro.

— Foda-se — ri Neumann Segundo.

— Já basta — diz Volkheimer.

É final da tarde. Durante o dia inteiro eles se movimentaram por toda esta estranha e desolada região, sem nada ver além de girassóis. Werner gira a agulha pelas frequências, troca bandas e ressintoniza o rádio novamente, limpando a estática. A estática invade o ar dia e noite, uma grande, triste, sinistra estática ucraniana, que parece estar aqui há muito tempo, muito antes de os seres humanos descobrirem uma maneira de ouvi-la.

Volkheimer sai com dificuldade do caminhão, abaixa a calça e urina nas flores, e Werner decide recolher a antena, mas, antes de fazer isso, ouve — tão nítido, claro e ameaçador como a lâmina de uma faca brilhando ao sol — uma torrente de palavras em russo. "*Adeen, shest, vosyem*." Cada nervo seu desperta de um salto.

Ele aumenta o volume o máximo possível e pressiona os fones contra os ouvidos. Novamente as palavras, *Ponye*-alguma-coisa-*feshky*, *shere*-alguma-coisa-*doroshoi*. Volkheimer está olhando para ele pela carroceria do caminhão como se pudesse sentir aquilo, como se estivesse se entusiasmando pela primeira vez em meses, como aconteceu naquela noite ao ar livre, na neve, quando Hauptmann disparou a pistola, quando perceberam que os rádios transmissores-receptores de Werner funcionavam.

Werner gira o disco de sintonia fina fração por fração, e bruscamente a voz explode nos ouvidos dele, "*Dvee-nat-set, shayst-nat-set, dvat-set-adeen*", tudo sem sentido, terrivelmente sem sentido, bombeado diretamente para a cabeça dele; é como enfiar a mão em um saco de algodão e encontrar uma lâmina de barbear, tudo constante e uniforme, e aí aquela coisa perigosa, tão afiada que você mal sente quando ela rasga a sua pele.

Volkheimer dá uma pancada na lateral do Opel para silenciar os Neumanns, e Werner retransmite o canal para Bernd no rádio mais distante, e Bernd o encontra, mede o ângulo e retransmite de volta, e agora Werner se põe a fazer os cálculos. A régua de cálculo, a trigonometria, o mapa. O russo ainda está falando quando Werner puxa os fones para o pescoço.

— Nor-noroeste.
— A que distância?

Meros números. Matemática pura.

— Um quilômetro e meio.
— Estão fazendo a transmissão agora?

Werner cobre um dos ouvidos com os fones. Confirma. Neumann Primeiro dá partida no Opel com um estrondo, Bernd volta de maneira atrapalhada entre as flores carregando o primeiro rádio, Werner recolhe a antena, e eles viajam ruidosos pela estrada de girassóis, jogando-os para cima e para baixo durante o percurso. Os mais altos são quase tão altos quanto o caminhão, e suas grandes e insensíveis cabeças batem contra o topo e as laterais do veículo.

Neumann Primeiro observa o hodômetro e berra as distâncias. Volkheimer distribui as armas. Duas Karabiner 98Ks. A semiautomática Walther com mira telescópica. Do lado dele, Bernd carrega os cartuchos para a câmara de repetição da sua Mauser. *Bong*, lá se vão os girassóis. *Bong, bong, bong.* O caminhão sacode como um navio no mar à medida que Neumann Primeiro avança por cima dos sulcos.

— Mil e cem metros — grita Neumann Primeiro.

Neumann Segundo sobe com dificuldade sobre a cobertura do caminhão e perscruta o campo com binóculo. Para o sul, as flores dão lugar a uma plantação emaranhada de pepinos. Além deles, exposta em meio a uma clareira de terra, vê-se uma bonita cabana com teto de sapê e paredes de reboco.

— A fileira de flores. No final do campo.

Volkheimer levanta a mira telescópica.

— Algum sinal de fumaça?

— Nenhum.

— Alguma antena?

— Difícil dizer.

— Desligue o motor. Daqui vamos a pé.

Tudo fica em silêncio.

Volkheimer, Neumann Segundo e Bernd carregam as armas para dentro do campo de girassóis e somem. Neumann Primeiro permanece atrás do volante, Werner, na carroceria do caminhão. Nenhuma mina explode. Em torno do Opel, as flores farfalham em seus caules e balançam suas faces heliotrópicas, como se estivessem anuindo, como se mantivessem um triste pacto.

— Os filhos da puta vão levar um susto — cochicha Neumann Primeiro.

A coxa direita dele balança para cima e para baixo diversas vezes por segundo. Atrás dele, Werner ergue a antena na maior velocidade que sua coragem permite e fixa os fones no ouvido e ajusta os botões no rádio. O russo está lendo o que soa como letras do alfabeto. *"Peh zheh kah cheh yu myakee znak."* Cada enunciado parece se elevar dos fones apenas para os ouvidos de Werner e depois se desintegra. É possível sentir um leve tremor causado pelo movimento da perna de Neumann. Os raios de sol ultrapassam os insetos grudados nas janelas e um vento frio deixa o campo todo farfalhando.

Será que não há sentinelas? Vigias? Guerrilheiros armados se insinuando exatamente neste momento por trás do caminhão? A língua russa vindo do rádio é uma vespa em cada ouvido, *"zvou kaz vukalov"* — quem sabe que horrores ela está distribuindo, posições das tropas, horários de trens; ele pode estar dando aos atiradores da artilharia a localização do caminhão justo agora — e Volkheimer está caminhando para fora do campo dos girassóis, o maior entre todos os alvos humanos, segurando o rifle como um bastão; parece impossível que a cabana pudesse mesmo acomodá-lo, como se Volkheimer fosse engolfar a casa em vez do contrário.

Primeiramente o som dos tiros o alcança pelo ar ao redor dos fones de ouvido. Uma fração de segundo mais tarde, ele chega através dos próprios fones, tão alto que Werner quase os arranca da cabeça. Depois, até a estática some, e o silêncio nos fones se parece como algo maciço se movendo pelo espaço, um dirigível fantasmagórico aterrissando devagar.

Neumann Primeiro abre e fecha a culatra do rifle.

Werner se lembra de se agachar ao lado da cama com Jutta após o francês anunciar o fim da transmissão, as janelas chacoalhando por causa da passagem de algum trem, o eco da transmissão parecendo reluzir no ar por um momento, como se ele pudesse estender o braço e deixá-lo flutuar sobre as mãos.

Volkheimer retorna com tinta espalhada pela cara. Leva dois dedos até a testa, empurra o capacete para trás, e Werner percebe que não é tinta.

— Bote fogo na casa — diz. — Rápido. Não desperdice diesel.

Ele olha para Werner. A voz dele terna, quase melancólica.

— Salve o equipamento.

Werner abaixa os fones de ouvido e coloca o capacete. Andorinhões mergulham sobre os girassóis. A visão dele faz círculos lentos, como se algo estivesse errado com o equilíbrio. Neumann Primeiro vai na frente cantarolando com os lábios fechados enquanto carrega uma lata de combustível por entre as flores. Eles abrem caminho pelos girassóis em direção à cabana, pisando em verbascos, pés de cenoura selvagem, com as folhas amarronzadas por causa da geada. Ao lado da porta da frente um cão está deitado na terra, queixo nas patas, e por um instante Werner pensa que ele está apenas dormindo.

O primeiro homem morto está no chão com um braço preso por baixo do corpo, uma desordem rubra no lugar em que deveria estar a cabeça. Sobre a mesa está um segundo homem: caído com uma das faces apoiadas no tampo, apenas as extremidades da ferida à mostra, um roxo indecoroso. O sangue que se espalhou pela mesa se solidifica como parafina. Parece quase preto. Estranho pensar na voz dele voando através do ar, já a distância de um país, ficando mais fraca a cada quilômetro.

Calças rasgadas, casacos encardidos, um dos homens está de suspensórios; eles não usam uniformes.

Neumann Primeiro arranca uma cortina feita de saco de batata e a leva para fora, e Werner o ouve encharcá-la com diesel. Neumann Segundo arranca os suspensórios do segundo morto, apanha réstias de cebola no lintel, as pendura no peito e sai.

Na cozinha, meia fatia de queijo permanece por comer. Ao lado do queijo, uma faca com um cabo de madeira descorada. Werner abre um armário simples. Dentro se encontra um recanto de superstições: vidros de líquidos escuros, medicamentos para dor sem os rótulos, melaços, colheres de sopa fincadas na madeira, algo escrito com alfabeto latino, *belladonna*, alguma outra coisa marcada com um X.

O transmissor é fraco, alta-frequência: provavelmente uma peça retirada de um tanque russo. Parece pouco mais do que um punhado de componentes jogados dentro de uma caixa. A antena plano terra instalada ao lado da cabana pode ter enviado as transmissões no máximo a cinquenta quilômetros.

Werner sai, volta o olhar para a casa, branca como osso na luz que vai minguando. Pensa no armário da cozinha com suas estranhas poções. O cão que não fez o trabalho dele direito. Aqueles guerrilheiros podem ter participado de alguma magia negra da floresta, mas não deviam estar lidando com a magia mais elevada do rádio. Ele pendura o rifle no ombro e carrega o grande transmissor amassado — seus terminais, seu microfone — pelas flores até chegar ao Opel, o motor em funcionamento, Neumann Segundo e Volkheimer já dentro da cabine. Ouve as palavras do dr. Hauptmann: "O trabalho de um cientista, cadete, é determinado por dois fatores. Os interesses dele e os interesses da época dele." Tudo levou a isto: a morte do pai dele; todas aquelas horas incansáveis com Jutta ouvindo o rádio de galena no sótão; Hans e Herribert usando as braçadeiras vermelhas sob as camisas, para que Frau Elena não visse; quatrocentas noites escuras e resplandecentes em Schulpforta montando rádios transmissores-receptores para o dr. Hauptmann. A destruição de Frederick. Tudo levando até este momento enquanto Werner empilha o fortuito equipamento cossaco na caçamba do caminhão, se senta no banco e observa a luz das chamas da cabana se elevar sobre o campo. Bernd sobe e fica do lado dele, rifle no colo, e nenhum dos dois se dá o trabalho de fechar a porta traseira quando o Opel dá a partida.

Pedras

O sargento-mor Von Rumpel é chamado a um depósito nos arredores de Lodz. É a primeira vez que ele viajou desde que concluiu seus tratamentos em Stuttgart, e sente como se a densidade de seus ossos tivesse diminuído. Seis guardas com capacetes de aço esperam atrás do arame farpado. Seguiram-se muitas continências e bater de calcanhares. Ele tira o casaco e se enfia dentro de um macacão fechado com zíper e sem bolsos. Três trancas são abertas. Do outro lado de uma porta, quatro oficiais em macacões idênticos estão de pé atrás de mesas com abajures de joalheiro acoplados a cada uma. Nas janelas, compensados foram pregados.

Um *Gefreiter* de cabelos escuros explica o protocolo. Um primeiro homem arranca as pedras de suas armações. Um segundo as esfrega, uma a uma, em um banho de detergente. Um terceiro homem pesa cada uma delas, declara a sua grandeza e a passa para Von Rumpel, que examina a pedra com ajuda de uma lupa e classifica a limpidez: Inclusões; Inclusões Leves; Inclusões Muito, Muito Leves. Um quinto homem, o *Gefreiter*, registra as avaliações.

— Vamos trabalhar em turnos de dez horas até terminarmos.

Von Rumpel concorda. Logo surge a sensação de que sua coluna vai trincar. O *Gefreiter* puxa um malote com cadeado de debaixo da mesa, desenrosca a corrente da sua abertura e interior derrama seu conteúdo sobre uma bandeja forrada de veludo. Milhares de pedras preciosas transbordam: esmeraldas, safiras, rubis. Citrino. Peridoto. Crisoberilo. Entre elas, cintilam centenas e centenas de pequenos diamantes, alguns ainda em colares, pulseiras, abotoaduras ou brincos.

O primeiro homem carrega a bandeja para a sua estação, coloca um anel de noivado em seu torno, e abre as garras com pinças. Seguindo a fila, vem o diamante. Von Rumpel conta os outros malotes por baixo da mesa: nove.

— Onde — começa a perguntar — eles conseguiram todas essas...

Mas ele sabe de onde vieram.

Gruta

Meses após a morte de madame Manec, Marie-Laure ainda espera ouvir a velha senhora subir as escadas, sua respiração pesada, sua fala lenta. "Mãe de Jesus, querida, está congelante!" Ela nunca mais subiu.

Sapatos aos pés da cama, embaixo da maquete. Bengala no canto. Descer até o primeiro andar, onde a mochila fica pendurada no gancho. Sair. Vinte e dois passos descendo a Rue Vauborel. Depois à direita por dezesseis ralos de chuva. Virar à esquerda na Rue Robert Surcouf. Mais nove ralos até a padaria.

"Um pão comum, por favor."

"E como está o seu tio?"

"Meu tio vai bem, obrigada."

Às vezes, o pão traz um rolo branco dentro, e às vezes, não. Às vezes, madame Ruelle consegue obter algumas mercadorias para Marie-Laure: repolho, pimentão vermelho, sabão. De volta ao cruzamento com a Rue d'Estrées. Em vez de virar à esquerda para a Rue Vauborel, Marie-Laure segue em frente. Cinquenta passos até as muralhas, cerca de mais cem ao longo da base das muralhas para a abertura da viela que fica cada vez mais estreita.

Com os dedos, ela encontra o cadeado; do casaco, puxa a chave de ferro que Hubert Bazin lhe deu um ano atrás. A água está gelada, na altura da canela; os dedos dos pés logo ficam dormentes. Porém, a gruta forma seu universo particular, e dentro desse universo giram incontáveis galáxias: aqui, na metade de uma única concha de mexilhão virada de cabeça para baixo, vivem uma craca e um pequenino caranguejo-eremita ocupando uma concha espiralada. E na concha do caranguejo? Uma craca ainda menor. E naquela craca?

No confinamento abafado do antigo canil, o som do mar supera todos os outros sons; ela cuida dos caramujos como se fossem plantas de um jardim. Onda a onda, momento a momento: ela vem escutar as criaturas sugarem, se mexerem e guincharem, vem pensar no pai preso em uma cela, pensar em madame Manec no seu campo de flores, no tio confinado por duas décadas dentro da própria casa.

Então ela tateia pelo caminho de volta ao portão e o fecha atrás de si.

Naquele inverno havia mais momentos sem eletricidade do que com eletricidade; Etienne liga um par de baterias de barco ao transmissor para fazer suas transmissões mesmo quando falta energia. Eles queimam caixotes, papéis e até mesmo móveis antigos para se manterem aquecidos. Marie-Laure arrasta o pesado tapete de retalhos do chão do quarto de madame Manec até o sexto andar e o coloca sobre a colcha. Algumas vezes, por volta da meia-noite, o quarto dela fica tão frio que ela acha que consegue ouvir o barulho do piso congelando.

Qualquer som de passos poderia ser de um policial. Qualquer ronco de motor poderia ser de um destacamento enviado para transportá-los.

No andar de cima, Etienne está transmitindo novamente, e ela pensa: eu deveria me posicionar na porta da frente para o caso de eles aparecerem. Com isso, poderia conseguir alguns minutos para ele. Mas está muito frio. É melhor ficar na cama, com o peso do tapete sobre mim, e sonhar com o museu, passar os dedos pelas paredes rememoradas, atravessar a Grande Galeria em direção ao depósito de chaves. Tudo o que ela tem que fazer é percorrer o chão de ladrilhos e virar à esquerda, e lá estará o pai atrás do balcão, a postos com o seu cortador de chaves.

Ele dirá: "Por que demorou tanto, meu passarinho?"

Ele dirá: "Nunca vou abandonar você, nem em um milhão de anos."

CAÇADA

Em janeiro de 1943, Werner descobre uma segunda transmissão ilegal vinda de um pomar, no qual é lançado granada que acaba por arrebentar a maioria das árvores ao meio. Duas semanas mais tarde, descobre uma terceira transmissão, depois uma quarta. Cada nova descoberta parece apenas uma variação da anterior: o triângulo se fecha, cada segmento encolhendo simultaneamente, os vértices ficando mais próximos, até se reduzirem a um ponto único, um celeiro ou uma cabana ou o porão de uma fábrica ou algum acampamento repulsivo no gelo.

— Ele está transmitindo agora?
— Sim.
— Naquele barracão?
— Está vendo a antena subindo pela parede leste?

Sempre que pode, Werner grava em fita magnética o que os guerrilheiros dizem. Todo mundo, ele está descobrindo, gosta de se ouvir falar. Empáfia, como nas histórias mais antigas. Eles erguem a antena alto demais, fazem transmissões durante minutos demais, presumem que o mundo oferece segurança e racionalidade, quando naturalmente isso não acontece.

O capitão avisa que está entusiasmado com o progresso deles; promete licenças, bifes, conhaque. Durante todo o verão, o Opel perambula pelos territórios ocupados, cidades que Jutta anotou no registro de rádio deles ao vivo — Praga, Minsk, Liubliana.

De vez em quando o caminhão passa por um grupo de prisioneiros, e Volkheimer pede que Neumann Primeiro desacelere. Ele se senta bem ereto, procurando algum homem tão corpulento quanto ele. Quando encontra, dá uma batida no painel. Neumann Primeiro freia, e Volkheimer se joga para fora, na neve, fala com um guarda e se arremete entre os prisioneiros, em geral vestindo apenas uma camisa para se proteger do frio.

— O rifle dele está no caminhão — dirá Neumann Primeiro. — Deixou a merda do rifle dele justo aqui.

Às vezes ele fica distante demais. Outras vezes, Werner o ouve perfeitamente. Volkheimer dirá *"Ausziehen"*, o vapor da respiração voando na frente dele, e quase sempre o russo corpulento entende. Tire. Um rapaz russo robusto com a cara de quem não se impressiona com nada nesse mundo. Salvo talvez isto: outro gigante arremetendo contra ele.

E então saem as luvas, uma camisa de lã, um casaco gasto. Somente quando ele pede as botas os rostos deles se transformam: balançam a cabeça, olham para cima ou para baixo, reviram os olhos como cavalos amedrontados. Perder as botas, entende Werner, significa que vão morrer. Mas Volkheimer permanece imóvel e espera, um homem corpulento contra o outro, e o prisioneiro sempre cede. Ele fica de pé na neve, calçado com suas meias rasgadas, e tenta fazer contato visual com os outros prisioneiros, mas nenhum deles o encara. Volkheimer apanha vários itens, os experimenta, os devolve se não cabem. Depois retorna com passos fortes de volta para o caminhão, e Neumann Primeiro engrena o Opel.

Gelo rangendo, aldeias queimando nas florestas, noites em que o frio intenso impede até os sonhos — aquele inverno, uma estação estranha e assombrada, durante o qual Werner espreita a estática como ele costumava espreitar as vielas com Jutta, puxando-a no carrinho por Zollverein. Da distorção em seus fones de ouvido, materializa-se uma voz, que depois esmorece, e ele persiste esquadrinhando. Aqui está, pensa Werner quando finalmente a reencontra, *aqui está*: a sensação de fechar os olhos, segurar uma linha e percorrê-la com a mão por quilômetros, até seus dedos encontrarem a diminuta protuberância de um nó.

Às vezes, após captar uma primeira transmissão, passam-se dias até Werner detectar a próxima; elas apresentam um problema para resolver, algo com o qual a mente dele se ocuparia: melhor, certamente, do que lutar em alguma trincheira congelada, fedorenta, cheia de piolho, da maneira como os velhos instrutores em Schulpforta lutaram na primeira guerra. Isto é mais limpo, mais mecânico, uma guerra travada no ar, invisivelmente, e as linhas de frente estão por toda parte. Não teria este tipo de caçada um arrebatamento próprio? No caminhão, pulando no meio da escuridão, nos primeiros sinais de uma antena encoberta pelas árvores?

"Eu escuto vocês."

Agulhas no palheiro. Espinhos na pata do leão. Ele os encontra, e Volkheimer os retira.

Durante todo o inverno, os alemães transportam seus cavalos e trenós e tanques e caminhões pelas mesmas estradas, comprimindo a neve, transformando-a em uma capa de gelo lisa e manchada de sangue. E quando abril finalmente chega com o odor de serragem e cadáveres, as paredes de neve altas e maciças derretem enquanto o gelo teima em se manter nas estradas, revelando com clareza o sangrento mapa da invasão: um registro da crucificação da Rússia.

Em uma noite em Kiev, eles atravessam uma ponte sobre o Dnieper, as árvores em floração e os domos surgindo logo à frente, cinzas voando para todo lado e prostitutas amontoadas nos becos. Em um café, sentam-se a duas mesas de um soldado da infantaria não muito mais velho do que Werner. Ele fita um jornal, os olhos mexendo sem parar, e beberica o café com uma expressão profunda de surpresa. Estupefato.

Werner não consegue parar de observá-lo. Finalmente Neumann Primeiro se inclina.

— Sabe por que ele tem essa aparência?

Werner balança a cabeça.

— O frio congelou as pálpebras dele. Pobre coitado.

Não há serviço de correio. Passam-se meses, e Werner não escreve para a irmã.

As mensagens

As autoridades da Ocupação decretam que toda casa deve ter uma lista de seus ocupantes pregada na porta: "M. Etienne LeBlanc, 62 anos. Mlle. Marie-Laure LeBlanc, 15 anos." Marie-Laure se tortura com devaneios de banquetes servidos em longas mesas: travessas de lombo de porco fatiado, maçãs assadas, banana flambada, abacaxis com creme chantili.

Em certa manhã do verão de 1943, ela caminha em direção à padaria sob uma chuva fina. A fila se estende porta afora. Quando Marie-Laure finalmente chega à frente da fila, madame Ruelle a puxa pelas mãos.

— Pergunte se ele também pode ler isso — diz a mulher, com suavidade.

Por baixo do pão vem um pedaço de papel dobrado. Marie-Laure coloca o pão na mochila e embrulha o papel dentro da mão. Ela entrega o cupom de racionamento, segue direto para casa e tranca a porta atrás de si.

Etienne desce arrastando os pés.

— O que diz o papel, tio?

— Diz: "Monsieur Droguet quer que sua filha em Saint-Coulomb saiba que ele está se recuperando bem."

— Ela disse que é importante.

— O que significa?

Marie-Laure retira a mochila, vasculha lá dentro e corta um naco grande de pão.

— Que monsieur Droguet quer que a filha saiba que ele está bem — diz ela.

Nas semanas seguintes, chegam mais notas. Um nascimento em Saint-Vincent. Uma avó à morte em La Mare. Madame Gardinier, em La Rabinais, quer que o filho saiba que ela o perdoa. Se há mensagens secretas ocultas nessas missivas — se "Monsieur Fayou teve uma ataque cardíaco e morreu em paz" significa "Explodir a estação de entroncamento de trens em Rennes" —, Etienne não é capaz de dizer. O importante é que há pessoas escutando, que os cidadãos comuns devem ter rádios, que eles precisam de notícias uns sobre os outros. Ele nunca deixa a casa, não vê ninguém, com exceção de Marie-Laure, e ainda assim foi arrastado para o centro de uma rede de informações.

Ele liga o microfone, lê os números e depois as mensagens. Ele as transmite em seis faixas diferentes, dá instruções para a próxima transmissão e põe para tocar um pouco de um disco antigo. No total, tudo dura no máximo seis minutos.

Tempo demais. Tem quase certeza, tempo demais.

Mesmo assim, não aparece ninguém. Os dois sinos não tocam. Nenhuma patrulha alemã sobe as escadas aos socos e empurrões para dar alguns disparos nas cabeças deles.

Embora as tenha memorizado, na maior parte das noites Marie-Laure pede que Etienne leia para ela as cartas do pai. Na noite de hoje, ele está sentado na beirada da cama dela.

"Hoje vi um carvalho disfarçado de castanheira."

"Sei que você vai fazer a coisa certa."

"Se algum dia quiser entender, procure pelo interior da casa de Etienne, dentro da casa."

— O que o senhor acha que ele quer dizer quando escreve "dentro da casa"?

— Voltamos a isso tantas vezes, Marie.

— O que o senhor acha que ele está fazendo exatamente agora?

— Dormindo, querida. Tenho certeza.

Ela vira para o lado, e ele a cobre até os ombros com a colcha, sopra a vela e fita os telhados e chaminés em miniatura da maquete aos pés da cama. Surge uma recordação: Etienne estava em um campo a leste da cidade com o irmão. Era verão, os vaga-lumes apareciam em Saint-Malo, e o pai deles ficava muito entusiasmado, fabricando redes com cabos compridos para os filhos e dando a eles potes de vidro cujas tampas tinham fechos de arame, e Etienne e Henri corriam pela grama alta enquanto os vaga-lumes voavam, acendendo e apagando, sempre para longe do alcance deles, como se a terra estivesse queimando devagar e eles fossem centelhas liberadas pelas pisadas dos garotos.

Henri queria colocar muitos vaga-lumes na janela, assim os navios poderiam avistar seu quarto a vários quilômetros de distância.

Se há vaga-lumes neste verão, eles não dão o ar de sua graça na Rue Vauborel. Aparentemente, só há silêncio e sombras. O silêncio é o fruto da Ocupação; está suspenso nos galhos, jorra das calhas. Madame Guiboux, mãe do sapateiro, saiu da cidade. Assim como a idosa madame Blanchard. Tantas janelas estão às escuras. É como se a cidade tivesse se tornado uma biblioteca de livros escritos em uma língua desconhecida, as casas, em grandes prateleiras com volumes ilegíveis, todas as luminárias apagadas.

No entanto, existe uma máquina no sótão que está em funcionamento de novo. Uma centelha na noite.

Um ruído abafado sobe da ruela, e Etienne espreita pelas venezianas do quarto de Marie-Laure, do alto do sexto andar, e vê o fantasma de madame Manec de pé ao luar. Ela estende uma das mãos, e pardais aterrissam, um atrás do outro, nos braços da velha senhora, que os abriga sob o casaco.

LOUDENVIELLE

Os Pireneus brilham. Uma lua áspera se destaca no cume como se estivesse empalada. O sargento-mor Von Rumpel pega um táxi sob o luar prateado rumo a um *commissariat*, onde se encontra com um capitão de polícia que possui o hábito de afagar o considerável bigode com os dedos indicador e médio da mão esquerda, repetidamente.

O policial francês prendeu alguém. Uma pessoa arrombou o chalé de um proeminente doador que tem ligações com o Museu de História Natural de Paris, e o assaltante foi detido com uma mala de viagem cheia de pedras preciosas.

Ele aguarda durante um bom tempo. O capitão examina as unhas da mão esquerda, depois da direita, depois da esquerda novamente. Von Rumpel se sente debilitado esta noite, até mesmo enjoado; o médico afirma que os tratamentos acabaram, que atacaram o tumor e agora precisam esperar, mas em algumas manhãs ele não consegue nem ficar de pé após terminar de amarrar os cadarços.

Um automóvel se aproxima. O capitão sai para o receber. Von Rumpel observa pela janela.

Do banco traseiro, dois policiais aparecem com um homem de aparência frágil vestido com um terno bege, com um hematoma roxo-vivo no olho esquerdo. Mãos algemadas. Gotas de sangue no colarinho. Como se tivesse acabado de interpretar o vilão de um filme. Os policiais conduzem o prisioneiro para dentro enquanto o capitão retira uma bolsa do porta-malas do carro.

Von Rumpel tira as luvas brancas do bolso. O capitão fecha a porta do escritório, coloca a mala sobre a mesa e fecha as persianas. Inclina a cúpula do abajur da mesa. Vindo de uma sala em algum ponto mais distante, Von Rumpel consegue ouvir o som de uma cela ser fechada. Da maleta, o capitão retira uma caderneta de endereços, uma pilha de cartas e um estojo de pó de arroz. Em seguida, arranca um fundo falso e retira de dentro seis pacotes de veludo.

Ele os desembrulha, um de cada vez. O primeiro contém três maravilhosas amostras de berilo: cor-de-rosa, largos, hexagonais. Dentro do segundo, há apenas um aglomerado de amazonita verde-água, com suaves estrias brancas. Na terceira, há um diamante em formato de lágrima.

O entusiasmo toma as pontas dos dedos de Von Rumpel. O capitão retira uma lupa do bolso, um olhar de pura ganância estampado no rosto. Examina o diamante durante um bom tempo, virando-o de um lado para o outro. Pela mente de Von Rumpel navegam visões do Führermuseum, estantes expositoras cintilantes, caramanchões com pilares, joias em vitrines — e ainda algo mais: um poder discreto, como baixa voltagem, emanando do diamante. Sussurrando no ouvido dele, prometendo apagar a doença dele.

Finalmente o capitão ergue o olhar, uma marca rosada e apertada deixada pela lupa ao redor do olho. A luz do abajur reflete o brilho úmido sobre seus lábios. Ele volta a pousar a pedra sobre a toalha.

Do outro lado da mesa, Von Rumpel apanha o diamante. Tem o peso certo. Frio entre seus dedos, mesmo através do algodão das luvas. Profundamente saturado de azul nas extremidades.

Será que ele acredita?

Dupont quase reaviva a esperança de Von Rumpel. Porém, com a lente no olho, o sargento-mor percebe que ela é idêntica à outra que ele examinou no museu dois anos antes. Ele pousa a reprodução novamente em cima da mesa.

— Mas, no mínimo — diz o capitão em francês, o rosto ficando abatido —, devemos passar pelo raio-X, não é?

— Faça o que achar melhor. Vou levar as letras de câmbio, por favor.

Antes da meia-noite, ele está no hotel. Duas falsificações. Trata-se de um progresso. Duas encontradas, duas ainda a encontrar, e uma dessas últimas deve ser a verdadeira. Para jantar, pede javali cozido com cogumelos selvagens. E uma garrafa inteira de Bordeaux. Principalmente em época de guerra, tais coisas continuam importantes. São elas que separam o homem civilizado do bárbaro.

O hotel é invadido por correntes de ar e a sala de jantar está vazia, mas o garçom é excelente. Ele serve o vinho com delicadeza e se afasta. Uma vez na taça, escuro como sangue, o Bordeaux parece ganhar vida. Von Rumpel se deleita em saber que ele é a única pessoa no mundo que terá o privilégio de saboreá-lo antes que se acabe.

Cinza

Dezembro de 1943. Bolsões de frio entre as casas. A única madeira que resta para queimar ainda está verde, e a cidade inteira tem cheiro de fumaça de lenha. Caminhando para a padaria, a adolescente de quinze anos Marie-Laure sente mais frio do que nunca. No lado de dentro, está um pouco melhor. Flocos de neve desgarrados parecem flutuar no meio dos cômodos, invadindo o ambiente pelas frestas nas paredes.

Ela escuta os passos do tio-avô pelo teto, e a voz dele — "310 1467 507 2222 576881" —, e depois a música do avô, "Clair de Lune", a envolve como uma névoa azul.

Os aviões sobrevoam baixos, preguiçosos, sobre a cidade. Às vezes soam tão próximos que Marie-Laure teme que eles possam roçar nos telhados, bater nas chaminés com suas barrigas. Porém, nenhum avião bate, nenhuma casa explode. Nada parece mudar, com exceção de Marie-Laure, que cresce: ela não cabe mais nas roupas que o pai trouxe na mochila três anos antes. E seus sapatos ficam apertados; ela começa a usar os velhos mocassins com borla de Etienne e três pares de meia.

Correm rumores de que apenas funcionários de serviços essenciais e pessoas com problemas de saúde terão a permissão de continuar em Saint-Malo.

— Não vamos sair daqui — diz Etienne. — Não quando podemos finalmente estar fazendo algo de bom. Se o médico não nos der os atestados, pagaremos por eles.

Todo dia, ela tira um tempo para se perder nos reinos da memória: as impressões esmaecidas do mundo visual antes dos seis anos, quando Paris era como uma vasta cozinha, pirâmides de repolho e cenoura por todo lado; estandes de padeiros transbordando doces; peixes empilhados como lenha nas barracas dos peixeiros, os riachos afluindo em tons de prata, gaivotas cor de alabastro arremetendo em voos rasantes para surrupiar os despojos do pescado. Cada esquina para onde ela virava se ampliava em cores: o verde dos alhos-porós, o roxo profundo e lustroso das berinjelas.

O mundo agora era cinza. Rostos cinza, uma quietude cinza e um pavor cinza suspenso na fila da padaria, e a única cor no mundo se acende brevemente quando Etienne sobe a escada para o sótão, a fim de enviar mais uma das mensagens de madame Ruelle, a fim de tocar uma música. Aquele pequenino sótão explodindo com magenta e azul-turquesa e dourado durante cinco minutos, e então o rádio é desligado, e o cinza volta a se instalar rapidamente, e o tio de Marie desce a escada com passos pesados.

Febre

Talvez tenha vindo do ensopado em alguma cozinha anônima na Ucrânia; talvez os guerrilheiros tenham envenenado a água; talvez Werner fique tempo demais em lugares úmidos com os fones no ouvido. De qualquer maneira, a febre chega, e com ela uma terrível diarreia; e, enquanto se agacha na lama atrás do Opel, ele sente como se estivesse cagando o seu último traço de civilização. Durante horas Werner não consegue fazer nada além de comprimir a face contra a parede da carroceria do caminhão à procura de um ponto que esteja frio. Depois os tremores se sucedem, fortes e rápidos, e ele não consegue aquecer o corpo; ele deseja pular em uma fogueira.

Volkheimer oferece café; Neumann Segundo oferece os comprimidos que Werner por agora já sabe que não são para dores nas costas. Ele recusa os dois, e 1943 se torna 1944. Werner não escreve para Jutta há quase um ano. A última carta que ele recebeu da irmã data de seis meses e começa assim: "Por que você não me escreve?"

Ainda assim, ele dá um jeito de descobrir transmissões ilegais, uma a cada duas semanas aproximadamente. Ele resgata equipamento soviético inferior, montado com aço de baixa qualidade, soldado de forma grosseira; tudo muito improvisado. Como eles combatem na guerra com um equipamento tão malfeito? A Resistência é descrita para Werner como supremamente organizada; eles são insurgentes disciplinados, perigosos; seguem as ordens de líderes ferozes, letais. Mas ele vê em primeira mão que os laços entre eles são tão frouxos quanto ineficientes — são pobres e imundos; vivem em buracos. São marginais desorganizados sem nada a perder.

E as tentativas para saber qual das teorias é verdadeira não avançam. Porque na realidade, pensa Werner, todos eles são insurgentes, todos guerrilheiros, cada pessoa que avistam. Qualquer um que não seja alemão quer ver os alemães mortos, até aqueles que bajulam o inimigo. Eles se esquivam do caminhão ruidoso quando entra na cidade; escondem os rostos, as famílias; as lojas deles transbordam com sapatos removidos dos mortos.

Olhe para eles.

O que ele sente nos piores dias daquele inverno implacável — enquanto a ferrugem toma posse do caminhão e dos rifles e dos rádios, enquanto todas as divisões alemãs estão batendo em retirada — é um profundo desdém por todos os seres humanos pelos quais eles passam. A fumaça, as aldeias em ruínas, os pedaços quebrados de tijolos na rua, os corpos congelados, as paredes rachadas, os carros virados de cabeça para baixo, os cães latindo, piolhos e ratos correndo: como conseguem viver assim? Aqui nos bosques, nas montanhas, nas aldeias, presume-se que eles acabem com a desordem. A entropia completa de qualquer sistema, dizia o dr. Hauptmann, só diminui se aumenta a entropia de um outro sistema. A natureza requer simetria. *Ordnung muss sein.*

E, no entanto, que ordem estão impondo aqui? As malas, as filas, os bebês chorando, os soldados afluindo de volta às cidades com a eternidade nos olhos — em que sistema a ordem está aumentando? Certamente não em Kiev, ou Lvov, ou Varsóvia. É tudo Hades. Simplesmente há seres humanos de mais, como se colossais fábricas russas lançassem novos homens a cada minuto. Matem mil e vamos fabricar mais dez mil.

Fevereiro os alcança nas montanhas. Werner treme na carroceria do caminhão enquanto Neumann Primeiro tritura as rodovias. Trincheiras serpenteiam embaixo deles em uma rede interminável, posições alemãs de um lado, posições russas mais além. Grossas faixas de fumaça riscam o vale; labaredas ocasionais de artilharia voam como petecas.

Volkheimer desdobra um cobertor e envolve os ombros de Werner. O sangue jorra dentro dele para a frente e para trás como mercúrio, e fora das janelas, em um vão no meio da neblina, a rede de trincheiras e artilharia se revela claramente por um momento, e Werner sente que está fitando os circuitos de um imenso rádio, cada soldado lá embaixo como um elétron flutuando em sua trajetória particular, com tão pouco livre-arbítrio sobre seu próprio destino quanto um elétron. Depois eles fazem uma curva, e ele sente apenas a presença de Volkheimer perto dele, um entardecer frio além da janela, ponte após ponte, colina após colina, descendo sem parar. O luar metálico, fragmentado, se desfragmenta pela estrada, e vê-se um cavalo branco mastigando em um campo, e um holofote varre o céu, e na janela acesa de uma cabana na montanha, por um centésimo de segundo quando passam por ali roncando, Werner vê Jutta sentada a uma mesa, as faces brilhantes de outras crianças ao redor dela, o bordado de Frau Elena em cima da pia, os cadáveres de dezenas de crianças empilhados em um cesto ao lado do fogão.

A TERCEIRA PEDRA

Ele se encontra em um château perto de Amiens, ao norte de Paris. A casa antiga e espaçosa geme na escuridão. A residência pertence a um paleontólogo aposentado, e Von Rumpel acredita que foi para este lugar que o chefe da segurança do museu em Paris fugiu durante o caos que se seguiu à invasão da França três anos antes. Um lugar tranquilo, isolado pelos campos, envolvido por cercas vivas. Ele sobe uma escada até a biblioteca. Uma estante de livros foi esvaziada; o cofre está atrás dela. O arrombador da Gestapo é bom: ele utiliza um estetoscópio, não se preocupa em usar uma lanterna. Em poucos minutos, o cofre está aberto.

Uma velha pistola, uma caixa de certificados, um monte de moedas de prata embaçadas. E, dentro de uma caixa de veludo, um diamante azul em formato de lágrima.

O coração vermelho dentro da pedra se revela por um segundo, torna-se inteiramente inacessível no seguinte. Dentro de Von Rumpel a esperança se entrelaça com o desespero; ele está quase lá. A sorte está a seu favor, não está? Mas ele sabe antes de colocá-lo sob o abajur. O mesmo júbilo se despedaçando dentro dele. O diamante não é genuíno; também este é trabalho de Dupont.

Ele encontrou todas as três falsificações. Toda a sorte foi usada. O médico diz que o tumor está crescendo novamente. As perspectivas quanto à guerra estão em queda brusca — a Alemanha bate em retirada na Rússia, atravessando a Ucrânia, para cima do tornozelo da Itália. Não demora muito, e todos no Einsatzstab Reichsleiter Rosenberg — os homens que se dividem para percorrer o continente em busca de bibliotecas ocultas, textos sagrados guardados secretamente, pinturas impressionistas escondidas — receberão armas e serão enviados para a frente de batalha. Inclusive Von Rumpel.

"O portador da pedra viverá para sempre."

Ele não pode desistir. E, ainda assim, suas mãos ficam muito pesadas. A cabeça dele parece uma pedra.

Uma no museu, uma na casa de um doador do museu, uma enviada com um chefe da segurança. Que tipo de homem eles escolheriam para ser o terceiro a carregá-la? O homem da Gestapo o observa, a atenção dele voltada para o diamante, a mão esquerda na porta do cofre. Não pela primeira vez, Von Rumpel pensa no extraordinário cofre de joias do museu. Como um quebra-cabeças em forma de caixa. Em todas as suas viagens, nunca viu nada parecido. Quem o teria concebido?

A PONTE

Em uma aldeia francesa ao sul de Saint-Malo, explode um caminhão alemão que atravessava uma ponte. Seis soldados morrem. A responsabilidade recai sobre os terroristas. "Noite e neblina", sussurram as mulheres que aparecem para ver se Marie-Laure está bem. "Para cada *Kraut* perdido, eles vão matar dez dos nossos." Policiais batem de porta em porta exigindo que todo homem fisicamente saudável os acompanhe para trabalhar por um dia. Escavar trincheiras, descarregar vagões em estradas de ferro, empurrar carrinhos de mão com sacos de cimento, construir obstáculos contra invasores em um campo ou uma praia. Todo mundo que for capaz é obrigado a trabalhar para fortalecer a Muralha do Atlântico. Etienne permanece de pé piscando na entrada da porta com os atestados médicos na mão. O vento frio o acertando enquanto ondas de medo penetram na casa.

Madame Ruelle sussurra que as autoridades da Ocupação estão pondo a culpa pelo ataque em uma complexa rede de transmissões radiofônicas antiocupação. Ela acrescenta que equipes estão trabalhando sem parar para cercar as praias com arame farpado e imensas proteções de madeira chamadas *chevaux de frise*. Já restringiram o acesso para os caminhos em cima das muralhas.

Ela entrega o pão, e Marie-Laure o leva para casa. Quando Etienne o parte, ainda há um pedaço de papel dentro. Mais nove números.

— Pensei que eles podiam parar por um tempo — diz.

Marie-Laure pensa no pai.

— Talvez seja mais importante agora?

Ele espera escurecer. Marie-Laure se senta na entrada do guarda-roupa, o fundo falso aberto, e escuta o tio ligar o microfone e o transmissor no sótão. A voz modulada pronuncia os números. Depois a música toca, suave e baixa, cheia de violoncelos esta noite, e cessa de repente.

— Tio?

Ele leva um bom tempo para descer a escada. Agarra a mão dela.

— A guerra que matou o seu avô matou mais de seis milhões de pessoas — diz ele. — Um milhão só de rapazes franceses, a maioria mais jovem do que eu na época. Dois milhões no lado dos alemães. Se os mortos marchassem em uma fila indiana, por onze dias e onze noites eles passariam pela nossa porta. O que estamos fazendo não é rearrumar sinais de trânsito, Marie. Não é como colocar uma carta na caixa de correio errada. Esses números, eles são mais do que números. Você entende?

— Mas nós somos os mocinhos. Não é, tio?
— Espero que sim. Espero que sim.

Rue des Patriarches

Von Rumpel entra em um prédio de apartamentos do quinto *arrondissement*. No primeiro andar, a senhoria, com um sorriso afetado, apanha o maço de cupons de racionamento que ele oferece e os enterra dentro do robe. Gatos sobem nos tornozelos dela. Atrás da mulher, um apartamento decorado em excesso exala odores de maçã podre, confusão, velhice.

— Quando eles partiram, madame?
— Verão de 1940 — diz em tom contrariado.
— Quem paga o aluguel?
— Não sei, monsieur.
— Os cheques vêm do Museu de História Natural?
— Não sei dizer.
— Quando foi a última vez que alguém veio?
— Ninguém vem. Os cheques são enviados pelo correio.
— De onde?
— Não sei.
— E ninguém entra ou sai do apartamento?
— Não desde aquele verão — diz ela, e recua com seu rosto de abutre e unhas de abutre para a escuridão cheia de odores.

Von Rumpel sobe. Uma única tranca no quarto andar assinala o apartamento do chaveiro. Lá dentro, as janelas estão cobertas com compensados de madeira, e uma luz perolada e abafada vaza dos nós da madeira. Como se ele tivesse entrado em uma caixa escura dentro de uma coluna de pura luz. Armários pendem abertos, almofadas de sofá pousam ligeiramente tortas, uma cadeira de cozinha tombada para o lado. Tudo indica uma saída apressada, uma busca rigorosa ou ambos. Uma beirada preta de musgo circunda o vaso sanitário no local onde a água vazou. Ele examina o quarto, o banheiro, a cozinha, um tanto de esperança cruel e implacável cintilando dentro dele: "E se…?"

Em cima de uma bancada de trabalho estão pequeninos bancos, pequeninos lampiões, pequeninos trapezoides de madeira polida. Um torno pequeno, uma caixinha de pregos, frasquinhos de cola há muito endurecida. Ao lado da bancada, por baixo de um pano de proteção, uma surpresa: um modelo complexo do 5º *arrondissement*. Os prédios não estão pintados, mas afora isso são extremamente ricos em detalhes. Venezianas, portas, janelas, ralos de chuva. Nenhuma pessoa. Isso é um brinquedo?

No armário do quarto, estão pendurados alguns vestidos de menina corroídos pelas traças e um suéter com bordados de cabras mastigando flores. Pinhas empoeiradas estão alinhadas no parapeito da janela, ordenadas da maior para a menor. No chão da cozinha, tiras adesivas de fricção foram pregadas no assoalho. Um local de calma disciplina. Calma. Ordem. Uma única linha de barbante corre entre a mesa e o banheiro. Um relógio de pé parou de funcionar e não tem o vidro do mostrador. Só depois que ele encontra três imensos volumes, encadernados em espiral, de Júlio Verne e em braille é que ele resolve a charada.

Um construtor de cofres. Talentoso com fechaduras. Mora a uma distância do museu que pode ser feita a pé. Funcionário do museu durante toda a sua vida adulta. Humilde, nenhuma aspiração visível por riquezas. Uma filha cega. Uma porção de motivos para ser leal.

— Onde você está se escondendo? — pergunta ele em voz alta para o quarto.

A poeira faz redemoinhos na estranha luz.

Dentro de uma mala ou de uma caixa. Enfiado atrás de um rodapé ou escondido em um compartimento por baixo do assoalho ou coberto por gesso dentro de uma parede. Ele abre as gavetas da cozinha e verifica os fundos delas. Porém, os pesquisadores anteriores devem ter examinado tudo isso.

Vagarosamente sua atenção retorna à maquete do bairro. Centenas de casas diminutas e seus telhados com mansardas e varandas. É exatamente o bairro onde ele está agora, percebe, desprovido de cores e de pessoas e montado em miniatura. Uma pequenina e fantasmagórica versão do bairro. Uma construção em especial parece alisada e gasta pelo uso insistente dos dedos: a construção onde ele se encontra. Esta casa.

Ele dirige o olhar para o nível da rua, transforma-se em um deus assomando sobre o Quartier Latin. Com dois dedos, poderia beliscar quem escolhesse, empurrar meia cidade para as sombras. Virá-la de cabeça para baixo. Coloca os dedos em cima do telhado do prédio em que está ajoelhado no momento. Sacode-o para trás e para a frente. A pequena construção se solta facilmente da maquete, como se fosse projetada para isso. Ele a gira na frente dos olhos: dezoito janelinhas, seis varandas, uma pequenina porta de entrada. Aqui embaixo — por trás desta janela — espreita a pequena senhoria com seus gatos. E aqui, no quarto andar, está ele próprio.

No fundo da casa, descobre um pequenino orifício, exatamente igual à fechadura no cofre de joias no museu que ele tinha visto três anos antes. A casa, percebe ele, é um recipiente. Um esconderijo. Ele brinca com a casinha por um tempo, tentado descobrir como abri-la. Ele a gira, tenta a parte de baixo, a lateral.

Sua pulsação vai às alturas. Algo molhado e febril sobe até sua língua.

Será que você tem alguma coisa dentro de você?

Von Rumpel coloca a casinha no chão, levanta o pé e a esmaga.

Cidade branca

Em abril de 1944, o Opel entra chacoalhando em uma cidade branca cheia de janelas vazias.

— Viena — diz Volkheimer.

Neumann Segundo tagarela sobre palácios dos Habsburgos, *wiener schnitzel* e garotas cujas vulvas têm sabor de strudel de maçã. Eles dormem em uma suíte do Velho Mundo, outrora majestosa, com os móveis escorados contra as paredes, penas de galinha entupindo as pias de mármore e jornais grudados nas janelas de maneira grosseira. Lá embaixo, uma área de manobra de trens apresenta uma confusão nos trilhos. Werner pensa no dr. Hauptmann com seus cachos e luvas forradas de pele, cuja infância em Viena Werner imagina ter sido passada em cafés vibrantes, onde futuros cientistas discutiam Bohr e Schopenhauer, onde estátuas de mármore em suas bases olhavam para baixo como se fossem madrinhas bondosas.

Hauptmann, que, presumivelmente, ainda se encontra em Berlim. Ou na frente de batalha, como todos os demais.

O comandante da cidade não tem tempo para eles. Um subordinado conta a Volkheimer que há relatos de transmissões da Resistência se originando de Leopoldstadt. Eles dão voltas e mais voltas na cidade a bordo do caminhão. A neblina fria se projeta sobre as árvores em floração, e Werner permanece no seu posto na carroceria do caminhão e estremece. Para ele, o lugar cheira a carnificina.

Durante cinco dias ele não ouve nada no seu rádio além de hinos, propaganda gravada e transmissões de coronéis sitiados rogando por suprimentos, gasolina, homens. Tudo está se esfacelando, sente Werner; a tessitura da guerra está se desfazendo.

— Ali é a Staatsoper — aponta Neumann Segundo numa determinada noite.

A fachada de um prédio majestoso se ergue graciosamente, com suas pilastras e ameias. Alas imponentes assomam nos dois lados, de algum modo com uma aparência ao mesmo tempo leve e pesada. Werner fica impressionado ao perceber exatamente naquele momento como é extraordinariamente frívolo construir prédios esplêndidos, compor música, cantar canções, imprimir livros colossais repletos de pássaros coloridos diante da indiferença sísmica e controladora do mundo — quanta pretensão têm os seres humanos! Por que alguém vai se dar ao luxo de compor uma música se o silêncio e o vento são tão mais amplos? Por que alguém vai acender as luzes se as trevas vão inevitavelmente apagá-las? Se os prisioneiros russos são acorrentados a cercas, em grupos de três ou quatro, enquanto os soldados alemães enfiam granadas destravadas em seus bolsos e fogem?

Teatros para óperas! Cidades na lua! Ridículo. Todos eles fariam melhor se dessem o ar da graça quando chegassem os rapazes que atravessam a cidade carregando trenós com cadáveres empilhados.

No meio da manhã, Volkheimer ordena que estacionem no Augarten. O sol faz a neblina se dissipar e revela as primeiras florações das árvores. Werner pode sentir a febre pulsando em seu corpo, um forno com a porta fechada. Neumann Primeiro, cujo destino era morrer daí a dez semanas na invasão dos Aliados na Normandia, poderia ter se tornado um barbeiro na maturidade; poderia ter exalado odor de talco e uísque enquanto pousava o dedo indicador nas orelhas dos clientes para posicionar melhor a cabeça deles, cujas calças e camisas sempre ficariam cobertas de mechas de cabelos cortados; poderia ter colado cartões postais dos Alpes ao redor de um espelho grande, instável e de má qualidade, em sua barbearia; poderia ter sido fiel à robusta esposa para o resto da vida.

— Hora de cortar o cabelo — diz Neumann Primeiro.

Ele acomoda um tamborete na calçada, joga uma toalha quase limpa em cima dos ombros de Bernd e faz um corte rápido nos cabelos dele. Werner encontra uma estação de rádio pública tocando valsa e posiciona o autofalante na porta traseira aberta do Opel para que todos possam ouvir. Neumann Primeiro corta o cabelo de Bernd, depois de Werner, depois o de Neumann Segundo, que tem forma de cuia. Werner observa Volkheimer acomodar-se no tamborete e fechar os olhos quando se inicia um valsa especialmente lamuriosa, Volkheimer, que já matou até agora uma centena de homens no mínimo, provavelmente mais, entrando nas patéticas cabanas de onde se originam as transmissões de rádio, caminhando de modo sorrateiro, com suas botas confiscadas, por trás de algum ucraniano esquelético com fones no ouvido e um microfone nos lábios, e dando-lhe um tiro na nuca, e depois voltando para o caminhão a fim de mandar Werner recolher o transmissor, dando a ordem de maneira tranquila, sonolenta, mesmo quando há pedaços do homem no transmissor.

Volkheimer, que sempre se certifica de que há comida para Werner. Que lhe traz ovos, que compartilha sua sopa, cuja afeição por Werner se mantém aparentemente inabalável.

O Augarten se revela um local de busca difícil, cheio de ruas estreitas e prédios de apartamentos altos. As transmissões ao mesmo tempo que atravessam os prédios também são refratadas por eles. Naquela tarde, muito tempo depois de terem afastado o tamborete e de as valsas cessarem, enquanto Werner está posicionado ao lado do rádio sem ouvir nada de especial, aparece, saindo da porta de uma casa, uma menininha de cabelos ruivos, vestindo uma capa em tom de vermelho-escuro, seis ou sete anos talvez, miúda para a idade, com grandes olhos claros que lhe fazem lembrar os de Jutta. Ela atravessa a rua correndo até o parque e fica brincando lá, sozinha, embaixo das árvores em floração, enquanto a mãe permanece na esquina roendo as pontas dos dedos. A criança sobe no balanço e se lança para a frente e para trás, impulsionando as pernas — observá--la abre alguma brecha na alma de Werner. Isso é a vida, pensa ele, é por isso que vivemos, para brincar assim em um dia quando o inverno finalmente está recolhendo suas garras. Ele aguarda a volta de Neumann Segundo por trás do caminhão, esperando que ele diga algo grosseiro, para estragar a cena, mas ele não faz isso, tampouco Bernd, talvez os dois nem a vejam, talvez este único exemplo de pureza escape da profanação que eles provocam, e a menina canta ao balançar, uma música que Werner reconhece, uma música com uma contagem que as meninas costumavam cantar na Casa das Crianças quando pulavam corda, "*Eins, zwei, Polizei, drei, vier, Offizier*", e como ele gostaria de se juntar a ela, empurrá-la cada vez mais alto, cantar "*fünf, sechs, alte Hex, sieben, acht, gute Nacht!*". Então, a mãe da menina grita algo que Werner não consegue ouvir e toma a mão da filha. Elas viram a esquina, a pequena capa de veludo esvoaçando para trás, e desaparecem.

Nem uma hora mais tarde, ele capta algo se debatendo no meio da estática: uma transmissão simples em alemão com sotaque suíço. "Ponto nove, transmitindo em 1600, aqui é KX46, está me ouvindo?" Ele não entende tudo. Então some. Werner atravessa a praça e sintoniza ele próprio o segundo rádio. Quando falam novamente, ele faz a triangulação e insere os números na equação;

depois olha para cima e vê, a olho nu, o que se parece muito com o cabo de uma antena descendo pela lateral de um prédio ladeando a praça.

Tão fácil.

Os olhos de Volkheimer já se avivaram, um leão capturando o odor. Como se ele e Werner mal tivessem necessidade de falar para se comunicarem.

— Está vendo o cabo descendo ali? — pergunta Werner.

Volkheimer perscruta o edifício com o binóculo.

— Naquela janela?

— Isso.

— Não é muito cheio aqui? Todos esses prédios?

— É aquela janela — responde Werner.

Eles entram. Werner não ouve nenhum tiro. Cinco minutos depois, eles o chamam até um apartamento no quinto andar revestido de papel de parede com um padrão floral estonteante. Ele espera ser chamado para cuidar do equipamento, como de hábito, mas não há nada: nenhum cadáver, nenhum transmissor, nem mesmo um aparelho simples de recepção. Apenas luminárias enfeitadas, um sofá bordado e o espalhafatoso papel de parede rococó.

— Levante as tábuas do assoalho — ordena Volkheimer.

Após Neumann Segundo levantar diversas delas e espiar o que havia embaixo, fica claro que a única coisa sob o assoalho é crina de cavalo colocada décadas atrás para isolamento.

— Um outro apartamento, talvez? Um outro andar?

Werner atravessa um quarto, desliza a janela para abri-la inteiramente e averigua uma varanda de ferro. O que ele pensou ser uma antena não passava de uma vara pintada ao longo de uma pilastra, provavelmente com o propósito de sustentar um varal. Nem de longe uma antena. Porém, ele tinha ouvido uma transmissão. Não tinha?

Ele sente uma dor alcançar a base de seu crânio. Entrelaça as mãos atrás da cabeça e se senta na beirada de uma cama desfeita e olha as roupas em volta — uma combinação dobrada no encosto de uma cadeira, uma escova de cabelo com cabo de estanho na escrivaninha, filas de pequeninos potes e frascos foscos em uma penteadeira, tudo indistintamente feminino para ele, misterioso e confuso, da mesma maneira como a mulher de Herr Siedler o deixou confuso quatro anos antes, quando ela levantou a saia e se ajoelhou na frente daquele enorme rádio.

O quarto de uma mulher. Lençóis amarrotados, um aroma de hidratante corporal no ar e a fotografia de um rapaz — sobrinho? amante? irmão? — na penteadeira. Talvez os cálculos dele estivessem errados. Talvez o sinal tenha se espalhado pelos edifícios. Talvez a febre tenha tumultuado o seu juízo. No papel de parede à sua frente, as rosas parecem dançar, rodopiar, mudar de lugar.

— Nada? — grita Volkheimer do outro cômodo.

— Nada — grita Bernd de volta.

Em algum universo alternativo, fica imaginando Werner, esta mulher e Frau Elena poderiam ter sido amigas. Uma realidade mais agradável do que esta aqui. E então ele vê, pendurado na maçaneta, um quadrado vermelho-escuro de veludo, o capuz grudado, uma capa de criança, e naquele exato momento no outro quarto de vestir, Neumann Segundo solta um berro como um gargarejo agudo e surpreso, e há um único tiro, e depois o grito de uma mulher, mais tiros, e Volkheimer passa apressado, correndo, e os outros o seguem, e eles encontram Neumann Segundo de pé em frente a um armário com ambas as mãos no rifle e o cheiro de pólvora por todo lado. No chão jaz uma mulher, um braço arremessado para trás como se lhe tivessem recusado uma dança, e dentro do armário não há um rádio, mas uma criança sentada no fundo com uma bala na cabeça. Seus olhos redondos estão abertos e úmidos, e a boca está esticada para trás formando uma expressão oval de surpresa, é a menina do balanço, e ela não pode ter mais do que sete anos.

Werner espera para ver se a criança vai piscar. Pisque, pensa ele, pisque, pisque, pisque. Volkheimer já está fechando a porta do armário, embora ela não feche completamente, já que o pé da menina está para fora, e Bernd está cobrindo a mulher no chão com um cobertor, e como é que Neumann Segundo não conseguiu perceber, mas é claro que não, porque é assim que as coisas são para Neumann Segundo, para todo mundo nesta unidade, neste exército, neste mundo, eles fazem o que mandam, ficam amedrontados, andam por aí preocupados apenas consigo mesmos. Quem não é assim?

Neumann Primeiro sai apressado, algo rançoso no olhar. Neumann Segundo está imóvel com o novo corte de cabelo, os dedos tamborilando a esmo no cabo do rifle.

— Por que elas se esconderam? — pergunta ele.

Volkheimer empurra o pé da menina delicadamente para dentro do armário de novo.

— Não há nenhum rádio aqui — diz ele, e fecha a porta.

Filetes de náusea sobem pela traqueia de Werner.

Do lado de fora, os lampiões da rua tremulam ao vento tardio. Nuvens vindas do oeste passam sobre a cidade.

Werner sobe no Opel, sentindo como se os prédios estivessem se inclinando sobre ele, cada vez mais altos e envergados. Ele se senta com a testa contra os consoles de escuta e vomita entre os sapatos.

"Na verdade, crianças, matematicamente, toda luz é invisível."

Bernd entra e fecha a porta, e o Opel ganha vida, inclinando-se ao virar uma esquina, e Werner sente as ruas se acercando ao redor dele, girando lentamente em uma espiral envolvente, em cujo centro o caminhão vai girar, afundando cada vez mais.

Vinte mil léguas submarinas

No chão do lado de fora da porta do quarto de Marie-Laure, um grande pacote embrulhado em papel de jornal e barbante.

— Feliz décimo sexto aniversário — diz Etienne da escadaria.

Ela rasga o papel. Dois livros, um sobre o outro.

Passaram-se três anos e quatro meses desde que o pai deixara Saint-Malo. Mil duzentos e vinte e quatro dias. Passaram-se quase quatro anos desde que ela lera algo em braille, e, ainda assim, as letras voltam à memória dela como se tivesse lido ontem mesmo.

"Júlio. Verne. Vinte. Mil. Léguas. Parte Um. Parte Dois."

Ela se joga no colo do tio-avô e pendura os braços em torno do pescoço dele.

— Você disse que nunca tinha terminado. Pensei que, em vez de ler para você, talvez você possa ler para mim?

— Mas como…?

— Monsieur Hébrard, o livreiro.

— Mesmo quando nada está disponível? E os livros são tão caros…

— Você fez uma porção de amigos nesta cidade, Marie-Laure.

Ela se estica no chão e abre a primeira página.

— Vou começar a ler tudo de novo. Desde o princípio.

— Perfeito.

— Capítulo Um — ela lê. — Um rochedo em movimento.

"O ano de 1866 foi marcado por um estranho acontecimento, uma ocorrência inexplicável, que sem dúvida permanece presente na memória de todos…" Ela lê apressada as primeiras dez páginas, a história voltando: uma curiosidade mundial acerca do que deve ser um monstro marinho mítico, o famoso biólogo marinho professor Pierre Aronnax se lançando para descobrir a verdade. Trata-se de um monstro ou de um rochedo se deslocando? Alguma outra coisa? Em outra página, Aronnax vai mergulhar do parapeito da fragata; não muito tempo depois, ele e o arpoador canadense Ned Land se encontrarão dentro do submarino do capitão Nemo.

Além da janela coberta com papelão, gotas de chuva caem de um céu tingido de prata. Uma pomba cisca na sarjeta gritando *hu hu hu*. Lá na enseada, um esturjão dá um único salto, como um cavalo prateado, e desaparece.

Telegrama

Um novo comandante da guarnição chegou na Costa da Esmeralda, um coronel. Bem-composto, esperto, eficiente. Ganhou medalhas em Stalingrado. Usa um monóculo. Invariavelmente acompanhado de uma adorável secretária-intérprete francesa que pode ou não ter sido companheira de alguém da realeza russa.

Ele tem uma compleição mediana e está prematuramente grisalho, mas, por alguma estratégia de comportamento e postura, faz os homens que se aproximam dele sentirem-se menores. Corre o boato de que este coronel geria uma empresa automobilística inteira antes da guerra. De que ele é um homem que entende o poder do solo alemão, que sente seu vigor escuro e pré-histórico pulsando em suas próprias células. De que ele nunca capitula.

Toda noite ele envia telegramas da sede regional em Saint-Malo. Dentre os dezesseis comunicados oficiais enviados em 30 de abril de 1944, inclui-se uma missiva para Berlim.

= OBSERVADA A PRESENÇA DE TRANSMISSÕES TERRORISTAS EM CÔTES-DU-NORD ACREDITAMOS SAINT-LUNAIRE OU DINARD OU SAINT-MALO OU CANCALE = SOLICITAMOS AUXÍLIO PARA LOCALIZAR E ELIMINAR

Ponto ponto travessão travessão, e lá vai o telegrama pelos cabos que circundam a Europa.

Oito

9 DE AGOSTO DE 1944

Fort National

Na terceira tarde do cerco a Saint-Malo, o bombardeio acalma, como se todos os atiradores subitamente adormecessem ao lado das armas. As árvores estão em chamas, os automóveis estão em chamas, as casas estão em chamas. Soldados alemães bebem vinho em fortins. Um padre no porão do convento borrifa as paredes com água benta. Dois cavalos, enlouquecidos pelo medo, dão coices na porta da garagem onde ficaram fechados e saem galopando entre as casas chamuscadas na Grand Rue.

Por volta das quatro horas, um morteiro americano, a três quilômetros de distância, arremessa uma única granada inadequadamente alinhada. Ela navega por cima dos muros da cidade e explode contra a balaustrada norte do Fort National, onde trezentos e oitenta franceses estão sendo mantidos contra a própria vontade, com uma cobertura mínima. Nove morrem imediatamente. Um deles ainda agarrado às cartas do baralho com que estava jogando quando o projétil estourou.

No sótão

Durante todos os quatro anos em que Marie-Laure viveu em Saint-Malo, os sinos de St. Vincent marcaram as horas. Agora, no entanto, os sinos silenciaram. Ela não sabe por quanto tempo está aprisionada no sótão ou mesmo se é dia ou noite. O tempo é algo escorregadio: segure-o com firmeza, ou seu encadeamento pode escoar de suas mãos para sempre.

A sede dela se torna tão intensa que ela considera a possibilidade de morder o próprio braço para beber o líquido que corre ali. Ela apanha as latas de comida do casaco do tio-avô e leva os lábios até a borda. Ambas têm sabor de metal. O conteúdo de ambas a apenas um milímetro de distância.

"Não arrisque", diz a voz do pai dela. "Não se arrisque fazendo barulho."

Somente uma, Papa. Vou guardar a outra. O alemão foi embora. Tenho quase certeza de que ele já foi embora.

"Por que o sino do alarme não tocou?"

Porque ele cortou o fio. Ou eu dormi quando o sino tocou. Qualquer um dos inúmeros outros motivos.

"Por que ele sairia se o que ele procura está aqui?"

Quem sabe o que ele procura?

"Você sabe o que ele procura."

Estou com tanta fome, Papa.

"Tente pensar em outra coisa."

Cascatas ruidosas de água clara, fresca.

"Você vai sobreviver, *ma chérie*."

Como o senhor sabe?

"Por causa do diamante no bolso do seu casaco. Eu o deixei aqui para proteger você."

Tudo o que ele fez foi me colocar em perigo.

"Então, por que a casa não foi atingida? Por que não pegou fogo?"

É uma pedra, Papa. Uma gema. Só existe a sorte, seja ela boa ou má. Acaso e física. Lembra-se?

"Você está viva."

Só estou viva porque ainda não morri.

"Não abra a lata. Ele vai ouvir você. Ele não vai hesitar em matá-la."

Como é que ele vai me matar se não posso morrer?

As perguntas dão voltas e voltas e deixam a cabeça de Marie-Laure fervendo. Ela sobe no banco do piano no fundo do sótão e passa as mãos no transmissor de Etienne, tentando entender os interruptores e as bobinas — este é o gramofone, este outro é o microfone e aqui está um dos terminais conectados ao par de baterias —, quando escuta algo embaixo dela.

Uma voz.

Com extremo cuidado, ela desce do banco, se abaixa e pressiona a orelha contra o chão.

Ele está no cômodo diretamente abaixo dela. Urinando no banheiro do sexto andar. Gotejando pingos tristes e intermitentes e gemendo como se o processo lhe causasse dores.

— *Das Häuschen fehlt, wo bist du Häuschen?* — grita ele entre gemidos.

Há algo errado com ele.

— *Das Häuschen fehlt, wo bist du Häuschen?*

Nenhuma resposta. Com quem está falando?

De algum lugar distante surge o baque de morteiros e o ruído de projéteis zunindo acima da casa. Ela escuta o alemão sair do banheiro em direção ao quarto dela. Mancando naquele mesmo coxear. Murmurando algo. Confuso. *Häuschen*: o que significa?

As molas do colchão de Marie rangem; ela reconheceria este som em qualquer lugar. Será que ele estava dormindo na cama dela esse tempo todo? Seis estampidos profundos soam, um após o outro, mais profundos do que artilharia antiaérea, mais distante. Canhões navais. Depois vieram os tambores, os pratos, os gongos de explosões, desenhando uma rede encarnada sobre o telhado. A calmaria está no fim.

Um abismo nas entranhas, um deserto na garganta — Marie-Laure apanha uma das latas de comida de dentro do casaco. O tijolo e a faca à mão.

"Não faça isso."

Se eu continuar escutando o que o senhor diz, Papa, vou morrer de fome com uma lata de comida nas mãos.

O quarto de Marie lá embaixo permanece silencioso. Os projéteis vêm pacientemente, zumbindo a intervalos previsíveis, rasgando uma longa parábola escarlate sobre o telhado. Ela usa o barulho para abrir a lata. *Iiiiiiiiiiiii* segue o projétil, *dingue* faz o tijolo contra a faca, a faca contra a lata. Uma explosão surda e terrível em algum lugar. Estilhaços de bombas zunindo ao penetrarem nas paredes de uma dúzia de casas.

Iiiiiiii dingue. Iiiiiiiii dingue. Em cada pancada uma oração. Não deixe que ele ouça.

Cinco pancadas e jorra um líquido. Com a sexta, ela consegue abrir um quarto da lata e usa a lâmina da faca para entortar a tampa e abri-la toda.

Ela a ergue e bebe o líquido. Fresco, salgado: vagem. Vagem cozida e enlatada. A água onde foi fervida tem um sabor delicioso; todo o corpo dela parece se animar para absorvê-la. Ela esvazia a lata. Dentro da sua cabeça, o pai ficou em silêncio.

As cabeças

Werner insere a antena através dos escombros do teto e a encosta em um cano retorcido. Nada. Engatinhando, ele circunda todo o porão com o cabo da antena, o mesmo trabalho que teria caso fosse amarrar Volkheimer na poltrona dourada com uma corda. Nada. Desliga a lanterna fraca, comprime o fone contra o seu ouvido bom, fecha os olhos na escuridão, liga o rádio transmissor-receptor consertado e corre o ponteiro para cima e para baixo ao longo da bobina de sintonia, conduzindo todos os seus sentidos a uma única função.

Estática estática estática estática estática.

Talvez eles estejam fundo demais. Talvez os escombros do hotel tenham criado uma sombra eletromagnética. Talvez uma peça fundamental do rádio tenha se quebrado e Werner não tenha conseguido identificá-la. Ou talvez os supercientistas do Führer tenham fabricado uma arma para aniquilar todas as armas, e toda esta ponta da Europa é o que sobrou, destruída e desolada, e Werner e Volkheimer são os únicos que restaram.

Ele retira os fones de ouvido e interrompe a conexão. As rações já acabaram há muito tempo, os cantis estão vazios, e a borra no fundo do balde cheio de pincéis é intragável. Tanto ele quanto Volkheimer já entornaram diversos bocados para dentro, e Werner não tem certeza se vai aguentar engolir ainda mais.

A bateria dentro do rádio está quase descarregada. Quando acabar, terão a grande bateria americana de onze volts com o gato preto impresso no lado. E depois?

Quanto oxigênio o aparelho respiratório de uma pessoa troca por dióxido de carbono a cada hora? Houve uma época em que Werner adoraria ter resolvido essa charada. Agora ele está sentado com as duas granadas de Volkheimer no colo, sentindo que os últimos lampejos de vida estão prestes a se extinguir dentro de si. Detonar uma e, depois, a outra. Acionaria as granadas apenas para iluminar este lugar, para ver de novo.

Volkheimer se põe a acender a luz de campo e direcionar seu tênue facho para o canto mais ao fundo, onde oito ou nove cabeças de gesso branco estão dispostas em duas prateleiras, várias delas caídas de lado. Parecem cabeças de manequim, só que preparadas com mais esmero, três com bigode, duas calvas, uma usando um boné de soldado. Mesmo na penumbra, as cabeças assumem um estranho poder na escuridão: branco puro, não exatamente visíveis, mas não inteiramente invisíveis, impregnadas nas retinas de Werner, quase brilhando no escuro.

Atentas, em silêncio e sem piscar os olhos.

Truques da mente.

Rostos, olhem para o outro lado.

Na escuridão, ele rasteja até Volkheimer: é reconfortante encontrar o imenso joelho do amigo no meio da escuridão. O rifle ao lado dele. O corpo de Bernd um pouco mais distante.

— Você já ouviu algum dia as histórias que contavam a seu respeito? — pergunta Werner.

— Quem?

— Os garotos em Schulpforta.

— Ouvi algumas.

— Gostava delas? Ser chamado de Gigante? Ter todo mundo com medo de você?

— Não tem graça quando perguntam toda hora qual é a sua altura.

Um projétil estoura em algum lugar acima do chão. Em algum lugar lá em cima, a cidade arde, o mar quebra na praia, as cracas lançam seus pequenos tentáculos para fora.

— E *qual* é a sua altura?

Volkheimer rosna uma vez, entretido.

— Você acha que Bernd tinha razão sobre as granadas?

— Não — responde Volkheimer, a voz subitamente alerta. — Elas nos matariam.

— Mesmo que construíssemos uma espécie de barreira?

— Seríamos esmagados.

Werner tenta visualizar as cabeças na escuridão do porão. Se não as granadas, então o quê? Será que Volkheimer realmente acredita que alguém virá para salvá-los? Que eles merecem ser salvos?

— Então nós vamos só esperar, é isso?

Volkheimer não responde.

— Por quanto tempo?

Quando as baterias do rádio descarregarem, a bateria americana de onze volts provavelmente alimentaria o rádio por mais um dia. Ou então ele poderia ligar a bateria à lanterna de Volkheimer. A bateria lhes dará mais um dia de estática. Mais um dia de luz. Mas eles não precisarão de luz para usar o rifle.

Delírio

Uma auréola roxa flutua na visão de Von Rumpel. Algo deve ter dado errado com a morfina: talvez ele tenha tomado demais. Ou então a doença avançou tanto a ponto de alterar sua visão.

As cinzas atravessam a janela, flutuando como neve. Já amanheceu? O brilho no céu poderia ser a luz dos incêndios. Os lençóis encharcados de suor, o uniforme tão molhado como se ele estivesse saído para nadar enquanto dormia. Gosto de sangue na boca.

Von Rumpel rasteja até a beirada da cama e encara a maquete. Ele estudou cada centímetro dela. Esmagou um dos cantos com o fundo de uma garrafa de vinho. As estruturas da maquete são quase todas ocas — o château, a catedral, o mercado —, mas por que se dar o trabalho de esmagar todas elas quando uma está faltando, exatamente a casa de que ele precisa?

Lá fora, na cidade desolada, todas as outras estruturas estão ardendo ou ruindo, pelo menos assim parece, mas aqui, na frente dele, acontece o inverso na miniatura: a cidade permanece de pé, mas a casa que ele está ocupando desapareceu.

Será que a menina a levou quando fugiu? É possível. O tio não estava com a casinha quando o enviaram para o Fort National. Ele foi revistado por inteiro; não carregava nada além dos documentos — Von Rumpel se certificou disso.

Em algum ponto, um muro rui em pedaços, mil quilos de alvenaria desmoronando.

Que a casa permaneça de pé enquanto muitas outras foram destruídas é prova suficiente. A pedra deve estar aqui dentro. Ele simplesmente precisa encontrá-la enquanto há tempo. Apertá-la contra o coração e aguardar que a deusa lance sua mão ardente por dentro de seu corpo e cauterize aquilo que o suplicia. Abrir caminho pelo fogo para longe desta cidadela, deste cerco, desta moléstia. Ele será salvo. O que precisa fazer é simples, se levantar desta cama e continuar a procurar. Fazê-lo mais metodicamente. Levar o tempo que for. Rasgar o local por inteiro. Começando pela cozinha. Mais uma vez.

ÁGUA

Marie-Laure ouve as molas da sua cama rangerem. Ouve o alemão mancar para fora do quarto dela e descer as escadas. Será que ele está indo embora? Desistindo?

Começa a chover. Milhares de pequeninas gotas tamborilam no telhado. Marie-Laure se levanta na ponta dos pés e pressiona o ouvido no lambri por baixo das telhas de ardósia. Ouve as gotas caírem. Qual era a oração? Aquela que madame Manec murmurava para si mesma quando ficava particularmente frustrada com Etienne?

"Senhor, Nosso Deus, Vossa Graça é um fogo purificador."

Ela tem que colocar a mente em ordem. Usar a percepção e a lógica. Como faria o pai dela, como faria o grande biólogo marinho de Júlio Verne, o professor Pierre Aronnax. O alemão não sabe da existência do sótão. Ela tem a pedra no bolso; ela tem uma lata de comida. Essas são vantagens a favor dela.

A chuva também é boa: vai extinguir os incêndios. Será que ela conseguiria captar um tanto de água para beber? Perfurar um orifício nas ardósias? Usá-la de alguma outra forma? Talvez para disfarçar o barulho que Marie-Laure faria?

Ela sabe exatamente onde estão os dois baldes de metal: justo do lado de dentro da porta do quarto. Ela pode alcançá-los, talvez até carregar um para cima.

Não, carregar para cima seria impossível. Pesado demais, barulhento demais, a água espirrando para todo lado. Ela poderia encher a lata vazia de vagem.

Só a ideia de ter os lábios de encontro com a água — a ponta do nariz tocando a superfície — desperta um anseio biológico maior do que todos que já experimentou. Em sua mente ela mergulha dentro de um lago; a água cobre suas orelhas e boca; a garganta se abre. Um gole, e ela conseguiria pensar com maior clareza. Ela espera que a voz do pai, dentro da cabeça dela, levante alguma objeção, mas não aparece nenhuma.

A distância para atravessar a frente do guarda-roupa, cruzar o quarto de Henri, o patamar da escada e chegar até a porta dela leva vinte e uma passadas, pegar ou largar. Ela apanha a faca e a lata vazia do chão e as enfia dentro do bolso. Desce rastejando a escada do sótão e permanece imóvel por um longo tempo contra o fundo do guarda-roupa. Escutar, escutar, escutar. A pequena casa de madeira pressiona as costelas dela quando se agacha. Dentro do sótão da miniatura, será que uma Marie-Laure pequenina espreita à escuta? Será que esta sua versão em miniatura sente a mesma sede?

O único som é o tamborilar da chuva transformando Saint-Malo em lama.

Poderia ser um truque. Talvez ele a tenha ouvido abrir a lata de vagens, desceu as escadas fazendo barulho e subiu de volta em silêncio; talvez esteja do lado de fora do guarda-roupa com a pistola apontada.

"Senhor, Nosso Deus, Vossa Graça é um fogo purificador."

Ela espalma as mãos contra o fundo do guarda-roupa e o desliza para abrir. As camisas se arrastam pelo seu rosto quando ela passa agachada. Encosta as mãos na parte interna das portas do guarda-roupa e empurra uma delas para abrir.

Nenhum tiro. Nada. Lá de fora, através da janela agora sem vidro, os únicos sons que chegam são de chuva caindo nas casas em chamas e o farfalhar dos seixos sendo remexidos pelas ondas. Marie-Laure pisa no chão do antigo quarto do avô e o invoca: um rapaz curioso com cabelos brilhosos e cheiro de maresia. Ele é brincalhão, perspicaz e cheio de energia; ele segura uma das mãos dela, enquanto Etienne segura a outra; a casa se transforma no que era cinquenta anos atrás: os elegantes pais dos rapazes dão risadas no andar de baixo; uma cozinheira abre ostras na cozinha; madame Manec, uma jovem criada, recém-chegada do interior, canta no alto de uma escada de mão enquanto retira o pó do lustre...

Papa, o senhor tinha a chave de tudo.

Os rapazes a conduzem para o corredor. Ela passa pelo banheiro.

Vestígios do cheiro do alemão persistem no quarto dela: um odor semelhante a baunilha. Encoberto por ele, algo pútrido. Ela não consegue ouvir nada além da chuva lá fora e da própria pulsação latejando nas têmporas. Ajoelha-se fazendo o mínimo de som possível e corre os dedos ao longo das ranhuras do piso. O som dos dedos dela batendo no lado do balde parece mais alto do que o dobre do sino de uma catedral.

Contra o telhado e os muros, a chuva provoca um ruído suave. Gotas atravessam a janela sem vidros. Ao seu redor aguardam suas pedras e suas conchas. A maquete do pai. A colcha. Seus sapatos devem estar em algum lugar por aqui.

Ela abaixa o rosto e toca os lábios na superfície da água. Cada gole parece provocar um ruído tão alto quanto a explosão de uma bomba. Um, três, cinco; ela engole, respira, engole, respira. Sua cabeça inteira dentro do balde.

Respirar. Morrer. Sonhar.

Será que ele está se mexendo? Estará lá embaixo? Estará subindo novamente?

Nove, onze, treze, ela está cheia. O interior de todo o seu abdômen está esticado, transbordando de líquido. Ela desliza a lata para dentro do balde e a enche. Agora retroceder sem dar um pio. Sem bater na parede, na porta. Sem deixar cair algum pingo d'água, sem derramar. Ela dá meia-volta e começa a rastejar, a lata cheia de água na mão esquerda.

Marie-Laure chega à porta do quarto antes de ouvi-lo. Ele está três ou quatro andares abaixo, vasculhando um dos cômodos; ela escuta o que parece ser um caixote de rolamentos ser despejado no chão. Eles se chocam, ressoam e rolam.

Ela estica a mão direita, e aqui, logo depois da porta, ela descobre um objeto grande, retangular e duro, coberto com um pano. O seu livro! O romance! Pousado logo aqui como se o pai dela o tivesse colocado neste lugar para ela. O alemão o deve ter arremessado da cama. Ela o levanta no maior silêncio possível e o segura junto ao casaco do tio.

Será que ela deveria descer?

Será que ela consegue passar pelo alemão e chegar até a rua?

Porém, a água já está enchendo seus vasos capilares, melhorando o seu fluxo sanguíneo; ela já consegue pensar com mais astúcia. Ela não quer morrer; e já se arriscou demais. Mesmo que conseguisse milagrosamente passar pelo alemão, não há nada que garanta que na rua estará mais segura do que dentro de casa.

Ela chega até o patamar. Chega até a entrada do quarto do avô. Tateia até chegar ao guarda-roupa, entra pelas portas abertas e as fecha delicadamente atrás de si.

As vigas

Os projéteis sobrevoam a área acima deles, fazendo o porão tremer como se houvesse trens de carga passando por ali. Werner imagina os membros da artilharia americana: batedores com telescópios equilibrados em rochas ou esteiras de tanques ou parapeitos de hotéis; oficiais da artilharia calculando velocidade do vento, elevação do cano das armas, temperatura do ar; responsáveis pelo rádio com receptores de telefone pressionados contra os ouvidos, cantando os alvos.

"Direita três graus, repetir alcance." Vozes calmas, monótonas direcionando a mira. O mesmo tom de voz que Deus usa, talvez, quando clama almas para Si. Por aqui, por favor.

"São meros números. Matemática pura. Você tem que se habituar a raciocinar desta forma." É a mesma coisa do lado deles também.

— Meu bisavô — diz Volkheimer de repente — era lenhador, nos anos anteriores aos barcos a vapor, quando tudo era transportado por barcos a vela.

Por causa da escuridão, Werner não tem certeza, mas ele acha que Volkheimer está de pé, passando as pontas dos dedos ao longo de uma das três vigas rachadas que sustentam o teto. Seus joelhos estão dobrados para acomodar a altura. Como Atlas prestes a assumir seu posto.

— Naquela época — continua Volkheimer —, toda a Europa precisava de mastros para os navios. Porém, a maioria dos países já tinha abatido suas árvores mais altas. A Inglaterra, contava meu bisavô, não tinha uma única árvore cuja madeira valesse a pena na ilha inteira. Então, os mastros para as marinhas britânica e espanhola, e portuguesa também, vinham da Prússia, dos bosques onde fui criado. Meu bisavô sabia onde estavam todas as árvores gigantes. Algumas delas exigiam um grupo de cinco homens e três dias para serem derrubadas. Primeiro as cunhas tinham que ser inseridas, como agulhas no couro de um elefante, dizia ele. Os troncos maiores chegavam a engolir cem cunhas antes de rangerem.

A artilharia solta um barulho estridente; o porão estremece.

— Meu bisavô dizia que adorava imaginar as grandes árvores sendo transportadas por tropas de cavalos por toda a Europa, atravessando rios, atravessando o mar para chegar à Grã-Bretanha, onde elas seriam cortadas, tratadas e erguidas novamente como mastros, de onde elas testemunhariam décadas de batalha, receberiam uma segunda vida, velejando pelos grandes oceanos, até que finalmente tombariam e teriam sua segunda morte.

Outro projétil percorre os céus sobre os escombros, e Werner imagina ouvir a madeira das gigantescas vigas acima dele se estilhaçar. "Esta porção de carvão já foi uma planta verde, uma samambaia ou junco, que viveu um milhão de anos atrás, ou talvez cem milhões. Vocês podem imaginar cem milhões de anos?"

— De onde eu venho, eles desenterram árvores. Pré-históricas — diz Werner.

— Eu estava desesperado para ir embora — diz Volkheimer.

— Eu também.

— E agora?

Bernd está chamuscado no canto. Jutta se movimenta no mundo em algum lugar, observando as sombras saírem ilesas da noite, observando os mineiros passarem mancando no amanhecer. Era suficiente para Werner quando ainda era uma criança, não era? Um mundo de flores do campo brotando entre as silhuetas enferrujadas dos descartes. Um mundo de frutos selvagens, cascas de cenoura e contos de fada de Frau Elena. Do odor acre de alcatrão, de trens passando e de abelhas zumbindo nas janelas. Cordas e saliva e fios e uma voz no rádio oferecendo um tear para tecer os sonhos dele.

O TRANSMISSOR

O aparelho está à espera na mesa empurrada contra a chaminé. O par de baterias de barco embaixo dele. Um aparelho estranho, construído anos antes, para falar com um fantasma. Tomando o maior cuidado possível, Marie-Laure rasteja até o banco de piano e se sente mais à vontade. Alguém deve ter um rádio — o corpo de bombeiros, se ainda restar alguém lá, ou membros da Resistência, ou os americanos arremessando mísseis em direção à cidade. Os alemães em suas fortalezas subterrâneas. Talvez o próprio Etienne. Ela tenta imaginá-lo agachado em algum lugar, os dedos girando os botões de um rádio fantasma. Talvez ele pense que ela já morreu. Talvez ele só precise ouvir uma centelha de esperança.

Ela passa os dedos ao longo das pedras da chaminé até encontrar a manivela que o tio instalou ali. Emprega toda a força do corpo para rodá-la, e a antena faz um tênue barulho de raspagem no telhado enquanto se ergue.

Um barulho alto demais.

Ela aguarda. Conta até cem. Não ouve nenhum som nos andares abaixo.

Por baixo da mesa, seus dedos encontram os interruptores: um para o microfone, o outro para o transmissor, ela não consegue lembrar qual serve para o quê. Move um, depois o outro. Dentro do grande transmissor, as válvulas a vácuo vibram.

Está alto demais, Papa?

"Não mais alto do que a brisa. Que o crepitar dos incêndios."

Ela tateia os cabos até as mãos encontrarem o microfone.

Não basta apenas fechar os olhos para tentar descobrir o que é a cegueira. Por trás do seu mundo de céus, rostos e edifícios, existe um mundo mais antigo e mais cru, um local onde os planos da superfície se desintegram e os sons se movimentam em faixas formando grupos no ar. Marie-Laure pode estar em um sótão bem acima do nível da rua e ouvir os lírios farfalhando a três quilômetros de distância. Ela ouve os americanos atravessando os campos das fazendas, direcionando seus imensos canhões para a fumaça que virou Saint-Malo; ouve as famílias arquejando ao redor de lampiões nos porões e sótãos, os corvos pulando de uma pilha a outra, as moscas pousando em cadáveres jogados em valas; ouve os tamarindos chacoalharem, as gralhas soltarem seus gritos agudos e a vegetação das dunas queimarem; das profundezas da crosta terrestre, ela sente a majestosa base de granito sobre a qual se assenta Saint-Malo, e o oceano fechando seus dentes por todos os seus quatro lados, e as ilhas se mantendo firmes contra ondas que se quebram em volutas; ouve as vacas bebendo dos cochos de pedra e os golfinhos saltarem por cima das águas verdes do Canal; ouve as ossadas das baleias mortas se movimentarem cinco léguas abaixo, sua medula oferecendo um século de alimento para uma população inteira de criaturas que não receberão um fóton sequer de luz solar. Ela ouve os caramujos na gruta arrastarem os corpos pelas rochas.

"Em vez de ler para você, talvez você possa ler para mim?"

Com a mão livre, ela abre o livro no colo. Com os dedos, encontra as linhas. Traz o microfone até os lábios.

A VOZ

Na manhã do seu quarto dia de encarceramento sob o que restou do Hotel das Abelhas, seja lá o que for, Werner está escutando o rádio consertado, deslocando cuidadosamente a bobina de sintonia para trás e para a frente, quando a voz de uma garota fala diretamente no seu ouvido: "Às três da madrugada, fui despertado por um golpe violento." Ele pensa que é por causa da fome, da febre, que está imaginando coisas, que sua mente está transformando a estática em palavras...

Ela prossegue: "Sentei-me na cama e tentei ouvir o que estava acontecendo, mas de repente fui arremessado para o centro do quarto."

Ela fala um francês tranquilo, com pronúncia perfeita; o sotaque é mais ritmado do que o de Frau Elena. Ele aperta os fones no ouvido... "Obviamente", continua a voz, "o *Nautilus* tinha abalroado alguma coisa e depois inclinado em um ângulo fechado..."

Ela enrola a letra *r*, alonga a letra *s*. Em cada sílaba, a voz parece se enfurnar um tanto mais profundamente no cérebro dele. Jovem, alta, pouco mais do que um sussurro. Se for uma alucinação, que seja.

"Um dos icebergs tinha virado e colidido contra o *Nautilus*, já que ele navegava submerso. O iceberg então deslizou para baixo do casco da embarcação e a içou com uma força irresistível até águas mais rasas..."

Ele consegue ouvi-la molhar o lábio superior com a língua. "Mas quem poderia dizer que, naquele momento, nós não nos chocaríamos contra o lado inferior da barreira e assim ficaríamos terrivelmente espremidos entre duas superfícies de gelo?" A estática emerge de novo, ameaçando dissipar a voz, e ele tenta desesperadamente lutar para que não aconteça; ele é novamente um menino na lucarna, agarrando-se a um sonho que não quer abandonar, mas Jutta pousou a mão no seu ombro e murmura para ele acordar.

"Estávamos suspensos na água, mas a dez metros em cada lado do *Nautilus* erguia-se uma brilhante muralha de gelo. Acima e abaixo havia a mesma muralha."

Ela interrompe a leitura bruscamente, e a estática continua a chiar. Quando fala novamente, sua voz traz um tom de emergência: "Ele está aqui. Está bem aqui, logo abaixo."

Então a transmissão cessa. Ele procura no sintonizador, troca as faixas: nada. Retira o fone e se movimenta, na escuridão total, em direção a Volkheimer e tenta agarrar o braço dele.

— Acho que ouvi alguma coisa. Por favor...

Volkheimer não se mexe; ele parece feito de madeira. Werner o puxa com toda a sua força, mas ele é pequeno demais, fraco demais; a energia o abandona quase no mesmo momento em que apareceu.

— Basta — a voz de Volkheimer surge das trevas. — Não vai adiantar.

Werner se senta no chão. Em algum local nas ruínas acima deles, os gatos estão miando. Morrendo de fome. Como ele. Como Volkheimer.

Certa vez um rapaz de Schulpforta descreveu para Werner um comício em Nuremberg: um mar de faixas e bandeiras, contou ele, uma multidão de rapazes fervilhando sob a iluminação, e o próprio Führer sobre um altar a cerca de oitocentos metros de distância, holofotes iluminando os pilares atrás dele, a atmosfera transbordando propósito, raiva e honradez, Hans Schilzer louco por aquilo, Herribert Pomsel louco por aquilo, todos os garotos de Schulpforta loucos por aquilo, e a única pessoa na vida de Werner que podia enxergar através de toda aquela encenação era a sua irmã mais nova. Como? Como Jutta compreendia tão melhor sobre a maneira como funcionava o mundo? Enquanto ele sabia tão pouco?

"Mas quem iria dizer que, naquele momento, nós não nos chocaríamos contra o lado inferior da barreira e assim ficaríamos terrivelmente espremidos entre duas superfícies de gelo?"

"Ele está aqui. Está bem aqui, logo abaixo."

Faça algo. Salve a garota.

Deus, porém, é apenas um olho frio e branco, uma meia-lua suspensa na fumaça, piscando, piscando, à medida que a cidade gradativamente vai se deteriorando até virar pó.

Nove

Maio de 1944

O extremo do mundo

Na traseira do Opel, Volkheimer lê em voz alta para Werner. O papel no qual Jutta escreveu parece pouco mais do que um lenço de papel em suas garras gigantescas.

"Ah, e Herr Siedler, o oficial da mineradora, mandou um bilhete parabenizando os seus êxitos. Ele diz que as pessoas estão percebendo. Isso significa que você pode voltar pra casa? Hans Pfeffering pediu para te dizer que 'uma bala teme os corajosos', apesar de eu achar um mau conselho. E a dor de dente da Frau Elena está melhor agora, mas ela não pode fumar, o que faz com que fique mal-humorada, contei para você que ela começou a fumar..."

Por cima do ombro de Volkheimer, através da vidraça da janela rachada do caminhão, Werner observa uma criança ruiva em uma capa de veludo flutuar dois metros acima da estrada. Ela atravessa árvores e sinais da estrada, vira ao redor das curvas; é tão inevitável quanto a lua.

Newmann Primeiro direciona o Opel a oeste, e Werner se curva embaixo do banco na carroceria e não se mexe durante horas, enroscado em um cobertor, recusando chá, carne enlatada, enquanto a criança flutuante o persegue pelos campos do interior. Garota morta no céu, garota morta na janela, garota morta a poucos centímetros de distância. Dois olhos molhados e aquele terceiro olho da bala sem piscar.

Eles seguem chacoalhando por uma fileira de cidadezinhas verdes onde árvores podadas margeiam canais monótonos. Duas mulheres em bicicletas se afastam na estrada e observam surpresas o caminhão: um veículo infernal enviado para aniquilar a cidade delas.

— A França — diz Bernd.

Acima deles, as copas das cerejeiras vão ficando para trás, repletas de botões. Werner abre e escora a porta de trás, pendura os pés sobre o para-choque traseiro, os calcanhares quase tocando a estrada que desliza por baixo. Um cavalo está de costas rolando no relvado; cinco nuvens brancas enfeitam o céu.

Eles param em uma cidadezinha chamada Épernay, e o dono do hotel traz vinho, coxa de frango e caldo, o que Werner consegue engolir e segurar. As pessoas nas mesas ao redor falam a língua que Frau Elena murmurava para ele quando era criança. Neumann Primeiro sai para buscar combustível, e Neumann Segundo engata um debate com Bernd acerca da possibilidade ou não de os intestinos das vacas serem usados como unidades infláveis dentro dos dirigíveis da Primeira Guerra, e três meninos com boinas espreitam por trás do batente da porta e encaram avidamente Volkheimer com olhos arregalados. Atrás deles, seis margaridas sob o crepúsculo criam a silhueta da menina morta, e depois viram flores novamente.

— Gostariam de mais? — pergunta o estalajadeiro.

Werner não consegue acenar com a cabeça.

Eles viajam a noite inteira e param no alvorecer em um posto de verificação na fronteira norte da Bretanha. A cidadela murada de Saint-Malo brota na distância. As nuvens revelam faixas difusas de azuis e cinza tênues, assim como o mar abaixo delas.

Volkheimer apresenta as ordens deles para uma sentinela. Sem pedir permissão, Werner desce do caminhão e escapa por cima da mureta baixa em direção à praia. Ele se desvia de uma série de barricadas e chega até a beira-mar. À sua direita alinham-se obstáculos anti-invasão amarrados com arames farpados, se estendendo por pelo menos um quilômetro e meio na linha da água.

Nenhuma pegada na areia. Pedrinhas e pedaços de algas formam uma linha cheia de curvas. Três ilhas abrigam fortalezas baixas de pedra; um lampião verde brilha na ponta de um píer. De alguma forma parece apropriado ter alcançado a extremidade do continente, ter apenas o mar encrespado na frente dele. Como se este fosse o ponto final para onde Werner estivesse se movendo desde que partira de Zollverein.

Ele enfia a mão na água e leva os dedos à boca para sentir o gosto de sal. Alguém está gritando o nome dele, mas Werner não se vira; ele adoraria ficar aqui a manhã toda observando as ondas se movendo sob a luz. Agora estão gritando, Bernd, depois Neumann Primeiro, e finalmente Werner dá meia-volta para vê-los acenar, e retoma o caminho pela areia e de volta pelas fileiras de arame farpado em direção ao Opel.

Uma dúzia de pessoas observam. Sentinelas, um punhado de cidadãos. Muitos com as mãos nas bocas.

— Pise com cuidado, rapaz! — grita Bernd. — O lugar tem minas! Não leu os cartazes?

Werner sobe na traseira do caminhão e cruza os braços.

— Perdeu o juízo? — pergunta Neumann Segundo.

As poucas almas que encontram na cidade velha comprimem as costas contra as paredes para deixar passar o castigado Opel. Neumann Primeiro para em frente a uma casa de quatro andares com venezianas de tom azul-claro.

— O Kreiskommandantur — anuncia.

Volkheimer entra e retorna com um coronel em uniforme de campo: o casaco da Reichswehr, cinto alto e botas pretas. Dois ajudantes seguem-no de perto.

— Acreditamos que há uma rede de rebeldes — fala um dos ajudantes. — Os números codificados são seguidos por notificações de nascimentos, batizados, noivados e mortes.

— E depois vem uma música, quase sempre a música — completa o segundo. — O que ela significa, não sabemos dizer.

O coronel desliza dois dedos ao longo da mandíbula perfeita. Volkheimer os encara, primeiro o coronel e depois os ajudantes, como se assegurasse a crianças preocupadas que algum tipo de injustiça será sanada.

— Vamos encontrá-los — diz. — Não vai demorar.

Números

Reinhold von Rumpel consulta um médico em Nuremberg. O tumor na garganta do sargento-mor, relata o médico, cresceu para quatro centímetros de diâmetro. O tumor no intestino delgado é mais difícil de medir.

— Três meses — avalia o médico. — Talvez quatro.

Uma hora mais tarde, Von Rumpel comparece a uma recepção com jantar. Quatro meses. Verá o sol nascer por mais cento e vinte vezes, e por mais cento e vinte vezes terá que arrastar seu corpo degradado para fora da cama e abotoar o uniforme. Os oficiais na mesa conversam com indignação a respeito de outros números: o Oitavo e o Quinto Exércitos alemães recuaram ao norte, passando pela Itália, o Décimo Exército possivelmente está cercado. Roma poderia estar perdida.

Quantos homens?

Cem mil.

Quantos veículos?

Vinte mil.

A comida servida é fígado. Cubos de fígado com sal e pimenta, mergulhados em molho roxo. Quando os pratos são retirados, Von Rumpel não chegou a tocar o dele. Três mil e quatrocentos marcos: tudo o que lhe resta. E três pequeninos diamantes, que ele mantém em um envelope dentro da carteira. Cada um talvez de um quilate.

Uma mulher na mesa se entusiasma ao falar de corridas de cães, a velocidade, a *emoção* que ela sente ao assistir. Von Rumpel apanha a asa da xícara de café, tenta ocultar o tremor. Um garçom toca o braço dele.

— Ligação para o senhor. Da França.

Von Rumpel caminha com pernas cambaleantes e atravessa uma porta giratória. O garçom coloca um telefone sobre uma mesa e se retira.

— Sargento-mor? Aqui é Jean Brignon.

O nome não faz surgir nada na memória de Von Rumpel.

— Tenho uma informação sobre o chaveiro. Aquele sobre quem o senhor perguntou no ano passado?

— LeBlanc.

— Isso, Daniel LeBlanc. Mas o meu primo, senhor. Lembra-se? O senhor se ofereceu para ajudar? O senhor disse que, se eu achasse alguma informação, o senhor podia ajudá-lo?

Três mensageiros, dois encontrados, uma última charada para desvendar. Von Rumpel sonha com a deusa quase todas as noites: cabelos de fogo, dedos feitos de raízes. Loucura. Mesmo enquanto fala ao telefone, heras se enrolando em seu pescoço, subindo até seus ouvidos.

— Sim, o seu primo. O que você descobriu?

— LeBlanc foi acusado de conspiração, alguma coisa a ver com um château na Bretanha. Preso em janeiro de 1941 por causa de uma pista fornecida por um cidadão local. Encontraram desenhos, chaves mestras. Também foi fotografado tirando medidas em Saint-Malo.

— Preso em um campo?

— Não tive como descobrir. O sistema é bastante complicado.

— E o informante?

— Um habitante de Saint-Malo chamado Levitte. Primeiro nome: Claude.

Von Rumpel medita. A filha cega, o apartamento na Rue des Patriarches. Vago desde junho de 1940 enquanto o Museu de História Natural paga o aluguel. Para onde você fugiria em caso de necessidade? Se estivesse carregando um objeto valioso? Com uma filha cega a tiracolo? Por que Saint-Malo, a não ser que alguém em quem você confie more lá?

— Meu primo — Jean Brignon fala. — O senhor vai ajudar?

— Muito obrigado — responde Von Rumpel, e recoloca o fone no gancho.

Maio

Os últimos dias de maio de 1944 em Saint-Malo parecem, para Marie-Laure, como os últimos dias de maio de 1940 em Paris: longos, inchados e perfumados. Como se todos os seres vivos tivessem pressa em criar um abrigo antes da chegada de algum cataclismo. O ar no caminho para a padaria de madame Ruelle cheira a murta, magnólia e verbena; as glicínias explodem em floração; por todo lado pendem coroas, cortinas e pingentes de flores.

Ela conta os ralos de chuva: no vigésimo primeiro, passa pelo açougueiro, o som do esguicho de uma mangueira sobre o piso; no vigésimo quinto, está na padaria. Pousa um cupom de racionamento no balcão.

— Um pão comum, por favor.
— E como vai o seu tio?

As palavras são as mesmas, mas a voz de madame Ruelle está diferente. Empolgada.

— Meu tio vai bem, obrigada.

Madame Ruelle faz um gesto que nunca fizera antes: passa as mãos por cima do balcão e envolve o rosto de Marie-Laure com as palmas cheias de farinha.

— Que menina incrível!
— A senhora está chorando, madame? Está tudo bem?
— Tudo está maravilhoso, Marie-Laure.

Recolhe as mãos; entrega-lhe o pão: pesado, morno, maior do que o normal.

— Diga ao seu tio que chegou a hora. Que as sereias já descoloriram os cabelos.

— As sereias, madame?
— Elas estão chegando, querida. Nesta semana. Estenda as mãos.

Madame lhe entrega um repolho molhado, fresco, do tamanho de uma bala de canhão. Marie-Laure mal consegue enfiá-lo pela abertura da mochila.

— Obrigada, madame.
— Agora vá para casa.
— Está livre à frente?
— Livre e limpo como água. Nada no seu caminho. Hoje é um belo dia. Um dia para ser lembrado.

Chegou a hora. *Les sirènes ont les cheveux décolorées.* O tio dela tem ouvido rumores, pelo rádio, de que, do outro lado do Canal, na Inglaterra, uma imensa armada está sendo agrupada, navio após navio sendo requisitado — barcos de pesca e balsas reformadas, equipados com armas: cinco mil embarcações, onze mil aviões, cinquenta mil veículos.

No cruzamento da Rue d'Estrées, ela não vira à esquerda, em direção à casa, mas à direita. Cinquenta metros até as muralhas, mais ou menos cem metros ao longo da base do muro; ela tira do bolso a chave de ferro de Hubert Bazin. As praias foram fechadas há vários meses, com minas espalhadas por todo lado e cercas de arame farpado, mas aqui, no velho canil, fora da vista de qualquer pessoa, Marie-Laure pode se sentar entre os caramujos e sonhar que está dentro da mente do grande biólogo marinho Aronnax, simultaneamente convidado de honra e prisioneiro da grande máquina de curiosidade do capitão Nemo, livre de nações e de política, navegando através das maravilhas caleidoscópicas dos oceanos. Ah, ser livre! Deitar-se uma vez mais no Jardin des Plantes com o pai. Sentir as mãos dele sobre as dela, ouvir as pétalas das tulipas estremecerem ao vento. Ele a fez o brilhante centro da vida dele; ele a fez sentir como se cada passo que ela dava fosse importante.

O senhor ainda está aqui, Papa?

"Eles estão chegando, querida. Nesta semana."

A CAÇADA (NOVAMENTE)

Eles vasculham dia e noite. Saint-Malo, Dinard, Saint-Servan, Saint-Vincent. Neumann Primeiro conduz o castigado Opel por ruas tão estreitas que as laterais da caçamba do caminhão arranham as paredes. Passam por creperias pequenas e cinzentas com as vidraças quebradas, por padarias fechadas, por bistrôs vazios, por ladeiras cheias de russos obrigados a despejar cimento e por prostitutas de ossos pesados carregando água de poços. Não encontram nenhuma transmissão do tipo descrito pelos ajudantes do coronel. Werner consegue receber a BBC do norte e estações de propaganda do sul; às vezes ele chega a captar sinais ocasionais de código Morse. No entanto, não ouve nenhum aviso de nascimento, casamento ou falecimento, nenhum número, nenhuma música.

O quarto que oferecem a Werner e Bernd, no último andar de um hotel confiscado na área murada da cidade, é um local do qual o tempo se aproxima: cornucópias de frutas espiraladas, capitéis em forma de folha e quadrilóbulos de estuque de trezentos anos de idade circundam o teto. À noite, a menina morta de Viena anda pelos corredores. Ela não lhe dirige o olhar ao passar pela porta aberta do quarto dele, mas Werner sabe que ele é a pessoa que ela está caçando.

O dono do hotel torce as mãos enquanto Volkheimer caminha pelo saguão. Aviões atravessam o céu, incrivelmente lentos na perspectiva de Werner. Como se, a qualquer momento, um deles fosse perder velocidade e cair no mar.

— Nossos? — pergunta Neumann Primeiro. — Ou deles?

— Altos demais; não dá para saber.

Werner caminha nos andares de cima. No último andar, naquele que provavelmente é o melhor quarto do hotel, ele fica de pé em uma banheira hexagonal e limpa a sujeira de uma janela com a mão. Algumas sementes voam em redemoinhos e depois caem nas fendas de sombras entre as casas. Acima dele, na penumbra, um abelha-rainha de quase três metros de comprimento, com olhos múltiplos e uma penugem dourada no abdômen, enviesada no teto.

Querida Jutta,

Desculpe por não ter escrito nesses últimos meses. A febre já cedeu quase completamente agora e você não precisa ficar preocupada. Tenho conseguido refletir muito mais ultimamente, e o assunto sobre o qual gostaria de escrever hoje é o mar. Ele contém tantas cores. Prateado na aurora, verde ao meio-dia, azul-escuro à noite. Às vezes parece quase vermelho. Ou assume a cor das moedas antigas. Exatamente agora as sombras das nuvens estão se arrastando sobre ele, e pontos de raios de sol tocam toda sua superfície. Fileiras brancas de gaivotas voam por cima dele como contas.

É o que mais gosto, acho, de tudo o que já vi. Algumas vezes, eu me apanho encarando o mar e me esqueço de minhas tarefas. Parece grande o suficiente para conter qualquer coisa que as pessoas possam sentir.

Diga alô para Frau Elena e para as crianças que restaram.

"Clair de Lune"

Nesta noite, eles se dedicam a uma parte da cidade velha encrustada contra as muralhas do sul. A chuva cai tão levemente que se confunde com o nevoeiro. Werner está acomodado na carroceria do Opel; Volkheimer cochila no banco atrás dele. Bernd está em cima, no parapeito, com o primeiro rádio por baixo de um poncho. Ele não tecla no aparelho há horas, o que significa que adormeceu. A única luz vem do filamento âmbar dentro do sintonizador de sinais de Werner.

Inicialmente o espectro apresenta apenas estática, mas logo isso muda.

"Madame Labas manda a notícia de que a filha dela está grávida. Monsieur Ferey envia seu amor para os primos em Saint-Vincent."

Uma considerável porção de estática passa. A voz é como algo oriundo de um sonho longínquo. Mais meia dúzia de palavras alcançam Werner naquele sotaque bretão: "Próxima transmissão quinta-feira 2300. Cinquenta e seis, setenta e dois..." a recordação atingindo Werner como um trem vindo das trevas, a qualidade da transmissão e a voz de tenor iguais à transmissão do francês que ele costumava ouvir, e então o piano toca três notas solitárias, seguidas por um par delas, as cordas subindo de maneira pacífica, cada uma como uma vela iluminando a floresta cada vez mais profundamente... O reconhecimento é imediato. É como se ele estivesse se afogando e então alguém o puxasse em direção ao ar.

Logo atrás de Werner, as pálpebras de Volkheimer permanecem fechadas. Através da divisão entre a carroceria e a cabine, dá para ver os ombros imóveis dos Neumanns. Werner cobre o sintonizador com a mão. A música se desenrola, torna-se mais alta, e ele espera que Bernd pressione o microfone e diga que também ouviu.

Mas nada acontece. Todo mundo está dormindo. Mesmo assim, a pequena carroceria onde ele e Volkheimer estão sentados não se encheu de energia?

Agora do piano vem um movimento longo e familiar, o pianista tocando diferentes escalas com cada mão — o que parecem ser três, quatro mãos —, as harmonias como pérolas gradativamente maiores em um cordão, e Werner vê a pequena Jutta, aos seis anos, se inclinar na direção dele, Frau Elena amassando pão ao fundo, um rádio de galena no colo dele, as cordas em sua alma ainda não corrompidas.

O piano flui para os últimos acordes, e então a estática chia novamente.

Será que eles ouviram? Será que eles conseguem ouvir o coração dele martelando agora mesmo contra as suas costelas? A chuva cai suave pelas casas altas. Volkheimer repousa o queixo no seu grande peitoral. Frederick disse que não temos opção, que a nossa vida não nos pertence, mas no final foi Werner que fingiu que não havia opção, Werner que observou Frederick derramar o balde de água — "Não vou jogar" —, Werner que estava junto quando as consequências começaram a aparecer. Werner que observou Volkheimer invadir casa após casa, o mesmo pesadelo voraz acontecendo de novo e de novo e de novo.

Ele retira o fone e passa vagarosamente por Volkheimer para abrir a porta traseira. Volkheimer abre um olho, imenso, dourado, leonino.

— *Nichts?* — pergunta ele.

Werner ergue o olhar para as casas de pedra dispostas parede contra parede, altas e indiferentes, as fachadas úmidas, as janelas escuras. Não há luz acesa em nenhum lugar. Nenhuma antena. A chuva cai tão suave, quase silenciosa, mas, para Werner, ela cai como um estrondo.

Ele se vira.

— *Nichts* — responde.

Nada.

Antena

Um tenente austríaco da artilharia antiaérea instala um destacamento de oito membros no Hotel das Abelhas. O cozinheiro deles prepara bacon e mingau de aveia na cozinha do hotel, enquanto os outros sete demolem paredes no quarto andar com marretas. Volkheimer mastiga vagarosamente, levantando o olhar de vez em quando para examinar Werner.

"Próxima transmissão quinta-feira 2300."

Werner ouviu a voz que todo mundo estava tentando escutar, e o que ele fez? Mentiu. Cometeu uma traição. Quantos homens podem estar em perigo por causa disso? No entanto, quando Werner se recorda de ouvir aquela voz, quando se lembra daquela música fluindo para a sua cabeça, ele treme de alegria.

Metade da parte norte da França está em chamas. As praias estão devorando homens — americanos, canadenses, britânicos, alemães, russos —, e, por toda a Normandia, pesados bombardeiros pulverizam cidades do interior. Mas aqui, em Saint-Malo, a vegetação das dunas viceja; os marinheiros alemães ainda executam exercícios no porto; atiradores ainda armazenam munição nos túneis por baixo do forte em La Cité.

Os austríacos no Hotel das Abelhas usam um guindaste para baixar um canhão de 88 milímetros em cima de um baluarte nas muralhas. Eles fixam a arma em uma base em forma de cruz e o cobrem com lonas de camuflagem. A equipe de Volkheimer trabalha duas noites seguidas, e a memória de Werner prega peças nele.

"Madame Labas manda a notícia de que a filha dela está grávida."

"Então, crianças, como o cérebro, que vive sem uma centelha de luz, constrói para nós um mundo cheio de luz?"

Se o francês ainda utiliza o mesmo transmissor, que percorria a enorme distância até Zollverein, a antena deve ser grande. Ou então há centenas de metros de cabos. Em qualquer um dos casos: alguma coisa elevada, alguma coisa certamente visível.

Na terceira noite após ouvir a transmissão — quinta-feira — Werner se coloca de pé na banheira hexagonal embaixo da abelha-rainha. Com as venezianas totalmente abertas, ele pode olhar para a esquerda sobre um aglomerado de telhados de ardósia. Albatrozes deslizam por cima das muralhas; nuvens de vapor envolvem o campanário.

Sempre que Werner contempla a cidade antiga, são as chaminés que o surpreendem. São enormes, empilhadas em filas de vinte ou trinta ao longo de cada quarteirão. Nem mesmo Berlim tem chaminés como aquelas.

É óbvio. O francês deve usar uma chaminé.

Ele atravessa o saguão correndo e caminha rápido pela Rue des Forgeurs, depois pela Rue de Dinan. Olhando para cima, em direção às venezianas, às calhas dos telhados, procurando cabos com tijolos servindo de suporte, qualquer coisa que possa revelar o transmissor. Ele caminha para cima e para baixo até o pescoço doer. Já está fora do hotel há muito tempo. Será repreendido. Volkheimer já sente que algo está errado. Mas então, exatamente às 23 horas, Werner a vê, a pouco mais de um quarteirão de distância de onde estacionaram o Opel: uma antena deslizando ao longo de uma chaminé. Da espessura de um cabo de vassoura.

A antena se ergue por cerca de doze metros e depois se desdobra, como em um passe de mágica, formando um *T* simples.

Uma casa alta perto do mar. Uma localização espetacularmente boa para uma transmissão. Do nível da rua, a antena não é nada invisível. Ele ouve a voz de Jutta: "Aposto que faz as transmissões em uma mansão imensa, tão grande quanto este distrito inteiro, uma casa com mil quartos e mil criados." A casa é alta e estreita, onze janelas na fachada. Manchada com líquen cor de laranja, a fundação coberta de musgo. Rue Vauborel, número 4.

"Abram os olhos e vejam o máximo que puderem antes que eles se fechem para sempre."

Werner caminha para o hotel com passos rápidos, cabeça baixa, mãos nos bolsos.

GRANDE CLAUDE

Levitte, o perfumista, é gordo e flácido, mergulhado em sua própria presunção. Enquanto ele fala, Von Rumpel luta para manter o controle; a excessiva mistura de tantos odores na loja o arrebata. No decorrer da última semana, ele precisou fazer uma série de viagens, e visitou uma dúzia de diferentes propriedades ao longo da costa da Bretanha, forçando sua entrada em casas de veraneio para caçar pinturas e esculturas que não existiam ou então que não lhe interessavam. Tudo isso para justificar sua presença ali.

Sim, sim, confirma o perfumista, o olhar perpassando por cima da insígnia de Von Rumpel, alguns anos antes ele ajudou as autoridades a prender um indivíduo que não era morador da cidade e que se punha a tirar medidas dos prédios. Ele fez apenas o que era correto.

— Onde estava morando durante aqueles meses, o tal monsieur LeBlanc?

O perfumista semicerra os olhos, calculando. Seus olhos com elos azuis anunciam uma única mensagem: "Eu quero. Entregue a mim." Todas essas criaturas ansiosas, pensa Von Rumpel, labutam sob pressões diferentes. Mas Von Rumpel é o predador aqui. Precisa apenas ter paciência. Ser incansável. Remover os obstáculos, um por um.

Quando ele se vira para ir embora, a complacência do perfumista se fragmenta.

— Espere, espere, espere.

Von Rumpel mantém uma mão na porta.

— Onde o monsieur LeBlanc morava?

— Com o tio dele. Um homem inútil. Com um parafuso a menos, como dizem.

— Onde?

— Logo *ali* — aponta. — Número quatro.

BOULANGERIE

Um dia inteiro se passa antes que Werner consiga encontrar uma brecha para retornar. Um portão de ferro, uma porta de madeira em seguida. Acabamento azul nas janelas. A neblina da manhã é tão densa que ele não consegue ver o contorno dos telhados. Ele acalenta um sonho inatingível: o francês vai convidá-lo a entrar. Os dois vão tomar um café e conversar sobre as transmissões de muito tempo atrás. Talvez pesquisem algum importante problema empírico que o tem preocupado há anos. Talvez ele mostre o transmissor para Werner.

Isso é ridículo. Se Werner tocar a campainha, o velho assumirá que está sendo preso como terrorista. Que possivelmente levará um tiro no exato ponto onde se encontra. A própria antena na chaminé é motivo para execução.

Werner poderia bater na porta com força, fazer o velho ser detido e levado. Seria considerado um herói.

A névoa começa a se encher de luz. Em algum lugar, alguém abre uma porta e torna a fechá-la. Werner se lembra de como Jutta ficava entusiasmada em escrever cartas e rabiscar "O professor, França" no envelope e jogá-las dentro da caixa de correio do quarteirão. Imaginar que a voz dela possa chegar ao ouvido dele assim como a voz dele chegou ao ouvido dela. Uma chance em dez milhões.

Durante a noite ele praticou o francês que ainda traz na cabeça: *Avant la guerre. Je vous ai entendu à la radio*. Ele manterá o rifle sobre o ombro, as mãos do lado do corpo; mostrar-se-á pequeno, delicado, sem aparentar nenhuma sombra de ameaça. O velho ficará assustado, mas o medo dele será contornável. Ele escutará. Porém, à medida que Werner permanece de pé no meio da neblina que se dispersa lentamente no final da Rue Vauborel, ensaiando o que vai dizer, a porta da frente da casa de número 4 se abre, e de lá não sai um eminente velho cientista, mas sim uma garota. Uma garota magra, bonita, de cabelos arruivados, com o rosto cheio de sardas. Ela se dirige para a esquerda, vindo exatamente ao encontro dele, e o coração de Werner se contrai dentro do peito.

A rua é estreita demais; ela vai notar que ele estava encarando. Mas a cabeça dela se mantém de uma forma curiosa, o rosto inclinado para o lado. Werner se dá conta da bengala se movimentando e das lentes opacas dos óculos da garota e percebe que ela é cega.

A bengala bate nas pedras do chão. A garota já está a vinte passos de distância. Ninguém parece estar observando; todas as cortinas estão fechadas. Quinze passos de distância. As meias dela estão desfiadas, os sapatos são grandes demais e os enfeites de lã do vestido estão salpicados de manchas. Dez passos, cinco. Ela passa a um braço de distância, a cabeça ligeiramente mais elevada do que a dele. Sem pensar, mal compreendendo as próprias ações, Werner a segue. A ponta da bengala estremece ao bater contra os locais por onde flui a água da rua, procurando cada escoadouro de chuva. Ela caminha como uma bailarina calçando sapatilhas, os pés tão articulados quanto as mãos, uma pequena figura cheia de graça se movendo no meio da neblina. Ela vira à direita, depois à esquerda, atravessa meio quarteirão e entra habilmente dentro de uma loja. Um cartaz retangular em cima da porta da loja tem os dizeres: *Boulangerie*.

Werner para. Acima dele, a névoa se dissipa aos poucos, o que faz revelar um profundo azul de verão. Uma mulher rega flores; um velho viajante de capa de chuva caminha com seu poodle. Um sargento-mor alemão papudo e pálido, com olheiras fundas, está sentado em um banco próximo. Ele abaixa o jornal, encara Werner e depois levanta o jornal novamente.

Por que as mãos de Werner estão tremendo? Por que ele não consegue respirar direito?

A garota sai da padaria, pisa na calçada com cuidado e vem em linha reta na direção dele. O poodle se agacha para se aliviar na rua, e a garota faz um desvio perfeito à esquerda para evitá-lo. Ela se aproxima de Werner uma segunda vez, os lábios se mexendo suavemente, contando para si mesma — *deux, trois, quatre* —, chegando tão perto que dá para ele contar as sardas no nariz dela e sentir o cheiro do pão na mochila. Um milhão de diminutas gotas de neblina salpicam a penugem do seu vestido de lã e os seus cabelos, e a luz traça uma linha prateada no seu contorno.

Ele permanece estático. O longo e pálido pescoço da garota parece, aos olhos dele, incrivelmente vulnerável.

Ela não percebe a presença dele; ela parece não se dar conta de nada, a não ser da manhã. Isso, pensa ele, é um exemplo da pureza sobre a qual estavam todos ensinando em Schulpforta.

Ele pressiona as costas contra um muro. A ponta da bengala dela não toca o dedão do pé dele por um triz. E então ela se vai, o vestido balançando ligeiramente, a bengala se movendo de um lado para o outro, e ele a observa continuar a subir a rua até a neblina engolfá-la.

Gruta

Uma bateria antiaérea alemã atinge um avião americano no céu. Ele cai no mar além de Paramé, e o piloto americano é feito prisioneiro ao chegar à praia. Etienne vê isso como uma calamidade, mas madame Ruelle irradia felicidade.

— Bonito como um astro de cinema — cochicha enquanto entrega um pão nas mãos de Marie-Laure. — Aposto que são todos assim.

Marie-Laure abre um sorriso. Toda manhã a cena se repete: os americanos cada vez mais próximos, os alemães começando a se desestruturar. Toda tarde, Marie-Laure lê para Etienne o segundo volume de *Vinte mil léguas submarinas*, ele e ela desbravando um novo território. "Dez mil léguas em três meses e meio", escreve o professor Aronnax. "Para onde estaríamos indo agora, e o que o futuro nos reservava?"

Marie-Laure coloca o pão dentro da mochila, sai da padaria, vira em direção às muralhas e segue até a gruta de Hubert Bazin. Fecha o portão, levanta a bainha do vestido e entra nas águas rasas, rezando para não esbarrar em nenhuma criatura ao caminhar.

A maré está subindo. Ela encontra craca, uma anêmona suave como seda; coloca os dedos o mais delicadamente possível em um *Nassarius*. O molusco para de se mexer imediatamente, enfiando a cabeça e os pés para dentro da concha. Depois retoma o movimento, as varetas duplas das antenas se estendendo, carregando sua concha espiralada em cima do corpo.

O que procura, pequeno caramujo? Você só vive para o momento, ou se preocupa com o futuro como o professor Aronnax?

Quando o caramujo já cruzou a poça e começou a subir a parede do fundo, Marie-Laure apanha a bengala e sai da água com seus enormes mocassins encharcados. Ela atravessa o portão e está quase o trancando atrás de si quando ouve uma voz de homem.

— Bom dia, mademoiselle.

Ela cambaleia, quase tropeça. A bengala cai com um estrépito.

— O que há na sua mochila?

Ele fala francês bem, mas ela pode perceber que é alemão. O corpo dele bloqueia a viela. A bainha do vestido está pingando; os sapatos, encharcados, soltam água; em cada um dos lados, se elevam paredes abruptas. Ela mantém o punho direito cerrado em volta de uma barra do portão aberto.

— O que tem aí atrás? Um esconderijo?

A voz dele soa terrivelmente próxima, mas é difícil saber com certeza em um local tão congestionado com ecos. Ela sente o pão entregue por madame Ruelle pulsando na mochila como se fosse uma criatura viva. Com quase toda certeza há uma tira de papel enrolada dentro dele. Em cujos números está marcada uma sentença de morte. Para o tio-avô dela, para madame Ruelle. Para todos eles.

— Minha bengala — ela diz.

— Rolou atrás de você, querida.

Atrás do homem se desenrola a viela e, depois, a cortina suspensa de hera e então a cidade. Um local onde ela pode gritar e ser ouvida.

— Posso passar, monsieur?

— É claro.

Mas ele não parece dar sinal de se mexer. O portão range de leve.

— O que o senhor quer, monsieur?

Impossível evitar o tremor na voz. Se ele perguntar novamente sobre a mochila, o coração dela vai explodir.

— O que você está fazendo aqui? — ele pergunta.

— Não temos permissão de frequentar as praias.

— Então você vem até aqui?

— Para recolher caramujos. Mas devo seguir meu caminho. Posso ter minha bengala de volta, por favor?

— Mas você não apanhou nenhum caramujo, mademoiselle.

— Posso passar?

— Primeiro responda a uma pergunta sobre o seu pai.

— Papa?

O frio dentro dela fica ainda mais gelado.

— Papa vai chegar aqui a qualquer momento.

Agora o homem ri, e a risada dele ecoa entre as paredes.

— A qualquer momento, você diz? O seu Papa, que está em uma prisão a quinhentos quilômetros daqui?

Filetes de pavor escorrem por todo o seu peito. Eu deveria ter escutado, Papa. Nunca deveria ter saído da casa.

— Vamos, *petite cachotière* — diz o homem —, não fique tão assustada.

Ela pode ouvi-lo se aproximar; sente o cheiro de podridão na respiração dele, ouve a voz obscura, e alguma coisa — a ponta de um dedo? — roça o punho dela quando ela se desvencilha dele com um empurrão e bate o portão no rosto dele.

Ele escorrega; leva mais tempo do que ela espera para que consiga se levantar. Marie-Laure gira a chave na fechadura, a coloca no bolso e encontra a bengala quando retorna ao interior do canil. A voz desolada do homem a persegue, mesmo que o corpo dele permaneça no outro lado do portão trancado.

— Mademoiselle, você me fez deixar cair o jornal. Sou apenas um sargento-mor sem importância e quero apenas fazer uma pergunta. Uma pergunta simples, e depois vou embora.

As ondas murmuram; os caramujos se remexem. Será que as barras do portão são estreitas o suficiente para impedir que ele passe? Será que as dobradiças são fortes o bastante? Ela reza para que sim. O espaço da muralha a abriga em sua amplidão. De dez em dez segundos, se tanto, surge um novo fluxo da fria água do mar. Marie-Laure pode ouvir os passos do homem na distância, um-pausa-dois, um-pausa-dois, alguém mancando com dificuldade. Ela tenta imaginar os cães de guarda que Hubert Bazin contou que tinham vivido aqui durante séculos: cães do tamanho de cavalos. Cães que arrancavam as canelas dos homens. Ela se põe de cócoras. Ela é o Caramujo. Blindada. Impenetrável.

AGORAFOBIA

Trinta minutos. Marie-Laure deveria levar vinte e um; Etienne já contou diversas vezes. Uma vez, vinte e três. Frequentemente até menos. Nunca mais.

Trinta e um.

É uma caminhada de quatro minutos até a padaria. Quatro lá dentro e quatro de volta, e em algum ponto do caminho aqueles outros treze ou quatorze minutos desaparecem. Ele sabe que geralmente ela vai até perto do mar — ela retorna com cheiro de alga marinha, os sapatos molhados, as mangas enfeitadas com algas e funcho-do-mar ou a vegetação que madame Manec chamava de *pioka*. Ele não sabe exatamente aonde ela vai, mas sempre se convenceu de que ela se mantinha segura. De que a curiosidade a sustenta. De que ela é infinitamente mais capaz do que ele.

Trinta e dois minutos. Etienne olha para fora das janelas do quinto andar, e não consegue ver ninguém. Ela poderia estar perdida, arranhando os dedos ao longo de muros na extremidade da cidade, se afastando ainda mais a cada segundo. Ela poderia ter parado na frente de um caminhão, ter afundado em uma poça, ter sido agarrada por um mercenário com pensamentos impuros. Alguém pode ter descoberto sobre o pão, os números, o transmissor.

Incêndio na padaria.

Ele desce as escadas apressado e espreita o beco pela porta da cozinha. Gato dormindo. A luz do sol forma um quadrilátero na parede que dá para o leste. É tudo culpa dele.

Agora Etienne está hiperventilando. Quando o relógio dele aponta trinta e quatro minutos, ele calça os sapatos e um chapéu que pertenceu ao pai. Para no saguão, juntando toda a sua determinação. A última vez que saiu de casa, quase vinte e quatro anos atrás, tentou fazer contato visual, exibir o que poderia ser considerado uma aparência normal. Mas os ataques eram dissimulados, imprevisíveis, devastadores; apanhavam-no de surpresa, como bandidos. Primeiro uma terrível sensação de ameaça enche o ar. Depois qualquer luz, mesmo através das pálpebras fechadas, tornava-se dolorosamente brilhante. Ele não conseguia caminhar ao barulho estrondoso dos seus próprios pés. Pequenos globos oculares piscavam para ele a partir das pedras do piso. Cadáveres se mexiam nas sombras. Quando madame Manec o ajudava em casa, ele rastejava até o canto mais escuro de sua cama e prendia travesseiros em volta dos ouvidos. Toda a sua energia se focava em ignorar o batimento do próprio pulso.

O coração dele bate glacialmente em uma gaiola distante. Enxaqueca chegando, pensa. Uma enxaqueca horrível, horrível, horrível.

Vinte batidas do coração. Trinta e cinco minutos. Ele torce o trinco, abre o portão. Dá um passo para fora.

Nada

Marie-Laure tenta se lembrar de tudo o que ela sabe sobre trancas e a fechadura do portão, tudo o que ela já sentiu com os dedos, tudo o que o pai lhe falaria. Barras de ferro verticais enfiadas em três barras horizontais enferrujadas, uma fechadura rolete antiga com um excêntrico enferrujado. Será que um tiro o quebraria? O homem de vez em quando grita pelo portão enquanto folheia o jornal.

— Chegou em junho, só foi detido em janeiro. O que ele estava fazendo esse tempo todo? Por que estava medindo os prédios?

Ela se agacha contra a parede da gruta, a mochila no colo. A água oscila até chegar aos seus joelhos: fria, mesmo em julho. Será que ele consegue vê-la? Cuidadosamente, Marie-Laure abre a mochila, abre o pão que está lá escondido, e pesca o rolo de papel com os dedos. É isso. Ela conta até três e enfia o pedaço de papel na boca.

— Apenas me diga — grita o alemão — se o seu pai lhe deixou alguma coisa ou se contou que carregava alguma coisa para o museu onde trabalhava. E depois eu vou embora. Não vou contar para ninguém a respeito deste lugar. Deus sabe que é verdade.

O papel se desintegra como uma papa entre os dentes de Marie. Aos seus pés, os caramujos prosseguem com a tarefa deles: mastigar, limpar, dormir. As suas bocas, Etienne ensinou, contêm algo como trinta dentes por fila, oitenta filas de dentes, dois mil e quinhentos dentes por caramujo, esfolando, arranhando, raspando. No céu sobre as muralhas, as gaivotas atravessam o céu aberto. A verdade de Deus? Quanto tempo esses momentos intoleráveis duram para Deus? Um trilionésimo de segundo? A própria vida de qualquer criatura é uma centelha que logo se esvai em uma escuridão impenetrável. Essa é a verdade de Deus.

— Eles me deixam fazendo todo esse trabalho em vão — continua o alemão. — Um Jean Jouvenet em Saint-Brieuc, seis Monets na região, um ovo

Fabergé em uma mansão perto de Rennes. Estou tão exausto! Você não percebe quanto tempo já procurei?

Por que Papa não podia ter ficado? Ela não era a coisa mais importante? Ela engole os pedaços disformes de papel. Depois balança para frente nos calcanhares.

— Ele não me deixou *nada*.

Ela fica surpresa em ouvir a própria raiva.

— Nada! Apenas uma maquete estúpida desta cidade e uma promessa quebrada. Apenas madame, que já morreu. Apenas meu tio-avô, que tem medo até de formiga.

Fora do portão, o alemão permanece em silêncio. Considerando a resposta dela, talvez. Algo na irritação dela o convence.

— Agora — grita ela — o senhor vai manter a promessa e ir embora!

Quarenta minutos

A neblina dá lugar ao sol, cujos raios atingem as pedras das ruas, as casas, as janelas. Etienne consegue chegar à padaria suando frio e se precipita para a frente da fila. O rosto de madame Ruelle surge, pálido.

— Etienne? Mas…?

Na visão de Etienne, pontos vermelhos se abrem e se fecham.

— Marie-Laure…

— Ela não…?

Antes que ele possa balançar a cabeça, madame Ruelle levanta a tampa do balcão e o conduz apressada para fora; os dois caminham de braços dados. As mulheres da fila começam a cochichar, curiosas, escandalizadas ou ambas as coisas. Madame Ruelle o ajuda a seguir até a Rue Robert Surcouf. O mostrador do relógio de Etienne parece andar mais rápido que o habitual. Quarenta e um minutos? Ele mal consegue calcular os minutos. As mãos dela seguram o ombro dele com firmeza.

— Aonde ela pode ter ido?

A língua tão seca, os pensamentos tão lentos.

— Às vezes… ela vai até… o mar. Antes de voltar para casa.

— Mas as praias estão fechadas. As muralhas também.

Ela mantém o olhar distante, por cima da cabeça dele.

— Deve ser outra coisa.

Os dois estão desnorteados no meio da rua. De algum local qualquer, ressoa um martelo. A guerra, pensa Etienne distante, é um bazar onde vidas humanas são trocadas como qualquer outra mercadoria: chocolate, balas ou seda de paraquedas. Será que ele trocou todos aqueles números pela vida de Marie-Laure?

— Não — sussurra —, ela vai até o mar.

— Se encontrarem o pão — murmura madame Ruelle —, vamos todos morrer.

Ele examina o relógio novamente, mas é como um sol queimando as suas retinas. Uma única tira de bacon está torcida na vitrine do açougue, que, além disso, não exibe mais nada, e três estudantes, sentados em um banco próximo, o observam, esperando para vê-lo tombar, e da mesma maneira como ele tem certeza de que a manhã está a ponto de se estilhaçar, Etienne vê, dentro de suas recordações, o portão enferrujado que leva ao canil abandonado além das muralhas. Um local onde ele costumava brincar com o irmão, Henri, e com Hubert Bazin. Uma pequena gruta com água gotejando onde um menino poderia gritar e sonhar.

Etienne LeBlanc, magro como uma vara, pálido como alabastro, desce correndo a Rue de Dinan, com madame Ruelle, a mulher do padeiro, seguindo logo atrás: nunca antes foi formada uma equipe de salvamento tão combalida. Os sinos da catedral batem um, dois, três, quatro, até oito; Etienne se vira na Rue du Boyer e atinge a base ligeiramente angular das muralhas, viajando pelos caminhos de sua juventude, caminhando por instinto; vira à direita, depois passa pela cortina de trepadeiras balançando, e à frente, por trás do mesmo portão trancado, na gruta, tremendo, molhada até as coxas, aparentemente intacta, está Marie-Laure, agachada com os restos despedaçados do pão no colo.

— O senhor veio — diz ela quando os deixa entrar, quando ele pega o rosto dela nas mãos. — O senhor veio...

A GAROTA

Werner volta o pensamento involuntariamente para ela. A garota com uma bengala, a garota com o vestido cinzento, a garota feita de névoa. Aquele ar de pertencer a outro mundo no emaranhado dos cabelos e o destemor nos seus passos. Ela assume seu espaço dentro dele, um *doppelgänger* para assumir o lugar da menina vienense morta que o assombra toda noite.

Quem é ela? Filha do francês que ele ouvia em casa? Neta? Por que ele a colocaria em uma situação de risco?

Volkheimer os mantém ativos no campo, errando por aldeias ao longo do rio Rance. Parece certo que as transmissões serão acusadas de alguma maneira, e Werner será descoberto. Ele pensa no coronel com a linha do queixo perfeita e as calças largas; pensa no sargento-mor com aspecto doente perscrutando-o por cima da borda do jornal. Será que eles já sabem? Volkheimer sabe? O que pode salvá-lo agora? Havia noites em que ele e Jutta ficavam olhando para fora da janela da Casa das Crianças e rezavam para o gelo aumentar, transbordar dos canais, atingir os campos e envolver todos os pequeninos poços das minas, esmagar as máquinas, cobrir tudo, de forma que eles acordassem no dia seguinte e descobrissem que tudo aquilo que eles conheciam tinha desaparecido. É o mesmo tipo de milagre de que ele precisa agora.

No dia primeiro de agosto, um tenente procura Volkheimer. A demanda por homens nas linhas de frente, diz ele, é avassaladora. Todo mundo que não seja essencial à defesa de Saint-Malo deve ir. Ele necessita de pelo menos dois homens. Volkheimer os examina superficialmente, um de cada vez. Bernd é velho demais. Werner é o único que consegue consertar equipamentos.

Neumann Primeiro. Neumann Segundo.

Uma hora depois, ambos estão sentados na traseira de um caminhão para transporte de tropas com os rifles entre os joelhos. Há uma grande mudança no semblante de Neumann Segundo, como se não visse os antigos companheiros à sua frente, mas sim suas últimas horas na face da Terra. Como se estivesse prestes a descer um declive de quarenta e cinco graus em uma carruagem negra direto para um abismo.

Neumann Primeiro levanta uma única mão com firmeza. Sua boca não deixa transparecer nenhuma expressão, mas, nas rugas dos cantos dos olhos, Werner consegue ver o desespero.

— No final — murmura Volkheimer à medida que o caminhão se afasta — nenhum de nós vai evitar isso.

Naquela noite, Volkheimer dirige o Opel para o leste ao longo de uma estrada costeira na direção de Cancale. Bernd leva o primeiro rádio para um pequeno monte no meio de um campo, Werner opera o segundo rádio da traseira do caminhão, e Volkheimer permanece curvado no assento do motorista, os enormes joelhos apertados contra o volante. Incêndios, talvez em navios, são visíveis ao longe no mar, e as estrelas estremecem em suas constelações. Às duas e doze da madrugada, Werner sabe, o francês vai iniciar uma transmissão, e Werner vai ter que desligar o rádio e fingir que só ouve estática.

Ele vai cobrir o sintonizador com a palma da mão. Vai manter seu rosto completamente impassível.

A CASINHA

Etienne diz que nunca deveria tê-la deixado ir tão longe. Nunca deveria tê-la deixado exposta a um perigo tão grande. Ele diz que ela não pode mais sair de casa. Na verdade, Marie-Laure está aliviada, pois se vê assombrada pelo alemão: em pesadelos, ele é um caranguejo-aranha gigante de três metros de altura; estala as garras e sussurra "Uma pergunta simples" no ouvido dela.

— E os pães, tio?

— Eu vou apanhar. Já deveria estar fazendo isso desde o começo.

Nas manhãs dos dias quatro e cinco de agosto, Etienne se posta diante da porta da frente da casa, resmungando coisas para si mesmo, e depois empurra o portão para abri-lo e sai. Pouco mais tarde, o sino embaixo da mesa do terceiro andar toca, e ele fecha ambas as trancas e fica parado no saguão ofegante, como se tivesse passado por mil perigos.

Além do pão, não têm quase nada para comer. Ervilhas secas. Cevada. Leite em pó. Algumas das últimas latas dos legumes de madame Manec. Os pensamentos de Marie-Laure galopam como cães de corrida em torno das mesmas perguntas. Primeiro, aqueles policiais dois anos atrás: "Mademoiselle, não há alguma coisa específica que ele tenha mencionado?" Depois o sargento-mor que mancava com uma voz cadavérica. "Apenas me diga se o seu pai lhe deixou alguma coisa ou se contou que carregava alguma coisa para o museu onde trabalhava."

Papa vai embora. Madame Manec vai embora. Ela se lembra das vozes dos vizinhos em Paris quando ela perdeu a visão: "Como se estivessem amaldiçoados."

Ela tenta se esquecer do medo, da fome, das perguntas. Deve se espelhar nos caramujos e viver momento a momento, centímetro a centímetro. Porém, na tarde de seis de agosto, ela lê as seguintes linhas para Etienne, sentada no sofá do estúdio: "Era verdade que o capitão Nemo nunca deixava o *Nautilus*? Frequentemente eu não conseguia vê-lo por várias semanas a fio. O que ele estaria fazendo durante esse tempo todo? Não seria possível que ele estivesse empenhado em alguma missão secreta inteiramente desconhecida para mim?"

Ela fecha o livro com força.

— Não quer descobrir se eles vão conseguir escapar desta vez? — pergunta Etienne.

Mas Marie-Laure está repetindo na cabeça a terceira carta escrita pelo pai, uma carta estranha, a última que recebeu.

Lembra-se dos seus aniversários? Como sempre havia duas coisas em cima da mesa quando você acordava? Lamento que tudo tenha mudado dessa forma. Se algum dia quiser entender, procure pelo interior da casa de Etienne, dentro da casa. Sei que vai fazer a coisa certa. Embora eu quisesse que o presente fosse melhor.

"Mademoiselle, não há alguma coisa específica que ele tenha mencionado" "Podemos dar uma olhada nas coisas que ele trouxe?" "Ele tinha muitas chaves no museu."

Não é o transmissor. Etienne está errado. Não era o rádio o objeto pelo qual o alemão estava interessado. Era outra coisa, alguma coisa que ele achava que apenas ela saberia. E ele ouviu o que queria ouvir. Afinal de contas, ela respondeu à pergunta dele.

"Apenas uma maquete estúpida desta cidade."

E foi por isso que o alemão se afastou.

"Procure pelo interior da casa de Etienne."

— O que aconteceu? — pergunta Etienne.

"Dentro da casa."

— Preciso descansar — declara Marie-Laure.

Ela sobe as escadas atabalhoadamente, de dois em dois degraus, fecha a porta do quarto e corre os dedos pela cidade em miniatura. Oitocentos e sessenta e cinco prédios. Aqui, perto de uma esquina, aguarda a casa alta e estreita, Rue Vauborel, número 4. Os dedos delas deslizam pela fachada, encontram o nicho na porta da frente. Ela a pressiona, e a casa se solta. Ela sacode a casinha e não ouve nada. Mas as casas nunca fizeram nenhum barulho quando ela as sacodia, não é?

Mesmo com os dedos tremendo, Marie-Laure não demora muito tempo para resolver o quebra-cabeças. Torcer a chaminé noventa graus, deslizar os painéis do telhado, um, dois, três.

"Uma quarta porta, e uma quinta, e assim sucessivamente até você atingir a décima terceira, uma pequena porta trancada, menor que um sapato."

"Então como sabe que está lá de verdade?"

"Você precisa acreditar na história."

Marie-Laure vira a casinha de cabeça para baixo. Um diamante com formato de lágrima cai na palma da mão dela.

Números

Bombas dos Aliados destroem a estação de trem. Os alemães desmontam as instalações no porto. Aviões deslizam para dentro e fora das nuvens. Etienne ouve falar que alemães feridos estão afluindo em quantidade para Saint-Servan, que os americanos capturaram o Mont Saint-Michel, a apenas quarenta quilômetros de distância, que é uma questão de dias até a liberação. Ele chega na padaria justo quando madame Ruelle destranca a porta. Ela o faz entrar às pressas.

— Eles querem as localizações de baterias de artilharia antiaérea. Coordenadas. Pode resolver isso?

Etienne resmunga.

— Tenho Marie-Laure. Por que não você, madame?

— Não entendo nada de mapas, Etienne. Minutos, segundos, ajustes de declinação? Você entende dessas coisas. Tudo o que tem a fazer é encontrar cada uma, assinalar sua localização e transmitir as coordenadas.

— Vou ter que andar por aí com uma bússola e um bloco de notas. Não existe outra maneira de fazer isso. Vou levar um tiro.

— É vital que eles recebam localizações precisas para a artilharia. Pense em quantas vidas podem ser salvas. E você vai ter que fazer hoje à noite. Há um boato de que amanhã vão prender todos os homens da cidade que tenham entre dezoito e sessenta anos. Que vão verificar os documentos de todo mundo, e que todo homem em idade de combate, qualquer um que possa fazer parte da Resistência, vai ser encarcerado no Fort National.

A padaria gira; ele está sendo capturado em teias de aranha, que se enroscam em seus punhos e coxas, crepitam como papel queimando quando ele se movimenta. Alguém entra. O rosto de madame Ruelle veste uma máscara, como se a viseira da armadura de um cavaleiro descesse sobre os olhos.

Ele faz um sinal afirmativo com a cabeça.

— Bom — ela diz, e enfia o pão embaixo do braço dele.

Mar de Chamas

A superfície tem centenas de facetas. Ela o apanha várias e várias vezes e o pousa novamente, como se queimasse ao toque dos dedos. A prisão do pai, o desaparecimento de Hubert Bazin, a morte de madame Manec — seria esta pedra a causa de tanta infelicidade? Ela ouve a voz ofegante, com bafo de vinho, do velho dr. Geffard. "As rainhas citas podem ter dançado a noite toda usando-a. Guerras podem ter sido travadas para conquistá-la."

"O portador da pedra viveria para sempre, mas, enquanto a mantivesse, infortúnios cairiam sobre todos aqueles que ele amava como uma tempestade sem fim."

Objetos são apenas objetos. Histórias são apenas histórias.

Sem dúvida, esta pedra é aquilo que o alemão procura. Ela deveria abrir as venezianas e arremessar a pedra na rua. Ofertá-la para outra pessoa, qualquer outra pessoa. Esgueirar-se para fora de casa e atirá-la ao mar.

Etienne sobe a escada até o sótão. Ela consegue ouvi-lo cruzar as tábuas do piso acima dela e ligar o transmissor. Ela enfia o diamante no bolso, apanha a casinha da maquete e atravessa o corredor. Mas, antes de atingir o guarda-roupa, ela para. Seu pai devia acreditar que era autêntico. Se não, por que construiria um quebra-cabeças tão elaborado? Por que afinal ele o deixaria em Saint-Malo, quando partiu, se não pelo medo de ser confiscado durante a viagem? Por que afinal deixá-la para trás, se não por isso?

Deve pelo menos parecer um diamante azul que vale vinte milhões de francos. Real o suficiente para convencer o pai. E, se parece real, o que fará o tio dela quando ela lhe mostrar o diamante? Quando ela lhe disser que devem jogá-lo no oceano?

Ela ainda pode ouvir a voz do menino no museu: "Quando foi a última vez que você viu alguém jogar cinco Torres Eiffel no mar?"

Quem desistiria dele de bom grado? E a maldição? Será que a maldição é real? E ela o entrega a ele?

Mas as maldições não são reais. A Terra é toda feita de magma e crosta continental e oceano. Gravidade e tempo. Não é assim? Ela fecha os punhos, entra no quarto e recoloca o diamante dentro da casinha da maquete. Desliza os três painéis do telhado de volta para o lugar. Gira a chaminé noventa graus. Enfia a casa no bolso.

Bem depois da meia-noite, surge uma maré impressionante, ondas imensas batendo contra as bases das muralhas, o mar verde e renovado e entrelaçado com porções de espuma iluminada pela lua. Marie-Laure acorda dos seus sonhos ao ouvir Etienne batendo na porta do quarto dela.

— Vou sair.
— Que horas são?
— É quase manhã. Vou sair apenas por uma hora.
— Por que o senhor tem que ir?
— É melhor que você não saiba.
— E quanto ao toque de recolher?
— Vou ser rápido.

O tio-avô de Marie. Que nunca foi rápido nos quatro anos em que estiveram juntos.

— E se os bombardeios começarem?
— Está quase amanhecendo, Marie. Tenho que sair enquanto ainda está escuro.
— Vão atingir as casas, tio? Quando vierem?
— Não vão atingir as casas.
— Vai acabar rápido?
— Rápido como uma andorinha. Descanse, Marie-Laure, e, quando você acordar, já vou estar de volta. Você vai ver.
— Posso ler um pouco para o senhor? Agora que já acordei? Estamos tão perto do final.
— Quando eu voltar, vamos ler. Vamos terminar o livro juntos.

Ela tenta relaxar a mente, respirar devagar. Tenta não pensar na casinha que agora está embaixo do seu travesseiro e na terrível carga em seu interior.

— Etienne — sussurra Marie-Laure —, o senhor está chateado de termos vindo para cá? De o senhor e madame Manec terem que cuidar de mim? O senhor algum dia imaginou que eu tenha trazido uma maldição para a sua vida?

— Marie-Laure — responde ele sem hesitar, apertando a mão dela entre as suas —, você é a melhor coisa que já aconteceu na minha vida.

Algo parece estar se amontoando no silêncio, as ondas, batendo ou retrocedendo. Mas Etienne apenas repete uma segunda vez.

— Descanse, e, quando você acordar, estarei de volta.

E ela conta os passos do tio descendo a escada.

A prisão de Etienne LeBlanc

Etienne se sente estranhamente bem quando pisa do lado de fora; sente-se forte. Ele está contente por madame Ruelle ter lhe confiado esta tarefa final. Já transmitiu a localização de uma bateria de defesa antiaérea: um canhão em uma saliência na muralha, ao lado do Hotel das Abelhas. Ele só precisa anotar a posição de mais dois. Encontrar dois pontos conhecidos — ele vai escolher o pináculo da catedral e a ilha de Le Petit Bé — e depois calcular a localização do terceiro ponto, desconhecido. Um triângulo simples. Algo no qual fixar sua mente além dos fantasmas.

Ele vira para a Rue d'Estrées, segue por trás da universidade, chega até a viela atrás do Hôtel-Dieu. Suas pernas parecem jovens, seus pés, ligeiros. Ninguém à vista. Em algum local, o sol se move lentamente atrás do nevoeiro. A cidade logo antes de alvorecer é quente, perfumada e sonolenta, e as casas de ambos os lados parecem quase imateriais. Por um momento ele tem uma visão de estar caminhando no corredor de um amplo vagão, todos os outros passageiros dormindo, o trem deslizando pela escuridão em direção a uma cidade transbordando de luz: arcos brilhando, torres reluzindo, fogos de artifício subindo.

À medida que se aproxima do baluarte escuro das muralhas, surge, da escuridão, um homem uniformizado que vem mancando em sua direção.

7 DE AGOSTO DE 1944

Marie-Laure desperta com os abalos de grandes armas sendo disparadas. Ela atravessa o patamar da escada, abre o guarda-roupa e, com a ponta da bengala, procura o fundo do armário por entre as camisas penduradas; bate três vezes na parede falsa. Nada. Então ela desce até o quinto andar e bate na porta de Etienne. A cama dele está vazia e fria.

Ele não está no segundo andar, nem na cozinha. O preguinho do lado da porta onde madame Manec costumava pendurar o chaveiro está vazio. Os sapatos dele não estão à vista.

"Vou sair apenas por uma hora."

Ela contém o pânico. É importante não imaginar o pior. No saguão, verifica a linha de alerta: intacta. Depois, parte uma ponta do pão fornecido por madame Ruelle no dia anterior e permanece na cozinha. A água — milagrosamente — voltou a correr; assim, ela enche os dois baldes de metal, carrega-os para cima, coloca-os no canto do quarto, reflete por um momento, sobe até o terceiro andar e enche a banheira até a borda.

Depois abre o seu romance. O capitão Nemo fincou sua bandeira no Polo Sul; porém, se ele não movimentar o submarino para o norte logo, eles vão ficar presos no gelo. O equinócio da primavera acabou de passar; eles têm pela frente seis meses de noite inclemente.

Marie-Laure conta os capítulos que faltam. Nove. Ela está tentada a continuar lendo, mas eles estão viajando a bordo do *Nautilus* juntos, ela e Etienne, e, assim que ele retornar, podem prosseguir com a leitura. A qualquer momento agora.

Ela torna a verificar a casinha que está embaixo do seu travesseiro e luta contra a tentação de retirar a pedra dali; em vez disso, realoja a casa dentro da maquete da cidade aos pés da cama. Lá fora, pela janela, ouve-se o ronco de um caminhão ganhando vida. Passam gaivotas, zurrando como asnos, e a distância as armas voltam a estourar, e o ronco do caminhão diminui, e Marie-Laure tenta se concentrar e reler um capítulo anterior do livro: fazer os pontos em relevo se transformarem em letras, as letras em palavras, as palavras em um mundo.

À tarde, a linha de alerta treme, e o sino escondido embaixo da mesa do terceiro andar dá um toque único. No sótão acima dela, um sino abafado o acompanha. Marie-Laure tira os dedos da página. "Finalmente", ela pensa, mas quando desce as escadas, coloca a mão na tranca e pergunta "Quem é?", não ouve a voz tranquila de Etienne, mas a voz melíflua de Claude Levitte, o perfumista.

— Deixe-me entrar, por favor.

Mesmo com a barreira da porta, ela consegue sentir o cheiro dele, hortelã, almíscar, aldeído. Por baixo disso: suor. Medo.

Ela desfaz as duas trancas e abre a porta pela metade.

Ele fala através do portão semiaberto.

— Você precisa vir comigo.

— Estou esperando o meu tio-avô.

— Falei com o seu tio-avô.

— Falou com ele? Onde?

Marie-Laure pode ouvir monsieur Levitte estalando os dedos, um após o outro. Os pulmões dele se enchendo pesadamente dentro do peito.

— Se você pudesse ver, mademoiselle, veria as ordens de evacuar a cidade. Trancaram os portões da cidade.

Ela não responde.

— Estão detendo todos os homens, entre dezesseis e sessenta anos. Mandaram que eles se reunissem na torre do château. Depois vão levá-los em marcha até o Fort National, quando a maré estiver baixa. Deus esteja com eles.

Lá fora, na Rue Vauborel, tudo parece calmo. As andorinhas voando em torno das casas, e duas pombas travam uma disputa em uma calha alta. O barulho de um ciclista passando por perto. Depois, o silêncio. Será que realmente trancaram os portões da cidade? Será que este homem realmente falou com Etienne?

— O senhor vai com os outros, monsieur Levitte?

— Não está nos meus planos. Você deve ir até um abrigo imediatamente. — Claude funga. — Ou para as criptas embaixo da Notre-Dame em Rocabey. Foi para lá que mandei a madame ir. Foi o que o seu tio me pediu para fazer. Deixe absolutamente tudo para trás, e venha comigo agora.

— Por quê?

— Seu tio sabe por quê. Todo mundo sabe por quê. Não é seguro aqui. Venha comigo.

— Mas o senhor disse que os portões da cidade estão trancados.

— Sim, eu disse, menina, e chega de perguntas por agora.

Ele solta um suspiro.

— Você não está a salvo, e estou aqui para ajudar.

— O tio disse que o nosso porão é seguro. Ele diz que, se durou quinhentos anos, pode muito bem durar mais algumas noites.

O perfumista limpa a garganta. Ela o imagina espichando o pescoço grosso para espiar dentro da casa, o casaco no cabide, as migalhas de pão na mesa da cozinha. Todos verificando o que os outros têm. O tio dela não poderia ter pedido que o perfumista a acompanhasse até um abrigo, afinal, quando foi a última vez que Etienne falou com Claude Levitte? Novamente ela pensa na maquete no andar de cima, o diamante dentro dela. Ela ouve a voz do dr. Geffard: "Esse objeto tão pequeno pode ser tão lindo. Valer tanto..."

— As casas estão pegando fogo em Paramé, mademoiselle. Estão abandonando navios no porto, estão atirando na catedral e não há água no hospital. Os médicos estão lavando as mãos com vinho. Vinho!

As falhas da voz de monsieur Levitte arranham. Ela se lembra de madame Manec contar certa vez que sempre que relatavam um assalto na cidade, monsieur Levitte ia para a cama com a carteira de dinheiro guardada no traseiro.

— Vou ficar — diz Marie-Laure.

— Meu Deus, menina, será que tenho que levar você à força?

Ela se lembra do alemão caminhando em frente ao portão de Hubert Bazin, as páginas do jornal farfalhando, e fecha a porta em uma fração de segundo. Alguém deu esta tarefa para o perfumista.

— Certamente — continua ela — meu tio-avô e eu não seremos as únicas pessoas dormindo sob o próprio teto esta noite.

Ela tenta o quanto pode parecer impassível. O cheiro de monsieur Levitte é arrebatador.

— Mademoiselle — suplica ele. — Seja razoável. Venha comigo e deixe tudo para trás.

— O senhor pode falar com o meu tio-avô quando ele voltar.

Ela fecha e tranca a porta.

É possível ouvi-lo de pé do lado de fora. Elaborando alguma análise de custo-benefício. Depois ele dá meia-volta e retorna para a rua, arrastando o seu medo como uma caçamba atrás de si. Marie-Laure se curva ao lado da mesa da entrada, procura o fio e remonta a linha de alarme. O que ele pode ter visto? Um casaco, metade de um pão? Etienne vai ficar satisfeito. Lá fora, andorinhões mergulham à procura de insetos, e os filamentos de uma teia de aranha captam a luz, brilham por um instante e desaparecem.

Ainda assim: e se o perfumista estivesse dizendo a verdade?

A luz do dia se atenua para dourado. Alguns grilos no porão iniciam sua cantoria: um *cri-cri* ritmado, noite de agosto, e Marie-Laure caminha com suas meias surradas até a cozinha e parte mais um naco do pão de madame Ruelle.

FOLHETOS

Antes de escurecer, os austríacos usam a louça do hotel para servir fígado de porco com tomates inteiros, uma única abelha prateada gravada na borda de cada prato. Todos se sentam sobre sacos de areia ou caixotes de munição, Bernd adormece com a cara na mesa, e Volkheimer conversa no canto com o tenente a respeito do rádio no porão, e, ao redor do perímetro do cômodo, os austríacos mastigam com firmeza por baixo dos capacetes de aço. Homens ativos, experientes. Homens que não duvidam do seu propósito.

Quando Werner termina de comer, segue até a suíte do último andar e fica de pé na banheira hexagonal. Cutuca a veneziana, que se abre alguns centímetros. O ar da noite é uma bênção. Logo abaixo de sua janela no hotel, em uma das alas fortificadas de frente para o mar, aguarda o grande 88. Além do canhão, além das bombardeiras, as muralhas mergulham doze metros em direção às fileiras brancas e verdes das espumas das ondas. À sua esquerda, a cidade aguarda, cinzenta e densa. Mais distante ao leste, um clarão vermelho se ergue de uma batalha fora do ângulo de visão. Os americanos os encurralaram contra o mar.

Para Werner, parece que no espaço entre aquilo que já aconteceu e aquilo que está para acontecer surge um território invisível, o conhecido de um lado e o desconhecido do outro. Ele pensa na garota que talvez esteja na cidade atrás dele. Ele a visualiza passando a bengala pela água que corre pela calçada. Encarando o mundo com os olhos estéreis, os cabelos selvagens, a face brilhante.

Pelo menos ele protegeu os segredos da casa dela. Pelo menos ele a manteve a salvo.

Novas ordens, assinadas pelo próprio comandante da guarnição em pessoa, foram coladas nas portas, bancas do mercado e postes de luz. "Ninguém deve tentar deixar a cidade antiga. Ninguém deve caminhar pelas ruas sem autorização especial."

Logo antes de Werner fechar a veneziana, um avião solitário cruza o crepúsculo. De sua barriga tomba um bando de objetos brancos que cresce lentamente.

Pássaros?

O bando vai se dividindo, se espalhando: é papel. Milhares de folhas. Elas voam pelo telhado, escorregam pelos parapeitos, boiam nas contracorrentes até a praia.

Werner desce ao saguão, onde um austríaco segura um deles sob a luz.

— Está em francês.

Werner o apanha. A tinta tão fresca que borra por baixo de seus dedos. "Mensagem urgente para os habitantes desta cidade", são os dizeres. "Partam imediatamente para o campo aberto."

Dez

12 DE AGOSTO DE 1944

Sepultados

Ela está lendo novamente: "Quem poderia porventura calcular o tempo mínimo de que precisaríamos para conseguir sair? Será que não morreríamos asfixiados antes que o *Nautilus* pudesse subir à tona? Estaria ele destinado a perecer nesta sepultura de gelo junto ao restante da tripulação? A situação parecia terrível. Porém, todos a encararam com firmeza e decidiram realizar suas tarefas até o fim…"

Werner ouve. A tripulação retalha os icebergs que aprisionaram o submarino; ele navega para o norte ao longo da costa sul-americana, passando pela boca do Amazonas, apenas para ser perseguido por um polvo gigantesco no oceano Atlântico. A hélice para; o capitão Nemo emerge de sua cabine pela primeira vez em semanas, com um semblante sombrio.

Werner faz força para se levantar do chão, carregando o rádio em uma das mãos e arrastando a bateria com a outra. Atravessa o porão até encontrar Volkheimer na poltrona dourada. Coloca a bateria no chão e desliza a mão no braço do homem enorme até tocar o ombro. Localiza a enorme cabeça do companheiro. Aperta os fones contra os ouvidos de Volkheimer.

— Consegue ouvir? — pergunta Werner. — É uma história estranha e bonita, queria que você entendesse francês. Um polvo gigantesco colocou a boca na hélice do submarino, e agora o capitão disse que precisam emergir e lutar contra as feras com as próprias mãos.

Volkheimer exala lentamente. Não se mexe.

— Ela está usando o transmissor que deveríamos encontrar. Eu o encontrei. Semanas atrás. Disseram que era uma rede de terroristas, mas eram apenas um velho e uma menina.

Volkheimer não diz uma palavra.

— Você sabia o tempo todo, não é? Que eu sabia onde estava o rádio?

Volkheimer talvez não esteja escutando Werner através dos fones de ouvido.

— Ela não para de dizer "Me ajudem". Chama pelo pai, pelo tio-avô. Ela diz: "Ele está aqui. Ele vai me matar".

Um ronco estremece os escombros acima deles, e na escuridão Werner sente como se estivesse preso dentro do *Nautilus*, vinte metros abaixo da superfície, enquanto os tentáculos de uma dúzia de monstros marinhos ferozes açoitam o casco. Ele sabe que o transmissor deve estar no alto da casa. Exposto ao bombardeio.

— Eu a salvei apenas para ouvi-la morrer — diz Werner.

Volkheimer não demonstra ter compreendido. Partir ou estar pronto para partir: haverá alguma diferença? Werner pega de volta os fones de ouvido e se senta no chão empoeirado ao lado da bateria.

"O primeiro companheiro", ela continua a ler, "lutou furiosamente contra outros monstros que subiam pelas laterais do *Nautilus*. A tripulação batia com os machados. Ned, Conseil e eu também enfiávamos as armas nos seus corpos macios. Um violento odor de almíscar encheu o ar."

Fort National

Etienne suplicou aos carcereiros, ao sentinela do forte, às dezenas de outros presos como ele.

— Minha sobrinha, minha sobrinha-neta, ela é cega, está sozinha...

Contou-lhes que tinha sessenta e três anos, não sessenta, como alegavam, que seus documentos tinham sido injustamente confiscados, que não era um terrorista; cambaleou diante do *Feldwebel* responsável pelo lugar e balbuciou as poucas frases em alemão que conseguiu costurar — "*Sie müssen mich helfen!*", "*Meine Nichte ist herein dort!*" —, mas o *Feldwebel* deu de ombros como todos os outros e olhou para trás, para a cidade em chamas do outro lado das águas, como se dissesse: "O que alguém pode fazer diante disso?"

Então uma bomba americana errática atingiu o forte, os feridos urraram no porão de munições, os mortos foram enterrados embaixo das pedras logo acima da linha da maré, e Etienne parou de falar.

A maré se afasta deslizando e depois sobe novamente. O pouco que resta da energia de Etienne se concentra em aquietar o barulho em sua própria cabeça. Às vezes ele quase se convence de que é capaz de ver o telhado de sua casa através dos esqueletos em chamas das mansões à beira-mar da porção noroeste da cidade. Quase se convence de que a casa permanece de pé. No entanto, ela torna a desaparecer por trás de uma cortina de fumaça.

Nada de travesseiro, nada de cobertor. A latrina é apocalíptica. A comida chega irregularmente, trazida da cidadela pela mulher do sentinela, que atravessa meio quilômetro de pedras na maré baixa enquanto as bombas explodem na cidade atrás dela. Nunca há suficiente. Etienne se distrai com fantasias de fuga. Escapar por cima de um muro, nadar centenas de metros, arrastar-se através da rebentação. Correr por entre as minas da praia até atingir um dos portões trancados. Absurdo.

Aqui fora os prisioneiros veem as bombas explodirem na cidade antes de ouvi-las. Durante a última guerra, Etienne conheceu soldados da artilharia que, com o auxílio de binóculos, olhavam para os campos de batalha e discerniam o dano efetuado pelas bombas de acordo com as cores que explodiam em direção ao céu. Cinza era pedra. Marrom, solo. Cor-de-rosa era carne.

Ele fecha os olhos. Lembra-se das horas passadas na livraria de monsieur Hébrard, à luz de lâmpadas, escutando rádio pela primeira vez. Lembra-se de subir até o coro para escutar a voz de Henri se elevar pela catedral. Lembra-se dos restaurantes pequenos com vitrais nas janelas e revestimento de madeira com padrões em relevo onde os pais os levavam para jantar; e as casas de campo dos corsários com frisos ornamentados, colunas dóricas e moedas de ouro encrustadas nas paredes; as frentes de oficinas de armeiros e capitães de navio e cambistas e estalajadeiros; os desenhos que Henri fazia nas pedras das muralhas, "Mal posso esperar para sair daqui, lugar de merda". Lembra-se da casa dos LeBlanc, a casa dele! Alta e estreita com a escadaria no centro, espiralando como uma concha, onde o fantasma do irmão ocasionalmente esgueirava-se entre as paredes, onde madame Manec viveu e morreu, onde há não muito tempo ele podia se sentar em um sofá com Marie-Laure e fingir que os dois viajavam sobre os vulcões do Havaí, sobre as florestas nubladas do Peru, onde há apenas uma semana ela estava sentada de pernas cruzadas no chão lendo para ele sobre a coleta de pérolas nas costas do Ceilão, capitão Nemo e Aronnax em trajes de mergulho, o impulsivo canadense Ned Land prestes a arremessar o arpão em um tubarão... Tudo isso está se incendiando. Todas as lembranças que ele já teve.

Acima do Fort National, a aurora torna-se profunda e mortalmente clara. A Via Láctea se transforma em um rio diáfano. Ele olha além dos incêndios. E pensa: "O universo está cheio de combustível".

As últimas palavras
do capitão Nemo

Por volta do meio-dia de doze de agosto, Marie-Laure tinha lido sete dos últimos nove capítulos pelo microfone. O capitão Nemo libertou o submarino das garras do polvo gigantesco apenas para se encontrar no olho de um furacão. Páginas depois, ele abateu um navio de guerra cheio de homens, atravessou o seu casco, escreve Verne, como a agulha atravessa o tecido. Agora o capitão toca uma marcha fúnebre pesarosa e deprimente no órgão, enquanto o *Nautilus* dorme na imensidão do mar. Faltam três páginas. Se Marie-Laure trouxe consolo para alguém ao transmitir a história, se o tio-avô, agachado em algum porão úmido com cem homens, a sintonizou, se algum trio de americanos repousava no campo à noite, enquanto limpava as armas, e viajava nos passadiços escuros do *Nautilus* com ela, não é possível dizer.

Mas ela está feliz de estar tão perto da conclusão.

Lá embaixo, o alemão gritou duas vezes de frustração, depois se pôs em silêncio. Por que simplesmente não sair do guarda-roupa, pensa ela, entregar a casinha para o alemão e descobrir se ele vai poupar a vida dela?

Primeiro ela vai terminar. Depois vai tomar uma decisão.

Novamente ela abre a casinha da maquete e coloca a pedra na palma da mão. O que aconteceria se a deusa desfizesse a maldição? Será que os incêndios cessariam, será que a terra se cicatrizaria, será que as pombas voltariam aos parapeitos das janelas? Será que Papa retornaria?

Encha os pulmões. Mantenha o ritmo do coração. A faca permanece a seu lado. As pontas dos dedos pressionadas nas linhas do livro. O arpoador canadense Ned Land encontrou a escotilha para escapar. "O mar é traiçoeiro", diz ele para o professor Aronnax, "e o vento está soprando forte..."

"Estou com você, Ned."

"Mas tenho que confessar que, se formos apanhados, vou me defender, mesmo que tiver que morrer para isso."

"Vamos morrer juntos, Ned, meu amigo."

Marie-Laure liga o transmissor. Ela pensa nos caramujos do canil de Hubert Bazin, dez mil deles; na forma como grudam; em como se encolhem nas espirais de suas conchas; em como se escondem naquela gruta, protegidos das gaivotas, que são incapazes de se aproximar para carregá-los até o céu e deixá-los cair sobre as rochas para abri-los.

Visitante

Von Rumpel bebe de uma garrafa de vinho oxidado que encontrou na cozinha. Quatro dias na casa, e quantos erros já cometeu! O Mar de Chamas poderia ter ficado no museu em Paris o tempo todo — aquele mineralogista com sorriso afetado e o diretor-assistente dando risadas enquanto ele se retirava furtivamente, ludibriado, enganado, feito de bobo. Ou o perfumista pode ter mentido, apanhando o diamante da menina depois de mandá-la embora. Ou Levitte pode tê-la acompanhado para fora da cidade enquanto ela o carregava na mochila surrada; ou o velho pode tê-lo enfiado no reto e agora o está cagando, vinte milhões de francos em uma pilha de fezes.

Ou talvez o diamante nunca tenha existido. Talvez tudo não passe de um embuste, tudo não passe de uma história.

Ele tivera tanta certeza. Certeza de que encontrara o esconderijo, de que resolvera a charada. Certeza de que a pedra o salvaria. A menina não sabia, o velho estava fora de cena — tudo estava perfeitamente arranjado. Qual é a certeza agora? Apenas o mal aniquilador que viceja dentro do seu corpo, apenas a degradação que ele traz para cada célula do seu organismo. Em seus ouvidos vem a voz do pai: "Você só está sendo testado."

Alguém o chama em alemão.

— *Ist da wer?*

Pai?

— Você aí!

Von Rumpel escuta. Os sons se aproximando no meio da fumaça. Ele se arrasta até a janela. Veste o capacete. Projeta a cabeça sobre o parapeito estilhaçado.

Um soldado da infantaria alemã está olhando da rua.

— Senhor? Eu não esperava... A casa está vazia, senhor?

— Vazia, sim. Para onde vai, soldado?

— Para a fortaleza em La Cité, senhor. Estamos evacuando. Deixando tudo para trás. Ainda mantemos o château e o Bastion de la Hollande. Todas as outras guarnições recuaram.

Von Rumpel apoia o queixo no parapeito, sentindo como se sua cabeça pudesse se separar do pescoço, tombar e explodir na rua.

— A cidade inteira vai estar dentro do perímetro de bombardeio — diz o soldado.

— Quanto tempo?

— Vai ocorrer um cessar-fogo agora. Meio-dia, dizem. Para remover os civis. Depois vão retomar o ataque.

— Estamos entregando a cidade? — pergunta Von Rumpel.

Uma bomba é detonada não muito longe dali, os ecos da explosão desviam entre as casas destruídas, e o soldado na rua coloca a mão sobre o capacete. Pedaços de pedra rolam pelo pavimento.

— O senhor está com qual unidade, sargento-mor? — grita o cabo.

— Continue com o seu trabalho, soldado. Estou quase terminando aqui.

Sentença final

Volkheimer não se mexe. O líquido no fundo do balde de tinta, por mais tóxico que seja, já acabou. Werner não detectou a voz da menina em nenhuma frequência por quanto tempo? Uma hora? Mais? Ela lia uma passagem na qual o *Nautilus* estava sendo tragado em um redemoinho, ondas mais altas do que casas, o submarino quase na vertical, sua carcaça de aço rachando, e então ela leu o que ele supôs ser a última linha do livro: "Assim, para aquela pergunta feita seis mil anos atrás no Eclesiastes, 'A realidade está bem distante e é muito profunda; quem pode descobri-la?', apenas dois homens agora têm o direito de responder: o capitão Nemo e eu."

Depois, o transmissor parou com um estalo e a escuridão absoluta se fechou ao redor dele. Durante esses últimos dias — quantos foram? —, a sensação é de que a fome é uma mão dentro dele, cavando seu peitoral, atingindo suas omoplatas e depois a sua pelve. Arranhando os seus ossos. Hoje, porém — será dia ou noite? —, a fome vai enfraquecendo como uma chama para a qual não existe mais combustível. O vazio e o cheio, no final, de certo modo significam o mesmo.

Werner olha para cima piscando e vê a menina vienense com a capa atravessando o teto, como se flutuasse em uma simples sombra. Ela carrega um saco de papel cheio de verduras murchas e se senta no meio dos escombros. Ao redor dela, voa uma nuvem de abelhas.

Ele não consegue ver mais nada, apenas ela.

Ela conta nos dedos. "Por furar fila", diz ela. "Por ser lento demais no trabalho. Por discutir por causa de pão. Por demorar tempo demais no banheiro do acampamento. Por chorar. Por não me organizar de acordo com as regras."

Certamente é tudo um absurdo; no entanto, algo permanece ali, uma verdade que ele não quer se permitir apreender, e, à medida que ela fala, ela envelhece, cabelos prateados descem em volta da cabeça dela, a gola fica puída; ela se transforma em uma idosa — a compreensão de quem é paira na beira de sua consciência.

"Por reclamar de dor de cabeça."
"Por cantar."
"Por conversar à noite no beliche."
"Por esquecer o aniversário dela durante a inspeção noturna."
"Por descarregar as remessas devagar demais."
"Por não entregar as chaves corretamente."
"Por deixar de informar ao guarda."
"Por levantar da cama tarde demais."
Frau Schwartzenberger — é ela. A judia no elevador de Frederick. Ela não consegue mais contar nos dedos.
"Por fechar os olhos enquanto se dirigiam a ela."
"Por guardar migalhas de pão."
"Por tentar entrar no parque."
"Por ter mãos inchadas."
"Por pedir um cigarro."
"Por falta de imaginação", e no escuro Werner sente-se como se atravessasse o fundo e naufragasse cada vez mais, o tempo todo, como o *Nautilus* sugado no redemoinho, como o pai dele descendo no poço da mina: um mergulho só de ida a partir de Zollverein passando por Schulpforta, passando pelos horrores da Rússia e da Ucrânia, passando por mãe e filha em Viena, a ambição e a vergonha deles se tornando uma coisa só, até o último nível deste porão na borda do continente, onde a aparição entoa frases sem sentido — Frau Schwartzenberger caminha na direção dele, se transformando, à medida que se aproxima, de mulher em menina —, o cabelo dela se torna vermelho novamente, a pele se suaviza, uma menina de sete anos pressiona o rosto contra o dele, e no centro da testa dela Werner consegue ver um buraco mais negro do que a negritude em torno dele, no fundo do qual fervilha uma cidade escura cheia de almas, dez mil, quinhentas mil, todos aqueles rostos olhando para ruelas, janelas, parques chamuscados, e ele ouve um trovão.
Raios.
Artilharia.
A menina evapora.
A terra treme. Os órgãos no corpo dele chacoalham. As vigas roncam. E depois o gotejar lento do pó e a respiração curta, derrotada, de Volkheimer a um metro de distância.

MÚSICA Nº 1

Em algum momento depois da meia-noite, em treze de agosto, após sobreviver no sótão do tio-avô durante cinco dias, Marie-Laure segura um disco com a mão esquerda enquanto passa os dedos da mão direita suavemente por entre as ranhuras, reconstruindo a música em sua cabeça. Cada relevo para cima e para baixo. Depois, ela coloca o disco no eixo do gramofone de Etienne.

Sem água alguma há um dia e meio. Sem comida há dois dias. O sótão cheira a calor e poeira, a confinamento e à urina dela própria na bacia de barbear.

"Vamos morrer juntos, Ned, meu amigo."

O cerco aparentemente não vai cessar nunca. Pedaços de alvenaria tombam nas ruas; a cidade se desintegra; ainda assim, esta casa não caiu.

Ela retira a lata ainda fechada do bolso do casaco do tio-avô e a coloca no centro do chão do sótão. Ela a guarda por tanto tempo. Talvez porque a lata ofereça um último elo com madame Manec. Talvez porque, se ela abrir a lata e descobrir que o conteúdo se estragou, a perda vai matá-la.

Ela coloca a lata e o tijolo sob o banco do piano, onde sabe que pode encontrá-los novamente. Depois verifica duas vezes o disco no eixo. Abaixa o braço, posiciona a agulha na extremidade externa. Encontra o botão do microfone com a mão esquerda e o botão do transmissor com a direita.

Ela vai ligá-lo o mais alto possível. Se o alemão estiver na casa, vai escutar. Vai escutar a música do piano descendo dos andares mais altos e vai inclinar a cabeça, e depois vai vaguear pelo sexto andar como um demônio espumando pela boca. No final vai acabar apertando o ouvido contra as portas do guarda--roupa, onde vai ouvir a música ainda mais alto.

Quantos labirintos existem neste mundo. Os galhos das árvores, as filigranas das raízes, a matriz dos cristais, as ruas que o pai dela tinha recriado nas maquetes. Labirintos nas saliências de conchas de múrex, nas texturas da casca de plátanos e dentro dos ossos ocos das águias. Nada mais complicado do que o cérebro humano, diria Etienne, a coisa mais complexa que existe; um órgão, dentro do qual giram universos.

Ela pousa o microfone no alto-falante em forma de sino do gramofone, liga o interruptor da vitrola e o prato começa a girar. O sótão estala. Na mente de Marie-Laure, ela segue por um caminho no Jardin des Plantes, o ar dourado, o vento verde, os longos dedos de salgueiros roçando os ombros dela. Adiante está o pai dela, que estende uma das mãos, aguardando.

O piano começa a tocar.

Marie-Laure procura por trás do banco e localiza a faca. Ela rasteja pelo chão até o topo da escada de sete degraus e se senta com os pés balançando, o diamante dentro da casinha em seu bolso, a faca na mão.

— Venha e me pegue — diz.

Música nº 2

Sob as estrelas que cobrem a cidade, tudo dorme. Os atiradores dormem, freiras em uma cripta embaixo da catedral dormem, as crianças nos porões dos corsários dormem no colo das mães adormecidas. O médico no porão do Hôtel-Dieu dorme. Alemães feridos nos túneis sob o forte de La Cité dormem. Além dos muros do Fort National, Etienne dorme. Todos dormem, com exceção dos caramujos escalando as pedras e os ratos correndo velozes entre os escombros.

Em um buraco embaixo das ruínas do Hotel das Abelhas, Werner também dorme. Apenas Volkheimer permanece acordado. Ele continua sentado com o grande rádio no colo, no local onde Werner o tinha posicionado, a bateria descarregando entre os pés, a estática sussurrando nos seus ouvidos, não porque ele acredita que vai ouvir alguma coisa, mas porque foi aí que Werner deixou os fones. Porque ele não tem força para puxá-los das orelhas. Porque se convenceu horas atrás de que as cabeças de gesso no outro lado do porão vão matá-lo se ele se mover.

Algo impossível acontece, a estática se transforma em música.

Os olhos de Volkheimer se abrem o máximo que ele consegue. Esforçando-se na escuridão para captar qualquer fóton isolado. Um piano entoa escalas. Depois cessa. Ele ouve as notas e o silêncio entre elas, e depois se vê conduzindo cavalos no meio de um bosque ao amanhecer, arrastando-se pela neve atrás do bisavô, que caminha com um serrote sobre os enormes ombros, a neve resfolegando sob as botas e os cascos, todas as árvores acima deles estalando e murmurando. Chegam até a margem de um lago congelado, onde um pinheiro cresce, tão alto quanto uma catedral. O bisavô ajoelha-se como se pagasse uma penitência, enfia a serra em uma fenda do tronco e começa a cortar.

Volkheimer se levanta. Encontra a perna de Werner na escuridão, coloca os fones nos ouvidos de Werner.

— Escute — diz. — Escute, escute...
Werner desperta. Acordes flutuam em cascatas transparentes.
— "Clair de Lune".
Claire: uma menina tão clara que dá para ver através dela.
— Enganche a lanterna na bateria — diz Volkheimer.
— Por quê?
— Faça isso.

Mesmo antes que a música pare de tocar, Werner desconecta o rádio da bateria, desenrosca o bocal e a lâmpada da lanterna pifada, encosta-os nos terminais, o que dá aos dois homens uma esfera de luz. No canto mais ao fundo do porão, Volkheimer arrasta blocos de concreto e pedaços de madeira e partes espatifadas da parede, material retirado dos escombros, parando de vez em quando para se curvar e recuperar o fôlego. Ele empilha tudo para formar uma barreira. Depois puxa Werner para atrás deste abrigo improvisado, desenrosca a base de uma granada e puxa a corda para acender o fusível de cinco segundos. Werner coloca uma das mãos sobre o capacete, e Volkheimer arremessa a granada para o local onde costumava ficar a escada.

MÚSICA Nº 3

As filhas de Von Rumpel eram bebês gordos, roliços, não eram? Ambas sempre deixando cair os chocalhos e chupetas, e sempre se enrolando nos cobertores, por que tanta tortura, anjinhos? Mas elas cresceram. Apesar das ausências dele. E elas sabiam cantar, sobretudo Veronika. Talvez não viessem a ser famosas, mas sabiam cantar bem o bastante para agradar ao pai. Elas usavam as grandes botas de feltro e aqueles terríveis vestidos disformes que a mãe delas fazia, prímulas e margaridas bordadas nas golas, entrelaçavam as mãos às costas e soltavam a voz, cantando canções cujo significado das letras elas eram jovens demais para entender.

"Os homens me rodeiam
como mariposas em torno do fogo,
e suas asas se incendeiam,
Sei que eu não sou culpada.
Não era minha intenção
me apaixonar novamente.
O que posso fazer?
Não consigo impedir."

No que pode ser uma recordação ou um sonho, Von Rumpel observa Veronika, que desperta cedo, se ajoelhar em meio a penumbra do quarto de Marie-Laure antes do alvorecer e fazer uma boneca com um vestido branco andar ao lado de um boneco de terno cinzento pelas ruas da cidade em miniatura. Viram à esquerda, depois à direita, até chegarem aos degraus da catedral, onde um terceiro boneco, vestido de preto, um braço erguido, aguarda. Casamento ou sacrifício, Von Rumpel não sabe dizer. Depois Veronika canta tão suavemente que ele não consegue ouvir a letra, apenas a melodia, que parece menos os sons produzidos por uma voz humana do que as notas tocadas em um piano, e os bonecos dançam.

A música cessa, e Veronika desaparece. Ele se senta. A maquete ao pé da cama se desintegra e passa-se um bom tempo para se restaurar. Em algum local acima dele, a voz de um jovem começa a falar em francês sobre as propriedades do carvão.

Para fora

Por um milésimo de segundo, o espaço ao redor de Werner se rasga em dois, como se as últimas moléculas de oxigênio tivessem sido arrancadas dali. Depois, pedaços de pedra, madeira e metal passam riscando, zunindo perto do seu capacete, chiando em direção à parede atrás deles, e a barricada de Volkheimer desmorona, e para todo lado na escuridão as coisas rolam e se deslocam, e ele não consegue encontrar ar para respirar. Porém, a detonação cria algum tipo de movimento tectônico nos escombros do prédio, e há um estrépito seguido por múltiplas cascatas na escuridão. Quando Werner para de tossir e retira os fragmentos sobre o peito, encontra Volkheimer olhando para cima, em direção a um único buraco de luz roxa.

O céu. O céu noturno.

Um facho de luz de estrelas atravessa a poeira e desce ao longo de uma pilha de escombros até o chão. Por um momento, Werner a inala. Então Volkheimer o chama de volta, escala metade da escada em ruínas e começa a atacar as extremidades da abertura com um pedaço de vergalhão. O ferro ressoa, as mãos dele se ferem e a barba de seis dias brilha branca por causa da poeira, mas Werner pode ver que Volkheimer avança rapidamente: o fio de luz se transforma em uma cunha violeta, com um diâmetro mais largo do que dois palmos de Werner.

Com mais um golpe, Volkheimer consegue pulverizar a maior parte dos escombros, um bom pedaço estourando em cima dos seus ombros e capacete, e depois tudo não passa de uma simples questão de escavar e escalar. Ele espreme o tronco através da abertura, os ombros raspando nas beiradas, o casaco rasgando, os quadris retorcendo, e então atravessa. Ele se inclina para alcançar Werner, a bolsa de lona e o rifle, e então puxa tudo.

Os dois homens se ajoelham em cima do que antes era uma viela. A luz das estrelas cobre tudo. Werner não consegue ver a lua. Volkheimer vira as palmas ensanguentadas para cima, como se fosse apanhar o ar, para que ele penetre em sua pele como a água da chuva.

Apenas duas paredes do hotel continuam de pé, grudadas na quina, pedaços de reboco presos na parte de dentro. Para além delas, as casas revelam seus interiores para a noite. A muralha atrás do hotel permanece, embora muitas das seteiras do topo tenham sido destruídas. Quase não é possível ouvir o barulho do mar do outro lado. Todo o resto está em ruínas e em silêncio. A luz das estrelas ilumina cada rua. Quantos homens se decompõem nas pilhas de pedras diante dele? Nove. Talvez mais.

Eles abrem caminho até o abrigo das muralhas, ambos cambaleando como bêbados. Quando chegam ao baluarte, Volkheimer olha rapidamente para Werner; e depois para a noite. Seu rosto está tão branco de poeira que ele parece um colosso feito de pó.

Cinco quarteirões para o sul, será que a menina ainda está transmitindo a gravação?

— Pegue o rifle. Vá — diz Volkheimer.

— E você?

— Comida.

Werner esfrega os olhos contra a luz das estrelas. Ele não sente fome, como se tivesse se libertado para sempre do estorvo de precisar se alimentar.

— Mas nós vamos...?

— Vá — repete Volkheimer.

Werner olha para ele uma última vez: o casaco rasgado e a mandíbula como uma pá. A ternura de suas mãos grandes. "O que você poderia ser..."

Será que ele sabia? O tempo todo?

Werner vai de uma cobertura para a outra. A sacola de lona na mão esquerda, o rifle na direita. Sobraram cinco tiros. Na cabeça, ele ouve a garota sussurrar: "Ele está aqui. Ele vai me matar." Para o oeste, descendo por um declive de escombros, passando com dificuldade por tijolos, fios e peças de telhas, muitas ainda quentes, as ruas aparentemente abandonadas, apesar de ele não poder dizer que olhos possam o estar seguindo por detrás das janelas espatifadas, alemães ou franceses ou americanos ou britânicos. Possivelmente a mira de um atirador o está focalizando neste exato segundo.

Aqui um único sapato de plataforma. Ali, caída de costas, uma escultura de madeira de um cozinheiro segurando um quadro onde ainda permanece a sopa do dia escrita a giz. Acolá grandes bobinas de arame farpado embaraçado. Para todo lado, o desagradável odor dos cadáveres.

Agachado no abrigo do que antes era uma loja de suvenires para turistas — alguns pratos decorativos nas prateleiras, cada um com um nome diferente pintado na beirada e organizados por ordem alfabética —, Werner se localiza na cidade. *Coiffeur Dames* do outro lado da rua. Um banco sem as janelas. Um cavalo morto, atrelado à carroça. Aqui e ali algum prédio intacto permanece de pé sem os vidros das janelas, as trilhas filigranadas de fumaça subindo de janelas como marcas de trepadeiras que tivessem sido arrancadas.

Como a luz brilha à noite! Ele nunca soube. O dia o cega.

Werner vira à direita no que acredita ser a Rue d'Estrées. A casa número 4 da Rue Vauborel se mantém de pé. Todas as janelas da fachada se quebraram, mas as paredes mal foram chamuscadas; duas de suas floreiras de madeira continuam penduradas.

"Ele está aqui. Está bem aqui, logo abaixo de onde estou."

Diziam que ele precisava ter convicção. Propósito. Clareza. Aquele comandante Bastian de peito de pombo com o andar de mulher idosa; ele disse que extirpariam a hesitação de dentro dele.

"Somos uma saraivada de balas, somos balas de canhão. Somos a ponta da espada."

Quem é o mais fraco?

Guarda-roupa

Von Rumpel fica inquieto diante do impressionante armário. Examina as roupas velhas lá dentro. Coletes, calças listradas, camisas de cambraia furadas por traças, camisas com colarinhos altos e mangas comicamente compridas. Roupas de menino, de décadas atrás.

Que quarto é este? Os grandes espelhos nas portas do guarda-roupa estão com manchas pretas devido à ação tempo, velhas botas de couro se encontram sob uma pequena escrivaninha e uma vassoura pende de um gancho. Na escrivaninha, há a fotografia de um rapaz vestindo calção em uma praia ao entardecer.

Além da janela quebrada, há uma noite sem vento. Cinzas rodopiando à luz das estrelas. A voz se infiltrando pelo teto se repete... "O cérebro obviamente está fechado em escuridão total, crianças... No entanto, o mundo que constrói..." baixando de tom e se deformando à medida que as baterias acabam, a lição tornando-se mais lenta como se o jovem estivesse cansado, e depois para.

O coração aos pulos, a cabeça falhando, uma vela em uma das mãos, a pistola na outra, Von Rumpel volta-se novamente para o guarda-roupa. Grande o bastante para se entrar dentro dele. Como uma coisa monstruosa destas foi trazida para o sexto andar?

Ele aproxima a vela e vê nas sombras das camisas penduradas o que deixou de notar em exames anteriores: trilhas no meio da poeira. Feitas por dedos, joelhos ou ambos. Com o cabo da pistola, cutuca as roupas. Qual será a profundidade?

Ele se inclina completamente lá dentro e, ao fazer isso, ouve um tilintar, dois sinos tocando, tanto em cima quanto embaixo. O som faz Von Rumpel saltar para trás, bater com a cabeça na parte superior do guarda-roupa, deixar a vela cair, e ele acaba aterrissando de costas.

Ele observa a vela rolar, a chama apontando para cima. Por quê? Que princípio curioso exige que a chama de uma vela se afile sempre em direção ao céu?

Cinco dias nesta casa, e nada de diamante, o último porto da Bretanha controlado pelos alemães quase perdido, assim como a Muralha do Atlântico. Ele já viveu além do prazo previsto pelo médico. E agora o tilintar de dois sininhos? É assim que a morte se aproxima?

A vela rola suavemente. Em direção à janela. Em direção às cortinas.

Lá embaixo a porta da casa se abre com um rangido. Alguém entra.

Camaradas

Louças espatifadas enchem o saguão — impossível não fazer barulho ao entrar. Uma cozinha repleta de entulho espera do outro lado de um corredor, com grandes montes de cinzas na entrada. Uma cadeira de cabeça para baixo. Uma escadaria adiante. A menos que tenha se movimentado nos últimos minutos, ela estará na parte alta da casa, perto do transmissor.

O rifle em uma das mãos, a bolsa no ombro, Werner começa a subir. Em cada patamar, uma escuridão intensa embaça sua visão. O chão se revela e se esconde sob seus pés. Livros foram jogados escada abaixo, assim como papéis, cordões, garrafas e o que poderiam ser pedaços de antigas casas de boneca. Segundo andar, terceiro, quarto, quinto: todos no mesmo estado. Ele não tem ideia do barulho que faz, ou se isso importa.

No sexto andar, a escada parece terminar. Três portas semiabertas cercam o patamar: uma à esquerda, uma à frente, uma à direita. Ele segue para a direita, rifle apontado; espera a centelha dos disparos, a mandíbula de um demônio se escancarando. Em vez disso, uma janela quebrada ilumina uma cama com o centro afundado. Um vestido de menina está dependurado em um guarda-roupa. Centenas de coisas pequeninas — seixos? — estão alinhadas junto do rodapé. Dois baldes estão em um canto, cheios até a metade com o que deve ser água.

Será que ele chegou tarde demais? Ele encosta o rifle de Volkheimer na cama, levanta um balde e bebe uma, duas vezes. Lá fora, pela janela, muito além do quarteirão adjacente, além das muralhas, a solitária luz de um barco aparece e desaparece à medida que ele sobe e desce sobre as ondas distantes.

— Ah — diz uma voz atrás dele.

Werner se vira. Na frente dele, surge cambaleando um oficial alemão em uniforme de campo. As cinco barras e três estrelas da patente de um sargento-mor. Pálido e ferido, de uma magreza doentia, ele caminha vacilante em direção à cama. Do lado direito de seu pescoço verte algo estranho acima do colarinho apertado.

— Não recomendo — diz ele — misturar morfina com Beaujolais.

Uma veia na lateral da testa do homem lateja ligeiramente.

— Vi o senhor — diz Werner. — Na frente da padaria. Com um jornal.

— E você, caro recruta. Vi você lá.

No sorriso dele, Werner reconhece uma suposição de que são do mesmo time, camaradas. Cúmplices. Que os dois chegaram a esta casa procurando a mesma coisa.

Por trás do sargento-mor, do outro lado do corredor, o impossível: chamas. Uma cortina no quarto do outro lado do patamar pegou fogo. As chamas já estão lambendo o teto. O sargento-mor enfia um dedo no colarinho e puxa para o afrouxar. O rosto esquelético e os dentes de um louco. Ele se senta na cama. A luz das estrelas pisca no cano da sua pistola.

Aos pés da cama, Werner só consegue discernir uma mesa baixa sobre a qual pequenas casas de madeira em escala se juntam para formar uma cidade. Será Saint-Malo? Os olhos dele vão da maquete para o fogo do outro lado do saguão e para o rifle de Volkheimer encostado na cama. O oficial se curva para a frente e paira acima da cidade em miniatura como uma gárgula atormentada.

Anéis de fumaça preta começam a serpentear para dentro do saguão.

— A cortina, senhor. Está pegando fogo.

— O cessar-fogo está marcado para o meio-dia, pelo menos é o que dizem — fala Von Rumpel com uma voz vazia. — Não precisa se apressar. Ainda há muito tempo. — Ele percorre com os dedos uma rua em miniatura. — Queremos a mesma coisa, você e eu, soldado. Mas apenas um pode possuí-lo. E apenas eu sei onde está escondido. O que apresenta um problema para você. Está aqui ou aqui ou aqui ou aqui? — Ele esfrega as mãos e depois volta a deitar na cama. Aponta a pistola para o teto. — Está lá em cima?

No quarto do outro lado, a cortina em chamas se desprega do varão. Talvez apague, pensa Werner. Talvez o fogo apague sozinho.

Werner pensa sobre os homens da plantação de girassóis e em uma centena de outros: cada um deles jaz morto em sua cabana, em seu caminhão ou em seu abrigo, exibindo o olhar de alguém que identificou a melodia de uma canção conhecida. Uma ruga entre os olhos, um relaxamento da boca. Um olhar que diz: "Tão cedo?" Mas ela não toca para todo mundo cedo demais?

A luz do fogo tremula no outro lado. Ainda de costas, o sargento-mor pega a pistola com as mãos e abre e fecha a culatra.

— Beba mais um pouco — diz, e faz um gesto em direção ao balde nas mãos de Werner. — Dá para ver como você está com sede. Não fiz xixi aí dentro, juro.

Werner pousa o balde no chão. O sargento-mor se senta e inclina a cabeça para a frente e para trás como se estivesse se mexendo para aliviar a dor de um torcicolo. Depois ele mira a arma para o peito de Werner. Do outro lado do saguão, na direção da cortina em chamas, ouve-se um estrépito abafado, algo quicando em uma escada e atingindo o chão; a atenção do sargento-mor se concentra no barulho, e sua pistola abaixa.

Werner se arremessa para apanhar o rifle de Volkheimer. A vida toda você espera; agora, quando finalmente acontece, você está pronto?

A SIMULTANEIDADE DOS MOMENTOS

O tijolo bate no chão. As vozes cessam. Ela consegue ouvir um tumulto, e então o tiro vem como uma fenda de luz encarnada: a erupção do Krakatoa. A casa por um instante se parte em duas.

Marie-Laure meio que escorrega, meio que cai da escada, e pressiona o ouvido contra o fundo falso do guarda-roupa. Passos rápidos atravessam o patamar e entram no quarto de Henri. Há um barulho de água sendo jogada e depois um chiado, e ela sente o cheiro de fumaça e vapor.

Agora os passos se tornam hesitantes; são diferentes dos passos do sargento-mor. Mais leves. Andam, param. Abrindo as portas do guarda-roupa. Pensando. Tentando perceber.

Ela pode ouvir um leve som de roçar quando ele passa os dedos no fundo do guarda-roupa. Ela aperta ainda mais o cabo da faca.

Três quarteirões a leste, Frank Volkheimer pisca enquanto se senta em um apartamento devastado na esquina da Rue des Lauriers com a Rue Thénevard, comendo de uma lata de batata-doce com os dedos. Do outro lado da foz do rio, sob cerca de um metro de concreto, um ajudante segura aberto o casaco de um comandante da guarnição enquanto o coronel enfia um braço por uma das mangas e depois o outro. Precisamente no mesmo instante, um batedor americano de dezenove anos escalando a colina em direção aos abrigos de atiradores para, se vira e estica um braço para baixo em direção ao soldado atrás dele; enquanto Etienne LeBlanc, com o osso da face pressionado contra um paralelepípedo de granito no Fort National, decide que, se ele e Marie-Laure sobreviverem a isso, aconteça o que acontecer, ele vai deixá-la escolher um local na linha do Equador e eles vão viajar para lá, reservar uma passagem, andar de navio, voar em um avião, até se virem juntos em uma floresta tropical cercados de flores cujo cheiro nunca sentiram, escutando pássaros cujo canto nunca ouviram. A cerca de quinhentos quilômetros do Fort National, a esposa de Reinhold von Rumpel acorda as filhas para irem à missa e contemplarem a boa aparência do vizinho delas, que voltou da guerra sem um dos pés. Não muito longe dali, Jutta Pfennig dorme nas sombras azul-marinho do dormitório das meninas e sonha com uma luz se espalhando por um campo como neve; e não muito longe de Jutta, o Führer ergue um copo de leite quente (mas não fervido) e o leva aos lábios, uma fatia de pão preto de Oldenburg no prato e uma maçã inteira do lado, seu café da manhã diário; enquanto, em uma ravina nas cercanias de Kiev, dois presidiários esfregam as mãos na areia, porque ficaram escorregadias, e então levantam a maca novamente no mesmo instante em que um *sonderkommando* aviva o fogo com uma vara de aço; um pássaro cisca de uma pedra do pavimento em um pátio de Berlim, em busca de caracóis para comer; e na escola Napola em Schulpforta, cento e dezenove rapazes de doze e treze anos aguardam em uma fila atrás de um caminhão para receber em mãos minas terrestres antitanques de treze quilos, rapazes que, daí a aproximadamente oito meses, isolados em meio à ofensiva russa, a escola inteira separada como uma ilha, receberão uma caixa do último chocolate amargo do Reich e capacetes da Wehrmacht resgatados de soldados mortos, e então esta derradeira colheita da juventude da nação sairá precipitadamente, o chocolate ainda derretendo nas entranhas, com os capacetes grandes balançando nas cabeças quase raspadas e sessenta lançadores de foguetes Panzerfaust nas mãos em um último espasmo inútil para defender uma ponte que não precisa mais ser defendida, enquanto tanques T-34 do Exército Branco russo surgem, estalando e roncando, na direção deles para destruir a todos, cada um daqueles meninos; aurora em Saint-Malo, e há um puxão no outro lado do guarda-roupa — Werner ouve Marie-Laure inalar, Marie-Laure ouve Werner raspar as unhas de três dedos na madeira, um som não muito diferente do de um disco girando sob uma agulha, os rostos dos dois a um braço de distância.

— *Es-tu là?* — pergunta Werner.

Você está aí?

Ele é um fantasma. É de outro mundo. Ele é o Papa, é madame Manec, é Etienne; é todo mundo que a abandonou, finalmente retornando.

— Não vou matar você — diz ele pela porta. — Estou ouvindo você. No rádio. Foi por isso que vim. — Faz uma pausa, se atrapalhando para traduzir. — A música, luz da lua?

Ela quase abre um sorriso.

Todos passamos a existir a partir de uma única célula, menor do que um grão de areia. Muito menor. Dividir. Multiplicar. Somar e subtrair. A matéria muda de sentido, os átomos flutuam para dentro e para fora, as moléculas giram, as proteínas se grudam umas nas outras, as mitocôndrias transmitem ordens oxidantes; começamos como uma aglomeração elétrica microscópica. Os pulmões, o cérebro, o coração. Quarenta semanas mais tarde, seis trilhões de células se espremem através de nossa mãe e soltamos um berro. Só então o mundo começa para nós.

Marie-Laure abre a porta do guarda-roupa. Werner toma a mão dela e a ajuda a sair. Os pés da jovem encontram o piso do quarto do avô.

— *Mes souliers* — diz. — Não consigo encontrar meus sapatos.

Segunda lata

A garota se senta completamente imóvel no canto e cobre os joelhos com o casaco. A maneira como se encolhe, encostando os calcanhares no traseiro. A maneira como os dedos dela se agitam pelo espaço ao redor dela. Cada movimento uma lembrança que ele espera nunca esquecer.

Ouvem-se explosões de tiros ao leste: a cidadela sendo bombardeada novamente, a cidadela respondendo ao bombardeiro.

A exaustão o abate. Ele fala em francês.

— Vai haver um... um *Waffenruhe*. Cessar o bombardeio. Ao meio-dia. Então as pessoas vão poder sair da cidade. Posso tirá-la daqui.

— E você tem certeza de que isso é verdade?

— Não. Não tenho certeza de que é verdade.

O silêncio agora. Ele examina as próprias calças, o casaco empoeirado. O uniforme o torna cúmplice de tudo o que a menina odeia.

— Tem água — diz ele.

Ele cruza para o outro quarto do sexto andar sem olhar para o corpo de Von Rumpel na cama dela e apanha o segundo balde. A cabeça de Marie desaparece na abertura do balde, e os braços magros o envolvem enquanto ela bebe.

— Você é muito corajosa — diz ele.

Ela abaixa o balde.

— Como você se chama?

Ele responde.

— Quando perdi a visão, Werner — continua ela — as pessoas disseram que eu era corajosa. Quando meu pai foi embora, as pessoas disseram que eu era corajosa. Mas não era coragem; eu não tinha escolha. Acordo todos os dias e vivo minha vida. Você não faz a mesma coisa?

— Não vivo minha própria vida há muitos anos. Mas hoje. Talvez hoje eu tenha vivido.

Os óculos dela sumiram, e as pupilas parecem leitosas, mas estranhamente isso não o deixa nervoso. Ele se lembra de uma expressão de Frau Elena: *belle laide*. A bela feia.

— Que dia é hoje?

Ele olha ao redor. Cortinas queimadas, fuligem espalhada pelo teto, papelão descascando da janela e a primeira luz pálida do alvorecer se infiltrando por ela.

— Não sei. É de manhã.

Um disparo passa acima da casa com um zumbido alto.

Ele pensa: "A única coisa que gostaria de fazer é ficar sentado aqui ao lado dela durante mil horas." A granada então detona em algum lugar, e a casa estala:

— Um homem usava o transmissor que você tem — continua Werner. — Transmitia aulas sobre ciência. Quando eu era criança. Eu costumava ouvir essas aulas com a minha irmã.

— Era a voz do meu avô. Vocês ouviam?

— Muitas vezes. Nós adorávamos.

A janela brilha. A luz cor de areia da aurora permeia o quarto. Tudo transitório e doloroso; tudo provisório. Estar aqui, neste quarto, no alto desta casa, fora do porão, com ela: é como se fosse um remédio.

— Eu poderia comer toucinho — diz Marie-Laure.

— O quê?

— Eu seria capaz de comer um porco inteiro.

Werner sorri.

— Eu seria capaz de comer um boi inteiro.

— A mulher que morava aqui, a empregada, fazia as omeletes mais maravilhosas do mundo.

— Quando eu era pequeno — diz ele, ou espera estar dizendo —, costumávamos colher frutas vermelhas perto do rio Ruhr. Minha irmã e eu. Encontrávamos frutas do tamanho de nossos polegares.

A menina entra novamente no guarda-roupa, sobe a escada e desce carregando uma lata.

— Dá para ver o que é?

— Não tem rótulo.

— Achei que não teria.

— É comida?

— Vamos abrir e descobrir.

Com a ajuda do tijolo, ele fura a lata com a ponta da faca. Imediatamente sente o aroma: o perfume é tão doce, tão abusivamente doce, que ele quase desmaia. Qual é mesmo a palavra? *Pêches. Les pêches.*

A garota se inclina para a frente; as sardas parecem brilhar nas suas bochechas à medida que ela inspira.

— Vamos dividir — diz ela. — Por tudo o que você fez.

Ele martela a faca com o tijolo uma segunda vez, serra o metal e dobra a tampa.

— Com cuidado — diz e passa a lata para ela.

Ela enfia dois dedos lá dentro e pesca uma coisa molhada, macia, escorregadia. Depois é a vez dele. Aquele primeiro pêssego desliza pela garganta dele como um êxtase. Um nascer do sol em sua boca.

Os dois comem. Tomam a calda. Passam os dedos no interior da lata.

BIRDS OF AMERICA

Quantas maravilhas nesta casa! Ela lhe mostra o transmissor no sótão: a bateria dupla, o eletrófono antiquado, a antena acionada à mão que pode ser erguida e abaixada pela chaminé por um engenhoso sistema de alavancas. Até um disco de gramofone que ela diz conter a voz do avô, aulas de ciências para as crianças. E os livros! Os andares mais baixos estão cobertos deles — Becquerel, Lavoisier, Fischer — uma vida de leituras. O que seria passar dez anos nesta casa alta e estreita, afastado do mundo, estudando seus segredos e lendo seus volumes e olhando esta garota...

— Você acha — pergunta ele — que o capitão Nemo sobreviveu ao redemoinho?

Marie-Laure está sentada no patamar do quinto andar, com o casaco grande demais para ela, como se estivesse esperando por um trem.

— Não. Sim. Não sei. Acho que deve ser para isso mesmo, não é? Fazer com que fiquemos imaginando? — Ela inclina a cabeça. — Ele era um desvairado. Mas, assim mesmo, não queria que ele morresse.

No canto do estúdio do tio-avô, no meio de uma confusão de livros, ele descobre uma cópia de *Birds of America*. Uma reimpressão, não tão grande quanto a que ele vira na sala de estar de Frederick, mas ainda assim deslumbrante: quatrocentas e trinta e cinco gravuras. Ele o carrega até o patamar.

— O seu tio mostrou isso para você?
— O que é?
— Pássaros. Um pássaro depois do outro.

Do lado de fora, os disparos voam.

— Temos que descer — diz ela.

No entanto, por um instante, os dois permanecem imóveis.

California Partridge.
Common Gannet.

Frigate Pelican.

Werner ainda consegue ver Frederick se ajoelhando perto da janela, o nariz na vidraça. Passarinho cinzento saltitando nos galhos da árvore. "Não parece grande coisa, não é?"

— Posso ficar com uma página deste livro?

— Por que não? Vamos embora em breve, não é? Quando for seguro?

— Ao meio-dia.

— Quando vamos saber que chegou a hora?

— Quando o tiroteio cessar.

Chegam os aviões. Dúzias e dúzias deles. Werner treme incontrolavelmente. Marie-Laure o conduz até o primeiro andar, onde tudo está coberto por um centímetro e meio de cinzas e fuligem, e ele afasta do caminho móveis virados, puxa a porta do porão, e os dois descem. Em algum lugar acima deles, trinta pilotos de bombardeiros deixam suas cargas voarem, Werner e Marie-Laure sentem o tremor do leito de rocha e ouvem as explosões no outro lado do rio.

Será que ele conseguiria, por um milagre, manter esta situação? Será que eles poderiam se esconder aqui até terminar a guerra? Até que os exércitos parem de marchar acima de suas cabeças, até que tudo o que tenham a fazer seja abrir a porta e tirar algumas pedras do caminho, até a casa se tornar uma ruína ao lado do mar? Até que ele possa segurar os dedos dela na sua mão e conduzi-la para a luz do sol? Ele iria para qualquer lugar se isso acontecesse, suportaria qualquer coisa; em um ano, ou em três ou em dez, a França e a Alemanha não representariam o que representam agora; eles poderiam sair da casa, caminhar até um restaurante turístico e pedir juntos uma refeição simples e comer em silêncio, o tipo confortável de silêncio que os amantes devem partilhar.

— Você sabe — pergunta Marie-Laure com uma voz suave — por que ele estava aqui? O homem lá em cima?

— Por causa do rádio?

Mesmo ao perguntar, ele fica imaginando se é verdade.

— Talvez. Talvez seja por isso.

Passa-se mais um minuto, e os dois adormecem.

CESSAR-FOGO

A luz granulada do verão se derrama através do alçapão aberto e atinge o porão. Pode até já ser de tarde. Nada de tiroteios. Durante algumas batidas de coração, Werner a observa dormir.

Depois os dois se apressam. Ele não consegue encontrar os sapatos que ela pediu, mas encontra um par de mocassins leves de homem em um armário e a ajuda a calçá-los. Sobre o uniforme, ele veste uma calça de lã de Etienne e uma camisa cujas mangas ficam excessivamente compridas. Se eles toparem com os alemães, ele só vai falar francês, alegando que a está ajudando a deixar a cidade. Se toparem com americanos, vai dizer que está desertando.

— Vai haver um ponto de encontro — diz ele —, em algum lugar estão reunidos os refugiados —, embora não tenha certeza de que a informação esteja correta.

Encontra uma fronha branca em um armário emborcado e a põe dobrada no bolso do casaco dela.

— Quando for a hora, levante isso o mais alto que conseguir.

— Vou tentar. E a minha bengala?

— Aqui está.

No saguão, hesitam. Nenhum dos dois está certo daquilo que os espera do outro lado da porta. Ele se lembra do salão de baile exageradamente aquecido dos exames de admissão quatro anos antes: escada pregada na parede, bandeira vermelha com o círculo branco e a cruz preta abaixo. Você dá um passo; você salta.

Do lado de fora, montanhas de escombros se aglomeram em toda parte. As chaminés se mantêm erguidas com os tijolos aparentes. A fumaça se espalha por todo céu. Ele sabe que os disparos vinham do leste, que seis dias atrás os americanos estavam quase em Paramé; por isso, ele leva Marie-Laure naquela direção.

A qualquer momento serão vistos, pelos americanos ou pelo exército dele, e serão obrigados a fazer algo. Trabalhar, juntar-se, confessar, morrer. De algum lugar vem o som de incêndio: o som de rosas secas sendo esmigalhadas com o punho. Nenhum outro som; nem motores, nem aviões, nem o estouro distante de tiros ou os gritos de homens feridos ou o ganido de cães. Ele toma a mão de Marie para ajudá-la a escalar as pilhas de escombros. Não cai nenhuma granada, nenhum rifle é disparado, e a luz é suave e se mistura com as cinzas.

Jutta, pensa ele, finalmente lhe dei ouvidos.

Por dois quarteirões não avistam ninguém. Talvez Volkheimer esteja comendo — Werner gostaria que fosse verdade, o gigante Volkheimer comendo sozinho em uma mesinha com vista para o mar.

— Está tão silencioso...

A voz dela parece uma janela clara e iluminada para o céu. Seu rosto parece um campo de sardas. Ele pensa: "não quero deixar que ela se vá."

— Estão nos observando?

— Não sei. Acho que não.

Um quarteirão adiante, ele vê um movimento: três mulheres carregando trouxas. Marie-Laure o puxa pela manga.

— Que rua é esta perpendicular?

— Rue des Lauriers.

— Venha — diz ela.

Anda com a bengala na mão direita, batendo de um lado para o outro.

Viram à direita e à esquerda, passam um castanheiro semelhante a um gigantesco palito chamuscado fincado no chão, passam por dois corvos ciscando algo inidentificável, até atingirem a base das muralhas. Galhos de hera pendem de um arco acima de uma viela estreita. À direita, Werner pode ver uma mulher com roupa de tafetá azul arrastar pelo pavimento uma enorme mala abarrotada. Um menino vestindo uma calça apropriada para uma criança menor do que ele a segue, uma boina encaixada na parte de trás da cabeça, uma espécie de casaco brilhante.

— Há civis saindo, mademoiselle. Devo chamá-los?

— Só preciso de um instante.

Ela o conduz até o fundo da viela.

O ar marinho, salgado, expandido, chega através de uma abertura na parede que ele não consegue ver: o ar pulsa com a maresia.

No final da viela chegam a um portão estreito. Ela enfia a mão no bolso e tira uma chave.

— A maré está alta?

Através do portão ele só consegue ver um espaço baixo, limitado por uma grade na outra extremidade.

— Tem água ali embaixo. Temos que nos apressar.

Porém, ela já está cruzando o portão e descendo até a gruta, calçando aqueles sapatos enormes, movimentando-se com confiança, passando os dedos pelas paredes como se fossem velhas amigas que ela pensou que talvez nunca mais encontrasse. A maré jorra através do lago, a água atinge suas canelas e molha a barra do vestido. Ela tira do casaco alguma coisa pequena feita de madeira e a coloca na água. Ela fala baixo, a voz ecoando.

— Você precisa me dizer, está no mar? Tem que estar no mar.

— Está sim. Temos que ir, mademoiselle.

— Tem certeza de que está na água?

— Tenho.

Ela sai dali, esbaforida. Empurra o rapaz de volta para o portão, que ela tranca atrás de si. Ele lhe entrega a bengala. Então, eles retornam pelo beco, os sapatos chapinhando na água. Passam pela cortina de hera. Viram à esquerda. Exatamente em frente, um grupo de pessoas atravessa um cruzamento de ruas: uma mulher, uma criança, dois homens carregando um terceiro deitado em uma maca, todos os três homens com cigarros nas bocas.

A escuridão retorna aos olhos de Werner, e ele se sente fraco. Em pouco tempo as suas pernas vão perder a energia. Um gato está sentado na rua lambendo uma pata, passando-a por cima das orelhas e o observando. Ele pensa nos velhos mineiros debilitados que tinha visto em Zollverein, sentados em cadeiras ou caixotes, sem se mover por horas, esperando pela morte. Para homens como aqueles, o tempo era um exagero, um barril que eles observavam se esvaziar lentamente. Quando na verdade, pensa Werner, trata-se de uma poça brilhante que você carrega com as mãos; você deve gastar toda a sua energia para protegê-lo. Lutar por ele. Trabalhar arduamente para não deixar cair nem uma gota.

— Agora — diz ele no melhor francês que consegue —, aqui está a fronha. Passe a mão ao longo da parede. Dá para sentir? Vai chegar a um cruzamento, continue andando em frente. A rua parece bastante desimpedida. Mantenha a fronha no alto. Bem na sua frente, assim, entendeu?

Ela se vira para ele e morde o lábio inferior.

— Eles vão atirar.

— Não com esta bandeira branca. Não em uma garota. Há outros na frente. Siga esta parede.

Ele coloca a mão dela na parede uma segunda vez.

— Rápido. Lembre-se da fronha.

— E você?

— Vou na outra direção.

Ela volta o rosto na direção do dele, e, embora ela não seja capaz de vê-lo, Werner sente que não consegue sustentar o olhar dela.

— Você não vai comigo?

— Vai ser melhor que ninguém a veja comigo.

— Mas como vou encontrar você de novo?

— Não sei.

Ela procura a mão dele, coloca uma coisa dentro dela e a aperta.

— Adeus, Werner.

— Adeus, Marie-Laure.

E então ela se afasta. A cada poucos passos, a ponta da bengala bate em uma pedra quebrada na rua, e leva um tempo até que ela a contorne. Passo, passo, pausa. Passo, passo novamente. A bengala testando, a barra molhada do vestido dela balançando, a fronha branca erguida. Ele não desvia o olhar enquanto ela não passa pelo cruzamento, desce o quarteirão seguinte e desaparece de sua vista.

Ele espera ouvir vozes. Tiros.

Vão ajudá-la. Têm que ajudá-la.

Quando abre a mão, há uma pequena chave de ferro.

Chocolate

Madame Ruelle encontra Marie-Laure nesta noite em uma escola. Ela agarra a mão da garota e não a deixa se afastar. A equipe de auxílio civil tem pilhas de chocolate alemão confiscado arrumadas em caixas retangulares, e Marie--Laure e madame Ruelle comem tanto que nem dá para contar.

De manhã, os americanos tomam o château, a última bateria antiaérea e libertam os prisioneiros mantidos em Fort National. Madame Ruelle puxa Etienne para fora da fila de processamento, e ele envolve Marie-Laure nos braços. O coronel em sua fortaleza subterrânea do outro lado do rio resiste por mais três dias, até que um avião americano chamado Lightning deixa cair um tanque de napalm por um duto de ar, um tiro em um milhão, e cinco minutos depois uma folha branca sobe em um poste e o cerco de Saint-Malo chega ao fim. Pelotões de ataque removem todos os dispositivos incendiários que conseguem encontrar, fotógrafos do exército aparecem com seus tripés, e um punhado de cidadãos retorna das fazendas, dos campos e sótãos para vaguear pelas ruas arruinadas. No dia vinte e cinco de agosto, madame Ruelle recebe permissão para voltar à cidade e verificar a situação da padaria, mas Etienne e Marie-Laure viajam em outra direção, para Rennes, onde alugam um quarto em um hotel chamado Universo com um aquecedor que funciona bem, e tomam um banho de duas horas cada um. Na vidraça da janela, à medida que cai a noite, ele observa o reflexo da sobrinha-neta tatear seu caminho até a cama. As mãos de Marie apertam o próprio rosto, depois tombam.

— Vamos para Paris — diz ele. — Nunca estive lá. Você pode me mostrar a cidade.

Luz

Werner é capturado um quilômetro e meio ao sul de Saint-Malo por três membros da Resistência francesa à paisana que percorriam as ruas em um caminhão. Primeiro acreditam ter resgatado um velhinho de cabelos brancos. Depois, ouvem o sotaque dele, percebem o uniforme alemão sob a camisa antiga e concluem que capturaram um espião, uma conquista fabulosa. Depois notam a juventude de Werner. Eles o entregam a um oficial americano em um hotel transformado em centro de desarmamento. No início, Werner teme que o levem para o andar de baixo — por favor, outro poço, não —, mas é levado ao terceiro andar, onde um intérprete exausto, que há um mês registra prisioneiros alemães, anota o nome e a patente dele, depois faz algumas perguntas de rotina enquanto o funcionário examina a bolsa de lona de Werner e a devolve.

— Uma garota — diz Werner em francês —, vocês encontraram...?

O intérprete dá apenas um riso afetado e fala algo em inglês para o funcionário, como se todo soldado alemão que ele entrevistasse perguntasse a respeito de uma garota.

Ele é conduzido a um pátio circundado com arame farpado, onde mais oito ou nove alemães estão sentados, com suas botas de cano alto, segurando cantis surrados, um deles vestido em trajes femininos com os quais aparentemente tentou desertar. Dois suboficiais, três soldados rasos e nada de Volkheimer.

À noite, servem sopa em um caldeirão, e ele engole quatro porções em uma caneca de estanho. Cinco minutos mais tarde, ele está em um canto, com enjoos. A sopa da manhã também não para em seu estômago. Grandes massas de nuvens cruzam os céus como se nadassem. O ouvido esquerdo de Werner não escuta som algum. A imagem de Marie-Laure fica na cabeça de Werner — as mãos dela, os cabelos —, mesmo ele se preocupando com o fato de que, ao se concentrar demasiadamente nelas, corra o risco de gastá-las. Um dia após a prisão, é conduzido a pé para o leste com um grupo de vinte pessoas, a fim de se juntarem a um grupo maior, e lá ficam confinados em um depósito. Pelas portas, não consegue avistar Saint-Malo, mas ouve os aviões, centenas deles, e um enorme manto de fumaça permanece suspenso no horizonte dia e noite. Duas vezes os paramédicos tentaram dar a Werner tigelas de mingau, mas não adiantou. Ele não consegue reter nada no estômago desde os pêssegos.

Talvez sua febre tenha voltado; talvez a lama que eles tomaram no porão do hotel o tenha envenenado. Talvez seu organismo esteja parando de funcionar. Werner sabe que, se não comer, vai morrer. Mas quando ele come, sente como se fosse morrer.

Do depósito, marcham até Dinan. A maioria dos prisioneiros são meninos ou homens de meia-idade, os restos despedaçados dos regimentos. Carregam ponchos, bolsas, caixotes; alguns transportam malas de cores brilhantes trazidas sabe-se lá de onde. Dentre eles, caminham pares de homens que lutaram juntos, mas a maior parte é composta de estranhos, que não se conhecem, e todos eles viram coisas que gostariam de esquecer. Sempre existe a sensação de uma onda atrás deles, uma massa que se amplia, carregando com ela uma raiva lenta e vingativa.

Ele caminha vestido com a calça de lã do tio-avô de Marie-Laure; sobre os ombros, a bolsa de lona. Dezoito anos. Durante toda a sua vida, seus professores, seu rádio, seus líderes falavam com ele sobre o futuro. E, no entanto, o que lhe reserva o futuro? O caminho adiante é indistinto, e as linhas de seus pensamentos se inclinam todas para o interior: ele vê Marie-Laure desaparecer na rua com a bengala, como cinzas sopradas de um fogo, e um sentimento de saudade o despedaça.

No dia primeiro de setembro, Werner não consegue se colocar de pé quando desperta. Dois de seus companheiros de prisão o ajudam a ir até o banheiro e voltar, depois o deitam no gramado. Um jovem canadense com capacete de paramédico faz brilhar uma lanterna nos olhos de Werner e o envia para um caminhão; ele é levado para um lugar um pouco distante e colocado em uma tenda cheia de homens moribundos. Uma enfermeira injeta um líquido em seu braço. Enfia-lhe uma colher de xarope na boca.

Durante uma semana, ele vive na estranha luz esverdeada sob a lona da imensa tenda, a bolsa grudada em uma das mãos e as arestas da casinha de madeira apertadas na outra. Quando reúne força suficiente, fica mexendo com a casinha. Torce a chaminé, desliza os três painéis do telhado, olha lá dentro. Construída com tanto engenho...

Todo dia, mais uma alma escapa em direção ao céu, e ele sente que consegue ouvir uma música ao longe, como se uma porta tivesse sido fechada em um grandioso e velho rádio e ele pudesse escutar apenas ao encostar o ouvido bom contra o material, apesar da suavidade da música, e há momentos em que ele não tem certeza se ela de fato está ali.

Existe alguma coisa que desperta raiva, Werner está certo disso, mas não sabe dizer exatamente o quê.

— Não consegue comer — diz uma enfermeira, em inglês.

Braçadeira de paramédico.

— Tem febre?

— Alta.

Ainda trocam outras palavras. Depois, números. Em um sonho, ele vê uma noite cristalina e brilhante com os canais todos congelados, os lampiões das casas dos mineiros queimando e os fazendeiros patinando entre os campos. Vê um submarino adormecido nas profundezas desprovidas de luz do oceano Atlântico; Jutta pressiona o rosto contra uma escotilha e respira no vidro. Ele espera ver surgir a imensa mão de Volkheimer, para ajudá-lo a subir no Opel.

E Marie-Laure? Será que ela ainda sente a pressão da mão dele contra os dedos dela assim como ele sente a pressão da mão dela?

Certa noite, ele se ergue e se senta. Nos catres ao seu redor, há uma meia dúzia de feridos ou doentes. Um vento de setembro sopra do campo e faz as paredes da tenda se agitarem.

A cabeça de Werner gira ligeiramente sobre o pescoço. O vento está forte e vai soprando ainda mais forte, e os cantos da tenda repuxam contra as cordas esticadas, e no local onde as pontas das duas extremidades se levantam, ele consegue ver as árvores mexerem e oscilarem. Tudo ressoa. Werner enfia seu caderno velho e a casinha na bolsa de lona e a fecha, o homem do lado dele murmura perguntas para si mesmo e o restante do grupo destruído dorme. Até mesmo a sede de Werner desapareceu. Ele sente apenas a chegada abrupta, impassível, da luz da lua, à medida que ela atinge a tenda acima dele e se espalha. Lá fora, através das aberturas da tenda, as nuvens movem-se rapidamente acima dos topos das árvores. Em direção à Alemanha, a caminho de casa.

Prateado e azul, azul e prateado.

Folhas de papel caem entre as fileiras de catres, e no peito de Werner o batimento se acelera. Ele vê Frau Elena se ajoelhar ao lado do fogão a lenha e avivar o fogo. As crianças em suas camas. Jutta bebê dormindo no berço. O pai dele acende um lampião, entra no elevador e desaparece.

A voz de Volkheimer: "O que você poderia ser..."

O corpo de Werner parece ter perdido seu peso sob o cobertor, e, além das portas esvoaçantes da tenda, as árvores dançam e as nuvens persistem em sua gigantesca marcha ondulada, e ele balança primeiro uma perna e depois a outra para fora da beirada da cama.

— Ernst — chama um homem ao lado dele. — Ernst.

Mas não existe nenhum Ernst; os homens nos catres não respondem; o soldado americano na porta da tenda está dormindo. Werner passa por ele e pisa no gramado.

O vento ultrapassa a camiseta dele. Ele é uma pipa, um balão.

Certa vez, ele e Jutta construíram um pequeno barco a vela com restos de madeira e o carregaram até o rio. Jutta pintou o barco com verdes e roxos incríveis, e ela o colocou na água com acentuada formalidade. Porém, o barco se inclinou assim que a corrente o apanhou. Flutuou corrente abaixo, fora do alcance, e a água escura e lisa o engoliu. Jutta olhou para Werner, com os olhos molhados, piscando, puxando as laçadas de fios surrados do próprio suéter.

— Tudo bem — Werner lhe disse. — As coisas quase nunca funcionam na primeira tentativa. Vamos construir outro, ainda melhor.

Será que construíram? Ele espera que sim. Ele parece se lembrar de um barquinho — com melhores condições de navegar do que aquele — deslizando rio abaixo. Velejando, contornou uma curva e os deixou para trás. Não foi assim?

O luar brilha e cresce; as nuvens partidas correm acima das árvores. Folhas voam para todo lado. Mas o luar não se mexe com o vento, passa pelas nuvens, pelo ar, para Werner parece uma série de clarões imperturbáveis, incrivelmente vagarosos, que ficam suspensos por toda a grama crespa.

Por que o vento não faz a luz se mover?

Do outro lado do campo, um americano observa um rapaz deixar a tenda dos doentes e se movimentar em direção às árvores. Ele se senta. Ergue a mão.

— *Halt!* — grita. — Pare.

Mas Werner cruzou a extremidade do campo, onde pisa em uma mina terrestre colocada ali pelo próprio exército três meses antes, e desaparece em um jorro de terra.

Onze

1945

Berlim

Em janeiro de 1945, Frau Elena e as quatro últimas garotas que viviam na Casa das Crianças — as gêmeas Hannah e Susanne Gerlitz, Claudia Förster e Jutta, que na época tinha quinze anos — são levadas de Essen para Berlim a fim de trabalharem em uma fábrica de peças para máquinas.

Durante dez horas por dia, seis dias por semana, elas desmontam pesadas prensas de forjamento e empilham o metal reutilizável em caixotes para serem transportados em vagões de trem. Desenroscando, serrando, puxando. Na maior parte dos dias, Frau Elena trabalha perto, usando uma jaqueta de esqui rasgada que ela encontrou, resmungando para si mesma em francês ou cantando músicas de sua infância.

Elas moram em cima de uma gráfica que fora abandonada um mês antes. Centenas de caixotes de dicionários com erros de impressão estão empilhados nos corredores, e as garotas os queimam, página por página, no aquecedor.

Ontem *Dankeswort, Dankesworte, Dankgebet, Dankopfer.*
Hoje *Frauenverband, Frauenverein, Frauenvorsteher, Frauenwahlrecht.*

Como refeição, elas têm repolho e cevada no refeitório da fábrica ao meio-dia, intermináveis filas de rações distribuídas à noite. A manteiga é cortada em porções mínimas: três vezes por semana, cada uma delas recebe um quadrado com a metade do tamanho de um cubo de açúcar. A água vem de uma torneira a dois quarteirões de distância. As mães com crianças pequenas não conseguem roupas de bebê, nem carrinho de bebê, e muito pouco leite de vaca. Algumas cortam lençóis para usar como fraldas; algumas dobram jornais em triângulos e os prendem entre as pernas dos bebês.

Pelo menos metade das garotas que trabalham na fábrica não sabe ler ou escrever; então, Jutta lê para elas as cartas enviadas por namorados, irmãos ou pais na frente de batalha. Às vezes, ela escreve as respostas em nome delas: "E você se lembra quando comíamos pistache, quando comíamos aqueles sorvetes de limão com formato de flores? Quando você disse..."

Por toda a primavera, toda noite, os bombardeios acontecem, sendo o único objetivo aparente queimar a cidade até deixá-la no esqueleto. Na maior parte das noites, as garotas correm para o final do quarteirão, descem para um abrigo apertado e ficam acordadas com o barulho das paredes de concreto se despedaçando.

De vez em quando, no caminho para a fábrica, veem corpos, cadáveres mumificados pelo fogo, pessoas carbonizadas a ponto de não serem reconhecidas. Outras vezes, os cadáveres não apresentam ferimentos aparentes, e são esses que enchem Jutta de pavor: pessoas que parecem estar a ponto de se levantarem e caminharem para o trabalho com os demais.

Mas elas não se levantam.

Certa vez ela vê uma fila de três crianças de cabeça para o chão, as mochilas nas costas. O primeiro pensamento dela é: "Acordem. Vão para a escola." Depois ela pensa: "Deve ter comida nessas mochilas."

Claudia Förster para de falar. Dias inteiros se passam, e ela não fala uma palavra. A fábrica fica sem material. Há boatos de que ninguém mais é responsável, que o cobre, o zinco e o aço inoxidável que elas estão labutando para arrecadar estão sendo carregados em vagões de trens e deixados em desvios para ninguém.

O correio para de chegar. No final de março, a fábrica de peças é fechada, e Frau Elena e as garotas são enviadas para trabalhar para uma firma civil limpando as ruas após os bombardeios. Elas erguem blocos de alvenaria quebrada, usam pás para recolher a poeira e os estilhaços de vidro. Jutta ouve falar de rapazes, de dezesseis e dezessete anos, aterrorizados, com saudades de casa, com olhos trêmulos, que aparecem na porta da casa das mães apenas para serem arrastados aos urros para fora de sótãos dois dias depois e fuzilados na rua, como desertores. Voltam à sua memória as imagens da infância, sendo arrastada no carrinho pelo irmão, catando coisas no lixo. Tentando resgatar alguma coisa brilhante da lama.

— Werner — ela murmura alto.

No outono, em Zollverein, ela recebeu duas cartas relatando a morte dele. Cada uma delas mencionava um local diferente onde tinha sido enterrado. La Fresnais, Cherbourg — ela teve que pesquisar. Cidades da França. Às vezes, em sonhos, ela se vê ao lado dele perto de uma mesa coberta por peças de rodas dentadas, correias e motores. "Estou construindo uma coisa", ele diz. "Estou trabalhando nisso." Mas não prossegue.

Em abril, as mulheres só comentam sobre os russos e sobre o que eles farão, a vingança que levarão adiante. Bárbaros, afirmam elas. Tártaros, selvagens, porcos. Os porcos estão em Strausberg. Os ogros estão nos subúrbios.

Hannah, Susanne, Claudia e Jutta dormem no chão, enroscadas umas nas outras. Será que ainda persiste algum traço de bondade neste último abraço desamparado? Um pouco. Jutta chega em casa uma tarde, suja de poeira, para descobrir que a enorme Claudia Förster inesperadamente encontrou uma caixa de papelão de padaria lacrada com uma fita dourada. Dá para ver manchas de gordura no papelão. As garotas reunidas encaram a caixa. Como se fosse uma dádiva dos céus.

Dentro da caixa, as aguardam quinze doces, separados por quadrados de papel-manteiga e recheados com geleia de morango. As quatro garotas e Frau Elena se juntam no apartamento úmido, uma chuva de primavera caindo sobre a cidade, todas as cinzas escoando das ruínas, todos os ratos despontando das tocas feitas de tijolos caídos, e elas comem, cada uma, três doces murchos, nenhuma delas guardando para mais tarde, o açúcar em pó no nariz, a geleia entre os dentes, uma alegria brotando e efervescendo no sangue delas.

Aquela corpulenta, petrificada Claudia foi capaz de fazer um milagre, ser boa o suficiente para partilhar.

As jovens mulheres que restaram se vestem em farrapos, se escondem em porões. Jutta ouve murmúrios de que avós estão esfregando fezes nos rostos das netas, cortando os cabelos delas com facas de pão, fazendo o possível para deixá-las menos atraentes para os russos.

Há murmúrios de que mães estão afogando as próprias filhas.

Há murmúrios de que você consegue sentir a distância o cheiro de sangue entranhado nas mãos deles.

— Não falta muito agora — diz Frau Elena, as palmas estendidas na frente do fogão, já que a água se recusa a ferver.

Os russos chegam em um dia de maio sem nuvens. Apenas três homens, e só aparecem naquela única vez. Invadem a gráfica embaixo, à caça de álcool, mas não acham nada e logo ficam esmurrando as paredes, fazendo buracos. Um estrondo e um estremecer, uma bala zunindo e atingindo uma prensa desmontada, e no apartamento em cima Frau Elena está sentada, usando a jaqueta de esqui riscada, um Novo Testamento resumido dentro do bolso fechado, segurando as mãos das garotas e movendo os lábios em uma oração silenciosa.

Jutta se permite acreditar que eles não vão subir as escadas. Por vários minutos, isso realmente acontece. Até que eles sobem, e suas botas fazem barulho durante todo o percurso.

— Fiquem calmas — fala Frau Elena para as garotas.

Hannah, Susanne, Claudia e Jutta: nenhuma delas tem mais que dezesseis anos. A voz de Frau Elena é baixa e vazia, mas não transparece medo. Desapontamento, talvez.

— Fiquem calmas e eles não vão atirar. Vou me certificar de ir primeiro. Depois, eles vão ficar mais delicados.

Jutta aperta as mãos atrás da cabeça para impedi-las de tremer. Claudia parece muda, surda.

— E fechem os olhos — diz Frau Elena.

Hannah chora.

— Quero ver a cara deles — afirma Jutta.

— Então, fique de olhos abertos.

Os passos param no alto da escada. Os russos entram na despensa, e elas os ouvem chutando os esfregões como se estivessem bêbados, ouvem um caixote de dicionários cair aos trambolhões escada abaixo, e então alguém balança a maçaneta. Um deles diz algo para o companheiro, o umbral estilhaça e a porta se abre com um golpe.

Um deles é um oficial. Dois deles não passam dos dezessete anos. Todos estão incompreensivelmente imundos, mas em algum ponto, nas últimas horas, eles tomaram a liberdade de se borrifarem com perfume de mulher. Os dois mais novos, em especial, têm um cheiro intoxicante de perfume. Parecem em parte com estudantes encabulados e em parte com lunáticos a quem só resta uma hora de vida. O primeiro usa apenas uma corda no lugar do cinto e é tão magro que nem precisa desfazer o nó para deslizar a calça para baixo. O segundo solta uma risada: uma risada estranha, intrigada, como se não acreditasse que os alemães fossem para o país dele e deixassem uma cidade como esta para trás. O oficial está sentado perto da porta com as pernas esticadas para a frente e perscruta a rua lá fora. Hannah grita por meio segundo, mas rapidamente abafa o grito com a mão.

Frau Elena conduz os rapazes para o outro quarto. Ela produz um único ruído: uma tosse, como se tivesse algo preso na garganta.

Claudia é a seguinte. Ela só oferece gemidos.

Jutta não se permite emitir nenhum som. Tudo é estranhamente organizado. O oficial é o último, experimentando todas, uma de cada vez, e ele fala palavras desgarradas enquanto está por cima de Jutta, os olhos abertos, todavia sem ver. Não fica claro, a partir do seu rosto constrito, dolorido, se as palavras são carícias ou insultos. Por baixo da colônia, ele cheira como um cavalo.

Anos mais tarde, a memória vai repetir para Jutta as palavras que o oficial falou — *Kirill*, *Pavel*, *Afanasy*, *Valentin* —, e ela vai se convencer de que se trata de nomes de soldados mortos. No entanto, ela pode estar errada.

Antes de os russos saírem, o mais novo dispara a arma para o teto duas vezes, e o gesso chove delicadamente sobre Jutta. Por baixo do som ecoando, ela ouve Susanne no chão ao lado dela, não soluçando, mas simplesmente respirando muito silenciosamente à medida que escuta o oficial reajustar a calça. Depois os três homens saem para a rua, e Frau Elena fecha a jaqueta de esqui, descalça, esfregando o braço esquerdo com a mão direita, como se tentasse aquecer aquele pequeno pedaço de si mesma.

Paris

Etienne aluga o mesmo apartamento na Rue des Patriarches onde Marie-Laure cresceu. Compra os jornais todos os dias para examinar minuciosamente as listas de prisioneiros libertados e escuta incessantemente um de seus três rádios. De Gaulle isso, África do Norte aquilo. Hitler, Roosevelt, Danzig, Bratislava, todos esses nomes, mas ninguém menciona o nome do pai de Marie-Laure.

Toda manhã eles caminham até a Gare d'Austerlitz para esperar. O barulho de um enorme relógio de estação marca o avanço inexorável dos segundos, e Marie-Laure, ao lado do tio-avô, fica escutando as passadas saindo do trem, arrastadas, inúteis e desditosas.

Etienne vê soldados de faces encovadas, as bochechas tão fundas quanto bocas de xícaras. Homens de trinta anos aparentando oitenta. Homens em ternos surrados colocando as mãos no alto da cabeça para tirar chapéus que não estão mais lá. Marie-Laure deduz o que consegue a partir dos sons dos sapatos: esses são baixos, aqueles pesam uma tonelada, aqueles outros nem parecem existir.

À noite, ela lê enquanto Etienne dá telefonemas, faz petições às autoridades de repatriamento e escreve cartas. Ela descobre que só consegue dormir durante duas ou três horas de cada vez. Tiros fantasmas a despertam.

— É só o ônibus — tranquiliza-a Etienne, que se acostumou a dormir no chão ao lado dela.

Ou: "São apenas os passarinhos."

Ou então: "Não é nada, Marie."

Quase todos os dias, o dr. Geffard, o velho e decrépito malacólogo, espera com eles na Gare d'Austerlitz, sentado ereto, barba e gravata-borboleta, com cheiro de alecrim, de hortelã, de vinho. Ele a chama de Laurette; conta como sentiu falta dela, como pensou nela todos os dias, como vê-la faz com que ele acredite uma vez mais que a bondade, mais do que qualquer outra coisa, é o que perdura.

Marie-Laure permanece sentada com o ombro pressionado contra o ombro de Etienne ou do dr. Geffard. Papa pode estar em qualquer lugar. Pode ser aquela voz que se aproxima. Aqueles passos à sua direita. Pode estar em uma cela, em uma vala, a mil quilômetros de distância. Pode estar morto há muito tempo.

Ela vai até o museu de braços dados com Etienne para conversar com diversos funcionários, muitos dos quais se lembram dela. O próprio diretor explica que estão fazendo tudo o que podem em busca do pai dela, que continuarão a ajudá-la com as despesas de alojamento e educação. Não há qualquer menção ao Mar de Chamas.

A primavera chega; os comunicados inundam as ondas de rádio. Berlim se rende; Göring capitula; a grande e misteriosa caixa-forte do nazismo se escancara. Passeatas se materializam espontaneamente. As outras pessoas que aguardam na Gare d'Austerlitz murmuram que um em cada cem voltará para casa. Que dá para envolver o pescoço deles apenas com o polegar e o indicador. Que, quando tiram as camisas, é possível ver o movimento dos pulmões dentro do peito.

Cada mordida que ela dá em um alimento é uma traição.

Mesmo os que retornaram, ela percebe, retornaram diferentes, mais velhos do que deveriam, como se tivessem visitado outro planeta, onde os anos passam mais rapidamente.

— Há a possibilidade — diz Etienne — de que nunca cheguemos a descobrir o que aconteceu. Temos que nos preparar para isso.

Marie-Laure ouve madame Manec: "Você nunca pode deixar de acreditar."

Durante todo o verão eles esperam, Etienne sempre de um lado, o dr. Geffard frequentemente do outro. E então, em um início de tarde de agosto, Marie-Laure faz com que o tio-avô e o dr. Geffard subam as longas escadarias, saiam para a luz do sol, e pergunta se é seguro atravessar a rua. Eles confirmam que sim, então ela os conduz ao longo do cais, e eles cruzam os portões do Jardin des Plantes.

Por todo o caminho de cascalho, ouvem-se gritos de meninos. Alguém não muito distante toca saxofone. Ela para ao lado de uma árvore que parece viva com o som de abelhas. O céu parece alto e longínquo. Em algum lugar, alguém está imaginando como retirar o manto do luto, mas Marie-Laure não consegue. Ainda não. A verdade é que ela é uma garota deficiente que não tem um lar nem os pais.

— E agora? — pergunta Etienne. — Almoço?

— Escola — ela responde. — Eu gostaria de ir para a escola.

Doze
1974

Volkheimer

O apartamento de Frank Volkheimer, no terceiro andar de um prédio sem elevador nos subúrbios de Pforzheim, na Alemanha Ocidental, possui três janelas. Um único outdoor, montado na cornija do edifício do outro lado da rua, domina a visão; sua superfície brilha a três metros de distância da vidraça. Exibe carnes processadas, cortes frios tão altos quanto Volkheimer, vermelhos e rosados, cinzentos nas extremidades, decorados com ramos de salsa do tamanho de arbustos. De noite, os quatro sombrios refletores elétricos do outdoor banham o apartamento, emitindo uma luminosidade estranha.

Ele está com cinquenta e um anos de idade.

A chuva de abril cai obliquamente pelos refletores do outdoor, a televisão de Volkheimer tremula uma luz azul e ele se curva, como de hábito, quando passa embaixo da porta entre a cozinha e o cômodo principal. Não há nenhuma criança, nenhum animal de estimação, nenhuma planta, poucos livros nas estantes. Apenas uma mesa de jogos, um colchão e uma única poltrona onde ele está sentado agora em frente à televisão, uma jarra de biscoitos amanteigados no colo. Come um após o outro, todos os discos florais, depois os que têm o formato de *pretzels* e, finalmente, os trevos.

Na televisão, um cavalo negro ajuda a libertar um homem preso sob uma árvore caída.

Volkheimer instala e conserta antenas de TV em telhados. Todas as manhãs, ele veste um macacão azul, desbotado nos pontos onde fica esticado por causa dos ombros enormes, curto demais em volta dos tornozelos, e anda até o trabalho com suas grandes botas pretas. Por ser forte o suficiente para carregar sozinho a grande escada de extensão, e talvez também porque ele raramente fala, Volkheimer responde à maioria das chamadas sozinho. As pessoas telefonam para o escritório central a fim de requerer uma instalação ou de reclamar sobre fantasmas na imagem, interferências, pássaros nos fios, e lá vai Volkheimer. Ele une cabos partidos ou retira um ninho de pássaro de uma haste de apoio ou eleva uma antena em um suporte.

Apenas nos dias mais frios e com muito vento é que ele se sente em casa em Pforzheim. Volkheimer gosta de sentir o ar deslizando embaixo da gola do macacão, gosta de ver a luz clareando com o vento, os morros distantes salpicados de neve, as árvores da cidade (todas plantadas nos anos após a guerra, todas da mesma idade) brilhando com o gelo. Nas tardes de inverno, ele se movimenta entre as antenas como um marinheiro mexendo nos cordames. Na luz azul da tarde, consegue observar as pessoas nas ruas, correndo para casa, e às vezes gaivotas planam por perto, branco contra negro. O leve e seguro peso das ferramentas no cinto, o cheiro da chuva intermitente e a luminosidade cristalina das nuvens no entardecer: essas são as únicas vezes em que Volkheimer se aproxima da completude.

Porém, na maioria dos dias, principalmente nos quentes, a vida o exaure; o trânsito cada vez pior, as pichações e a política da empresa, todos se lamuriando por causa de bônus, benefícios, serões. Às vezes, no lento calor do verão, bem antes do amanhecer, Volkheimer caminha no deslumbramento desarmônico das luzes dos outdoors e sente a solidão em si como uma doença. Vê as altas fileiras de pinheiros balançando com uma tempestade, escuta seus corações de madeira gemerem. Vê o chão de terra da sua casa na infância e a luz do alvorecer permeando o bosque. Em outras ocasiões, é assombrado pelos olhos dos homens que estão prestes a morrer, e os mata mais uma vez. Homens mortos em Lodz. Homens mortos em Lublin. Homens mortos em Radom. Homens mortos na Cracóvia.

Chuva nas janelas, chuva no telhado. Antes de ir para cama, Volkheimer desce três lances de escada até o átrio e verifica a correspondência. Ele não checa a correspondência há mais de uma semana, e, entre dois panfletos, um cheque de pagamento e uma única conta, está um pequeno pacote de uma organização de veteranos localizada em Berlim Ocidental. Carrega a correspondência para cima e abre o pacote.

Três objetos diferentes foram fotografados contra o mesmo fundo branco, cartões cuidadosamente numerados presos ao lado de cada um.

14-6962. Uma bolsa de soldado de lona com duas alças acolchoadas.

14-6963. Uma pequena casa de maquete, feita de madeira, parcialmente quebrada.

14-6964. Um caderno retangular com uma capa macia e uma única palavra na frente: *Fragen*.

A casa ele não reconhece, e a bolsa pode ter sido de qualquer soldado, mas imediatamente se lembra do caderno. *W.P.* grafado em tinta no canto de baixo. Volkheimer coloca dois dedos na fotografia como se pudesse puxar o caderno e folhear suas páginas.

Ele era apenas um garoto. Todos eles eram. Mesmo o maior deles.

A carta explica que a organização está tentando entregar itens para os parentes próximos dos soldados mortos cujos nomes se perderam. A equipe da organização acredita que ele, segundo sargento Frank Volkheimer, serviu como oficial de uma unidade que incluía o dono dessa bolsa, uma bolsa que foi encontrada em um campo de triagem de prisioneiros de guerra do Exército dos Estados Unidos em Bernay, França, no ano de 1944.

Ele sabe a quem pertenceram esses itens?

Volkheimer coloca as fotografias na mesa e fica de pé com as grandes mãos jogadas do lado. Ele ouve eixos de rodas sacudindo, canos de descarga roncando, chuva no teto do caminhão do rádio. Nuvens de mosquitos zumbindo. A marcha de botas de cano alto e os gritos a altos brados de garotos.

Estática, depois as armas.

"Mas é decente deixar o homem lá fora daquele jeito? Mesmo depois de estar morto?"

"O que você poderia ser..."

Ele era pequeno. Tinha cabelos brancos e orelhas pontudas. Abotoava o colarinho do casaco no pescoço quando estava com frio e enfiava as mãos por dentro das mangas. Volkheimer sabe a quem pertenciam esses itens.

JUTTA

Jutta Wette ensina álgebra para o sexto ano em Essen: números inteiros, probabilidade, parábolas. Todos os dias ela usa o mesmo tipo de roupa: calça social preta com uma blusa de náilon — alternadamente bege, cinza chumbo ou azul-claro. Ocasionalmente amarelo-canário, se ela estiver se sentindo livre. Sua pele é leitosa e seu cabelo permanece branco como papel.

O marido de Jutta, Albert, é um contador gentil e lento, com sinais de calvície, cuja grande paixão é pôr para funcionar miniaturas de trens de ferro que mantém no porão. Por muito tempo, Jutta acreditou que não pudesse engravidar, e então um dia, quando ela tinha trinta e sete anos, aconteceu. O filho deles, Max, tem seis anos, gosta de lama, cães e perguntas às quais ninguém consegue responder. Mais do que qualquer coisa, Max gosta de fazer dobraduras de papel de complicados modelos de aviões. Ele volta da escola, se ajoelha no chão da cozinha e fabrica avião após avião com uma devoção inabalável, quase assustadora, avaliando diferentes pontas de asas, caudas, tipos de bico, adora principalmente manusear o papel, a transformação de algo plano em algo que pode voar.

Em uma quinta-feira à tarde, no começo de junho, o ano escolar quase no final, eles vão a uma piscina pública. Nuvens cor de ardósia encobrem o céu, as crianças gritam na parte rasa, os pais conversam, leem revistas ou cochilam nas cadeiras, e tudo transcorre com normalidade. Albert está parado no balcão da lanchonete usando uma sunga, com sua pequena toalha enrolada nas costas largas, e contempla a variedade de sorvetes.

Max nada desajeitadamente, lançando um braço para a frente e depois o outro, de tempos em tempos olha para cima a fim de se certificar de que a mãe o está observando. Quando ele termina, se envolve em uma toalha e sobe em uma cadeira ao lado dela. Max é atarracado, pequeno, e tem as orelhas pontudas. Gotículas de água brilham nos seus cílios. O entardecer começa a se infiltrar pelas nuvens, um frio leve recai sobre o ar e, uma por uma, as famílias saem para caminhar, pedalar ou pegar o ônibus para casa. Max tira alguns biscoitos de uma caixa de papelão e os mordisca ruidosamente.

— Eu adoro biscoitos Leibniz de bichinho, Mutti — diz.

— Eu sei, Max.

Albert os leva para casa de carro no seu pequeno NSU Prinz 4, a embreagem rangendo, e Jutta tira uma pilha de provas de final de período da bolsa escolar e as corrige na mesa da cozinha. Albert ferve água para fazer macarrão e frita cebolas. Max pega um pedaço limpo de papel da mesa de desenho e começa a dobrar.

Na porta da frente, ouvem-se batidas, três.

Por razões que Jutta não entende totalmente, seu coração dispara. A ponta do seu lápis paira sobre a folha. É apenas alguém na porta — um vizinho, um amigo ou Anna, a garota que mora rua abaixo, que brinca com Max às vezes e lhe dá instruções de como construir melhor cidades elaboradas com blocos de plástico. Mas as batidas na porta não parecem as da Anna.

Max salta para a porta, o avião na mão.

— Quem é, querido?

Max não reponde, o que significa que é alguém que ele não conhece. Ela cruza o saguão e lá, sob o batente da porta, está parado um gigante.

Max cruza os braços, intrigado e impressionado. Seu avião no chão aos seus pés. O gigante tira o boné. Sua enorme cabeça brilha.

— Frau Wette?

Ele usa uma enorme roupa esportiva cinza com manchas marrons dos lados, o zíper fechado até a base da garganta. Cautelosamente, ele mostra uma bolsa de lona gasta.

Os valentões no quarteirão. Hans e Herribert. O tamanho dele invoca essas lembranças. Esse homem se aproximou, pensa ela, de outras portas e não se deu o trabalho de bater.

— Pois não?

— Seu nome de solteira era Pfennig?

Mesmo antes de ela aquiescer, antes de ele falar "Tenho algo para a senhora", antes de ela convidá-lo para passar pela porta de tela, ela sabe que tem a ver com Werner.

As calças de náilon do gigante assobiam enquanto ele a segue pelo corredor. Quando Albert levanta os olhos do fogão, fica surpreso, mas diz apenas "Olá" e "Olhe a cabeça", e mexe a colher de pau enquanto o gigante se desvia da luminária.

Quando ele oferece o jantar, o gigante aceita. Albert afasta a mesa da parede e coloca uma quarta cadeira. Ao ver Volkheimer sentado, vem à mente de Jutta a imagem de um dos livros de Max: um elefante apertado em um banco de avião. A bolsa de lona que ele trouxe pousa na mesa do saguão.

A conversa começa devagar.

Ele viajou várias horas de trem.

Andou da estação até aqui.

Não quer xerez, obrigado.

Max come depressa, Albert, lentamente. Jutta enfia as mãos sob as coxas para esconder a tremedeira.

— Quando eles conseguiram o endereço — conta Volkheimer —, perguntei se eu mesmo podia entregar. Incluíram uma carta, viu?

Ele tira um papel dobrado do bolso.

Lá fora, os carros passam, as cambaxirras piam.

Uma parte de Jutta não quer pegar a carta. Não quer ouvir o que aquele homem enorme, que viajou para tão longe, tem a dizer. Passam-se semanas em que Jutta não se permite pensar na guerra, em Frau Elena, nos terríveis últimos meses em Berlim. Agora, ela pode comprar carne de porco sete dias por semana. Agora, se a casa estiver fria, ela pode rodar um relógio na cozinha, e *voilà*. Ela não quer ser uma daquelas mulheres de meia-idade que não pensam em mais nada a não ser em sua própria história dolorosa. Às vezes, ela olha nos olhos dos seus colegas mais velhos e pensa no que eles faziam quando a eletricidade falhava, quando não havia velas, quando a chuva atravessava o telhado. O que eles vivenciaram. Em raros momentos ela relaxa o suficiente para se permitir pensar em Werner. De muitas maneiras, suas memórias sobre o irmão se tornaram coisas para serem trancadas. Uma professora de matemática no Helmholtz-Gymnasium em 1974 não traz à tona um irmão que frequentou o Instituto Nacional de Educação Política em Schulpforta.

— No leste, então? — pergunta Albert.

— Eu estive com ele na escola, depois em campo — responde Volkheimer. — Estivemos na Rússia. E também na Polônia, na Ucrânia, na Áustria. E na França.

Max morde uma maçã fatiada.

— Qual a sua altura? — pergunta a criança.

— Max — repreende Jutta.

Volkheimer sorri.

— Ele era muito inteligente, não era? O irmão de Jutta? — diz Albert.

— Muito — responde Volkheimer.

Albert insiste para que ele se sirva novamente, oferece sal, volta a oferecer xerez. Albert é mais novo do que Jutta e, durante a guerra, foi mensageiro em Hamburgo, entre abrigos de bombas. Nove anos de idade em 1945, ainda uma criança.

— O último lugar em que vi seu irmão — continua Volkheimer — foi em uma cidade na costa norte da França chamada Saint-Malo.

Do fundo das memórias de Jutta, brota uma frase: "O assunto sobre o qual gostaria de escrever hoje é o mar."

— Passamos um mês lá. Acho que ele pode ter se apaixonado.

Jutta se senta ereta na cadeira. É constrangedoramente claro como a linguagem é inadequada. Uma cidade na costa norte da França? Apaixonado? Nada será curado nesta cozinha. Algumas tristezas nunca deixam de existir.

Volkheimer se afasta da mesa.

— Não foi minha intenção aborrecer a senhora.

Ele se afasta da mesa, fazendo-os se sentirem pequenos.

— Está tudo bem — diz Albert. — Max, você pode levar nosso convidado ao pátio, por favor? Vou servir um bolo.

Max desliza a porta de vidro, abrindo-a para Volkheimer, e ele sai. Jutta coloca os pratos na pia. Subitamente ela se sente muito cansada. Ela só quer que o homem grande vá embora e leve a bolsa com ele. Só quer que uma onda de normalidade entre e cubra tudo novamente.

Albert pousa a mão sobre o ombro dela.

— Você está bem?

Jutta não aquiesce nem nega, mas lentamente leva uma mão aos olhos.

— Eu te amo, Jutta.

Quando ela olha para fora da janela, Volkheimer está ajoelhado no cimento ao lado de Max. Max coloca no chão duas folhas de papel, e, embora ela não possa ouvi-los, pode ver o homem ensinando a Max uma série de etapas. Max observa atentamente, virando o papel ao mesmo tempo que Volkheimer, imitando as dobras, molhando um dedo e passando-o por um vinco.

Logo, cada um deles tem um avião de asas largas com uma longa cauda bifurcada. O de Volkheimer navega habilmente pelo quintal, voando reto e constante, e bate o bico na cerca. Max bate palmas.

Max se ajoelha no pátio ao entardecer, indo ver seu avião, checando o ângulo das asas. Volkheimer se ajoelha ao lado dele, anuindo, paciente.

— Também te amo — diz Jutta.

Bolsa de lona

Volkheimer foi embora. A bolsa de lona está sobre a mesa do saguão. Jutta mal consegue olhar para ela.

Ela ajuda Max a colocar o pijama e lhe dá um beijo de boa-noite. Escova os dentes, evitando encarar o espelho, volta ao andar de baixo e fica parada olhando pela janela da parte da frente da casa. No porão, Albert está fazendo seus trens andarem naquele mundo meticulosamente pintado, embaixo da passagem na via férrea, por cima da ponte levadiça elétrica; é um barulho baixo, porém incessante, um barulho que penetra nas madeiras da casa.

Jutta traz a bolsa para a mesa do quarto, a coloca no chão e dá nota para a prova de um aluno. Depois para outra. Ela pode escutar o trem parando, depois retomando seu ritmo monótono.

Tenta corrigir a terceira prova, mas não consegue se concentrar; os números deslizam pelas páginas e se juntam na ponta do papel em pilhas ininteligíveis. Ela coloca a bolsa no colo.

No início do casamento, quando Albert fazia viagens a trabalho, Jutta acordava antes de amanhecer, se lembrava daquelas primeiras noites após Werner ter ido para Schulpforta e sentia novamente a dor lancinante da ausência do irmão.

O zíper da bolsa abre suavemente para algo tão velho. Dentro, há um envelope grosso e um embrulho de jornal. Quando ela abre o pacote, encontra uma casa de maquete, alta e estreita, não maior do que seu pulso.

O envelope contém o caderno que ela mandou para ele décadas atrás. Seu livro de perguntas. Aquela caligrafia cursiva mínima, ondulada, cada letra subindo ligeiramente nas linhas. Desenhos, esquemas, páginas de listas.

Algo que parece um liquidificador acionado por pedais de bicicleta.

Um motor para um aeromodelo.

"Por que alguns peixes têm bigodes?"

"É verdade que todos os gatos são cinzentos quando as velas estão apagadas?"

"Quando o raio atinge o mar, por que os peixes não morrem?"

Depois de três páginas, ela precisa fechar o caderno. As lembranças rodam em sua mente, se materializam. A cama de Werner na lucarna, a parede acima coberta com os desenhos que ela fez de cidades imaginárias. A caixa de primeiros socorros, o rádio e o cabo enrolado no beiral. Lá embaixo, os trens correm pela estrutura de três andares de Albert, e, no quarto ao lado, o filho trava batalhas no seu sono, os lábios murmurando, as pálpebras se flexionando, e Jutta deseja que os números retornem a seus lugares nas provas dos alunos.

Ela abre novamente o caderno.

"Por que um nó fica seguro?"

"Se cinco gatos pegarem cinco ratos em dez minutos, quantos gatos serão necessários para pegar cem ratos em cem minutos?"

"Por que uma bandeira tremula ao vento em vez de ficar parada?"

Enfiado entre as duas últimas páginas, ela encontra um antigo envelope selado. Ele escreveu "Para Frederick" na frente. Frederick: o companheiro de beliche sobre quem Werner costumava escrever, o garoto que amava pássaros.

"Ele vê o que as outras pessoas não veem."

O que a guerra fez com os sonhadores.

Quando Albert finalmente sobe, ela mantém a cabeça baixa e finge que está corrigindo as provas. Ele tira as roupas e emite um gemido leve quando deita na cama, e apaga o abajur, e dá boa-noite, e ela ainda está sentada.

Saint-Malo

Jutta já deu as notas, Max está de férias e, além disso, ele vai à piscina todos os dias, importuna o pai com adivinhações, dobra trezentos daqueles aviões que o gigante lhe ensinou, e não seria bom para ele visitar outro país, aprender um pouco de francês, ver o mar? Ela expõe essas questões a Albert, mas ambos sabem que é ela que tem que dar permissão. Ela mesma ir, levar o filho deles.

No dia vinte e seis de junho, uma hora antes de amanhecer, Albert faz seis sanduíches de presunto e os enrola em papel alumínio. Depois leva Jutta e Max à estação no Prinz 4 e a beija nos lábios, e ela embarca no trem com o caderno de Werner e a maquete da casa na bolsa.

A viagem dura o dia inteiro. Em Rennes, o sol já está abaixo do horizonte e o cheiro de esterco quente entra pelas janelas abertas, e linhas de árvores podadas passam rapidamente. Gaivotas e corvos em igual quantidade seguem um trator em seu rastro de poeira. Max come um segundo sanduíche de presunto e relê uma história em quadrinhos, mantos de flores amarelas brilham nos campos e Jutta imagina se alguma delas cresce sobre os ossos do seu irmão.

Antes de escurecer, um homem bem-vestido com uma perna protética entra no trem. Ele se senta ao lado dela e acende um cigarro. Jutta enfia a bolsa entre os joelhos; ela tem certeza de que ele se machucou na guerra, de que ele tentará puxar conversa, de que o francês deficiente que ela fala irá traí-la. Ou que Max falará algo. Ou que o homem já tenha ideia. Talvez ela cheire a alemã.

Ele dirá: "Você fez isso comigo."

Por favor. Não na frente do meu filho.

Mas o trem volta a se mover, o homem termina o cigarro, lança um sorriso preocupado para ela e adormece imediatamente.

Ela revira a casinha nos dedos. Eles chegam a Saint-Malo por volta de meia-noite, e o motorista de táxi os deixa em um hotel na Place Chateaubriand. O funcionário do hotel aceita o dinheiro que Albert trocou para ela, e

Max se apoia nos quadris da mãe, meio adormecido, e ela está com tanto medo de falar francês que vai para a cama com fome.

De manhã, Max a puxa em direção à praia por um espaço entre os muros antigos. Ele corre na areia a toda velocidade, depois faz uma pausa e fita as muralhas se elevando acima dele como se imaginasse flâmulas e canhões e arqueiros medievais espalhados pelas balaustradas.

Jutta não consegue tirar os olhos do oceano. É verde-esmeralda e incompreensivelmente amplo. Uma única vela branca navega para longe do cais. Um par de traineiras no horizonte aparece e desaparece entre as ondas.

"Algumas vezes, eu me apanho encarando o mar e me esqueço de minhas tarefas. Parece grande o suficiente para conter qualquer coisa que as pessoas possam sentir."

Eles pagam uma moeda para subir no château.

— Venha — diz Max.

O menino sobe correndo a estreita escada sinuosa, e Jutta bufa logo atrás, cada curva apresentando uma janela estreita de céu azul, Max praticamente puxando-a pelos degraus.

Do topo, eles observam as pequenas figuras de turistas passeando na frente de vitrines de lojas. Ela leu sobre o cerco; estudou fotografias da cidade antiga antes da guerra. Mas agora, olhando para as imensas casas nobres, as centenas de telhados, ela não consegue ver vestígios de bombardeios ou crateras ou edifícios esmagados. A cidade parece ter sido totalmente reconstruída.

Os dois comem crepes no almoço. Ela espera que a encarem, mas ninguém os nota. O garçom parece não saber nem se importar que ela seja alemã. De tarde, ela leva Max a um grande arco no extremo da cidade chamado Porte de Dinan. Eles cruzam o cais e sobem até um promontório, que fica do outro lado da foz de um rio vindo da cidade antiga. Dentro do parque, estão as ruínas de um forte cobertas de ervas daninhas. Max faz uma pausa nos abismos íngremes da trilha e joga pedras no mar.

A cada cem passos no caminho, eles se deparam com uma grande cobertura de aço embaixo da qual um soldado direcionava o canhão para quem tentasse tomar o morro. Alguns desses abrigos estão tão marcados por ataques que ela mal consegue imaginar o fogo, a velocidade e o terror dos projéteis despejados sobre eles. Uma arma de aço parece ter sido transformada em manteiga derretida e moldada pelos dedos de uma criança.

Como deveria ser o barulho ao ficar parado ali.

Agora está tudo cheio de embalagens de salgadinhos, guimbas de cigarro, papéis de embrulho. As bandeiras americana e francesa tremulam do alto de um morro no centro do parque. Aqui, diz uma placa, os alemães se esconderam em túneis subterrâneos para lutarem até o fim.

Três adolescentes passam rindo, e Max os observa com grande curiosidade. Em uma parede de cimento esburacada e manchada de líquen, está encravada uma pequena placa de pedra. *Ici a été tué Buy Gaston Marcel agé de 18 ans, mort pour la France le 11 août 1944.* Jutta se senta no chão. O mar está pesado e cinza-esverdeado. Não há nenhuma placa para os alemães que morreram aqui.

Por que ela veio? Que respostas esperava encontrar? Na segunda manhã, eles se sentam na Place Chateaubriand do outro lado do Museu Histórico, onde bancos ficam em frente a canteiros de flores rodeados por uma cerca de metal ornado em meia-lua na altura da canela. Os turistas passeiam entre pulôveres listrados de azul e branco e aquarelas emolduradas de navios de corsários dispostos sob toldos; um pai canta com os braços em volta da filha.

Max tira os olhos do livro.

— Mutti, o que roda o mundo, mas fica em um canto? — diz o menino.

— Eu não sei, Max.

— Um selo postal.

Ele sorri para ela.

— Eu já volto — diz ela.

O homem atrás do balcão do museu usa barba, talvez tenha uns cinquenta anos. Velho o suficiente para se lembrar. Ela abre a bolsa, desembrulha a casa de madeira parcialmente esmagada e fala no seu melhor francês.

— Isso era do meu irmão. Acho que ele encontrou aqui. Durante a guerra.

O homem balança a cabeça, e ela devolve a casa à bolsa. Depois, ele pede para ver novamente. Ele segura a casa da maquete embaixo da luz e a gira de modo que a porta da entrada da casinha fique de frente para ele.

— *Oui* — diz finalmente.

Gesticula pedindo que ela espere lá fora e, um instante depois, tranca a porta por trás de si e a guia juntamente com Max por ruas estreitas e ladeiras. Após uma dúzia de direitas e esquerdas, param diante de uma casa. Uma contrapartida da vida real para a pequena casa que Max está agora revirando nas mãos.

— Rue Vauborel, número 4 — diz o homem. — A casa de LeBlanc. Foi subdividida em apartamentos para aluguel por temporada durante anos.

A pedra está borrada com líquen; minerais descorados deixaram manchas em formato de filigranas. Floreiras adornam as janelas, espumando com gerânios. Werner podia ter feito a miniatura? Ou comprado?

— E havia uma garota? O senhor sabe algo a respeito de uma garota? — pergunta ela.

— Sim, havia uma garota cega que morou nesta casa durante a guerra. Minha mãe contava histórias sobre ela. Assim que a guerra terminou, ela se mudou.

Pontos verdes brilham em câmera lenta na visão de Jutta; ela sente como se tivesse encarado o sol.

Max puxa o pulso da mãe.

— Mutti, mutti.

— Por que — diz ela, se dirigindo ao francês — meu irmão teria uma reprodução em miniatura dessa casa?

— Talvez a garota que morou aqui possa saber. Posso encontrar o endereço dela para você.

— Mutti, Mutti, olhe — chama Max, e a puxa forte o suficiente para ganhar sua atenção.

Ela olha para baixo.

— Acho que a casinha abre. Acho que tem uma maneira de abrir.

Laboratório

Marie-Laure LeBlanc gerencia um pequeno laboratório no Museu de História Natural em Paris e já contribuiu de maneiras significativas para o estudo e a literatura dos moluscos: uma monografia sobre a fundamentação evolucionária para as dobras das conchas *cancellaria* da África Ocidental; um artigo bastante citado sobre o dimorfismo sexual das volutas caribenhas. Ela deu nome a duas novas subespécies de moluscos chitons. Como aluna de doutorado, viajou para Bora Bora e Bimini; entrou na água do mar em recifes usando um chapéu de sol e um balde para coletar moluscos e colheu caramujos em três continentes.

Marie-Laure não é uma colecionadora da mesma maneira que o dr. Geffard, uma acumuladora, sempre buscando classificar as escalas de ordem, família, gêneros, espécies e subespécies. Ela adora estar entre criaturas vivas, seja nos recifes, seja nos seus aquários. Encontrar os caramujos rastejando pelas pedras, esses minúsculos seres molhados puxando o cálcio da água e fiando-o em sonhos polidos nas próprias costas — isso é suficiente. Mais do que suficiente.

Ela e Etienne viajaram enquanto ele pôde. Foram à Sardenha e à Escócia e andaram na parte superior de um ônibus do aeroporto de Londres enquanto ele passava rente às árvores. Ele comprou dois bons rádios transistor e morreu suavemente na banheira, aos oitenta e dois anos, deixando uma considerável soma de dinheiro para a sobrinha-neta.

Apesar de contratarem um detetive, gastarem milhares de francos e examinarem atentamente calhamaços de documentos alemães, Marie-Laure e Etienne nunca foram capazes de determinar o que exatamente aconteceu com o pai dela. Conseguiram a confirmação de que ele fora prisioneiro em um campo de trabalhos forçados chamado Breitenau em 1942. E havia um registro feito por um médico de campo em um subcampo em Kassel, Alemanha, de que Daniel LeBlanc contraíra gripe no início de 1943. Foi tudo o que obtiveram.

Marie-Laure ainda mora no mesmo apartamento onde cresceu, ainda vai até o museu a pé. Ela teve dois companheiros. O primeiro foi um cientista visitante que nunca retornou, e o segundo foi um canadense chamado John que espalhava coisas — gravatas, moedas, meias, pastilhas de menta — por todos os cômodos pelos quais passasse. Eles se conheceram no curso de pós-graduação; ele passava de laboratório a laboratório com uma curiosidade prodigiosa, mas pouca perseverança. Ele amava as correntes do oceano, arquitetura e Charles Dickens, e seus gostos ecléticos a faziam sentir-se limitada, superespecializada. Quando Marie-Laure engravidou, eles se separaram amigavelmente, sem nenhum alarde.

Hélène, a filha deles, tem dezenove anos agora. Cabelos curtos, pequena, aspirante a violinista. Segura de si, da maneira como os filhos de pais cegos costumam ser. Hélène mora com a mãe, mas os três — John, Marie-Laure e Hélène — almoçam juntos toda sexta-feira.

É difícil ter vivido os primeiros anos da década de 1940 na França e não ter a guerra como centro do que se tornou o resto da sua vida. Marie-Laure ainda não consegue calçar sapatos que fiquem grandes demais ou sentir o cheiro de nabo cozido sem sentir náusea. Tampouco consegue ouvir listas de nomes. Escalação de times de futebol, citações no final de periódicos, apresentações em reuniões do corpo docente — sempre lhe parecem vestígios das listas de prisioneiros que nunca continham o nome do pai dela.

Ela ainda conta os ralos de chuva: trinta e oito na caminhada para casa partindo do laboratório. Flores crescem na pequena varanda de ferro forjado do seu apartamento e, no verão, ela é capaz de calcular as horas sentindo o tamanho da abertura das pétalas de prímulas. Quando Hèléne sai com os amigos e o apartamento fica excessivamente silencioso, Marie-Laure caminha até a mesma *brasserie*: Le Village Monge, bem ao lado do Jardin des Plantes, e pede pato assado em homenagem ao dr. Geffard.

Ela é feliz? Em certas partes de cada dia, ela é feliz. Quando está parada embaixo de uma árvore, por exemplo, ouvindo as folhas vibrarem ao vento, ou quando abre um pacote de um colecionador e aquele velho odor de maresia vindo das conchas varre tudo em volta. Quando ela se lembra da época em que lia Júlio Verne para Hélène, e a filha adormecia ao seu lado, o peso quente e sólido da cabeça da menina contra suas costelas.

Há horas, entretanto, quando Hélène chega tarde, e a ansiedade percorre a espinha de Marie-Laure, e ela se inclina sobre uma mesa do laboratório e se torna consciente de todas as outras salas do museu em volta dela, os depósitos repletos de sapos, enguias e minhocas conservadas, os armários repletos de insetos pregados e fetos prensados, os porões cheios de ossos, que ela de repente sente que trabalha em um mausoléu, que os departamentos são túmulos sistemáticos, que todas essas pessoas — os cientistas, os vigias, os guardas e os visitantes — ocupam galerias de mortos.

Mas tais momentos são poucos e bem distantes entre si. No seu laboratório, seis aquários de água salgada gorgolejam de maneira tranquilizadora; na parede de trás estão três armários com quatrocentas gavetas em cada um, resgatados anos atrás do escritório do dr. Geffard. Todo outono, ela dá aulas em uma turma de graduação, e seus alunos vêm e vão, cheirando a carne em conserva, ou a colônia, ou a gasolina dos motores das suas lambretas, e ela adora perguntar-lhes sobre suas vidas, imaginar quais aventuras tiveram, quais desejos ardentes, quais loucuras secretas eles carregam nos corações.

Em julho, numa quarta-feira à noite, o assistente dela bate suavemente à porta aberta do laboratório. Os tanques borbulham, os filtros zumbem e os aquecedores do aquário ligam e desligam. Ele diz que uma mulher veio para vê-la. Marie-Laure mantém ambas as mãos nas teclas da sua máquina de escrever em Braille.

— Uma colecionadora?

— Acho que não, doutora. Ela disse que pegou seu endereço em um museu na Bretanha.

Primeiros sinais de tontura.

— Trouxe um menino com ela. Eles estão esperando no final do corredor. Devo pedir para voltarem amanhã?

— Como ela é?

— Cabelos brancos. — Ele se inclina mais para perto. — Mal vestida. Pele que parece de uma ave. Ela diz que gostaria de falar com a senhora sobre uma casa em miniatura.

Em algum lugar atrás de si, Marie-Laure ouve o som tilintando de dez mil chaves balançando em dez mil ganchos.

— Dra. LeBlanc?

A sala está girando. A qualquer momento, ela vai perder o equilíbrio.

Visitante

— Você aprendeu francês quando criança — diz Marie-Laure, embora não tenha certeza como consegue falar.
— Sim. Este é meu filho, Max.
— *Guten Tag* — murmura Max.
Sua mão é quente e pequena.
— Ele não aprendeu francês quando criança — diz Marie-Laure, e as duas mulheres riem por um momento antes de ficarem quietas.
— Eu trouxe algo... — diz a mulher.
Mesmo através do embrulho de papel de jornal, Marie-Laure sabe que é a casa em miniatura; parece que essa mulher jogou uma bomba de memória adormecida em suas mãos.
Ela mal consegue ficar em pé.
— Francis — diz para o assistente —, você pode mostrar a Max alguma coisa no museu por um instante? Talvez os besouros.
— Claro, madame.
A mulher diz algo para o filho em alemão.
— Devo fechar a porta? — pergunta Francis.
— Por favor.
O trinco estala. Marie-Laure pode ouvir o aquário borbulhar, a mulher inalar e os protetores de borracha dos pés do banco em que está sentada rangerem quando ela muda de posição. Com o dedo, ela encontra os entalhes das laterais da casa, a inclinação do telhado. Ela segurara aquilo por tantas vezes...
— Meu pai construiu esta casinha — diz ela.
— Sabe como meu irmão pode ter ficado com ela?
Tudo rodopiando no espaço, dando uma volta na sala, depois saltando de volta para a mente de Marie-Laure. O rapaz. A miniatura. A casa nunca foi

aberta? Ela coloca a casa na mesa abruptamente, como se estivesse excessivamente quente.

A mulher, Jutta, deve estar observando-a muito de perto.

— Ele tomou de você? — pergunta Jutta, como se estivesse se desculpando.

Com o tempo, pensa Marie-Laure, os eventos que parecem amontoados tornam-se mais confusos ou ficam gradativamente mais claros. O rapaz salvou a vida dela três vezes. A primeira ao não expor Etienne quando deveria ter feito isso. A segunda, tirando o sargento-mor do seu caminho. A terceira, ajudando-a a sair da cidade.

— Não — responde.

— Naqueles dias — diz Jutta, alcançando os limites do seu francês — não era muito fácil ser bom.

— Eu passei um dia com ele. Menos de um dia.

— Quantos anos você tinha? — pergunta Jutta.

— Dezesseis, durante o cerco. E você?

— Quinze. No fim.

— Todos nós crescemos antes de estarmos crescidos. Ele...?

— Ele morreu — diz Jutta.

É claro. Nas histórias após a guerra, todos os heróis da Resistência eram tipos galantes e vigorosos, capazes de construir metralhadoras com clips de papel. E os alemães ou levantavam suas majestosas cabeças douradas das escotilhas dos tanques para observar as cidades partidas ao passarem ou então eram psicopatas, torturadores de lindas judias loucos por sexo. Onde se encaixava o rapaz? Ele tinha uma presença tão apagada. Era como estar em uma sala com uma pena. Mas a alma dele brilhava com uma bondade fundamental, não é?

"Costumávamos colher frutas vermelhas perto do rio Ruhr. Minha irmã e eu."

— Suas mãos eram menores do que as minhas — diz Marie.

A mulher limpa a garganta.

— Ele era pequeno para a idade, sempre foi. Mas tomava conta de mim. Era difícil para ele não fazer o que esperavam dele. Falei isso corretamente?

— Perfeitamente.

O aquário borbulha. As lesmas comem. Por quais agonias essa mulher passou, Marie-Laure não pode adivinhar. E a casa em miniatura? Será que Werner entrou novamente na gruta para recuperá-la? Será que ele deixou a pedra ali dentro?

— Ele contou que vocês dois costumavam ouvir as transmissões do meu tio-avô. Que vocês ouviam lá da Alemanha — diz ela.

— Seu tio-avô...?

Agora Marie-Laure pensa quais memórias deslizam na frente da mulher. Ela está prestes a falar mais quando passos no corredor param do lado de fora da porta do laboratório. Max tropeça em algo ininteligível em francês. Francis ri.

— Não, não, *traseiro* no sentido de *atrás* de nós, não *traseiro* no sentido de *derrière* — diz o assistente.

— Desculpe — diz Jutta.

Marie-Laure ri.

— É o desconhecimento dos nossos filhos que nos salva.

A porta se abre.

— A senhora está bem, madame? — pergunta Francis.

— Sim, Francis. Pode ir.

— Nós vamos também — diz Jutta, e empurra o banco de volta para baixo da mesa do laboratório. — Eu queria que você ficasse com a casinha. Melhor com você do que comigo.

Marie-Laure deixa as mãos apoiadas espalmadas na mesa do laboratório. Ela imagina mãe e filho enquanto eles se dirigem para a porta, de mãos dadas, uma pequena e outra grande, e sua garganta se move.

— Espere — diz. — Quando meu tio-avô vendeu a casa, depois da guerra, ele voltou a Saint-Malo e resgatou a única gravação que restava do meu avô. Era sobre a lua.

— Eu me lembro. E a luz? No outro lado?

O chão rangendo, os tanques incomodando. Caramujos passando pelo vidro. A casinha na mesa entre as mãos.

— Deixe seu endereço com Francis. A gravação é muito antiga, mas vou mandar para você. Max deve gostar.

Avião de papel

— E Francis disse que eles têm quarenta e duas mil gavetas de plantas secas, e ele me mostrou o bico de uma lula gigante e um plesiossauro...

O cascalho faz barulho sob os sapatos deles, e Jutta precisa se apoiar em uma árvore.

— Mutti?

As luzes giram na direção dela, depois se afastam.

— Estou cansada, Max. Só isso.

Ela desdobra o mapa de turista e tenta decifrar o caminho de volta para o hotel. Há poucos carros na rua, e a maioria das janelas por onde passam está iluminada pela luz azul de uma televisão. É a ausência de todos os corpos, pensa ela, que nos permite esquecer. A relva os acoberta.

No elevador, Max aperta o número seis, e eles sobem. O carpete do corredor flui até o quarto como um rio vermelho atravessado por retângulos dourados. Ela entrega a chave a Max, e ele manuseia desajeitadamente a fechadura, depois abre a porta.

— Você mostrou à moça que a casa abria, Mutti?

— Acho que ela já sabia.

Jutta liga a televisão e tira os sapatos. Max abre as portas da varanda e faz uma dobradura de avião com o papel de carta do hotel. A metade do quarteirão de Paris que ela pode ver lhe lembra as cidades que ela desenhava quando criança: cem casas, mil janelas, um bando de pássaros rodopiando. Na televisão, jogadores vestidos de azul correm em um campo a três mil quilômetros de distância. O placar está três a dois. Mas o goleiro caiu, e um jogador chutou a bola apenas para que ela role lentamente em direção à linha do gol. Ninguém está lá para chutá-la para longe. Jutta pega o telefone do lado da cama e disca nove números, e Max arremessa um avião para a rua. Ele voa quase quatro metros e fica planando por um instante, e então a voz do marido diz alô.

A CHAVE

Ela está sentada no seu laboratório tocando nas conchas *Dosinia* sobre a bandeja. As lembranças surgem em câmera lenta: a sensação das pernas da calça do pai enquanto ela as segura. Tatuís esbarrando em seus joelhos. O submarino do capitão Nemo vibrando com seu canto fúnebre e pesaroso enquanto flutuava pela escuridão.

Ela sacode a casinha, embora saiba que ela não vai se revelar.

Ele voltou por causa da casa. Carregou-a. Morreu com ela. Que tipo de pessoa ele era? Ela se lembra de como ele ficou folheando aquele livro do Etienne.

"Pássaros", disse ele. "Um pássaro depois do outro."

Ela se vê saindo da cidade esfumaçada, arrastando uma fronha branca. Uma vez que ela fica fora da vista, ele se vira e retorna até o portão de Hubert Bazin. A muralha desintegrando acima dele. O mar invadindo o canil atrás da grade. Ela o vê resolvendo o enigma da casinha. Talvez ele derrube o diamante na água, entre os milhares de caramujos. Depois talvez ele feche a caixa quebra-cabeças, tranque o portão e vá embora rápido.

Ou talvez coloque a pedra de volta na casa.

Ou talvez a deslize para dentro do bolso.

Da sua memória, o dr. Geffard sussurra: "Esse objeto tão pequeno pode ser tão lindo. Valer tanto. Apenas as pessoas mais fortes podem repelir tais sentimentos." Ela gira a chaminé noventa graus. É um movimento tão suave como se seu pai tivesse acabado de construí-la. Quando ela tenta deslizar o primeiro dos três painéis de madeira do telhado, encontra-o emperrado. Mas com a ponta de uma caneta, ela consegue alavancar os painéis: um, dois, três.

Algo cai na palma de sua mão.

Uma chave de ferro.

Mar de Chamas

Dos subterrâneos liquefeitos do mundo, trezentos quilômetros abaixo, ele surge. Um cristal entre outros no mesmo veio. Carbono puro, cada átomo conectado a quatro vizinhos equidistantes, perfeitamente ligados, tetraédrico, insuperável em termos de solidez. Ele já é velho: incomensuravelmente velho. Éons incalculáveis se sobrepõem. A terra mexe, encolhe, estica. Um ano, um dia, uma hora, um fluxo ascendente de magma empurra um veio de cristais e o leva para a superfície, um quilômetro incandescente após o outro; ele esfria dentro de um imenso e fumegante xenólito de kimberlito, e lá fica aguardando. Século após século. Chuva, vento, quilômetros de gelo. Um leito de rocha se transforma em blocos de rocha, blocos de rocha se transformam em pedras; o gelo recua, forma-se um lago, e galáxias de moluscos de água doce agitam suas milhões de conchas ao sol, se fecham, morrem, e o lago se infiltra. Grupos de árvores pré-históricas se erguem, tombam e se erguem de novo, sucessivamente. Por mais um ano, mais um dia, mais uma hora, quando uma tempestade agarra uma pedra em particular e a conduz por um barulhento fluxo de aluvião, onde no final, certa noite, ela desperta a atenção de um príncipe que sabe aquilo que está procurando.

A pedra é cortada, polida; por um sopro, ela passa entre as mãos dos homens.

Mais uma hora, mais um dia, mais um ano. Uma porção de carbono não maior do que uma castanha. Coberto com algas, ornado com cracas. Caramujos se rastejando por cima dela. A pedra se mistura com os seixos.

FREDERICK

Ele vive com a mãe nos arredores de Berlim Ocidental. O apartamento fica na unidade intermediária de um triplex. Suas únicas janelas oferecem uma vista de pés de liquidâmbar, de um estacionamento de supermercado amplo e pouco usado e de uma via expressa logo além.

Frederick permanece sentado no pátio dos fundos na maior parte dos dias e observa o vento soprar sacos plásticos descartados no meio do estacionamento. Às vezes, eles rodopiam alto e voam em giros imprevisíveis antes de se agarrarem aos galhos, ou desaparecerem do campo de visão. Ele desenha espirais a lápis, saca-rolhas marcados fundo no papel. Ele cobre uma folha de papel com dois ou três desenhos, depois a vira do avesso e preenche o outro lado. O apartamento está abarrotado com esses desenhos: milhares nos balcões, nas gavetas, no banheiro. A mãe de Frederick costumava jogar fora as folhas quando o filho não estava olhando, mas ultimamente ela desistiu de fazer isso.

— É como uma fábrica, esse garoto — ela costumava dizer aos amigos, e sorria um sorriso desesperado que tinha o propósito de fazê-la parecer forte.

Poucos amigos aparecem agora. Poucos restaram.

Certa quarta-feira — mas o que são as quartas-feiras para Frederick? —, a mãe dele aparece com a correspondência.

— Chegou uma carta para você.

O instinto dela, nas décadas que se seguiram à guerra, tem sido de ocultar. Ocultar a si mesma, ocultar o que aconteceu com o filho. Ela não foi a única viúva a se sentir como se tivesse sido cúmplice de um crime indescritível. Dentro do grande envelope está uma carta e um envelope menor. A carta foi enviada por uma mulher em Essen que refez o percurso do envelope menor, indo do irmão dela para um campo de prisioneiros de guerra americano na França, e de lá para um depósito em Nova Jersey pertencente a uma organização de veteranos de guerra em Berlim Ocidental. Depois para um ex-sargento, e em seguida para a mulher que escreveu a carta.

Werner. Ela ainda consegue visualizar o rapaz: cabelos brancos, mãos tímidas, um sorriso de derreter. O único amigo de Frederick.

— Ele era muito pequeno — fala alto.

A mãe de Frederick lhe mostra o envelope ainda por abrir — está velho, amarrotado e amarelado, o nome do filho escrito em letra cursiva —, mas Frederick não demonstra nenhum interesse. Ela o deixa sobre o balcão enquanto cai o crepúsculo, mede uma xícara de arroz e o coloca para cozinhar, acende todas as luminárias e lustres como faz habitualmente, não para ver, mas porque está sozinha, porque os apartamentos dos lados estão vagos e porque as luzes acesas fazem com que ela sinta que está à espera de alguém.

Ela amassa os vegetais dele para fazer um purê. Coloca a colher na boca de Frederick, e ele cantarola enquanto engole: ele está feliz. Ela limpa o queixo do filho e pousa uma folha de papel na frente dele, e ele apanha o lápis e começa a desenhar.

Ela enche a pia com água e sabão. Depois abre o envelope.

Dentro está uma folha dobrada, com a imagem de dois pássaros multicoloridos. *Aquatic Wood Wagtail. Male 1. Female 2.* Dois pássaros no caule de alguma planta. Ela torna a examinar dentro do envelope, procurando um bilhete, uma explicação, mas não encontra nada.

O dia em que ela comprou aquele livro para Fredde: o atendente da livraria levou muito tempo para embrulhar. Ela não entendia por que o livro era tão atraente, mas sabia que o filho iria adorá-lo.

Os médicos alegam que Frederick não retém nenhuma recordação, que o cérebro dele mantém apenas as funções básicas, mas há momentos em que ela fica na dúvida. Ela tenta alisar o amassado o máximo que pode, aproxima a luminária e coloca a gravura diante do filho. Ele balança a cabeça, e ela tenta se convencer de que a está estudando. Mas os olhos dele estão cinzentos, perdidos, rasos, e depois de um momento ele volta às suas espirais.

Quando termina de lavar a louça, leva Frederick para fora, até um pátio elevado, uma atividade de rotina, e lá ele permanece parado com o babador ainda ao redor do pescoço, fitando o vazio. Ela vai tentar mostrar a gravura do pássaro novamente no dia seguinte.

É outono, e os estorninhos voam em grandes e pulsantes bandos acima da cidade. Às vezes ela acha que ele se empolga ao ver as aves, ouvir suas asas batendo e batendo e batendo.

Quando ela se senta, olhando ao longo da fileira de árvores até o estacionamento, um vulto atravessa o halo de uma luz na rua. Desaparece, depois ressurge, e súbita e silenciosamente pousa no parapeito a uma distância de menos de dois metros.

Trata-se de uma coruja. Do tamanho de uma criança. A ave gira o pescoço e pisca os olhos amarelos e, na cabeça dela, ruge um único pensamento: "Você veio por minha causa."

Frederick continua sentado.

A coruja ouve alguma coisa. Ela se mantém no lugar, escutando com uma atenção que surpreende a mãe de Frederick. Frederick continua com o olhar fixo.

E então acontece: três audíveis batidas de asas, e a escuridão a engole.

— Você viu? — sussurra ela. — Viu a coruja, Fredde?

Ele mantém o olhar voltado para as sombras. Porém, só há sacos plásticos ressoando nos galhos em cima deles e as dezenas de esferas de luz artificial brilhando no estacionamento.

— Mutti? — chama Frederick. — Mutti?

— Estou aqui, Fredde.

Ela coloca a mão sobre o joelho do filho. Os dedos dele se fecham em torno dos braços da cadeira. Todo o seu corpo fica rígido. As veias lhe saltam no pescoço.

— Frederick? O que foi?

Ele olha para a mãe. Seus olhos não piscam.

— O que estamos fazendo, Mutti?

— Ah, Fredde. Estamos apenas sentados aqui. Sentados e olhando a noite.

TREZE
———
2014

Ela presencia a virada do século. Ela vive até hoje.

Em uma manhã de sábado no início de março, o bisneto Michel a apanha em casa e a leva para caminhar pelo Jardin des Plantes. A geada reluz fracamente, e Marie-Laure caminha arrastando os pés, com a ponta da bengala à sua frente, o cabelo fino repartido para um lado e as copas desfolhadas das árvores se fechando sobre eles, e ela imagina cardumes de caravelas-portuguesas flutuando, lançando seus longos tentáculos atrás deles.

No caminho de cascalho, poças congelaram, formando camadas de gelo. Sempre que encontra uma poça, ela para, se inclina e tenta levantar a placa fina sem parti-la. Como se levantasse uma lente até o olho. Depois, a pousa delicadamente de volta no lugar.

O rapaz é paciente, agarrando o cotovelo da avó apenas quando ela parece precisar.

Os dois chegam até o labirinto de cerca viva no canto noroeste dos jardins. O caminho que tomaram inicia um declive, virando sempre para a esquerda. Subir, fazer uma pausa, recuperar o fôlego. Subir novamente. Quando atingem o velho caramanchão de aço no ponto mais alto, ele a conduz até o banco estreito, e avó e bisneto se sentam.

Não há mais ninguém ali: frio demais, cedo demais ou ambos. Ela escuta o vento se infiltrar por entre os arabescos do teto do caramanchão, e as paredes do labirinto se mantêm firmes em torno deles, o burburinho de Paris embaixo, o murmúrio sonolento de uma manhã de sábado.

— Você vai fazer doze anos sábado que vem, não é, Michel?
— Finalmente.
— Está com pressa de chegar aos doze anos?
— Mamãe diz que vou poder dirigir a bicicleta elétrica quando fizer doze anos.

— Ah — ri Marie-Laure. — A bicicleta elétrica.

Por baixo de suas unhas, a geada cria bilhões de pequeninos diademas e coroas nas ripas do banco, uma trama de uma inacreditável complexidade.

Michel se encosta nela e fica extremamente quieto. Apenas as mãos dele se movem. Pequenos cliques, botões sendo apertados.

— O que está jogando?

— Warlords.

— Você joga contra o seu computador?

— Contra o Jacques.

— Onde está o Jacques?

A atenção do menino permanece no jogo. Não importa onde está o Jacques: ele está dentro do jogo. Ela continua sentada, pressionando sua bengala contra o cascalho, e o menino clica os botões com um nervosismo espasmódico. Depois de um tempo, exclama "Ah!", e o jogo produz diversos trinados se desintegrando.

— Você está bem?

— Ele me matou.

A consciência retorna à voz de Michel; ele olha para cima de novo.

— Quer dizer, o Jacques. Ele me matou.

— No jogo?

— É. Mas sempre posso recomeçar.

Por baixo deles, o vento varre a geada das árvores. Ela se concentra em sentir o sol tocar as costas de suas mãos. E na ternura do bisneto do lado dela.

— Mamie? Tinha alguma coisa que você queria ganhar no seu aniversário de doze anos?

— Tinha, sim. Um livro de Júlio Verne.

— O mesmo que a Maman lê para mim? Você ganhou?

— Ganhei. De certa forma.

— Tinha uma porção de nomes complicados de peixe naquele livro.

Ela ri.

— E corais e moluscos, também.

— Principalmente moluscos. A manhã está bonita, não é, Mamie?

— Muito bonita.

As pessoas passeiam pelos caminhos dos jardins, o vento canta hinos nas sebes, os grandes e antigos cedros na entrada do labirinto farfalham. Marie-Laure imagina as ondas eletromagnéticas viajando para dentro e para fora do aparelho de Michel, curvando ao redor, da mesma maneira como

Etienne costumava descrever, só que agora cruzam o ar mil vezes mais e para todos os lados em comparação com a época em que viviam — talvez um milhão de vezes mais. Torrentes de conversas de texto, ondas de conversas por celular, de programas de televisão, de e-mail, amplas redes de fibras e fios entrelaçados acima e além da cidade, atravessando prédios, arqueando entre transmissores nos túneis de metrô, entre antenas no topo de prédios, a partir de postes de luz com transmissores de celular acoplados, comerciais do Carrefour e da Evian e de massas de torta pré-cozidas piscando no espaço e de volta à Terra, "Vou chegar atrasado" e "Talvez seja melhor fazermos as reservas?", "Traga os abacates" e "O que foi que ele disse?", dez mil "Estou com saudades de você", cinquenta mil "Eu amo você", trocas de farpas, lembretes, atualizações de mercados, anúncios de joalherias, anúncios de café, anúncios de móveis voando invisivelmente sobre as regiões superpopulosas de Paris, sobre campos de batalha e túmulos, sobre as Ardennes, sobre o Reno, sobre a Bélgica e a Dinamarca, sobre as regiões demarcadas e sempre mutantes que chamamos de países. E será tão difícil acreditar que as almas possam viajar também por esses caminhos? Que o pai dela e Etienne e madame Manec e o rapaz alemão chamado Werner Pfennig possam arremeter ao céu em bandos, como garças, como andorinhas-do-mar, como estorninhos? Que almas voem por aí, transparentes mas audíveis se você escutar com cuidado? Elas flutuam acima das chaminés, passam pelas calçadas, deslizam para dentro do seu casaco, da sua camisa, dos ossos do seu tórax e dos seus pulmões, atravessam para o outro lado, o ar como uma verdadeira biblioteca e o registro de todas as vidas já vividas, cada sentença proferida, cada palavra transmitida ainda reverberando.

A cada hora, pensa ela, alguém para quem a guerra era uma memória deixa este mundo.

Nós retornamos na grama. Nas flores. Na música.

Michel pega o braço dela e os dois voltam pelo mesmo caminho e atravessam o portão para a Rue Cuvier. Ela passa por um ralo de chuva, dois ralos de chuva, três, quatro, cinco, e quando chegam em frente ao prédio onde ela mora, Marie-Laure se dirige ao neto.

— Pode me deixar aqui, Michel. Sabe o seu caminho de volta?

— Claro que sei.

— Até a semana que vem, então.

Ele dá um beijo em cada uma das faces da avó.

— Até a semana que vem, Mamie.

Ela fica escutando até que as passadas dele desapareçam. Até que os únicos ruídos que ela consegue ouvir são os suspiros de carros e o ronco de trens e os sons de todas as pessoas andando apressadas no frio.

Agradecimentos

Tenho uma dívida de gratidão com a American Academy, em Roma, a Idaho Commission on the Arts e a John Simon Guggenheim Memorial Foundation. Agradeço a Francis Geffard, que me levou a Saint-Malo pela primeira vez. Agradeço a Binky Urban e Clare Reihill, por seu entusiasmo e confiança. E agradeço especialmente a Nan Graham, que esperou por uma década, e depois ofereceu a este livro seu coração, seu lápis e muitas de suas horas.

Agradecimentos adicionais a *Memórias de vida e luz*, de Jacques Lusseyran, *Kaputt*, de Curzio Malaparte, *O ogre*, de Michel Tournier, *O senhor está brincando, sr. Feynman!*, de Richard Feynman ("Ele conserta o rádio só pensando") e "Um dia de verão", de Mary Oliver. A Cort Conley, que manteve uma corrente constante de material organizado fluindo para a minha caixa de correio; aos primeiros leitores, Hal e Jacque Eastman, Matt Crosby, Jessica Sachse, Megan Tweedy, Jon Silverman, Steve Smith, Stefani Nellen, Chris Doerr, Mark Doerr, Dick Doerr, Michèle Mourembles, Kara Watson, Cheston Knapp, Meg Storey e Emily Forland; e especialmente à minha mãe, Marilyn Doerr, que foi o meu dr. Geffard, o meu Júlio Verne.

O maior dos agradecimentos para Owen e Henry, que viveram com este livro a vida inteira, e para Shauna, sem a qual isso não existiria, e da qual tudo isso depende.

1ª edição	MARÇO DE 2015
reimpressão	OUTUBRO DE 2023
impressão	IMPRENSA DA FÉ
papel de miolo	PÓLEN NATURAL 70G/M²
papel de capa	CARTÃO SUPREMO ALTA ALVURA 250G/M²
tipografia	BEMBO